La Scala

Alessandra Bonatti
maggio 2003

Melania G. Mazzucco

# Vita

Rizzoli

# Vita

L'America non esiste. Io lo so perché ci sono stato.

Alain Resnais, *Mon oncle d'Amérique*

*a Roberto, mio padre*

# I *miei luoghi deserti*

Questo luogo non è più un luogo, questo paesaggio non è più un paesaggio. Non c'è più un filo d'erba, non una spiga, un arbusto, una siepe di fichi d'India. Il capitano cerca con lo sguardo i limoni e gli aranci di cui gli parlava Vita – ma non vede neanche un albero. Tutto è bruciato. Incespica di continuo nelle buche delle granate, lo avviluppano cespugli di filo spinato. Ecco, qui dovrebbe esserci il pozzo – ma i pozzi sono avvelenati da quando ci hanno gettato dentro i cadaveri dei fucilieri scozzesi, caduti durante il primo assalto alla collina. O forse erano i tedeschi. O i civili. C'è odore di cenere, di petrolio, di morte. Non deve distrarsi, perché la strada è disseminata di bombe inesplose. Sono qui, panciute al centro della strada, come carogne. Dozzine di caricatori vuoti, fucili inservibili. Bazooka arrugginiti, tubi da stufa da 88 millimetri abbandonati da tempo e già coperti di ortiche. Asini morti, gonfi d'aria come palloni. Grappoli di proiettili come sterco di capra. Ossa scarnificate che affiorano dal terriccio. Il capitano si copre la bocca col fazzoletto. Non era questo – mio Dio, non era questo.

La strada per Tufo è ingombra di veicoli incendiati. Motociclette camion automobili. Sportelli nei quali le pallottole hanno aperto decine di occhi, ruote ridotte a ferraglia. Gli si parano davanti colline di rottami. Avvicinandosi, realizza che si tratta di carri armati. Li oltrepassa con un senso di timore, come fossero il monumento di una disfatta. Non sa se sono i Churchill che hanno perso a gennaio, o i Tiger che hanno perso i tedeschi quando hanno abbandonato il paese la prima volta. Scavalca l'ala di un aereo – intatta, recisa di netto, con il marchio della Luftwaffe ancora visibile. La cabina è esplosa nel vallone. Vede un albero. È il primo – o l'ultimo. Affretta il passo, i suoi soldati arrancano, fa caldo, il sole è già alto, che ti è preso, capitano? take it easy. È un olivo – completamente incenerito, nero come

7

l'inchiostro. Quando lo tocca, gli si sbriciola tra le dita. C'è un tale polverone che, nonostante i Ray-ban, gli lacrimano gli occhi. O forse è fumo. Le pietre fumano ancora. Lo impressionano più di qualunque altra cosa abbia visto finora. Non è in grado di controllare la fuga dei pensieri. A un tratto ha la sensazione di essere giunto nel luogo a lui destinato.

Sulla salita gli viene incontro un vecchio macilento. Ha i capelli duri di polvere e lo sguardo vitreo. Lo oltrepassa, come se lui fosse un fantasma. Come se non fosse qui. Il capitano sta sudando nella divisa. Si deterge la fronte col palmo della mano. I suoi soldati rallentano, scherzano. Sono giovani, arrivati da poco per riempire i vuoti del Fronte sud. Ma lui sa perché si trova qui, e sa di essere in ritardo. Sarebbe dovuto venire prima, avrebbe dovuto. Ma le immagini frammentarie e involontarie di ricordi non suoi che lo assalivano di tanto in tanto avevano qualcosa di molesto – come il residuo di un sogno. Rimandavano a una terra perduta e incomprensibile, popolata di individui dai volti alieni e remoti, e la paura di trovare conferma di questa estraneità lo ha tenuto lontano. Comunque, alla fine è venuto. In altri paesi sono entrati a cavallo dei carri armati – tra gli applausi. Ma qui vengono a piedi, perché la strada è interrotta. Ha le tasche piene di doni. E ha vergogna di portare doni. Viene con la polvere la distruzione e il clamore. Dal fumo che si dirada, emerge una parete di pietra. Dunque, questo era il punto. Questa la prima casa del villaggio. Ma non è più una casa – dietro la parete c'è uno strapiombo. La casa se n'è andata giù a gennaio – borbotta il vecchio. Almeno, il capitano crede che gli abbia detto così, perché non lo capisce. Il vecchio esamina la sua divisa – i gradi sulle spalline. Ha solo ventiquattro anni, ed è già capitano. Ma il vecchio non si lascia impressionare. Quando gli porge un pacchetto di Lucky strike, il vecchio si rincantuccia nelle spalle, tira dritto e sparisce dietro un mucchio di cocci. È quello, suo nonno?

È arrivato troppo tardi. Il paese non esiste più. Il suo paese? Quello di Vita? Il paese di chi? Questo luogo che non è un luogo non è niente per lui. È nato lontano – su un altro pianeta, e gli sembra di camminare a ritroso nel tempo. L'unica strada che attraversava Tufo, tagliata trasversalmente da vicoli stretti che da un lato precipitavano nel vallone e dall'altro s'arrampicavano sulla collina, è ormai un canyon fra due pareti di macerie, oppresso da un tanfo atroce di cadavere. È questo l'odore del passato? O quello dei limoni che lei ricorda ancora? «Le bombe, le bombe», ripete una vecchia svanita, rannicchiata su una seggiola di paglia davanti a quella che era forse la sua casa. Sferruzza. La sua casa è una porta sospesa sul niente. Ombre impolverate si aggirano fra le rovine, non sanno chi siano loro e non vogliono saperlo. Hanno paura che neanche stavolta durerà. Non sanno se sono venuti a liberarli o a seppellirli definitivamente. Sono tutti vecchi, qui. Dove sono andati i bambini che ruzzavano nei vichi? «Dov'è via San Leonardo?» chiede alla vecchia, sforzandosi di riesumare quel po' di lingua che condividono. «Figlio mio», gli risponde lei, con un sorriso sdentato, «è questa.»

Questa quale? Non si trova in una strada. In un buco pieno di polvere. Hanno buttato giù tutto. Abbiamo buttato giù tutto. C'è un solo edificio ancora in piedi. Col tetto sfondato e senza porta. In piedi, tuttavia. È la chiesa. Con la facciata gialla crivellata di proiettili – pezzi di intonaco accartocciati come pagine. La nicchia della statua vuota. I tre gradini dove Dionisia scriveva... scheggiati, il secondo completamente divelto. La sua casa è qui di fronte... Dove?

Il capitano si arrampica su una collina di detriti. Con gli scarponi, solleva turbini di polvere. Gli bruciano i polmoni. Gli bruciano gli occhi. Sta calpestando telai di finestre, brandelli di tenda, l'anta di un armadio, la scheggia di uno specchio incastrata in una ciabatta. La sua faccia impolverata lo guarda. Si accascia su una trave. C'è la spalliera di un letto, sotto di lui. Solo il pomo di ottone sporge tra i calcinacci. Il capitano piange, mentre i suoi soldati si voltano dall'altra parte, per non guardarlo. La vecchia sferruzza sulla seggiola, adesso i soldati le offrono una tavoletta di cioccolato. La vecchia rifiuta, perché non ha i denti. I soldati insistono perché la prenda per i suoi figli. Non ho più figli, non c'è più nessuno – balbetta la vecchia. I soldati non la capiscono. A un tratto il capitano le chiede: «Conosci Antonio? Lo chiamavano Mantu». La vecchia alza verso di lui due occhi appannati dalla cataratta. Appoggia i ferri in grembo. Indica un punto della collina. «Se n'è andato», dice – e il tono della sua voce spiega che non può tornare. «Conosci Angela, la moglie di Mantu?» Di nuovo lo stesso punto. Se n'è andata anche lei. Solo adesso capisce che la mano nodosa della vecchia gli sta indicando il cimitero. Ma neanche il cimitero esiste più. I muri sono crollati, e al suo posto c'è un cratere – un'ulcera nella collina. La terra qui è rossa, sembra fertile. Non lo è. Non c'è acqua, in queste campagne. L'uomo che avesse saputo trovare l'acqua sottoterra sarebbe stato il signore di questo paese. «Conosci Ciappitto?», mormora, perché adesso teme le sue risposte. «Se lo presero gli americani», biascica la vecchia, «lo portarono a Napoli, in prigione.» «In prigione?», domanda, sorpreso. Un vecchio zoppo di ottantasette anni? «Era fascista», spiega pazientemente la vecchia. «Se n'è andato pure lui. Per la vergogna che i paesani gli tirarono le pietre gli prese un colpo sulla strada di Napoli. Così dissero».

La polvere s'è diradata. La collina è una gobba di cenere grigia. Alle sue spalle, nella piana carbonizzata, il Garigliano è un luccicante nastro verde. Il mare è azzurro come è sempre stato. «Dov'è Dionisia?», chiede alla fine. Vita vuole che faccia questa domanda. E lui è qui per questo, dopotutto. La vecchia stavolta non dice niente. Riprende i ferri, strattona il gomitolo, intreccia le punte, annoda i fili, li separa. Annuisce. Indica il punto sul quale lui è seduto. La montagna di macerie. Allora il capitano capisce che non c'è ritorno. È seduto sul corpo della madre di sua madre.

Tutto questo è accaduto molti anni prima che nascessi. A quel tempo, l'uomo che mi avrebbe messo al mondo studiava al ginnasio e la donna era ancora una scolara delle elementari. Non si conoscevano e avrebbero potuto non conoscersi, nel 1952, durante un corso di lingua inglese cui entrambi si iscrissero convinti che la padronanza di quella lingua avrebbe migliorato la loro vita – e il fatto che preferirono innamorarsi, e poi mettere al mondo due figlie piuttosto che prendere il diploma di inglese, non avrebbe cambiato nulla né alterato la sostanza delle cose. Che c'entra allora il capitano, venuto a combattere in Italia con la 5ª armata, sul Fronte sud? Non l'ho mai incontrato, e non so se abbia pensato qualcosa di simile mentre, un giorno di maggio del 1944, prendeva possesso delle rovine di un villaggio chiamato, come la pietra di cui era fatto, Tufo. Fino a qualche anno fa non sapevo nemmeno chi fosse, e in verità non credo di saperlo neanche adesso. Eppure quest'uomo non mi è estraneo – e, anzi, la sua storia è così intrecciata alla mia che avrebbe potuto addirittura essere la stessa. Adesso so che quest'uomo avrebbe potuto essere mio padre, e che la scena del ritorno a Tufo avrebbe potuto raccontarmela mille volte la domenica pomeriggio, mentre grigliavamo bistecche sul barbecue o tosavamo il prato del giardino in una villetta del New Jersey. Ma non me l'ha raccontata. L'uomo che invece era mio padre mi ha raccontato un'altra storia. Volentieri, perché amava raccontare e sapeva che solo ciò che viene raccontato è vero. Si prendeva tutto il tempo necessario, e poi cominciava, schiarendosi la voce.

Noi abbiamo sempre avuto qualcosa a che fare con l'acqua, diceva, e sappiamo trovarla dove non si vede. All'inizio – il nostro inizio – tanto tempo fa, c'era un rabdomante: si chiamava Federico. Andava in giro per le campagne con una verga, ascoltava le vibrazioni dell'aria e della terra. Dove posava la verga, là, scavando, scavando, trovavi la sorgente. Era un visionario magrissimo e altissimo, e una guerra di liberazione l'aveva sbattuto nella terra dove aveva finito per fermarsi. Veniva dal Nord, ed era rimasto al Sud per idealismo, follia e ostinata vocazione alla sconfitta, tutte qualità o difetti che avrebbe trasmesso come eredità ai suoi discendenti. «E poi? Va' avanti.» Poi c'era uno spaccapietre poverissimo, orfano e vulnerabile, che amava la terra perché avrebbe voluto possederla, e odiava l'acqua. E perciò anche il mare. L'uomo delle pietre attraversò due volte l'oceano sognando di riprendersi la terra che aveva perso, ma le pietre vanno a fondo e due volte lo rispedirono a casa con la condanna di una croce di gesso segnata sulla schiena. «E poi che succede?» Un giorno di primavera del 1903 il quarto figlio dell'uomo delle pietre, un ragazzino di dodici anni, piccolo, furbo e curioso, arrivò al porto di Napoli e salì su una nave che apparteneva alla flotta della White Star Line – inalberava una bandiera rossa e aveva come simbolo una stella candida, la stella polare. Suo padre gli aveva affidato il compito di realizzare la vita che lui non aveva potuto vivere. Era un fardello pesante, ma il ragazzino non lo sapeva. S'arrampicò sulle tavole scivolose di salsedine che salivano sui ponti di passeggiata. Era contento, e aveva dimenticato di ricordarsi di avere paura. Il ragazzino si chiamava Diamante.

Non era partito da solo. Con lui c'era una bambina di nove anni, con una gran massa di capelli scuri e due occhi profondi, cerchiati di nero. Si chiamava Vita.

PRIMA PARTE

# La linea del fuoco

# Good for father

La prima cosa che gli tocca fare in America è calarsi le brache. Tanto per chiarire. Gli tocca mostrare i gioiellini penzolanti e l'inguine ancora liscio come una rosa a decine di giudici appostati dietro una scrivania. Lui nudo, in piedi, desolato e offeso, quelli vestiti, seduti e tracotanti. Lui con le lacrime aggrappate al battito di un ciglio, quelli che soffocano risolini imbarazzati, tossicchiano, e aspettano. La vergogna è inizialmente centuplicata dal fatto che indossa un paio di brache di suo padre, gigantesche, antiquate e logore, talmente brutte che non se le metterebbe neanche un prete. Il problema è che i dieci dollari necessari a sbarcare sua madre glieli ha cuciti proprio nelle mutande, perché non glieli rubassero di notte nel dormitorio del piroscafo. In quei dormitori – è cosa risaputa – nelle interminabili dodici notti di viaggio sparisce di tutto – dai risparmi al formaggio, dalle teste d'aglio alla verginità – e niente si ritrova. Infatti i dollari non sono stati rubati, però Diamante si è vergognato di confessare ai funzionari dell'isola che porta i dollari nelle mutande, e gli è venuta l'idea geniale di dire che non ce li ha. Il risultato del suo estremo pudore è che gli hanno fatto una croce sulla schiena e lo hanno respinto in fondo alla fila, per rimpatriarlo appena riparte la nave. Così ha fatto un viaggio inutile, suo padre Antonio e il misterioso zio Agnello hanno sprecato un mucchio di soldi e Vita – che è già passata – si ritroverà sola a New York e Dio sa cosa le succederà.

Da dietro la finestra, la città tremola sull'acqua – le torri sfiorano le nuvole, migliaia di finestre scintillano al sole. L'immagine di quella città che sorge sull'acqua e mira dritto al cielo gli rimarrà negli occhi per sempre – così vicina, e così irraggiungibile. Di fronte alla catastrofe, di fronte a un fallimento così indecoroso, Diamante è scoppiato a piangere senza ritegno e ha sussurrato all'interprete il disonorevole nascondiglio dei suoi dollari. In un batter d'occhio si ritrova, rosso in viso, con i calzoni arrotolati alle caviglie, le brache sventrate per scucirne la tasca interna e la cosa più segreta che possiede in mano, perché non sa dove metterla. Eccolo come entra in America, Diamante: nudo, con la carruba infreddolita che rialza la testa orgogliosamente man mano che lui avanza, a saltelli per non incespicare, verso la commissione, e gli sventola sotto il naso la banconota scolorita e impregnata dell'odore delle sue notti tormentose. La banconota nessuno se la prende, ma i giudici dietro il tavolo gli fanno segno di passare. È entrato. A questo punto ha già dimenticato la vergogna e l'umiliazione. Lo hanno spogliato? Gli hanno fatto calare le brache? Tanto meglio. In pratica, prima ancora di mettere piede a terra, ha già capito che qui possiede due sole ricchezze, di cui fino a oggi ignorava l'esistenza e l'utilità: il sesso e la mano che lo regge.

Un rumore lontano – forse le ruote di un carro che rimbombano sul selciato – lo precipita di soprassalto in un fetido buio. Appoggia istintivamente la mano sulla branda e tasta il cuscino per sfiorare i capelli di suo fratello. Ma stranamente non ha cuscino: la sua testa posa su un materasso ruvido e bitorzoluto. Diamante si leva a sedere. Guarda fuori dalla finestra, e non vede l'ombra della luna. Non vede niente, perché nel punto in cui è sempre stata, la finestra non c'è. Si trova in una stanza dalle pareti cieche, uno sgabuzzino ingombro di oggetti come il deposito di un rigattiere. Una stanza sconosciuta. Sul pavimento, da sotto il letto che fronteggia il suo, sbuca una sinistra fila di scarpe chiodate da uomo. Ma a chi appartengano quelle scarpe, né dove siano i loro proprietari, non saprebbe dirlo. Solo a poco a poco, mentre dilaga in lui una fame prepotente, realizza di non essere a casa sua. La gorgogliante, ubriaca voce d'uomo che risuona di là dalla tenda non è quella di suo padre. Neanche il puzzo che gli mozza il respiro è quello di suo padre. Suo padre puzza di pietra, calce e sudore. Questo è invece puzzo di scarpe, vino e piscio stantio. Porte che sbattono, passi, un rutto eclatante fa tremare le pareti e la tenda che separa lo sgabuzzino da qualche altro locale si spalanca. Lo investe una fètola puzzolentissima, uno scroscio di risate e un fiotto di luce. Diamante chiude gli occhi, ricade supino sul materasso. Adesso è tutto chiaro. Ha sognato di nuovo la scena dello spogliarello di fronte alla commissione, accaduta solo due giorni prima, ma che continua ad accadere, e accadere, e se la sognerà finché campa. Questa è la sua seconda notte americana. Lo hanno portato a Prince Street. La casa è tutta nera, fatiscente, decrepita che sembra dover cadere da un momento all'altro. L'appartamento, uno dei tanti, in cima alle scale, all'ultimo piano, è dello zio Agnello. Questa è l'America.

Un uomo entra nello sgabuzzino, poi un altro, un altro, un altro ancora, finché perde il conto. Qualcuno si svacca sulla branda di fronte alla sua, qualcuno su una rete che scricchiola. Tonfi di mobili spostati, sospiri. Gente che si spoglia – sentore di ascelle. Una, due, dieci concitate voci maschili che si accavallano. Le voci appartengono a un branco di tagliagole privi di scrupoli e assetati di sangue. Parlano – con dialetti diversi e a volte incomprensibili – di incazzature, mazzate, duemila pezze che Agnello deve consegnare a qualcuno altrimenti gli mozzano il naso e glielo ficcano su per il sedere, così la sentirà veramente la puzza al naso, quello sparagnino arricchito e arrepezzato. Parlano di polismen che trovènno una vagliona di nove anni. Diamante non osa nemmeno respirare. Qualcuno impreca, ordinando agli altri di abbentarsi, ma nessuno gli dà retta. Le voci incattiviscono, parlano della pupàtella di Agnello, cioè di Vita – che tiene solo nove anni ma quanto si farà bella quann'ammazzucculisce già si vedette. Strappano la coperta dalle mani di Diamante. Anche se non può vederli – perché serra le palpebre, fingendo ostinatamente di dormire – sa che lo stanno guardando. E questo chi è?

Suscita qualche appetito, perché svariate mani lo percorrono, e – dopo averlo frugato in cerca di un borsellino – si ritirano, deluse. Diamante dorme in mutande, quelle stesse luride brache dell'altroieri, perché non gli resta nient'altro. Gli hanno già rubato tutto. Le voci tornano a discutere di duemila pezze, assassini e ricattatori. Diamante trema come una canna al vento. La coperta gli pizzica il naso, gli viene da starnutire. La tenda si scosta nuovamente. Entra qualcun altro, si siede proprio sul suo materasso. «Buonanotte», dice una voce assonnata, «crocatev'a letto e nun tuzzuliate ch'aio a durmiri. Crai scèteme cetto.»

A un tratto, qualcosa di caldo sfiora il viso di Diamante. È un piede. Il nuovo arrivato si è infilato nel suo letto. Il piede puzza. Diamante lascia che un'unghia appuntita e dura come quella di un cavallo gli gratti la guancia. Teme che se reagisce lo sconosciuto gli mozzerà il naso e glielo ficcherà nel sedere.

L'uomo del piede si allunga sul materasso, impatta nell'ostacolo imprevisto del suo corpo. «Chistu cu cazz'è?» salta su. Un regalino per te, così almeno dormi con qualcuno, l'ultima volta che t'è capitato eri ancora nella cicculattera di tua madre. L'uomo del piede bestemmia fra i denti, spinge e preme perché Diamante si sposti. Spingendo e pressando lo relega contro il muro. Se non ci fosse il muro, Diamante cadrebbe giù dalla branda. L'uomo del piede, appagato, si mette tranquillo. Ma gli altri non hanno nessuna intenzione di dormire. Sono eccitati. Qualcuno si è acceso una sigaretta e adesso, a ondate, lo investe una pestilenza di tabacco. Manca l'aria. Manca tutto. Il buio aleggia su di lui come una minaccia. Le voci senza corpo risuonano ancora più angoscianti. Un intero mondo sconosciuto gli viene incontro nel cuore della notte, aggredendolo mentre è così indifeso – con i sussurri, le ombre e il buio.

La paura diventa sconvolgente quando, mentre lui se ne sta schiacciato contro il muro, appiattito come una coperta, i briganti si mettono a disquisire del pezzo di ragazzo ritrovato nel cantiere della sotterranea. Un pezzo di ragazzo non perché fosse alto o grosso, che anzi era solo un ragazzino di dodici anni – un pezzo perché restava solo la testa e il tronco. Non aveva la lingua e gli mancava la sciuscella.

Per Dio, dormite – sbotta l'uomo del piede. Fatti i fatti toi. Sshhh, basta. E ancora sangue, accisi, mutilazioni. Finché a poco a poco i discorsi si sfaldano, il cadavere del cantiere rifluisce in una lode convincente delle zinne di una certa Lena, la discussione sulla corretta ortografia della parola "PAGA" – PAGHA O MUORI, così stava scritto nella lettera – si confonde con quella sulle banconote da cento dollari – quante ce ne vonno per arrivare a duemila? – un diverbio sulla tecnica per affilare la lama di un coltello con un naso ficcato in un sedere, tra una frase e l'altra s'allungano i silenzi. Nel giro di mezz'ora, i litigiosi fantasmi della stanza cadono schiantati in un sonno profondo. Qualcuno russa, riceve una ciabattata in faccia e si azzittisce definitivamente. Anche i rumori della strada sembrano ovattati, adesso, lontani. Ma Diamante non riesce a prendere sonno. Trema. Pensa a una testa senza lingua abbandonata in un cantiere. Pensa al piede che gli preme contro la guancia. A dieci briganti senza volto che vogliono ammazzare lo zio Agnello. O vogliono ammazzare lui, che è solo una coccola di noce, e non fa paura. Che sia una coccola di noce è vero, purtroppo, perché anche se a novembre compirà dodici anni è ancora minuto come un bambino. Benché in effetti non sia un bambino né lo sia mai stato – e anzi, davanti alla commissione, abbia già capito di essere un uomo vero.

Resta sveglio, senza nemmeno rigirarsi sul materasso bitorzoluto, nell'aria umida e viziata. Quando la prima luce del giorno filtra dietro la tenda, scavalca con un balzo l'uomo del piede e salta sul pavimento. Pesta una buatta aperta di sardine e si taglia col bordo affilato del metallo. Reprime un gemito di dolore e si china a esaminare gli uomini addormentati. Hanno facce preoccupanti, baffi pelosi e neri, visi bruciacchiati dal sole, raggi di rughe attorno agli occhi, capelli bisunti, mani ingombranti. Se li incontrasse per strada, alla luce del sole gli farebbero paura – proprio come stanotte. Ma l'uomo del piede no. Ha un paio di baffetti striminziti a forma di spazzolino da denti. È lungo, secco e spinoso come un asparago. Lì per lì non lo riconosce, ma in effetti deve essere suo cugino Geremia. È partito l'anno scorso.

La casa di Prince Street è stipata di pentole, ciotole, bigonce, sacchi di farina, barili e bauli. Diamante s'aggira a tentoni fra le gabbie di legno, dove gloglottano tre panciute galline, e il catino in cui agonizza una pianta di basilico, finché quasi si rompe il naso sbattendo contro la statua in gesso della Madonna delle Grazie patrona di Minturno. È ammaccata. Evidentemente anche altri ci hanno impattato e sono stati ancora meno fortunati di lui. Zigzaga fra canottiere, lenzuola e pedalini umidi penzolanti da precari fili di ferro che tagliano i locali in due e gli schiaffeggiano il viso. Inciampa perfino in un letto matrimoniale, posto dietro un paravento, in quella che sembra la cucina, e rimane allocchito perché accanto alla testa unta di Agnello spicca sul cuscino la nuca pallida di una donna, il suo braccio, e – visione inedita che gli toglie il respiro – una gamba nuda, che la speranza di un refrigerio ha spinto maliziosamente sopra le lenzuola. Chi sia quella donna, Diamante lo ignora. Il fatto è che la testa unta appartiene proprio allo zio Agnello. Lo zio Agnello è sposato con Dionisia la scrivana. Ma la scrivana è rimasta in Italia, era alla stazione con sua madre, quando è partito. Tutt'e due piangevano. Lui non piangeva. S'avvicina alla sconosciuta, incuriosito, sgranocchiando una galletta. Non vorrebbe fare il minimo rumore, ma ha inavvertitamente preso a calci la gabbia delle galline e tutte cominciano a starnazzare. La sconosciuta ha i capelli color miele e gli occhi del colore dell'aceto. Quando si rende conto che se riesce a distinguere il colore dei suoi occhi significa che la donna è sveglia e lo sta guardando, Diamante rincula di soprassalto, travolge la gabbia e cade lungo disteso sul pavimento.

La casa di Prince Street Agnello l'ha presa in affitto dal banchista per rientrare nelle spese dopo l'acquisto del negozio di frutta e verdura, e siccome ha sempre avuto il desiderio acuto dei dollari, l'ha trasformata in una specie di pensione. Quegli uomini coi baffoni, anche se sembrano dei malfattori e potrebbero pure esserlo, sono i suoi pensionanti. I pensionanti, o bordanti, come si dice qui, pagano il letto, i servizi e i pasti. Anche Diamante dovrà pagare. Lo zio Agnello non fa sconti. È sempre stato spilorcio, perché ricco. O ricco perché spilorcio. Per spilorceria, ha pigiato in quelle stanze anguste quanti più uomini ha potuto. Ci sono brande negli angoli, davanti ai fornelli, dietro ogni tenda, spigolo e baule. Diamante conta quattordici uomini e la donna con la gamba nuda. Ma lui cerca un'altra donna. Anzi, una bambina: Vita.

La mano di Vita – umida, appiccicosa di zucchero, stretta nella sua – sarà l'unica cosa che Diamante finirà per ricordare del momento in cui il traghetto ha accostato ai moli di Battery Park. Tutti gli altri raccontano della forte commozione alla vista degli edifici immensi di Manhattan, bruni di fuliggine, delle migliaia di finestre, sui cui vetri s'infrange la luce, lampeggiando a intermittenza come a ripetere un misterioso segnale. Sbuffi di fumo incoronano le torri, stingendo i contorni, trasformandole in una visione immateriale, quasi un sogno. Raccontano dei comignoli delle navi ancorate alle banchine, delle bandiere, delle insegne che annunciano uffici, banche e agenzie, di una folla stupefacente assiepata nel porto. Ma Diamante è troppo piccolo di statura per intravedere, della terra promessa, altro che culi sbrindellati e schiene macilente. Si calca in testa il berretto – un berretto con la visiera rigida, troppo grande, che gli cala sulle orecchie – e con un saltello assesta il sacco che porta sulla spalla. È la federa di un cuscino a righe – la federa del suo cuscino – e contiene tutto il suo bagaglio. Gli scarponcini, coi lacci legati troppo stretti, gli fanno male. Serra la mano di Vita nella sua, temendo che un urto, uno strattone, anche solo l'inerzia della folla, finiscano per separarli. «*Non lasciarmi*», le ordina, «*per nessuna ragione, non lasciarmi.*» Vita è il suo passaporto per l'America, anche se non lo sa. Un passaporto sgualcito e febbricitante, con i capelli aggrovigliati sulla testa e la veste a fiori. Dovrebbe avere lo scontrino giallo in bocca, ma stranamente non ce l'ha. È uno scontrino simile a quello che danno a chi deve ritirare i bagagli. Infatti anche loro dovevano essere ritirati. Sullo scontrino giallo c'è scritto GOOD FOR FATHER, ma né lei né Diamante hanno la minima idea di cosa significano quelle parole. Vita annuisce, e per dimostrargli che ha capito gli ficca le unghie nel palmo della mano.

Tutti si cercano, si chiamano in dozzine di lingue – per lo più ignote, aspre e gutturali. Tutti hanno qualcuno che è venuto a prenderli, o li aspetta al molo, un indirizzo scarabocchiato su un foglietto – il nome di un parente, di un connazionale, di un padrone. La maggior parte ha anche un contratto di lavoro. Ma tutti lo hanno negato. Così bisognava. E in verità la seconda cosa che Diamante ha fatto in America è stata di raccontare una storia. E nemmeno questo gli era mai capitato prima. Insomma, in un certo senso ha mentito. Funziona così. A Ellis Island gli americani ti rifilano una serie di domande – una specie di interrogatorio. L'interprete – un tizio perfido, un vero acciso che deve aver fatto carriera esercitando il proprio zelo contro i suoi compatrioti – ti spiega che devi dire la verità, solo la verità, perché in America la menzogna è il peccato più grave, peggio del furto. Ma purtroppo la verità non serve a loro e non serve a te. Perciò non dargli retta e racconta la storia che ti sei preparato. Credici, e pure loro ci crederanno. Guardali in faccia e giura. Giuro che non ho un contratto di lavoro (ma ce l'ha, lo zio Agnello lo manda a Cleveland a lavorare alle ferrovie). Giuro che mio zio provvederà al mio mantenimento per tutto il tempo che resto a Nevorco (questa poi è proprio grossa, perché Agnello è più tirato del buco del culo di una pecora). Ma la commissione non è stata a sindacare. Aveva fretta: doveva esaminarne altri quattromilacinquecento, piombati sull'America come le cavallette della Bibbia nello stesso giorno in cui c'è piombato lui. I funzionari erano distrutti e hanno ricevuto l'ordine di allargare le maglie del setaccio. Ascoltavano distrattamente le risposte. E lui si è tirato su le brache e li ha fregati.

«Me fai male, Diamà», si lagna Vita. Le stringe il polso talmente forte che la pelle è diventata bianca. «Stamm'appresso»,

risponde Diamante. Con quel berretto in testa, sembra un soldato. Lei ubbidisce. Scendono tenendosi per mano, subito inghiottiti da una folla esagitata. Nel frastuono assordante di veicoli, fra il cigolio degli argani e delle catene, il fischio delle sirene e le urla dei passeggeri, c'è chi vende passaggi alla stazione ferroviaria, chi un letto per la notte, chi acqua fresca, chi si offre di indicare la strada e chi cerca solo di soffiare un portafogli. I ragazzini che fumano appollaiati su mucchi di carbone hanno l'aria di voler accoltellare il primo meschino che svolta l'angolo. Diamante tiene il passaporto fra i denti – col consenso di suo padre all'espatrio stampigliato accanto ai suoi connotati. È talmente indaffarato a sgomitare che non sta a chiedersi come mai Vita non ciancica più fra le labbra lo scontrino giallo. Quando i furfanti appostati sulla banchina realizzano che quei due ragazzini che si tengono per mano non vengono ritirati da nessuno, si slanciano verso di loro e si accapigliano per accaparrarseli. Cercano di allettarli, ma Diamante non si lascia infinocchiare. Punta i piedi e si tira dietro Vita, che sorride a tutti quelli ben vestiti che le sorridono di tutti pensando, chissò è potente.

*Non parlare con gli sconosciuti,* – si era tanto raccomandato suo padre e lui aveva promesso di ricordarsene – *non dare retta a nessuno, resta sull'isola e aspetta che lo zio Agnello venga a prendervi. Lui vi riconoscerà.* Il problema è che Agnello non è venuto. O che Vita s'è stufata di aspettare. Nel salone c'era una baraonda. Ieri, 12 aprile 1903, dodicimilaseicentosessantotto persone sono sbarcate sull'isola. Continuavano ad attraccare navi, partite da Brema, da Rotterdam, da Liverpool, Copenhagen, Amburgo. Solo da Napoli ne sono arrivate tre. Solo dalla loro nave, il Republic, sono scesi in duemiladuecentouno. Non s'era mai vista un'invasione del genere, e i funzionari hanno perso la testa. I gruppi si intruppavano come pecore fra le passerelle, prima uno, poi l'altro, poi un altro ancora. Nella confusione, Vita s'è infilata dietro una zingara che si tirava appresso dieci figli. Diamante le è andato dietro. Se non l'aspetta lei Agnello, che è suo padre, perché mai deve aspettarlo lui? Sul traghetto la zingara s'è accorta di avere dodici figli ma non ha detto niente.

La folla li sospinge inesorabilmente in avanti. Hanno già superato le transenne, sono già davanti ai magazzini della White Star Line, dove i facchini scaricano le valigie e le accatastano in pile alte quattro, cinque metri. Ma non ci sono solo valigie. Ci sono ceste di tutte le dimensioni, fagotti di tela, sacchi sdruciti e rappezzati mille volte. Qualcuno, per timore di smarrire il bagaglio, ci ha scritto sopra, a caratteri cubitali, il suo nome. E adesso quei nomi – ESPOSITO, HABIL, MADONIA, ZIPARO, TSU-REKAS, PAPAGIONIS – sembrano supplicare i loro proprietari di venirli a ritirare, per sottrarre agli sguardi degli altri la vergogna della loro povertà. Diamante sgomita e spinge, perché teme che la folla finisca per calpestarli. Si volta indietro. L'acqua ha il colore del granito, ma l'isola già non si vede più. All'ennesimo spintone, ciò che resta delle treccine di Vita frana giù dalle orecchie. Diamante cerca di appuntarle di nuovo, ma lei non gli presta più attenzione. Diamante ha fregato i commissari, ma lei ha fregato Diamante.

La prima cosa che Vita ha fatto in America è stata una magia. Era seduta nel salone dell'isola. Mogia mogia, perché dopo la notte nella scialuppa di salvataggio le è salita la febbre. Stranita, passava in rassegna i volti degli sconosciuti che sventolando il passi venivano a ritirare i parenti. Ceffi duri sormontati da coppole, musi tagliati nella pietra, baffi a manubrio e a coda di topo, nasi a uncino, occhi di pece e acquamarina, pelli di cuoio e di alabastro, brufoli ed efelidi, mariti, nonni, suoceri, madri addolorate, trentenni in cerca della sposa vista solo in fotografia, un vecchio triste che ululava il nome del figlio. Ma suo padre non c'era. È quello? la strattonava Diamante, indicando un tizio dalla barba veneranda che corrispondeva all'idea che s'era fatto dello zio Agnello. Il cittadino più ricco di Tufo, quello che era andato in America per primo, armato solo di un'armonica a bocca – e adesso, a poco a poco, stava chiamando tutti dall'altra parte. Aveva già fatto partire cinquanta persone. Ma Vita scuoteva la testa. Quel tizio non poteva essere suo padre. Suo padre è un signore. Verrà sull'isola con lo yacht. Vedendola, solleverà il cilindro, farà un inchino e prendendola per mano dirà: Principessa, lei deve essere la mia adorata Vita.

Nel salone c'era un uomo con la scucchia. Vita lo ha notato

perché era vestito peggio di tutti, con una orrenda giacca di fustagno verde e un paio di calzoni a quadretti tutti impataccati. Aveva prodigiosi ciuffi di peli sulle mani, nelle orecchie, nel naso e anche nel triangolo aperto della camicia. Si sventolava la faccia sudata con un giornale e la fissava in modo allarmante. Nel nastro del suo cappello era infilato un dollaro. Era brutto, e le ha fatto paura. Spaventata, ha stretto più forte la mano di Diamante e si è nascosta dietro la federa del suo cuscino. Ma l'uomo con la scucchia continuava a fissarla. Il colletto unto della sua giacca era cosparso di scaglie. *Tuo padre ha la scucchia e la faccia scura e rattrappita come un chicco di caffè. Te lo ricordi, non è vero? Già camminavi quando venne a prendersi Nicola. Ma se non te lo ricordi, ricordati di questo: porterà un dollaro nel nastro del cappello.* È stato allora che lo scontrino giallo è scomparso. Vita lo teneva in mano, lo fissava, desolata – e a un tratto lo scontrino non c'era più. Sparito. Volatilizzato. Subito dopo s'è infilata dietro la zingara con dieci figli. E l'uomo col dollaro nel nastro del cappello starà sbraitando nel salone di Ellis Island perché ha perso la figlia. Peggio per lui perché quello non è suo padre.

Però adesso che ha fatto sparire lo scontrino giallo e nessuno potrà più ritirarla le viene da piangere. S'appende alla mano di Diamante. Comincia a singhiozzare, all'improvviso, sul molo di Battery Park, perché sa benissimo che quel tizio con la scucchia era proprio suo padre. O forse non per questo, ma perché quell'uomo l'ha guardata a lungo, studiando i lineamenti del suo viso, le gambette nude che spuntavano sotto il suo corto vestito a fiori, l'ha studiata con tenerezza e le ha sorriso, ma non l'ha riconosciuta.

«Vita, non piccia'!» esclama Diamante, infastidito perché non sa come fronteggiare le lacrime di una bambina. Le bambine non le sopporta. Vita s'appende alle sue bretelle, e comincia a trascinarlo lungo la strada. Non sto picciando, protesta, tirando testardamente su col naso. Poi s'asciuga il moccolo con le dita, e le strofina sul vestito a fiori, trainandolo, senza paura di finire schiacciata, sotto piloni di ferro sui quali i treni volano con stridore e fracasso indiavolato. Quando la folla si dirada, e intorno a loro rimangono solo un uomo col suo cavallo, e una venditrice ambulante di dolciumi, Diamante si volta indietro e non vede più il porto. I magazzini, i moli, le navi, gli argani, i treni volanti sono spariti. Tutt'intorno, ci sono solo case. Basse, sgangherate, con le facciate scolorite e i panni stesi alle finestre. Si sono persi.

Quando il padrone di casa di Agnello – nonché banchista, mediatore e piazzista di manodopera, venditore di biglietti marittimi e ferroviari, medicine e generi alimentari – gli comunica che la squadra cui doveva aggregarsi Diamante è partita per Cleveland, Ohio, ieri col treno delle 19.20, Agnello gli molla uno sganascione in testa che gli fa ronzare le orecchie. Impreca e maledice la scalogna, dio la madonna cristo e tutti i santi del calendario. Il boss scrolla le spalle, indifferente. Diamante se ne sta in disparte, intimidito, con la mano destra infilata nella tasca dei calzoni e la sinistra che gioca svagatamente con le bretelle. Si vergogna perché è ancora scalzo, e indossa una blusa non sua – troppo grande. Nemmeno le bretelle sono sue. Gliele ha prestate Rocco – che non ha ancora capito se è un parente oppure no. Ma Rocco è stato l'unico dei quattordici di Prince Street che stamattina gli ha detto «benvenuto».

Una bacheca rigurgitante di avvisi e biglietti cattura lo sguardo di Diamante. Questo seminterrato deve essere una specie di agenzia di collocamento perché quegli avvisi sono offerte di lavoro. Cercasi 50 minatori per la contea di Lackawanna. 500 uomini per lavoro di tracca, Compagnia Erie presso Buffalo e Youngstown. 200 uomini per lavoro di spianamento strada. Paga 2 dollari e 50. Un cuoco per una squadra di addetti alle ferrovie in West Virginia. 30 sterratori per la Lehigh Valley Railroad. Fiori artificiali: cercansi 20 donne branciste Meehan 687 Broadway. 4 sticcatrici di foglie 2 ramidatrici, 26 Waverly Place. Drappers finishers binders Mack Kanner & Milius. Venti muratori, tre carradori, sette fuochisti, dieci tagliatori di granito, due conduttori di caldaie a vapore. Le località di destinazione hanno nomi liquidi, misteriosi, allusivi: Nesquehoning, Olyphant, Punxsutawney, Shenandoah, Freeland.

Di quanto si vanno dicendo i due uomini, Diamante non capisce una parola, perché Agnello e il boss – autorevole, straripante, impegnato nella spasmodica ricerca di qualcosa nella cavità del suo orecchio, che esplora con l'unghia affilata del mignolo – parlano in una lingua che gli sembra familiare, eppure gli è sostanzialmente estranea. L'unica cosa che capisce è che la squadra è già partita per Clivilland. E questo Clivilland è un posto lontano. Le ferrovie pagano il viaggio – sola andata – ai workers e al foreman, ma non ai ritardatari, e siccome il viaggio costa almeno sessanta dollari, e Diamante non ne ha più nemmeno uno, ecco che lo zio Agnello, il generoso zio Agnello che ha pagato il viaggio in America a questo ingrato pezzente, che

25

ha supplicato la bontà del boss per lui, che gli ha ottenuto un posto in squadra nonostante la sua età, che ha mentito per lui, assicurando che ha quattordici anni ed è forte e robusto, mentre non ne tiene manco dodici e ne dimostra otto ed è uno zippo striminzito, 'nu cardiglio – ecco che lo zio Agnello ingrogna veramente – m'aggio 'ccattatu 'stu zenzuso appezzentito, n'auta vocca a sfama' a Novarco, lui che fatica come un ciuccio per pensare alla sua famiglia – ma i' te lu dicu a tte, zelòfreco perocchioso, stamm'a senti' nun aggio faticatu pe' acquista' gli quatrini pe' fatte gudenno della robba mea, si nun te trovi 'nu giobbo te scaso, te sguarro, te fazzo zompa' l'ogne de fame – e di nuovo un ceffone da far ronzare le orecchie – campamorto, te puzzi screfunna'...

Diamante, stordito, segue Agnello all'aperto. Lo tallona, trotterellando, affrettando il passo, talvolta perfino correndo, per non perderlo di vista perché in strada c'è talmente tanta confusione che ancora non è riuscito a capire come si fa ad attraversare senza restare schiacciato. La strada è ingombra di carri di tutte le dimensioni, con ogni sorta di mercanzie – dagli stracci alle carabattole per la cucina, dalle ostriche ai coltelli. Sui due lati si aprono negozi di ogni tipo – ma tutti con insegne in lingua italiana, sicché a Diamante pare di aver riattraversato la frontiera e di essere tornato indietro. Ci sono mendicanti, venditori di lupini, arrotalame, bimbetti che vagano nudi fra mucchi di spazzatura, maschi torvi che ciondolano davanti a bettole, osterie, covi di giocatori di tressette e di chissà che altro, donne vestite di nero, col fazzoletti in testa, come in Italia, e poi una fauna esotica a dir poco sconcertante. Tipi riccioluti con cappelli conici da mago, o zucchetti simili a papaline, perfino cinesi con la pelle color della cera. E fra tanta gente strana e sinistra, lo zio Agnello avanza a passo feroce, come inseguito dal demonio. Molti lo conoscono e tutti lo salutano, portandosi la mano al cappello perché Agnello è un uomo importante. Molti lo riveriscono, e lo chiamano «zio» in segno di rispetto, perché di certo non sono suoi nipoti. A pensarci bene, nemmeno Diamante lo è, e questo non è un dettaglio insignificante. Qualcosa gli dice che il non-zio Agnello lo lascerebbe sul serio morire di fame.

Agnello non si volta mai a vedere se il ragazzino lo segue. Che sprofondi all'inferno da dove è scappato. Questo ragazzino porta scalogna. Sempre se non glielo ha mandato il diavolo per annunciargli che ormai è venuto il momento di saldare il conto. Agnello però da quando non frequenta più Dio non è troppo in confidenza neanche col diavolo. Comunque non deve essere un caso se ieri, al suo ritorno dall'inutile viaggio a Ellis Island, il postino gli ha recapitato la fatidica lettera siglata con la mano nera aperta: peggio di una fattura, un potentissimo malocchio. La ricevono, prima o poi, tutti quelli che nel quartiere sono riusciti a sistemarsi. E Agnello a sistemarsi ci sta riuscendo davvero. Il suo negozio di frutta e verdura, benché sia un buco poco più confortevole di una tomba, all'angolo con la poco raccomandabile Elizabeth Street infestata da siciliani rissosi, comincia a farsi una clientela di casalinghe stabili, che pagano i conti se non ogni mese, almeno ogni tre, e comincia a fornire i primi guadagni. La sua pensione è sempre piena, mai un letto libero, perché la sua donna – cioè la sua donna americana, Lena – è brava, e sfacchina diciotto ore al giorno senza lagnarsi. Anche se americana non è. Ormai Agnello ha un conto decoroso al banco di Mulberry ed è riuscito a portare a New York tutta la sua famiglia. Tranne la moglie, che è stata respinta dagli americani perché ha una malattia agli occhi. Gli americani non è che si inteneriscono se uno è sposato e affezionato alla moglie che ha sempre fatto il suo dovere. Non è che pensano che uno la aspetta da dieci anni, si è sfasciato la schiena per farla partire e finalmente se ne va a prenderla sull'isola tutto contento. Ti guardano negli occhi e se hai una cispa o il catarro ti fanno una croce sulla schiena – e addio Dionisia. E ormai non gli resta che sperare che quella brava moglie con gli occhi malati muoia al più presto per permettergli almeno di risposarsi e metter fine alle chiacchiere che potrebbero minare la sua reputazione a causa della donna americana. Ma il benessere non lo nascondi – e in giro ha finito per risapersi che Agnello s'è sistemato. Prima sono venuti due loschi figuri alla frutteria, hanno annusato con aria proterva i suoi pomodori riarsi dal gelo e gli hanno detto di preparare duecento dollari altrimenti gli bruciavano il negozio. Agnello li ha mandati all'inferno e si è comprato un fucile a pallettoni. Per un mese, non è mai uscito da quel buco, dormendo seduto in un angolo, fra le cassette di arance e di cipolle, col fucile carico fra le gambe e il dito sul grilletto. Era pronto ad accogliere i visitatori. Ma adesso c'è la lettera. E la lettera – lui lo sa, è successo a tanti altri – significa guai veri. O paghi o muori. E Agnello non vuole né pagare né morire.

A Prince Street, la tavola è già apparecchiata. La domenica è l'unico giorno della settimana in cui tutti pranzano assieme. Ammonticchiati uno sull'altro quattordici recipienti – barattoli di vetro, di stagno e di latta – che servono da piatti. Diamante sa contare e realizza, cominciando a preoccuparsi sul serio, che per lui non è previsto nessun recipiente. Agnello si siede. Alla lettera con la mano nera ci penserà con la pancia piena. Solo allora Diamante la vede. Vita arranca accanto alla donna che dormiva con la gamba nuda, reggendo uno dei manici di una pentola da cui sale una nuvola di vapore. La donna issa la pentola in tavola, serve Agnello, serve Nicola, il figlio di Agnello – poi serve il cugino Geremia, il cugino Rocco, o chiunque sia quel ragazzo con il braccio tatuato e il sorriso dolce, che contrasta così curiosamente con la sua clamorosa statura. Poi tutti i bordanti prendono il barattolo straripante di maccheroni e vanno a sedersi sulle brande, sui catini e sui bidoni perché non ci sono abbastanza seggiole per tutti. Vita ha l'aria scontenta. I suoi capelli, finalmente pettinati, lasciano scoperto un visetto pallido e concentrato. Indossa un grembiule troppo grande, e, come Diamante, è ancora scalza. Vedendolo, gli rivolge un sorriso che lo ripaga dei ceffoni, delle minacce e del vano peregrinare nello scantinato di Mulberry Street, e lo fa sentire fiero di avere perso quel treno per Cleveland.

Nicola azzanna un maccherone e lo sputa istantaneamente nel barattolo. Il pensionante più anziano e scanganato dagli acciacchi rimesta la forchetta nella pasta – che a dire il vero ha un aspetto colloso e ripugnante – e dice ad Agnello che lui paga dieci dollari al mese e se gli servono questi scarti che nemmeno i cani allora si cerca un altro bordo. «Oggi ha cucinato Vitarella», spiega Agnello, afferrando la figlia per la coda del grembiule. Lasciatele il tempo di imparare, ci farà l'abitudine. Ma i pensionanti dissentono. Questa non è una scuola. Accattatevella vuie, 'ssa fetemìa. No, neanche Agnello ha intenzione di mangiare. Esterrefatto dal disgusto, anche lui sputa un bolo di pasta biancastra. Posa la forchetta. Oggi è il suo giorno di passione. Neanche in casa può trovare pace. Guarda Vita con aria torva. «'Mbe', mo' che c'è? Non sei buona manco a fare li maccaruni?» Vita, offesa, si morde le labbra. È così piccola di statura che col mento non arriva nemmeno all'orlo della pentola. Si gratta la testa, titubante. Tutti la guardano. Si sente imbrogliata. Perché la casa di Prince Street è piena di estranei. Il primo dei quali è suo padre. Perché suo padre vive con un'estranea – una donna che lo riverisce come una serva e gli dà del voi, chiamandolo zio Agnello, ma dorme nel suo letto e si comporta come se questa fosse anche casa sua. Perché suo fratello non si chiama più Nicola ma Coca-cola, parla strano e non l'ha riconosciuta quando il poliziotto rosso di pelo gli ha chiesto da ya no tis little gherla? Perché Agnello vuole spedire Diamante a Cleveland, e lei non vuole vivere dove lui non c'è. Il ragazzino con gli occhi azzurri è l'unico amico fra tanti sconosciuti dalla faccia cattiva. Per un insieme di motivi che a pensarci le bruciano gli occhi.

L'ho buttato apposta il sale nell'acqua – afferma, sfacciatamente. Io non voglio cucinare. Non voglio stare qui. Voglio tornare a casa mia. Coca-cola scoppia a ridere, deliziato. Agnello afferra Vita per il polso. Diamante comincia ad augurarsi che quelli che gli hanno mandato la lettera con la mano nera lo ammazzino davvero. I pensionanti, divertiti, si gustano la scena, ridendo sotto i baffoni. Nessuno di loro ha mai osato contestare la volontà di Agnello. Di notte si augurano che si rovini e torni a essere un pezzente come loro pure lui, ma di giorno si levano il cappello davanti alla sua fortuna. Vita tace, soddisfatta. Ecco, l'ha detto. Non disubbidirebbe mai a suo padre, ma questo tizio con la scucchia non è suo padre e lei vuole tornare da Dionisia. Agnello preleva dall'orecchio una banconota arrotolata come una sigaretta e la offre, magnanimo, ai pensionanti, perché vadano all'osteria e bevano alla sua salute. Poi ordina alla donna sua di fargli qualcosa per appuja' ru stommaco che schiatta 'e fame, e la spinge sgarbatamente contro i fornelli. E tu, dice al figlio, che si gingilla con uno stecchino, me simbri 'nu prevete spapiriatu 'ncoppa 'ssa seggia, va' al fruttostando perché non voglio che resta incustodito, oggi. È d-d-domenica, protesta Coca-cola. Agnello gli allunga un pugno in testa e il ragazzo si alza, ciondolando. Si chiede se con la sorella Agnello farà ricorso alla cinghia, allo scacciamosche o alle dita. Con lui, il padre usa di tutto – mattarelli, chiavi inglesi, perfino un piccone. I Mazzucco hanno sempre avuto un brutto carattere. Più testardi degli asini. Più irremovibili di una montagna. Quando si mettono in testa una cosa. Per sua fortuna, Coca-cola non ha in testa niente. I pensionanti escono in fretta. Solo Diamante rimane dov'era, appollaiato sul bidone. Ma lo sguardo di Agnello lo oltrepassa: non vuole occuparsi di lui. Il problema Diamante lo affronterà in un altro momento. Questo ragazzino gli deve già duecentosettanta dollari. Se ce li avesse, metà dei suoi problemi sarebbero risolti. Ma non c'ha manco un centesimo. Torna a voltarsi verso Vita, la costringe a sedere e le ficca in mano una forchetta. A voce bassa, perché non ha voglia di urlare, oggi, le dice: «Magna».

Che cosa credeva? di essere venuta qui a fare le vacanze? Lena è esaurita. Da marzo c'ha l'anemia la debolezza le nausee e i sudori notturni. Il che poteva significare due cose: o si era pigliata la tubercolosi, e questa sarebbe una catastrofe, perché se lo vengono a sapere i bordanti lo piantano subito per paura del contagio, o è incinta, e anche questa sarebbe una catastrofe, in primo luogo perché non ci si può fidare di una che non è tua moglie, in secondo luogo perché un figlio nuovo lo devi mantenere finché compie almeno dieci anni. Siccome non porterebbe mai Lena a farsi una visita al Bellevue Hospital, l'ospedale gratuito della città, né farebbe mai entrare in casa sua le streghe del Comitato di prevenzione della tubercolosi, che gironzolano porta a porta facendo la statistica sull'incidenza della malattia nel distretto di Mulberry e se Lena aprisse la porta agli estranei la scramazzerebbe così duramente che per tre giorni non si alzerebbe dal letto, per un po' Agnello non ha saputo se viveva con una tisica o con una gravida. In ogni caso per un po' non l'ha toccata. Ora sa. Lena si comporta bene. Continua a fare la spesa, cucina, lava la biancheria, le stoviglie, tutto quello che deve. Ma a volte non si regge in piedi e sviene. S'è fatta smunta, con una faccia bianca come la tovaglia che si metteva in testa la domenica quando la portava a messa. Ciò molto tempo fa, perché ormai Lena a messa non ci va più – il prete dice che vive in peccato mortale e non la vuole confessare. Lei e il suo concubino si possono riscattare solo finanziando la costruzione della chiesa. Al che Agnello e Lena si sono rassegnati a vivere senza sacramenti. A ogni modo, Lena ha bisogno d'aiuto. E quell'aiuto è Vita. Sennò, perché l'avrebbe fatta venire? L'ha vista solo due volte, da quando è nata. Ma è una delusione, questa figlia. A nove anni, doveva essere una donna fatta – così del resto gli aveva scritto quella bugiarda di sua madre, per indurlo a prendersela. "Vita non mi posso lamentare come sta crescendo, tiene carattere vivace, allegra come il sole, s'è fatta grande, bella forte." Invece lo ha imbrogliato: è uno scricciolo febbricitante, ostile. Non riuscirà mai a portare al quinto piano il sacco del carbone. E il mastello con la biancheria? Si è già pentito di averla chiamata. Gli viene voglia di ributtarla a mare.

Agnello sposta la zuppiera davanti a Vita. «Mangia», ripete, ficcando in bocca alla figlia la prima forchettata. Qui non si butta niente. Neanche una briciola si spreca. È roba sudata. Non esci di qui finché non li hai mangiati tutti. Vita gli lancia uno sguardo di sfida. È tròppo testarda per chiedergli scusa, e troppo orgogliosa per pregarlo di perdonarla. «Mangia per Dio!» Diamante rimane tre ore appollaiato sul bidone, sgranocchiando gallette ammuffite: Vita continua ad affondare la forchetta nel groviglio ormai gelido, rappreso, nauseante, di sale, formaggio e pasta sfranta. Infila la forchetta in bocca, mastica, inghiotte, e mastica e inghiotte finché le fanno male i denti, e la pancia diventa così abbuffita e pesante che di sicuro scoppierà. Mastica e inghiotte perché ormai ha cominciato e crede ancora che nella vita bisogna portare a termine un'impresa, tanto più quando ne va dell'onore. Beve un bicchier d'acqua perché un ammasso solido le ostruisce la gola e sembra non possa mai scendere, non c'è posto dentro di lei – mastica, inghiotte, guarda la zuppiera in cui affonda la forchetta e nient'altro. Quando la zuppiera è vuota, le sembra di avere un vitello nello stomaco. È talmente abbottata che non riuscirà mai ad alzarsi. Tenendo eretta la testa, rigido il collo, s'appoggia con tutte e due le mani al tavolo. Le viene da vomitare. Diamante inarca il sopracciglio, preoccupato. Vita riesce a restare in piedi. Agnello – pensieroso, assorto in quel dilemma: PAGA O MUORI – si chiede, fumando, quale sia la più grande disgrazia, la morte o la povertà, e insegue la risposta negli anelli di fumo che soffia contro il muro. Passandogli davanti, Vita gli grida in faccia – tanto non sei mio padre!

Proprio perché quel tizio con la scucchia non era suo padre, ieri Vita non era nemmeno stata sfiorata dall'idea di presentarsi a Prince Street. Se n'era andata in giro, aggrappata alla mano di Diamante, senza fretta, senza meta, guidata solo dalla curiosità e dalla gioia. Tutto era novità, magia e meraviglia. Si era tolta le scarpe – non le portava mai, non ci era abituata, le piagavano i piedi – e camminava col naso in aria, guardando ammirata e perplessa i palazzi così alti che sembravano fare il solletico alle nuvole. Aveva smesso di piangere da un pezzo, e sorrideva. Un sorriso malizioso, compiaciuto, soddisfatto. Camminava, pensando di sbucare in una piazza – ogni città, paese o villaggio che si rispetti ha una piazza, ce l'ha Napoli, Caserta, Gaeta, Minturno, ce l'ha pure Tufo che è una frazione di mille anime senza manco una carrozza. Ma qui c'erano parchi, incroci, bivi, spiazzi incolti. Piazze no. E nemmeno chiese – né vecchie né nuove. Quando ne trovarono una, erano quasi le tre.

Incastonato fra una chiesa – o quella che sembrava una chiesa, anche se non aveva croce sul tetto – e una fila di palazzi talmente nuovi che la facevano sembrare un'intrusa, c'era un giardino. La chiesa si chiamava Saint Paul's Chapel, ed era chiusa. Ma il cancello di ferro che separava il giardino dalla strada era solo accostato. In realtà quel giardino era un cimitero, e non porta fortuna fermarsi a pranzare in un camposanto. I morti bisogna lasciarli in pace. Però Diamante lasciò cadere la federa del cuscino e si sedette lo stesso su quella che forse era una tomba, ma a lui sembrava un paracarro. Il sole, altissimo nel cielo di aprile, arroventava le strade, ma lì dentro, all'ombra di alberi fronzuti e centenari, si stava in paradiso. Diamante rovistò nel suo bagaglio. Ne rovesciò il contenuto sull'erba. Caddero, in disordine: una camicia, tre sigari toscani, una conserva di pomodoro, un pettine, un pezzo di sapone, una manciata di noci, un pugno di fichi secchi, una piccola latta d'olio, tre peperoncini rossi, due fazzoletti, una fila di salsicce rinsecchite, una lettera scritta da Antonio e da recapitarsi ad Agnello, un pezzo di formaggio e un involto di pane tutto crosta. Glielo aveva dato sua madre prima che partisse: ma non ne aveva avuto bisogno, perché sul piroscafo aveva mangiato a sazietà – non per niente era un piroscafo inglese, solo gli sprovveduti viaggiano con le bagnarole italiane. Ormai, dopo tredici giorni, quel pane era duro come un sercio. Ma siccome non mangiavano dalla sera prima, e Diamante si era rifiutato categoricamente di comprare un dolce o una ciriola in un negozio perché qui non conosceva il valore dei soldi ed essendo alquanto diffidente era sicuro che lo avrebbero imbrogliato – c'era poco da scegliere. Vita addentò una salsiccia pietrificata, Diamante si dedicò all'apertura delle noci. C'era un silenzio irreale, nel cimitero di Saint Paul. Gli sembrava così strano – essere lì, con Vita. Soli in una città sconosciuta, dall'altra parte del mondo. Solo con lei, che sorrideva, trionfante, scoprendo che anche in America esistono le formiche. Una fila ordinata, compatta, che s'avventava sulle briciole della salsiccia. Ne lasciò salire una sul palmo della mano. Poi la uccise, delusa. Disse che era identica alle nostre.

Diamante scrutò il suo viso accaldato. Dobbiamo andare – le disse, senza convinzione. Glielo disse solo perché Vita aveva la febbre alta, per via della notte nella scialuppa, e se moriva avrebbero dato la colpa a lui. Quanto si' stròlocu, Diamante, rise lei, e per vendicarsi gli morse il naso. Di tutti i ragazzini del paese, Diamante era l'unico che non rideva mai. Era un sognatore. Agile come un gatto, si isolava sul ramo di un carrubo e da lassù, dove nessuno poteva raggiungerlo, con la fionda prendeva di mira i corvi nei campi. Non falliva mai il colpo. Scrafacciava rospi soffiandogli dentro l'aria con le canne fino a farli scoppiare. Andava a pescare le rane negli stagni del Garigliano e le ammazzava con un morso in testa. Acchiappava le anguille con le mani e non degnava di uno sguardo le ninne come Vita. Stava in disparte e faceva sempre di testa sua. Dionisia diceva che Diamante era il più intelligente di tutti, e l'unico che sarebbe riuscito a combinare qualcosa, nella vita. Vita aveva soggezione di lui, anche perché Diamante aveva gli occhi azzurri – sfuggenti – e non si capiva mai cosa pensava.

«Guarda», lo blandì poi, indicando il volto gigantesco di una donna stampato su un cartellone che, dalla parete del palazzo di fronte, sembrava guardarli. La donna sfoggiava un sorriso rosso e dei denti perfetti, bianchissimi. «Cos'è? Che dice?» insisteva Vita, che non aveva mai avuto tempo da perdere per imparare a leggere. Dice LET'S SMILE, WOMEN, BUY LIPSTICK KISSPROOF 1.99. E che significa? Diamante, che non voleva confessare di non capirci un accidente, sparò l'ennesima bugia della giornata. C'è un cavadenti dietro il cartellone. È bravo e non fa male con le pinze. Per quello la donna sorride. Vita scosse le spalle, smontata. Ma il cartellone, nonostante tutto, era bello. Quella donna sorrideva e sembrava felice. A pensarci bene, Vita non aveva mai visto un sorriso così. Le donne di Tufo non avevano tutti quei denti, spesso gliene mancava uno, o più d'uno, o anche tutti, e forse per questo non sorridevano mai. Diamante appoggiò la testa sulla federa del cuscino. Il cielo, sopra di loro, era d'un blu irreale. Si sentì, all'improvviso, sgravato di un peso intollerabile – vuoto e leggero. Non aveva più preoccupazioni né pensieri né sensi di colpa. Tutto era talmente sorprendente – che ogni cosa sembrava possibile. Era un sogno scombinato e improbabile, ma non voleva svegliarsi. La donna sorrideva. Sorrise anche lui, al cielo. Doveva chiedere a qualcuno dove fosse Prince Street, il cui nome lo aveva ossessionato per mesi come un richiamo fantastico, ma rimandava, perché sapeva che, dopo, un momento così non sarebbe tornato. Non avrebbe potuto sedersi in un prato, con i capelli di lei – neri, mossi, scarmigliati – fra le mani. Non li avrebbe pettinati con le dita, sciogliendo pazientemente i nodi e ricomponendoli in due trecce. Non avrebbe potuto assopirsi nell'erba, con la testa di lei sullo stomaco. In quel dopo c'era il suo futuro – un lavoro da grandi, in una squadra di operai delle strade ferrate, in qualche foresta di questo paese. Vita gli indirizzò un sorriso così furbo e impertinente, che Diamante pensò – stupito perché se ne accorgeva per la prima volta – che gli sarebbe mancàta, quando stasera, domani, al più presto si sarebbero separati e dopo tanti giorni di convivenza con una bambina, si sarebbe ritrovato fra maschi forzuti, in qualche campo di lavoro americano.

Non avevano la minima idea di dove si trovassero. Era come essere sulla luna. La città – così sudicia e pittoresca nei pressi del porto – era diventata più bella, Sparite le case di legno fatiscenti, le folle stracciate e gli ambulanti. Sparita la gente bracalona che parlava dialetti vagamente familiari, la miriade di ragazzini che giocavano a biglie negli scoli della fogna. Ora ai lati della strada c'erano palazzi con facciate di marmo, e i pedoni portavano bombette e mazzarelli da passeggio di canna di bambù. Camminavano rasentando i muri, per passare inosservati. Ma non passavano inosservati sulla Broadway alla Trentaquattresima strada un ragazzino con un abito di cotone liso, un berretto e la federa di un cuscino a righe sulla spalla, e una bambina scalza coi capelli neri e un vestito a fiori più lurido del marciapiede. Ormai si trascinavano. Avevano i piedi in fiamme, e la città non finiva mai. A tratti si interrompeva – per un po' costeggiavano un prato, o l'ennesima voragine, dove operai stavano costruendo le fondamenta di un palazzo – ma poi ricominciava, più imponente, bella e lussuosa di prima. Erano già le cinque del pomeriggio. Vita incollò il naso alla vetrina di un negozio. In verità non era un negozio. Alto sei piani, lungo trecento metri, immenso, occupava un intero isolato. Nella vetrina, il manichino di una donna slanciata, sportiva, ostentava un braccio nudo: la sua mano impugnava un attrezzo enigmatico, simile a una racchetta da neve. La donna sorrideva. Era una donna finta, ma tutte le donne qui – anche quelle vere – sembravano finte. Non erano vestite di nero. Non portavano la tovaglia in testa. Né il corpetto ricamato né le sottane. Erano altissime, magrissime, biondissime. Avevano sorrisi radiosi – come la donna del cartellone, al cimitero – denti bianchi, fianchi stretti, piedi grandi. Vita non aveva mai visto donne simili, ed era affascinata. Forse al sole di questa città, anche lei sarebbe diventata così – da grande.

Dobbiamo andarcene – disse Diamante, tirandola per un lembo del vestito. Ci guardano tutti storto. Vita sguainò la lingua in direzione di una signora che, appena scesa da una carrozza, li indicava a un tipo vestito di blu che se ne stava con le mani in mano accanto a un incrocio. Che ce ne importa? rispose Vita, estasiata davanti al manichino. Chi nun ce po' vede' gli occhi se cava. Eppure tutti li guardavano come se avessero appena rubato una gallina. E già verso di loro veniva un poliziotto. Il manganello gli sbatteva contro la coscia. «Hey, kids!» Il poliziotto era giallo di capelli, con la pelle bianca come la carne della sogliola. «Hey, come here!» Diamante e Vita non avevano simpatia per le guardie. Non portavano mai buone notizie. Quando, tutte impennacchiate, le autorità – fossero guardie, carabinieri, sindaci, politici o borghesi di Minturno – si azzardavano a venire verso il paese, i ragazzini di Tufo li bersagliavano di sassate. Per dimostrare la loro profonda simpatia. Vita spinse la porta e se lo tirò dietro. Passarono sotto un arco con la scritta MACY'S ed entrarono nel regno della luce.

Vita non aveva mai visto un luogo simile, né lo avrebbe visto negli anni successivi. Non avrebbe più varcato il confine di Houston Street. Ma quel pomeriggio rimase indelebile nella sua memoria – con la vivida immediatezza di un sogno. Fu una visita rapida, accelerata – tutto durò non più di tre minuti. Non aveva il tempo di fermarsi da nessuna parte, Diamante la trascinava di qua e di là, e poi si misero a correre, perché anche il poliziotto era entrato nel grande magazzino, aveva portato un fischietto alle labbra, li inseguiva e dei commessi biondi larghi come armadi avanzavano minacciosi da tutte le direzioni. Attraversarono correndo un locale più vasto di una cattedrale, eppure anche correndo lei non poteva non vedere le piramidi di cappelli e guanti, le montagne di sciarpe e foulard colorati, i mucchi di forcine e pettini di tartaruga, le calze di seta e di cotone bianco – e tutto era bello, di una bellezza meravigliosa e accattivante, e Diamante correva, Vita inciampava, il poliziotto urlava: «Stop those kids!» tutti si voltavano a guardarli – finché si infilarono in una stanza con le pareti trasparenti. Era una trappola, perché un uomo in divisa, che piantonava una bottoniera d'ottone, premette un pulsante e le porte si chiusero, imprigionandoli. Eppure quell'uomo non era un poliziotto: solo un negro ossuto e lucido di sudore che, impercettibilmente, sorrise.

Diamante non aveva mai visto un uomo con la pelle così scura: solo nelle recite per la Presa d'Africa del 1896, che tutti gli anni si replicava a Portanuova – ma in quel caso i soldati dell'esercito di Menelik erano neri perché truccati col catrame e in realtà erano scolari di Minturno, bianchi come lui. Alcuni negri veri li aveva visti nelle vignette degli almanacchi popolari, dove però portavano un osso fra i capelli e scodelle nelle labbra e non una divisa con i bottoni d'oro. Erano selvaggi e cannibali, mentre quest'uomo elegantissimo e impeccabile pareva importante. A un tratto la stanza con le pareti trasparenti cominciò a muoversi, e schizzò verso l'alto. Diamante s'appoggiò alla parete, spaventato. La stanza volava! Il cannibale scrutò, impassibile, i suoi scarponcini impolverati e la federa del cuscino che Diamante teneva sulla spalla. I suoi occhi nerissimi indugiarono sul musetto di Vita, rigato di polvere. Lei s'aggrappò a Diamante, perché nelle storie che le raccontava sua madre l'uomo nero era un flagello micidiale, peggiore dei morti viventi e delle streghe janare che rubano i bambini: l'uomo nero ruba le bambine curiose. Ma Diamante non riusciva a farle coraggio, anzi tremava, perché la stanza volava, vibrava, scricchiolava. Quando le porte della stanza-scatola si aprirono, erano in cima al mondo, e il poliziotto, i commessi, il direttore del magazzino minuscoli, cinque piani più in basso. L'uomo dell'ascensore li spinse fuori e premette il bottone. Mentre le porte si accostavano sul suo viso sconcertante, l'uomo nero indicò la via d'uscita – davanti a loro. Erano le scale antincendio.

Scendeva il buio quando, attirati dalla vista di un bosco, si inoltrarono in un parco che somigliava a una campagna. Si sdraiarono sul prato, davanti a un lago. Nel parco non c'era quasi nessuno. Vita si sciacquò i piedi neri nell'acqua dove navigavano altezzose anatre bianche. Mangiarono l'ultima salsiccia rimasta nella federa e l'ultima manciata di fichi secchi. Erano immensamente felici e avrebbero voluto che questa giornata non finisse mai. Fu allora che l'italiano li notò.

Era un ambulante. Si avvicinava trascinandosi dietro un organetto, che sulle irregolarità del terreno esalava, di tanto in tanto, una nota. Non potete stare qui, piccerelli, disse, sfoderando un sorriso amichevole. Dopo il tramonto il parco chiude, se vi trovano gli sbirri vi portano in prigione. Siete appena arrivati? chiese, mettendosi a sedere accanto a loro. Sì, rispose Vita, con orgoglio. Stamattina, col traghetto dall'isola. Abbiamo visto tutta la città. Siete soli? Sì, disse Vita, e azzinnò un'occhiatina complice a Diamante. Siete fratelli? Sì, disse Diamante.

No, disse Vita, mio fratello non lo conosco quasi, Diamante invece abita nello stesso vico mio. L'ambulante si arrotolò del tabacco in un lembo di giornale e aspirò qualche boccata. Siccome era italiano, e suonava delle canzoni bellissime sul suo organo, non diffidarono di lui. Dopo aver camminato tutto il giorno sulla luna, era bello sentir parlare la lingua di casa. Era bello trovare una guida. Se venite con me, vi faccio vedere un posto per dormire. È lontano? disse Diamante, che non sarebbe mai riuscito a costringere di nuovo i suoi piedi negli scarponcini stretti. No, dietro l'angolo. Lo vedi il Dakota? Indicò lo stupefacente castello tutto torri, pinnacoli, pignoni e torrette, dall'altra parte del lago. È là dietro.

Era lo scheletro di una casa in costruzione. Un asse mancante nella recinzione del cantiere immetteva in una specie di cantina. C'era un cartone macchiato che fungeva da materasso e una tavola sospesa su due latte vuote, che fungeva da tavolo. C'erano mucchi di scatole di conserva arrugginite e rifiuti. L'ambulante spinse l'organetto contro il muro e li invitò a sdraiarsi sul cartone. Lui s'avvolse in una coperta stinta, talmente piena di pidocchi che camminava da sola. Eccitati, gli raccontarono di Tufo e di Minturno, di Dionisia che era stata respinta dagli americani per via degli occhi malati e ora faceva la scrivana, e dello spaccapietre Antonio, che tutti chiamavano Mantu, e che era l'uomo più sfortunato del paese, perché due volte aveva traversato l'oceano, era arrivato fino in America e due volte l'avevano respinto, del fratello di Vita che Agnello s'era venuto a prendere nel 1897 e delle due sorelle e dei tre fratelli di Diamante che erano morti di fame. Vita gli mostrò perfino i suoi tesori. Sul piroscafo le avevano regalato un coltello, una forchetta e un cucchiaio d'argento del servizio del ristorante di prima classe. Ma il suo vero tesoro era un altro.

Prima di partire, s'era infilata nelle tasche del vestito una quantità di oggetti magici – per tornare a casa mia, spiegò con una certa condiscendenza. Una foglia arrugginita di olivo, la chela di un gambero, una pallina di cacca di capra, gli ossicini di una ranocchia, lo spino acuminato di un fico d'India, una scaglia d'intonaco della chiesa (che in tutti questi giorni si era sbriciolata, riducendosi a una polvere fina come talco), una tellina, il seme succhiato di un limone e un limone intero, coperto di una bianca peluria ammuffita. L'ambulante ignorò le posate d'argento e prese in mano tutti quegli oggetti disgustosi – mostrando di capirne il valore. Li soppesò, come fossero diamanti, e la aiutò a rinvoltolarli in un fazzoletto. Era gentile e interessato ai loro discorsi, come gli adulti non sono mai. Gli offrì un bicchiere del suo vino – l'unica cosa che avesse qui dell'Italia. Insistette, perché non volevano bere. Il vino aveva un vago sapore di medicina. Poi si fece triste e disse in tono malinconico che non sarebbero mai dovuti venire. Questo era un posto bruttissimo, non era vero niente di quello che si raccontava dall'altra parte. L'unica differenza fra l'America e l'Italia erano i soldi: i soldi qui c'erano, ma non erano destinati a loro. Anzi, loro servivano proprio per farli fare a qualcun altro. Dovevano tornare subito in Italia. Lui, se avesse potuto, sarebbe partito anche adesso. Solo che non poteva. A volte è difficile tornare indietro. Dall'altra parte, tutti credevano che fosse diventato ricco. Invece, in dieci anni che era qui, l'organetto era tutto quello che gli restava. Diamante fu così deluso dal discorso dell'ambulante che non gli rivolse più la parola. Questa città era una meraviglia bellissima, lui già la preferiva a qualunque altra e la fortuna lo stava aspettando. Si tolse la giacca, coprì Vita e disse che adesso, se non gli dispiaceva, volevano dormire. Era stata una lunghissima giornata. Buonanotte, bambini.

Quando aprì gli occhi, il sole già tramontava. L'ambulante non c'era più. Contro la parete non c'era più l'organetto. Ma non c'erano più neanche i suoi scarponcini, le scarpe di Vita, le posate d'argento, la giacca, la camicia, il berretto con la visiera, le bretelle. Era sparita anche la federa a righe con tutto il suo bagaglio. E, dalla tasca del vestito di Vita, mancava il ripugnante involto con il limone ammuffito, la foglia di olivo e la chela del gambero. Nemmeno uno degli oggetti magici era rimasto. C'erano solo le sue brache, gettate in un angolo. Troppo logore perfino per essere vendute a uno straccivendolo. La tasca interna, che tanto imbarazzo gli era costata davanti alla commissione di Ellis Island, era vuota. Diamante restò quasi un'ora disteso su quel cartone, mordendosi le labbra per non piangere. Non riusciva a credere che quell'uomo avesse derubato proprio loro. Che gli avevano concesso amicizia e compagnia – gli avevano affidato i loro segreti. Il respiro di Vita gli sfiorava la guancia. La guardava dormire, col viso rivolto verso di lui e un'espressione di beatitudine sulle labbra, e non voleva svegliarla. Non precipitarla nelle fondamenta di questo palazzo, in mezzo ai rifiuti e all'ingiustizia degli uomini.

Il poliziotto dai capelli color ruggine, filacciosi come le barbe delle pannocchie, li intercettò mentre vagavano nel parco scalzi e mezzi nudi. Non gli dissero una parola. Del resto non lo capivano, e quello non capiva loro. Sbraitava nella sua lingua incomprensibile, e quando afferrò Diamante per un orecchio lo tirò fin quasi a strapparglielo. Non servì a niente. Si trovò davanti due musetti luridi, delusi, impenetrabili. Quattro occhi colmi di rabbia e di tristezza. Li trascinò a spintoni verso il carro della polizia che sostava all'ingresso di Central Park. Consultò il collega circa il da farsi con questi due vagabondi. L'altro alzò le spalle. Ce n'erano centinaia di ragazzini così, nelle vie di New York. Quando li prendevano, li portavano negli asili di carità. Se non riuscivano a dimostrare di essere in grado di mantenersi in America, se risultavano vivere a carico del governo municipale – un peso una minaccia e un pericolo per la società – venivano espulsi. Li rimpatriavano col primo piroscafo. UNINVITED STRANGERS. UNDESIRABLE ALIENS. Il poliziotto costrinse Diamante a salire sul carro. Diamante nascose il viso fra le mani, perché si vergognava. I passanti non dovevano pensare che era un ladro. Era stato derubato, invece, anche se non sapeva come dirlo. Come far credere che lui e Vita possedessero qualcosa che poteva essere rubato. «Come on, little one», disse il poliziotto rosso di pelo a Vita. Vita non si mosse. Continuava a frugarsi nella tasca, come se l'involto potesse riapparire, perché era impossibile che l'ambulante le avesse preso anche quello – pieno di oggetti che per lui non significavano niente e che dovevano invece riportare a casa lei. Ma l'involto non riappariva. «Come on!» ripeté il poliziotto. Gli occhi scurissimi di Vita indugiarono sulle spalle curve di Diamante. Nude, perché nemmeno la camicia gli era rimasta. Sulle sue spalle magre il disegno delle ossa ricordava quello delle ali. Allora si chinò, raccolse un bastoncino da una pozzanghera, e con mano incerta, mentre i due poliziotti la fissavano allibiti, nella terra del parco scrisse: 18 Prince Street.

# Una gita a New York

Nella primavera del 1997 sono stata invitata negli Stati Uniti. Dovevo aggregarmi a un gruppo di scrittori, giornalisti e professori per tenere un discorso alla Library of Congress di Washington in occasione dell'apertura di una sezione dedicata alla letteratura italiana. Non avevo alcun desiderio di andare negli Stati Uniti. Inoltre sapevo di non avere i requisiti per rappresentare la letteratura italiana, dal momento che avevo pubblicato un unico romanzo, l'anno precedente, e l'esperienza mi aveva talmente schiacciata che temevo il giorno in cui avrei ceduto alla tentazione di pubblicarne un altro. Molti avevano lodato la mia "giovane età", ma io non sapevo cosa volesse dire essere giovane. Tuttavia quel viaggio mi sembrò una specie di dono, e i doni sono casuali e spesso rivelatori. Non bisogna rifiutarli. Sono partita.

Avevo trent'anni. Da qualche tempo ero assillata da varie manie, fra le quali un pernicioso rifiuto della luce, le cui conseguenze erano in un certo senso comiche: diventava una difficoltà insormontabile attraversare una strada esposta al sole, o camminare lungo un marciapiede non riparato da un balcone, una tettoia o una fila di alberi. Non andavo al mare da anni e avevo rinunciato anche alle montagne, ai deserti e agli altipiani in cui avevo sempre amato vagabondare. Non ero in grado di rispondere al telefono – il cui mero suono bastava a gettarmi nello sconforto – e la sola idea di incontrare un estraneo mi sgomentava. La prospettiva di parlare in pubblico, poi, era semplicemente esclusa. La pubblicazione del romanzo mi aveva in qualche modo costretta ad affrontare tutto ciò. Nella primavera del '97 le mie difficoltà erano diventate addirittura fonte di riso fra me e Luigi, l'unico che ne fosse a conoscenza a parte medici e farmacisti. Ovviamente, desideravo che i miei illustri compagni di viaggio non si rendessero conto di niente. Volevo piacergli, come loro piacquero a me. I temibili estranei si rivelarono affabili, cortesi, decisamente simpatici. L'emerito filosofo del linguaggio che costituiva la principale attrazione della compagnia divideva con me una trasgressiva dipendenza dalla nicotina, reato assai grave in un paese come gli Stati Uniti che si sono votati a una battaglia senza quartiere contro il fumo. Più volte ci ritrovammo ad aspirare insieme le nostre sigarette proibite, negli scantinati e sui marciapiedi: come congiurati e malfattori. I giovani scrittori, attori, addetti alle pubbliche relazioni, i fidanzati e le mogli contribuivano a trasformare la trasferta in una sorta di sgangherata gita scolastica. Parlammo alla Library of Congress. La sala era piena. Ognuno di noi, volenterosamente, parlò in inglese. Anch'io.

Ho sempre avuto difficoltà con l'inglese. Non so perché. A undici anni, ho insistito per iscrivermi alla classe di francese – che nessuno voleva frequentare. L'inglese è la lingua del futuro, diceva mio padre (che però il corso d'inglese l'aveva abbandonato nel 1952, quando incontrò mia madre). Il futuro non m'interessa, risposi: ero convinta che non lo avrei raggiunto. Imparai il francese. Siccome le lingue esercitavano su di me un'attrazione irresistibile, mi appassionai al greco e al latino, e studiai, da sola, armata di un vocabolario e di una grammatica, il russo e lo spagnolo. A diciott'anni mi persuasi che il futuro era già presente, e partii per l'Inghilterra. Del mio inverno a Oxford ricordo solo i pestiferi figli del tassista, dei quali mi occupai in cambio dell'alloggio – una stanza rivestita da una psichedelica carta da parati a fiori in una villetta a schiera nella nebbiosa periferia operaia. Furono giorni di impenetrabile solitudine, in una città estranea, tra gente irraggiungibile, che non capivo e che non mi capiva. Gli studenti della famosa università si riunivano nei pub, la sera, ma io restavo coi ragazzini del tassista, perché non potevo parlare con loro. Ero rimasta senza parole – il che, per me, equivaleva alla privazione più mortificante, alla povertà assoluta. Divisi la solitudine con un tenebroso studente saudita, che alla fine mi propose di sposarlo. È stata la prima e unica proposta di matrimonio che ho ricevuto, mi fu fatta in inglese e in inglese fu rifiutata. Lo scopo del mio soggiorno era stato raggiunto: avevo imparato a sopravvivere.

Dopo il discorso alla Library of Congress avevamo tre giorni liberi prima dell'incontro successivo, che si sarebbe tenuto a New York. Prendemmo il Metroliner e arrivammo alla Penn Station una mattina di aprile. A quel tempo, stavo progettando un romanzo su e per Annemarie Schwarzenbach: impiegai quei tre giorni pellegrinando nei luoghi in cui aveva vissuto, prima di essere espulsa dagli Stati Uniti come "ospite indesiderata". Me ne andai in giro per la città, cercando alberghi e manicomi, cliniche psichiatriche e locali notturni. L'hotel Pierre in cui aveva abitato nell'autunno del 1940 con la sua amica tedesca, la baronessa Margot von Opel, si rivelò di un lusso così ostentato da sembrare volgare. Il portiere in livrea mi aprì la porta, sorridendomi in modo stereotipato, come faceva con chiunque – senza cordialità e solo perché doveva farlo. Algide mattonelle bianche e nere conducevano ad ascensori rivestiti di legni pregiati. La stanza di Margot era situata nella torre. Una torre neogotica, fallica, possente. Le pareti odoravano di essenze. Eppure proprio fra queste stanze ovattate di moquette si consumò la catastrofe, e proprio da qui Annemarie iniziò la sua discesa all'inferno. Finì al Bellevue Hospital, e – inseguendola – finii anch'io al Bellevue, sulla First Avenue, nella parte bassa di Manhattan.

Mi aggirai fra i corridoi del rinomato reparto psichiatrico. Parlai coi medici ispanici che curano i malati ispanici. Il Bellevue è ancora l'ospedale gratuito di New York, e i poveri oggi parlano latino. Negli anni Quaranta, mi spiegò un giovane dottore, la maggior parte dei ricoverati erano italiani. Gli italiani erano la minoranza etnica più miserabile della città. Più miserabili degli ebrei, dei polacchi, dei rumeni e perfino dei negri. Erano negri – mi disse – che non parlavano nemmeno l'inglese. Annuii, colpita dalla sferzante associazione. Non ci avevo mai pensato. Mi tornarono in mente i vecchi dal viso contadino che ci avevano fermato il giorno precedente a Coney Island, e che avevano cercato di intavolare una conversazione con noi. Non ci capivamo. Ciò che essi credevano italiano era un'altra lingua. Dialetti parlati nel Mezzogiorno molti anni fa. Ci avevano chiamati paisà.

Fu così, camminando per ore lungo le interminabili strade di downtown che sembrano non condurre a niente, che ci ritrovammo a Little Italy. Non era un quartiere abitato, né vivo – piuttosto un museo, un teatro. Ci fece un'impressione deprimente. Tutto era ricostruito a uso dei turisti. Le vetrine dipinte a tricolore, le bandiere, i ristoranti con un fasullo menu italiano (il ristorante partenopeo proponeva cotolette alla milanese e riso allo zafferano). La nostra guida francese ammoniva i visitatori di non usare la parola mafia a Little Italy. Era solo razzismo, e inutile, per giunta, perché quella non era Little Italy. Gli italiani se n'erano andati – erano scomparsi, si erano confusi e annullati nell'America che avevamo attorno. Nessuno dei baristi, dei camerieri e dei proprietari dei ristoranti che si affacciavano su Mulberry Street provava la minima nostalgia per il passato. Erano come i guardiani dei cimiteri di guerra, o delle trincee sulle Dolomiti. Custodivano il ricordo di una battaglia persa. Mettevano in scena, ripulita, purificata, scrostata di ogni dolore, sangue e vergogna, la cartolina di un mondo che non era mai esistito. Volevamo fuggire all'hotel Bedford (Annemarie aveva abitato lì, sulla Quarantesima, insieme ai Mann e agli artisti tedeschi in esilio dal nazismo), ma erano quasi le due e scoprimmo di avere fame. Comprammo un trancio di ottima pizza in una drogheria di Mulberry Street. C'era solo una panchina, appoggiata al muro di fronte. Era al sole. Luigi mi lanciò un'occhiata allarmata, ma io attraversai la strada e mi sedetti sulla panchina – il sole mi batteva ferocemente sulla testa, e non me ne accorsi. Finì così, quel giorno, all'improvviso, come era cominciato.

Risalendo verso la Quarantesima ci perdemmo nelle strade di SoHo. Era il quartiere alla moda. L'irritante aggettivo più usato per definirlo era "cool". Le palazzine a due o tre piani, dai colori pastello, riparate da massicce scale antincendio di ghisa, ospitavano boutique pretenziose (sugli scaffali, fra arredi minimali e pareti di un bianco abbagliante, i jeans e i vestiti di materiale sintetico erano in mostra come sculture post-moderne), inavvicinabili caffetterie e loft nei quali galleristi svogliati esponevano idoli africani, tessuti naturali e maschere aborigene. Il quartiere dettava le tendenze, e decretava ciò che era sorpassato, inesorabilmente caduto fuori moda. Un quartiere per attori, giovani manager, registi, artisti. Un quartiere per gente di successo. Ci fermammo davanti a un'agenzia immobiliare. Gli annunci erano corredati di fotografie patinate:

SOHO 1 br by Prince Street & West Broadway.
This is a real large one bedroom just off Prince Street in SoHo. It has a large private garden and is available for long-term rental. Fully furnished with all amenities (tv, vcr, telephone, full kitchen, full bath).
$ 2395

PRINCE STREET TWO BED
Great clean, safe building. All new renovations.
Great for a share situation, especially nyu students. Lots of fun.
Cats are ok Dogs are ok
$ 2025

Ideale per gli studenti. Quattro milioni per un monolocale? Forse all'anno. Ci guardammo in faccia, stupiti. No, macché: gli affitti erano mensili. Prince Street era la strada più alla moda del quartiere.

Prince Street.

Una strada di boutique, gallerie d'arte, ristoranti con main course a 25 dollari, locali esotici.

Prince Street.

Perché mi sembrava di aver già sentito questo nome?

L'avevo letto da qualche parte?

Guardai le case a tre piani, le finestre, i cortili, le scale antincendio.

A Prince Street c'è stato il padre di mio padre, dissi distrattamente a Luigi.

Venne in America da ragazzo.

Quando? disse lui.

Non me lo ricordavo. Era una vecchia storia, e da molto tempo nessuno me ne parlava più. Non avevo mai avuto molto interesse per la storia della mia famiglia. In realtà, desideravo solo liberarmene. Chi non lo desidera? Non frequentavamo i nostri parenti e ci frequentavamo poco anche fra noi: cercando di lasciarci la massima libertà reciproca. Mio padre era amico di Basaglia, imbevuto di antipsichiatria. Sosteneva che le famiglie sono velenose e che in esse si commettono i crimini più mostruosi, si infliggono le ferite più inguaribili.

Qualche brandello di quella storia me l'aveva comunque raccontato: come una favola. Ne conosceva molte e quella dei Mazzucco non era meno magica e tenebrosa. Ricordavo con una certa simpatia la figura di Federico, il rabdomante piemontese depositario di strani segreti della natura, e del ragazzino Diamante che andò in America da solo, a dodici anni, con dieci dollari cuciti nelle mutande. A dodici anni anch'io avrei voluto andarmene, e nonostante tutto lo invidiavo. Ricordavo invece con imbarazzo la figura tragica dello spaccapietre Antonio, i cui figli erano morti di fame. Ero stata una bambina anoressica, e ogni volta che rifiutavo il cibo mio padre diceva, severamente: tu lasci il riso nel piatto, ma i fratelli e le sorelle di tuo nonno sono morti di fame. La storia dei Mazzucco gravava su di me come una colpa, che dovevo espiare – accettando con gratitudine ciò che mi veniva dato. Li sentivo remoti, alieni, distanti. Erano gente dura come la pietra, inflessibile, spietata. E io non lo ero. Non avevo niente in comune con loro.

Io somigliavo a Emma. Avevo i suoi capelli – folti, ferrei, forti. I suoi occhi. La sua passione per la poesia. La sua emotiva esuberanza.

I Mazzucco erano maschi – laconici, controllati, autoritari, tragicamente incapaci di comunicare. Gente di pietra.

Spaccapietre.

Prince Street.

Il sole tramontava. Le vetrine delle gallerie d'arte di Prince Street riflettevano barbagli rossastri – una luce calda si diffondeva sulla via. Dunque fuggendo le pietre di quel paese del Mezzogiorno Diamante era venuto proprio qui.

Ma dove, come, quando?

Mi resi conto che non ne sapevo niente.

Panorama di Minturno

# Welcome to America

*IMMIGRAZIONE SGRADITA*

*È gratificante vedere un giornale di prima classe come il "Times" suonare una nota di ammonimento per il pericoloso afflusso di stranieri indesiderati che si stanno rovesciando su di noi. L'afflusso non è solo sgradito ma nocivo al benessere del nostro paese. Voi dite che è nostro dovere aprire le porte agli oppressi di tutto il mondo, e dal momento che una persona è povera e infelice nel paese in cui è nata può reclamare la nostra ospitalità come un diritto. Ma le nostre leggi per l'immigrazione sono troppo lassiste. Guardate nelle nostre prigioni, negli istituti di pena, guardate il numero di omicidi e crimini quotidiani: sono tutti commessi da stranieri. E perché questi stranieri selvaggi e col sangue caldo sono sempre armati di stiletti o revolver? Nelle nostre strade sono tutti armati. Non molto tempo fa ho visto un ambulante italiano che spingeva un carretto a mano minacciare con un coltello un bambinetto americano che lo aveva provocato prendendolo in giro in modo innocuo. Ho cercato un poliziotto per quasi mezz'ora, ed ero a Broadway, a mezzogiorno. Non ho trovato un poliziotto e il potenziale assassino è scappato. Sì, bisogna bloccare in ogni modo questo flusso indiscriminato. Per quaranta o cinquant'anni la porta deve restare chiusa contro questo genere di immigranti.*

*Samuel Conkey*
*(Brooklyn, 28 aprile 1903)*

*NON VENITE*

*Mentre migliaia di italiani appena arrivati affollano New York, quelli che sono qui da più tempo cercano in tutti i modi di scoraggiare ulteriori partenze. I metodi per la dissuasione sono diversi. Si va dalle lettere con tristi ritratti della vita di qui ad articoli catastrofici inviati ai giornali di Napoli e di Sicilia. Ci sono poeti, a Mott e Mulberry Street, che cantano la vita dura che attende i* nuovi arrivati: anche un verso rude ha grande attrattiva per gli italiani. Uno di questi componimenti dice che la nuova terra è nel migliore dei casi una fregatura, dove professori e braccianti si ritrovano a scavare con la picca in mano. Il poeta conclude: giovani, non venite.

*10 maggio 1903*

LETTERE AL DIRETTORE: STRANIERI E CRIMINE
*Revers, Massachusetts, 1° luglio 1903*
Nella mente di ogni americano e di ogni americana intelligente non può esservi dubbio che un'immigrazione straniera senza regole e senza restrizioni ha molto a che vedere con il pericoloso aumento del crimine in questo paese. Le nostre prigioni, i nostri manicomi e le case di correzione per minorenni sono la prova di questa tendenza. La questione tocca il fondamento e l'esistenza della nostra repubblica. Per anni e anni abbiamo accolto in mezzo a noi, a centinaia di migliaia, il rifiuto della società europea, la schiuma delle città d'Europa, i poveri, gli illetterati, i nichilisti, gli anarchici. Una piccola porzione di gente che voleva lavorare e solo moderatamente ignorante ha trovato impiego nelle nostre imprese. Il residuo si è stabilito nelle nostre maggiori città, dove il pigro e il fannullone gravano sull'onesto americano che paga le tasse; il vizioso e il criminale sono accolti dai loro pari, gli anarchici trovano il pubblico adatto alle loro prediche blasfeme. Il risultato di questa immigrazione selvaggia è grave. I disoccupati – ce ne sono centinaia di migliaia – soccombono presto all'ambiente, e accrescono i ranghi dei fuorilegge. Molto dipende dall'azione immediata. Se gli americani sapessero di più sui pericoli di un'immigrazione straniera senza restrizioni, indubbiamente riconoscerebbero l'urgenza di un intervento legislativo.

*Eugene B. Willard*

UN LIBRO RESPONSABILE E ARGOMENTATO
Scrive Prescott F. Hall nel suo libro Immigration (Harry Holt & Co.): "Questa settimana, da una sola nave sono sbarcati duemila disperati, distrutti nello spirito, deboli nel fisico, che hanno però superato l'ispezione. Non c'è niente di simile nella storia. Siamo testimoni di un esperimento razziale che rivaleggia con gli esperimenti di Burbank sulla vita delle piante. Mai ci potrà essere una simile opportunità per la stirpicoltura umana. Eppure l'immigrazione è amara e tediosa anche per quelli che si meravigliarono de-

gli incredibili risultati di Burbank con le piante – per quanto noi potremmo, se volessimo, selezionare il tipo di persona che un americano sarà o dovrebbe essere. Grandi mutamenti stanno infatti avvenendo. Da quando viaggiare è diventato più semplice e più economico, non vengono in cerca di libertà o di pace, ma per motivi mercenari. Così noi non abbiamo accolto persone che ci sono affini, persone che capiamo e da cui siamo capiti. Abbiamo preso fra noi gente di sangue, lingua, religione e costumi estranei. Abbiamo sviluppato distinzioni di classe e razza e odi finora sconosciuti. Ci ritroviamo crimini non-americani e criminali con nomi stranieri". Questo libro è scritto senza pregiudizi né passione. È un libro responsabile e argomentato.

Edward A. Bradford

# Bad-boys

Vita ha un sistema infallibile per classificare gli abitanti della pensione. Li divide in base all'età. I vecchi – cioè tutti quelli che hanno superato i vent'anni – portano i baffi, lavorano, pagano l'affitto, danno del voi a Lena, hanno la moglie e i figli nella bella patria lontana alla quale pensano col ciglio lacrimoso: la nostalgia gli pagherà il biglietto di ritorno. In casa non ci sono mai e lei li incontra solo la sera, quando spilluzzicano la cena seduti sulle brande con le gamelle tra le ginocchia. I ragazzi portano baffetti striminziti o non ce li hanno ancora, sono spesso disoccupati perché sono i primi a essere licenziati quando l'economia va male, e quest'anno va di male in peggio, e non hanno altra famiglia che la pensione. La patria lontana li rivedrà quando avranno le tasche piene di dollari e quindi non tanto presto. I ragazzi evitano i vecchi, non li calcolano proprio, stanno per conto loro e vanno in giro sempre insieme. Lena, anche se non ha i baffi e la famiglia dall'altra parte dell'oceano, è vecchia. Per quanto, magra com'è, sembra un'adolescente anemica – la figlia e non la moglie o la serva di Agnello. Ha i capelli sbiaditi lunghi fino ai fianchi, e gli occhi un po' strabici in cui luccicano delle pagliuzze verdi che si scuriscono quando ride. Il che accade spesso, perché non è una donna seria e un giorno brucerà tra le fiamme dell'inferno coi peccatori come lei. I maschi del quartiere si voltano quando passa perché ha le zizze appuntite e il culo a mandolino. I maschi si ficcano un dito in bocca e lo fanno schioccare contro la gengiva. Significa che vogliono ficcarle qualcosa da qualche parte. Lena non si volta, stringe il polso a Vita come volesse stritolarglielo e tira dritto, trascinandosela dietro fino a che svoltano l'angolo. I maschi conoscono molte più parole delle femmine, e molti più gesti. Prima che Lena la metta al sicuro dietro l'angolo, Vita si volta a guardare e la terza volta ha già imparato come riprodurre quel suono: ma appena fa schioccare il dito contro la guancia, Lena le allunga una sberla. Quando Vita se ne lagna col padre, Agnello agguanta Lena per un braccio e dice cos'è questa storia? Come ti permetti di alzare le mani sulla figlia mia, tu la figlia mia non la devi toccare, e le assesta due ceffoni così potenti che le fa sanguinare la bocca. Lena non può raccontare il fatto dello schiocco ad Agnello, e si tiene il ceffone – né ci riprova più a prenderla a sberle.

Lena non si chiama Maddalena e nemmeno Lena, ma il nome suo – Gwascheliyne qualcosa – è impossibile, e avere un nome che nessuno riesce a pronunciare è come non averlo. Lei stessa non si ricorda bene come si pronuncia, in quanto i genitori, quando era piccola, l'hanno affidata a una famiglia che se l'è portata in Libano per salvarla, perché la gente della razza sua veniva sterminata dai russi dello zar. Invece quella famiglia a dodici anni l'ha mandata in America a sposare un circasso, che però è subito morto tisico e Lena si è ritrovata vedova a tredici anni e sola. Lena viene da una montagna del Caucaso, che secondo lei è emersa dalle acque del diluvio universale e si è aperta per lasciar passare l'arca di Noè. Pure lei è una circassa, una razza che ha prodotto poeti, guerrieri e schiave che vivono per amare, bere e sfidare la morte. Le schiave circasse sono le concubine più belle dei pascià. La loro bellezza è leggendaria. Infatti è bella anche Lena – alta, esotica e strana. Però siccome da un po' bazzica gli italiani parla napoletano e ci mescola delle parole libanesi: la lingua sua se l'è dimenticata, e questo la affligge enormemente. Ogni volta che sente parlare una lingua nuova, si illumina di speranza, ma non ha mai avuto la fortuna di ritrovare uno che viene dalla montagna sua: pare proprio che i circassi sono stati tutti sterminati e lei è rimasta l'unica in tutta l'America. Quella lingua se la sogna di notte, ma di giorno non è capace di parlarla neanche per sbaglio.

Lena è la serva, ma anche la moglie di Agnello – il che in un certo senso è la stessa cosa – però dall'altra parte non si deve sapere. Per questo Agnello ha lasciato Cleveland dove vivono più minturnesi che a Minturno e dove voleva spedire Diamante, e se n'è venuto a New York. Non a Mulberry Street, dove al 91 abita Desiderio Mazzucco e al 46 Antonio Mazzucco (che però non è il padre di Diamante), ma a Prince Street, dove abitano i siciliani, e dove tutti pensano che Dionisia sia morta per la malattia agli occhi, e lo compatiscono perché è stato costretto a risposarsi per dare una madre ai suoi orfanelli. Quando, poco dopo il suo arrivo, i vicini hanno detto a Vita quanto è triste crescere senza mamma, che brutta disgrazia che le è capitata a perdere la sua, Vita pensava che avessero sbagliato persona. Quando s'è resa conto che parlavano proprio di lei, ha risposto che non è vero niente, Dionisia è viva assai, solo sta diventando cecata dall'occhio destro, e appena Agnello metterà al banco il suo primo milione, e ci è molto vicino perché è già ricchissimo, partiranno tutti per tornare in patria. Lena andrà a fare la concubina schiava di un altro uomo già sposato come è destino delle circasse. I vicini la fissano sgranando gli occhi. All'inizio pensano che Vita sia una bugiarda sfacciata. Poi pensano che Lena sia una puttana sfacciata. Comunque le prendono a malvolere tutte e due. Però Diamante non è sfacciato come Vita, e per farsi perdonare di aver perso il treno per Cleveland rispetta i patti con Agnello e a casa ha scritto:

*Cari e amati genitori,*
*con questo vengo a farvi sapere il mio stato di salute perfetta e così spero anche di voi. Mi sono sistemato a pensione da una vecchia che affitta le camere che mi ha raccomandato lo zio. Mi trovo bene c'è anche il cugino Geremia. Il lavoro è sicuro e non ci perdo un giorno. Ieri abbiamo fatto la festa per il settantesimo compleanno della padrona. Ci siamo divertiti e abbiamo pianto pensando all'Italia lontana.*
*Mi dichiaro di essere il vostro figlio e vi bacio rispettosamente le mani. Abbracciate per me i fratellini che li penso sempre e mi mancano tanto.*

Diamante non ha mai imbrogliato i genitori, perché li adora. Si farebbe ammazzare, per loro. Sono sacri, per lui suo padre è san Giuseppe e sua madre la Vergine Maria. Ma se Angela sapesse che Diamante vive con la donna che va a letto con Agnello lo costringerebbe ad andarsene a Cleveland perché è una brava cristiana e certe fetenzie non potrebbe nemmeno immaginarle. Vita non scrive lettere a casa, ma si chiede cosa farebbe Dionisia. Forse la farebbe tornare in Italia. Non ci sperare, l'ha avvertita Nicola: Dionisia lo sa. Non può pretendere che il marito resti fedele alla moglie che non vede da sei anni. Un uomo è un uomo. Vita non capisce come si possa sopportare una situazione del genere, ma siccome Dionisia vuole solo il suo bene, se l'ha mandata qui ci sarà un buon motivo.

A ogni modo Lena non ha settant'anni ma ventiquattro: hanno festeggiato il suo compleanno il quindici di giugno. Alla pensione hanno organizzato una festa e per l'occasione si sono tutti sbronzati. Anche Lena era brilla, rideva e le luccicavano di verde gli occhi. Tutti si stavano divertendo come non capita mai a Prince Street. Geremia suonava il trombone e Lena insegnava a Vita i passi del circolo circasso, che è una danza sacra e serve a scacciare gli spiriti del male. Lena balla in un modo che ti rimescola il sangue. A quel punto Agnello s'è alzato col bicchiere in mano e barcollando ha detto di far silenzio perché stava per comunicare ai suoi bordanti una grande notizia. S'è fatto silenzio. Lena s'è irrigidita e ha cominciato a dire no, no, zio Agnello, non lo fate. Agnello l'ha fatto.

Ha detto che Dio lo ricompensa di tanti patimenti: a novembre gli nascerà un figlio americano. Ha detto proprio così, ma veramente più che contento sembrava confuso e stordito come se gli avessero dato una mazzata in testa. I vecchi hanno brindato con Agnello, invidiosi della sua donna giovane, e i ragazzi hanno preso a fissare Lena, che è diventata tutta rossa e poi è scoppiata a piangere. Erano tutti sbronzi e le lacrime sono diventate contagiose. Piangevano tutti, va' a capire perché, e questo è stato il settantesimo compleanno che ha raccontato Diamante ai cari genitori. Comunque, settant'anni o ventiquattro, Lena è vecchia, e non è interessante come i ragazzi. Purtroppo alla pensione i ragazzi sono solo tre.

Rocco ha già diciassette anni. È grande come un albero. Gli piace fare a pugni – ma agli altri non piace fare a pugni con lui. Rocco lavora alla metropolitana come scavatore, ma da qualche tempo è in sciopero: i lavori sono bloccati dalla Cinquantanovesima in su. Invece di lavorare va in corteo urlando che devono aumentargli lo stipendio e concedergli il contratto nuovo – non si capisce perché gli scavatori americani lavorano otto ore e noi dobbiamo farne dieci. Agnello dice che è diventato uno scansafatiche per le cattive compagnie del quartiere e ci si fa il sangue amaro perché aveva delle speranze, per lui. Quando il padre di Rocco è morto a Ravenna, Ohio, perché gli è caduta in testa una putrella d'acciaio da una tonnellata, Agnello l'ha cresciuto come un figlio. Ma Vita preferisce quando Rocco sciopera, perché in casa c'è un gran via vai di giovani di buon umore e Lena mentre stira canta le storie circasse, che parlano di Lhepsch, un eroe coraggioso che attraversa l'oceano, incontra la Donna albero, ci fa l'amore e la abbandona, come deve fare un eroe, camminando per tutta la terra in cerca del punto in cui il mondo finisce. E sebbene Vita non la sopporti perché è smorfiosa e quell'occhio strabico un po' verde e un po' d'aceto monopolizza l'ammirazione dei ragazzi, deve ammettere che le storie di Lena ti lasciano col fiato sospeso – e cammina cammina dopo tante avventure Lhepsch torna dalla donna e la fine del mondo non l'ha mica trovata.

Coca-cola le assomiglia e ciò significa che è proprio suo fratello, anche se Vita non se lo ricordava perché Agnello è venuto a prenderlo a Tufo quando lei sapeva dire solo quattro parole. Ha i foruncoli sulle guance, e i denti tutti cariati, perciò quando sorride – per non sguainare la sua nera carie in faccia alla gente – si tiene sempre una mano davanti alla bocca. Inoltre balbetta e quando parla, se gli stai troppo vicino, ti innaffia di sputi. Siccome è suo fratello dormono nello stesso letto, nello stanzino con la finestra. Lena dice che non sta bene, e voleva che Vita dormisse con lei, ma Agnello preferisce dormirci lui con Lena. La vita è già abbastanza dura perché gli tocchi pure la condanna di andare a letto col figlio. Tanto Nicola pure se ha tredici anni c'ha il cervello di uno di cinque, è un cazzelappeso, stupido come una scarpa. A Vita suo fratello sembra balbuziente, ma ritardato proprio no. Sotto il lenzuolo Coca-cola le fa il solletico sulla pianta dei piedi e sulle ginocchia e, in cambio del solletico sull'uccello, vorrebbe solleticare anche quello che chiama il nido dell'uccello, dicendo che non è peccato in quanto lei non è veramente sua sorella – le donne si consolano quando i mariti partono per l'America. Vita è d'accordo con lui, perché preferisce non essere figlia di Agnello. A forza di pensare a chi potrebbe essere l'uomo che ha consolato Dionisia si è convinta che è il principe Carafa, il padrone di tutte le terre di Minturno e l'uomo più ricco e potente della provincia di Caserta. Però quello che Nicola chiama il nido, Vita non glielo lascia solleticare. Anche perché quello che Nicola chiama l'uccello non somiglia per niente a un uccello ma piuttosto al baccello della carruba, benché a differenza di quello, rugoso e vellutato, è liscio, duro e viscido e a dirla tutta fa schifo. Nicola lavora al negozio di frutta con Agnello, ma delle volte non si presenta e se ne va in giro con Rocco a manifestare – è divertente perché finisce sempre in rissa con la polizia. I manici dei cartelli diventano bastoni, e ai poliziotti gli viene la cacarella quando si trovano circondati. Fra l'altro Nicola è molto apprezzato, perché i ragazzini di Tufo imparano a fare a sassate prima di imparare a parlare, e con la fionda riescono a centrare l'occhio del cavallo di un poliziotto lontano cento metri. Quando torna a casa Agnello lo prende a cinghiate, lo rincorre col mattarello e lo pesta finché sul cranio gli fioriscono dei bernoccoli grandi come bignè. Agnello dice che tanto, più stupido di com'è non può diventare. Nicola promette che domani andrà a lavorare puntuale e si fa mettere gli impacchi sulle ferite da Lena. Anche Lena prende le cinghiate di Agnello perché lui impazzisce all'idea che i bordanti se la sognano e col pensiero gli mettono le corna. Gli impacchi sulle ferite di Lena li mette lei. Lena conosce una tecnica segreta per non sentire il dolore, e se Vita si comporta bene, un giorno gliela insegnerà.

Il più serio di tutti è Geremia, il cugino di Diamante. Pure lui è in sciopero con Rocco, pure lui voleva le otto ore e l'aumento a due dollari l'ora, e pure lui è andato a fare le manifestazioni, ma gli hanno appioppato tante di quelle randellate che se n'è pentito. Gli è venuto un muso lungo fino al pavimento perché il contractor vuole prendere i negri del Sud al posto degli italiani. Geremia ce l'ha con Rocco perché lo sciopero non è andato a finire bene. I sindacati americani se la sono squagliata, il console italiano ha dato ragione alle compagnie d'appalto, e nessuno li ha difesi. Alla fine gli scavatori sono tornati a lavorare dieci ore al giorno e pagati come prima, ma a quelli che hanno scioperato e si sono fatti notare urlando e manifestando il contratto non glielo hanno rinnovato. Rocco se ne frega, ma Geremia dice che un uomo senza lavoro è come un cane senza padrone e cammina tanto per cercarsi un altro cantiere che s'è consumato i piedi. Secondo Agnello è un bravo ragazzo e Diamante dovrebbe prendere esempio da lui. Diamante ci prova. Geremia porta i baffetti a spazzolino da denti per far credere ai capisquadra di essere più vecchio dei suoi quindici anni e per farsi pagare meglio. È timido e suona benissimo il trombone. Gli piacerebbe diventare musicista – e suonare in chiesa e nelle bande, ma l'unica banda in cui l'hanno voluto è quella che suona la marcia funebre ai funerali.

Diamante sta sempre alle calcagna dei ragazzi, e spasima per essere parte del gruppo, ma è troppo orgoglioso per chiederlo. Diamante è permaloso e suscettibile come una scimmia. Si farebbe tagliare una mano piuttosto che chiedere qualcosa a qualcuno. Siccome non trova lavoro, è già svenuto due volte per la fame. I ragazzi lo chiamano Celestina, per via degli occhi: lo prendono in giro perché sembra una femmina. A Vita Diamante non sembra una femmina. Sembra solo un maschio più carino degli altri. I ragazzi non vogliono nemmeno Vita tra i piedi. Dicono che è una femmina. Vita non sapeva che fosse un difetto. Infatti, essere una femmina non è un difetto, ma solo uno svantaggio, il problema è essere una bambina. Le bambine non servono a niente. Vita giura che non c'è differenza. La cosa si fa interessante.

Erano in cucina, già sul punto di uscire, ma si sono fermati. Coca-cola dice, allora faccelo vedere. Vita strilla che non si può, perché se la tocchi ti rinsecchisce e se la guardi diventi cieco. I ragazzi ridono, perché in America non funziona così e lei s'infuria. Diamante si guarda le dita dei piedi scalzi. Non interviene perché ha paura di essere preso in mezzo. Lo sa come finisce lo scherzo: tutti si calano le brache e mostrano il baccello. Chi ce l'ha più corto è recchione. Diamante ce l'ha più corto. Ma non è recchione, è solo più piccolo, compirà dodici anni a novembre. I ragazzi però lo sfottono comunque, e dicono che presto Celestina diventerà la gherla più carina di Mulberry. Be', se gli rinsecchisce e diventano ciechi peggio per loro. Di certo è meglio lei di una concubina schiava e circassa. Si solleva fieramente il grembiule, ma porta un paio di mutande col merletto che le arrivano fino al ginocchio. Lena rientra in cucina col turbante in testa perché una volta tanto s'è lavata i capelli. Che state facendo, screanzati? Tira giù il grembiule di Vita, scostumata che sei, prende il battipanni e lo abbatte sul sedere di Coca-cola, che scoppia a ridere senza nascondersi la bocca e dimenticandosi dei denti cariati. Rocco agguanta Lena per le spalle, le tiene ferme le braccia e le fa volar via il turbante, i capelli le ricadono sugli occhi, Geremia le strappa di mano il battipanni. Si azzuffano come se dovessero picchiarsi, ma nessuno si fa male. Vita non ci capisce niente. Diamante vorrebbe lanciarsi nella mischia, ma è arrivato da poco e non gli sembra dignitoso azzuffarsi con la donna del padrone che è pure incinta anche se non si vede. Diamante è molto educato. I ragazzi non sono educati per niente.

La mattina dopo, la sveglia la voce di Enrico Caruso. Come abbia fatto Enrico Caruso a trovare l'indirizzo di Prince Street è un mistero. Enrico Caruso è un vaglione di Napoli, ma vive alla Scala o comunque a teatro, e in questo periodo si sta facendo onore a Buenos Aires e a Montevideo, che sono qua vicino, e a Rio de Janeiro, che nessuno sa dov'è. Enrico Caruso è distrutto perché lucevan le stelle e un passo sfiorava la rena. Il sogno suo d'amore è finito, l'ora è fuggita. Enrico Caruso muore disperato. Ma, mistero glorioso, rieccolo vivo e vegeto che canta daccapo, lucevan le stelle, un passo sfiorava la rena, e così via. Vita si trascina lungo il corridoio, assonnata. Che grande onore che ha fatto a Agnello, Enrico Caruso, venendo a casa sua. Infatti Enrico Caruso, che pure era povero come noi, e suo padre faceva il meccanico e gli sono morti di fame tutti i figli come ad Antonio, è diventato famoso, mentre Agnello l'armonica a bocca non la suona più, perché sostiene che con la musica i soldi non si tirano su e le note non ti riempiono la pancia. Enrico Caruso ha la voce maschia, giovane, vellutata e piena di passione. Allora le viene la speranza che magari il suo vero padre non è il vecchio principe Carafa ma il giovane Enrico Caruso. È senz'altro così. Infatti Enrico Caruso ha cominciato a cantare al teatro Cimarosa di Caserta, dove se era già famoso certo non ci veniva perché da Caserta tutti se ne scappano. Dionisia c'è andata a sentirlo con il padre di Geremia, che è lo scarparo di Tufo ma se era più fortunato e nasceva magari a Napoli e studiava al conservatorio diventava un tenore pure lui. Enrico Caruso aveva fatto un patto col diavolo, e gli aveva venduto l'anima in cambio di non si sa bene cosa, ma quando il diavolo è entrato in scena i contadini sono saltati in piedi, hanno invaso il palcoscenico, cacciando il diavolo a pedate. Così Enrico Caruso non ha potuto cantare. Ma forse ha fatto l'amore con la scrivana e nove mesi dopo è nata Vita. Eccolo perciò a Prince Street che è venuto a riprendersi la figlia. *L'ora è fuggita e muoio disperato.* Vita si blocca in mezzo al corridoio, emozionata. In vista dell'incontro col suo affascinante padre, fa finta di pettinarsi arrotolandosi i capelli dietro la nuca, si morde le labbra per farle più rosse, si pulisce le guance sporche con la saliva. Entra, col sorriso già pronto. I ragazzi sono seduti intorno al tavolo, e bevono il caffè. Enrico Caruso non c'è.

Sul tavolo troneggia una tromba. Geremia gira un gancio. Vita sobbalza, perché Enrico Caruso le ha strillato nell'orecchio. Tutti ridono della sua faccia stupefatta. Diamante si impietosisce e la informa che Enrico Caruso è nascosto nella tromba. Cioè, non proprio nella tromba, su un piatto nero dove è disegnato un angelo che incide un disco con la piuma della sua ala. Sotto la tromba c'è una scatola di legno. La scatola è un fonografo, e d'ora in poi in questa casa ci sarà musica tutto il giorno. Lena passa le dita sui dischi, contempla ammirata la tromba, la lucida col fiato, si specchia nel metallo, tutta contenta. Dice a Rocco, ma dove l'avete trovato? Deve costare una fortuna. Rocco ride, e assicura che non costa neanche un centesimo. Per forza, l'hanno rubato stanotte nel negozio di Raffaele Maggio a Bleecker Street. Sono entrati dalla finestrella sul retro, calando Coca-cola che è smilzo per i piedi. Hanno preso la scatola, un discorso del re d'Inghilterra intrappolato su disco nero, *Una furtiva lagrima, Ah, qual soave vision... bianca al par di neve, Questa o quella per me pari son, La donna è mobile qual piuma al vento, E lucevan le stelle* e *Ah! vieni qui... no, non chiuder gli occhi vaghi* e tutti i dischi della Gramophone G & T e della Zonophone, e purtroppo Enrico Caruso ha inciso arie solo per un pomeriggio, sennò si prendevano anche tutta la stagione scorsa della Scala.

Rubare è peccato, osserva Lena. Così sta scritto nel settimo comandamento sulle tavole di Mosè. Rocco però sostiene che non è peccato rubare a uno che ha rubato a te. Anche se Vita non capisce cosa mai possa aver rubato a Rocco il proprietario del negozio di strumenti musicali, un signore distinto che è l'unico cliente di Agnello a pagare in contanti. Rocco spiega che si diventa ricchi solo derubando qualcun altro. Non è necessario rubare i soldi. Si possono rubare tante cose. Il tempo di un altro, la sua salute, la sua giovinezza, i suoi sentimenti, la sua dignità, la sua anima. Ciò dimostra che in ogni caso la proprietà è un furto e il lavoro il grimaldello di cui si servono i ladri per scassinarti la vita. Anche se Enrico Caruso l'ha voluto prendere lui – che è l'unico a intendersi di musica e giura che siccome Caruso è napoletano e ha cantato nel fetente teatro di Caserta non deve essere bravo davvero, ma deve aver fatto qualche inghippo per diventare famoso – a Geremia non piacciono questi discorsi, e dice a Rocco che sta diventando un delinquente. Rocco alza le spalle, e dice che se parla così la loro amicizia è finita. Si alzano di scatto, buttano per terra le seggiole, si guardano in cagnesco. Tutti e due hanno un coltello in mano. Chissà dove lo tenevano nascosto. S'è fatto silenzio, anche Enrico Caruso è definitivamente morto disperato e tace. Rocco e Geremia si sfidano con i coltelli, si fronteggiano, si stuzzicano con le lame, sembra che uno debba precipitarsi sull'altro, ma non è così: si abbracciano, si baciano e si stringono di nuovo la mano.

Non è vero che Rocco è un delinquente. Solo che un po' di tempo fa, quando aveva undici anni, lo hanno sorpreso al mercato del pesce a rubare barili di merluzzo. Lo hanno portato alla Children's Court, che è il posto dove portano i bad-boys.

Rocco è finito in collegio. In collegio ha imparato a tagliare il legno, e a usare la pialla. Ma non aveva l'aspirazione di diventare un falegname. Quando è uscito, Agnello, che non voleva lasciargli la possibilità di rovinarsi, l'ha portato con sé a lavorare alle ferrovie. Lì Rocco ha imparato a usare l'ascia. Quando s'è stufato dei treni, ormai s'era fatto grosso come un albero e se n'è andato al porto a scaricare i bastimenti. Lì ha imparato a usare i ganci d'acciaio. Poi è andato ai mattatoi. Dava il colpo di grazia ai buoi e li faceva stramazzare sulle cinghie automatiche. Lì ha imparato a usare i coltelli. Adesso porta il coltello nella cintura. Un coltello con l'impugnatura di legno intagliato e una lama di venticinque centimetri. Dice che gli serve per farsi la barba, ma Rocco non ha ancora la barba. Ha le guance lisce come quelle di Diamante.

Geremia mette via il coltello, gira daccapo la manovella e Enrico Caruso ricomincia a soffrire. Chissà se quando troverà la figlia sarà meno infelice. Rocco il coltello lo lascia bene in vista sul tavolo, tanto per chiarire chi ha avuto ragione nella disputa. Vita passa il dito sulla lama. È così affilata che piglia a sanguinarle il dito. Rocco dice che le sta bene, perché le bambine non devono giocare coi coltelli. Vita si caccia il dito in bocca, e fissa la lama con tanta rabbia che le viene il malditesta. Ti pozzi sbudella', gli soffia contro, adirata perché Enrico Caruso a New York non ci viene proprio, e comunque non sa dove si trova la figlia perduta, e non potrà mai arrivare a Prince Street.

Ragazzi, non li voglio vedere i coltelli, qua dentro, sta dicendo Lena. Rocco afferra il coltello e fa per rimetterselo nella cintura, ma la lama si stacca di netto dall'impugnatura e cade sulla cerata. È molle e viscida come un pesce morto. Vita si spaventa e trema, per la paura che Rocco si arrabbi. Ma Rocco non ha capito: pensa che il suo coltello era vecchio – se ne prenderà un altro. Sta dicendo a Lena di non preoccuparsi perché presto non porterà più il coltello. Porterà la pistola. Tutti ridono. Ma Rocco non ride. È serio. Punta l'indice sulla tempia di Lena. Piega il pollice come fosse un grilletto. Avrò la pistola. Non c'è niente di più bello, perfetto e micidiale di una pistola. Quando hai una pistola, nessuno ti fa paura. Vita rimane sorpresa, perché secondo lei Rocco grosso com'è non ha paura di niente. Invece.

*Ho paura di invecchiare.*
*Ho paura di diventare flaccido, rassegnato, vile e obbediente.*
*Ho paura di finire accoltellato da qualcuno come me.*

Da quando è senza lavoro, Rocco ha cominciato a scrivere. Dopo cena si siede sulla sua branda, con una pila di fogli sulle ginocchia. Si mette in bocca la matita e pensa. Scrive, non è convinto, cancella, appallottola il foglio, scrive di nuovo. Rocco ha frequentato le scuole qui, sa leggere e scrivere in americano: ma adesso vuole scrivere italiano. Solo che si confonde, e non si ricorda più il nome delle cose. Celestina? gli chiede una sera, acchiappandolo per le bretelle. Diamante sta uscendo perché a mezzanotte deve essere all'uscita delle fabbriche a vendere i giornali. Come si scrive: abbruscia'? Cosa? *Burn*, abbruciare. Bruciare, risponde Diamante. Si dice bruciare. Bi, erre, u, ci, i, a, erre, e. Con una bi sola? riflette Rocco. È un po' sorpreso. Secondo lui, Celestina si sbaglia. Abbrusciare.

Fidati! urla Vita, Diamante è il primo della classe. Il maestro lo voleva mandare al seminario a farsi prete! Macché, protesta Diamante, non mi faccio prete manco morto. I preti portano la gonna. Eri il primo della classe sì o no? s'informa Rocco, tirando l'elastico delle bretelle. Sì, risponde Diamante, con orgoglio. Il primo su cinquanta studenti. Ho preso la medaglia. Però dopo la terza elementare ho lasciato la scuola. Sono il più grande. Devo pensare ai fratelli. Rocco non ha fratelli o comunque non lavorerebbe mai per mantenerli. Ognuno per sé, è questo che ha imparato in America. Al collegio gli hanno spiegato che gli italiani sono crocifissi alla famiglia come Cristo sul legno della croce, e questo gli impedisce di progredire. Lui vuole progredire e perciò non ha famiglia. Scruta il viso di Diamante, con attenzione. È un ragazzino strano. A volte sembra saggio come un adulto, a volte furbo come un folletto, e nei suoi occhi azzurri infantili si accende una determinazione feroce. Rocco la conosce, quella luce. La vede nello specchio ogni volta che si sciacqua il viso. Diamante gli piace, ma non si fida di lui. Da quando sono arrivati, lui e Vita, in questa casa va tutto a rovescio. Uno di loro deve averlo mandato il demonio e l'altro l'angelo. Qualcosa gli dice che il messaggero del demonio non è Diamante.

Sei buono a scrivere una lettera con la bella calligrafia? si decide a chiedere, Certo, risponde Diamante, lusingato dell'attenzione di Rocco. Vita urla che Diamante ha una calligrafia talmente precisa che la domenica, a Tufo, aiutava Dionisia con le lettere, seduto ai suoi piedi sugli scalini della chiesa di San Leonardo. Rimediava qualche centesimo e non lo spendeva mai: correva a portarlo al padre. Vanno a sedersi sulle scale buie, uno accanto all'altro: Rocco grande, grosso come una montagna, con un pugnale tatuato sulla spalla e i cerchietti alle orecchie come un pirata, Diamante piccolo che sembra uno scolaretto di prima. Vita s'accoscia alle loro spalle. Il foglio è a quadretti, strappato al quaderno dei crediti di Agnello.

La lettera suona così:

*Se non dài cinquecento dollari all'Uomo col fazzoletto rosso che incrocerai fra la Quattordicesima e la Terza Avenue lunedì prossimo alle undici di sera il tuo negozio brucerà.*
*Tu pensi che scherzo, ma sono serio. Hai tre giorni, poi per te verrà la fine.*

*Desperado*

Diamante scrive con la testa china sul foglio. Gli s'è arcuato il sopracciglio in segno di perplessità e gli è venuto lo sguardo inquisitorio. Gli sembra uno scherzo di pessimo gusto, una bravata cretina. *Tu pensi che scherzo, ma sono serio.* Però se non è una bravata, è un delitto, un reato. Gli si irrigidisce la mano, come bloccata da un crampo. Trova appena un filo di voce. Chi è l'Uomo col fazzoletto rosso? Chi è Desperado?

Rocco ride e s'infila il foglio nella camicia. Un coglione. Oppure un grande criminale. Te lo saprò dire lunedì. Diamante farfuglia che deve andare, è in ritardo, perderà il lavoro. Rocco lo trattiene per l'elastico delle bretelle che gli ha prestato. Lasciami, protesta Diamante, lasciami. Il sorriso di Rocco gli fa paura.

Rocco – gli chiede Vita il giorno dopo – sei della Mano Nera? Rocco finge di non aver sentito. È inginocchiato fra le gabbie delle galline e intinge un dito nella bottiglia del latte. Poi tenta di cacciarlo nella bocca contratta di un gatto nero, un randagio che ha raccattato stanotte a Canal Street. Qualcuno l'aveva ficcato in una damigiana e aveva tentato di dargli fuoco. Il gatto sembra scorticato. Perde peli, li ha seminati dappertutto. Gli resta la pelliccia solo sulla coda. Meglio così perché i gatti neri portano sfortuna. Vita si inginocchia pure lei. Rocco è riuscito a cacciare il dito in bocca al gatto, e il gatto lo ciuccia tutto beato. Lo strattona. Rocco, sei della Mano Nera?

Vita, sorride Rocco, spingendo sotto il colletto della camicia il fazzoletto rosso che porta sempre annodato attorno alla gola, quanto sei bambina.

La Mano Nera non esiste.

Quando Diamante è svenuto per la fame, Geremia lo ha mandato a cercare lavoro come niusi – cioè strillone. Se può farlo Cichitto, che non tiene manco cinque anni, può riuscirci anche lui. Al colloquio preliminare gli hanno trovato i requisiti giusti: l'agilità, la disinvoltura, l'intelligenza. Nemmeno la nazionalità s'è rivelata uno svantaggio. Il ragazzo italiano riunisce in sé la sveltezza dell'irlandese e la tenacia dell'ebreo, quando si tratta di far soldi. Lo hanno aggregato alla banda di Cichitto, uno scorfanello con l'aria malsana, lurido, coi piedi piagati e gli occhi imploranti del bastardo. Sono in sei, il più grande di nemmeno tredici anni. La mattina alle cinque già s'appostano sulla Broadway col pacco di giornali sottobraccio, a mezzanotte spacciano all'uscita delle fabbriche. Vendono l'"Araldo Italiano" – un giornale coloniale che ha la sede al 243 di Canal Street. Il lavoro è ingrato. Si cammina molto, ci si spolmona di strilli e si guadagna poco. Pur alzandosi prima dell'alba, e rientrando a notte fonda, Diamante non raggranella nemmeno cinque dollari la settimana. Bisogna molestare i passanti, inseguirli, strattonarli, rincorrerli, supplicarli, esasperarli, quasi minacciarli. Niente. È come provare a rifilare a qualcuno un cane morto.

Il fatto è che nella maggior parte dei casi i passanti non sono capaci di leggere. Perché lo spazio in cui la banda è autorizzata a spacciare è la Broadway all'altezza di Canal, e laggiù, come Diamante ha cercato invano di spiegare all'edicolante – un lombardo azzimato che si lagna della loro meridionale fannullaggine – sono tutti zotici analfabeti. Non solo non leggono l'"Araldo", ma non leggono niente. Provaci tu a vendere un quadro a un cieco! Bisogna superare Houston per trovare qualcuno che conosce le lettere. Il fatto è che, se lo trovano, non legge l'italiano. E il giornale ce l'ha già. Il "New York Times", il "Globe", il "Call", il "Post", il "Journal", la "Tribune", l'"Herald" o il "New York World" che c'ha pure i fumetti. Gli americani non hanno certo bisogno del loro foglietto di otto pagine appena, che parla solo dei fatti degli italiani e dei fatti degli americani, non dice niente di più di quello che dicono i loro giornali, e in modo meno accattivante. Fra l'altro, al di là di Houston, non è che facciano salti di gioia a vederli. Sui portoni c'è scritto NO DOGS NIGGERS ITALIANS NEED APPLY. Sulle vetrine dei caffè NO DOGS NIGGERS ITALIANS. Rimediano insulti e sfottò – e ormai Diamante capisce cosa vuol dire la parola che suona come guappo. È *wop*, invece, e significa italiano. E italiano è un in sulto – anche se alla scuola di Tufo li hanno imbrogliati dicendogli che l'Italia è la culla della civiltà e italiani erano Marco Polo Cristoforo Colombo Michelangelo Giuseppe Verdi e Giuseppe Garibaldi. L'altro insulto possibile è *dago*, e anche dago significa italiano. Se dici dago a qualcuno, lo consideri peggio di un cavallo con la diarrea. Se qualcuno lo dice a te, ti sale il sangue agli occhi e se non hai il coltello – e Diamante non ce l'ha – allora ti tieni l'insulto. Se insisti a gironzolare davanti alle loro vetrine, i biondi ti cantano dietro una canzoncina che suona più o meno *ghini ghini gon*. Ora gon, anzi *goon*, significa go rilla. Il gorilla è l'animale più stupido che ci sia. Se qualcuno ti chiama gon, la testa ti si riempie di nebbia, e ti senti veramente come un gorilla che pretende di entrare in una chiesa. E poi c'è la parola più difficile, grinoni, cioè *greenhorn*, che Diamante decifra solo dopo settimane di marciapiedi. Significa: pivellino, non sei capace di dire una parola in americano. Perciò è qualcosa come deficiente, citrullo, zotico, tamarro. Quando gliel'hanno detta, e lui se l'è tenuta perché non ha il coltello, ha smesso di disprezzare i tamarri che non sanno leggere l'"Araldo". Infatti, anche il primo della classe come lui qui è ridiventato analfabeta. Nemmeno lui sa leggere il "New York Times". È la punizione per la sua superbia. È stato così fiero quando, fra i tanti adulti imbarcati sul Republic, solo lui ha saputo scrivere in bella calligrafia il suo nome sul foglio d'ingresso in America. Ma la superbia è il più grave dei peccati. Perciò adesso si ritrova a invidiare i biondi che entrano nella soprelevata col giornale sottobraccio e lo leggono mentre aspettano il treno. Sanno cose che lui non saprà mai e guardandolo, senza scarpe, con le bretelle slentate e i ricci scuri, pensano greenhorn e hanno ragione. Li invidia e vorrebbe essere come loro. Ma anche l'invidia è un peccato capitale.

Rientrano alla base con le copie invendute dell'"Araldo", l'edicolante bestemmia l'ignoranza degli italiani che non leggono nemmeno la Bibbia – e pur di non buttare le copie nella spazzatura, le rivende a metà prezzo a Diamante, che continua a vagare fino a notte fonda finché non gli riesce di smerciarle. Cichitto, che vive in strada da quando è nato, perché è un figlio di nessuno, gli ha insegnato un trucco: nascondere le copie nel tombino di una chiavica, tenerne solo una e insistere coi passanti di comprargli *quell'ultima copia per favore*. Per lo più funziona, soprattutto se il passante è in compagnia di una donna. Le donne infatti hanno il cuore capiente, e, sia pure per un attimo, s'impietosiscono anche per uno sconosciuto pezzente come te. In una città di donne nessuno sarebbe davvero povero. L'ultima copia, invece, Diamante se la tiene.

La notte, appollaiato sul tetto del palazzo di Prince Street, mentre Vita lo tampina impaziente – avida di notizie sulla sua giornata, più movimentata di quella che ha vissuto lei – divora quelle righe, piene di parole sconcertanti sulla realtà in cui vive. Diamante non ha scoperto ancora dove stia la gente benestante a Woptown, a Dagoland – quella città nella città compresa fra Houston e Worth Street, fra la Broadway e la Bowery, dove si accalcano duecentocinquantamila cazzi di terra, cioè italiani nati a Mezzogiorno. Quella gente che può cenare ai Giardini di Torino a Broome Street, comprarsi il Marsala della Ahrens & Co. appena arrivato da Palermo, andare al Teatro Garibaldi o all'Opera, farsi fare l'oroscopo da Ida Alfieri a Navy Street, pagare per una scampagnata a Tompkins Park, comprare davvero il costosissimo fonografo e i dischi di Caruso. Per scoprirlo deve dimenticare l'adagio della gente del suo paese, che dice: ciò che non conosci non esiste. Invece esiste, bisogna imparare a cercarlo.

Dove sono i cadaveri che riempiono le pagine di cronaca, invece, glielo hanno insegnato i ragazzi. Lo hanno portato a vederli perché è uno spettacolo pauroso e orrendo ma non costa niente. Riemergono nell'Hudson o nell'Harlem river, quando – per effetto della decomposizione – i piedi cui gli assassini hanno attaccato la zavorra si staccano dallo scheletro. Affiorano negli stagni di Jamaica Bay dove Rocco e Coca-cola vanno a pescare e nei canali dove Geremia scava il condotto della nuova fogna. Sono un grumo untuoso di brace in un negozio divorato dalle fiamme. La notte, il distretto brulica di luci – e sono incendi, come se ci fossero mille Uomini col fazzoletto rosso pronti a mettere il mondo a ferro e fuoco. L'aria sa di legna e di cenere. I pompieri arrivano con i carri, le pompe, le sirene, le scale, ma sempre tardi. Per tutto ciò, Diamante aveva sempre avuto una sola spiegazione. La MANO NERA. Un'organizzazione sofisticata e capillare. Diabolica e geniale. Che terrorizza Dagoland e la tiranneggia. Infatti Agnello non li ha denunciati. L'"Araldo" invece deride i manoneristi che non conoscono nemmeno l'ortografia e non sono sofisticati né geniali e loda medici e negozianti che corrono a denunciarli alla polizia. Diamante non ha ancora capito chi dice la verità. Ma sui giornali di arresti non si parla mai.

63

L'"Araldo" comunque si vende solo nei giorni dei delitti. E per fortuna in America abbondano, e solo a New York ce n'è almeno uno al giorno. Ogni giorno in città mai sentite nominare – come Santa Fe, Wilmington, Scottsborough, Evansville – c'è un negro frustato col filo spinato, appeso a un albero e linciato dal popolo in festa. Ogni giorno nel lontano Wyoming i banditi assaltano e uccidono qualche viaggiatore sprovveduto. Ogni giorno migliaia di ebrei vengono sterminati in Polonia e Bessarabia. Ma senza andare tanto lontano, qui in città c'è una folla di donne strangolate, ragazze stuprate a morte da un gruppo che le preleva mentre la sera dopo il lavoro aspettano l'omnibus, undicenni che pugnalano il bordante colpevole di averle deflorate, uomini appena sbarcati suicidati al porto per rubargli i dieci dollari necessari a entrare in America, o suicidati mentre stanno per rimpatriare per soffiargli i risparmi. Ubriachi arrostiti per un orologio, uomini affettati o ammazzati a pistolettate in mezzo alla strada o la domenica sera tra le famigliole che prendono il fresco al Mulberry Park. La MANO NERA – che tanto lo aveva terrorizzato nei suoi primi giorni americani – per Diamante adesso significa solo un buon incasso, e il sabato pomeriggio con Vita al teatro delle marionette.

Col tempo, a forza di infilarsi nei saloni dei barbieri, nei lupanari e nelle cantine dove i duri scommettono sulle corse dei cavalli, di saltare e scendere senza cadere dai carri in corsa, Celestina ha assunto un atteggiamento strafottente. Corre sulle piattaforme della soprelevata col fascio di giornali sottobraccio – imprendibile ai tutori dell'ordine e ai bigliettai, molestissimo ai clienti, più di una zanzara. Ha imparato ad aggredire gli impiegati quando escono dagli uffici e a godere del loro odio impotente di borghesucci atterriti dalla sua sfacciatissima insistenza. A sfidare i lòffari contendendogli un passaggio sui treni merci diretti ai depositi, e i murphy a sassate – mirando sempre alla testa, dove fa più male. Basco di cotone in testa, bretelle slentate, sorriso malandrino, s'affaccia in bettole e taverne urlando I RACCAPRICCIANTI DELITTI AMERICANI, SEDIA ELETTRICA PER L'ASSASSINO, I SEGRETI DEL BOIA, L'ULTIMO EFFERATO DELITTO DELLA MANO NERA... Ha imparato a esagerare, ingrandire la notizia, per spacciarla, altrimenti non la vuole nessuno. Una donna morta è inevitabilmente SGOZZATA e OLTRAGGIATA. Un deragliamento di carrozze una CATASTROFE FERROVIARIA. Un raffreddore, la REGINA D'ITALIA MUORE! Urla le parole OMICI-

DIO, CADAVERE, MUTILAZIONI a voce chiara, tonante. Sono le parole magiche. Vieni qui, ragazzino, dammi una copia. E siccome molti non sanno leggere, sulla via del ritorno gli capita di sedersi in una taverna, a declamare le notizie per crocchi di operai stanchi e avidi di distrazione. Anche Agnello si fa leggere le notizie degli omicidi. Più sono efferati, più gode. Forse si compiace di non essere lui, il cadavere trovato con le palle in bocca in un bidone di petrolio nel cantiere della metropolitana. Però Agnello non lo paga per la lettura, mentre gli operai in cambio gli offrono una birra. O quella che l'oste chiama birra, ma è una ciufeca gialla che sa di piscio rancido. Diamante non riesce a ingollarla. Cichitto lo supplica di cedergli il boccale. Lo segue sempre, perché lui è l'unico degli strilloni che non si diverte a farlo mordere dai cani nei momenti morti della giornata, quando non c'è lavoro e l'unico modo per ammazzare il tempo è aizzare i randagi a attaccargli l'idrofobia. Zoppicando gli arranca dietro, seguendolo nelle taverne e a volte fino a casa. Cedimi la birra, cedimi la birra. Al che Diamante rifiuta, perché Cichitto è troppo piccolo: ma gli operai gli lasciano le scolature e scommettono qualche centesimo se riesce ad attaccarsi alla cannella e svuotare la botte. Si smascellano dalle risate quando Cichitto crolla ubriaco sul pavimento. A Diamante non gli viene da ridere e gli si aggrovigliano le budella.

Quando l'estate s'arroventa, camminare nelle strade calcinate dal sole diventa l'ascesa al calvario e la gente muore come le mosche per il caldo, tanto che in un solo giorno si contano ventuno morti, spuntano i rivali che vendono il più importante giornale in italiano della città. Si chiama il "Progresso italo-americano". Quelli dell'"Araldo" lo odiano perché è reazionario, lecca il culo ai potenti e ha preso le parti dei padroni contro gli scavatori della metropolitana in sciopero. Non parla mai di Mano Nera perché ammettere che esiste vuol dire diffamare il buon nome della colonia italiana. Secondo loro la Mano Nera è un'invenzione degli americani e una trovata pubblicitaria che serve come réclame ai banchieri, agli artisti e alla gente che vuole far credere di avere avuto successo. Ma le due bande battono la stessa zona, nelle stesse ore, provando a smerciare allo stesso pubblico riottoso le stesse notizie. Il primo giorno volano insulti e minacce. Il secondo cocci di vetro. Il terzo pezzi di rotaia.

Il venti di luglio, Diamante trova ad aspettarlo sul tetto il fratello maggiore di Rusty – uno dei rivali. Si chiama Nello ed è un tracagnotto lucido come un'oliva. Va' a arrovesciare la tua spazzatura da un'altra parte, minaccia. L'"Araldo" non è spazzatura, salta su Diamante, che anche se non è mai entrato nella sede del giornale si sente obbligato a difenderlo. Lo legge volentieri, anche perché scrive semplice e gli insegna a capire le cose, e quando passa davanti al 243 di Canal Street si sente sdilinquire da un sentimento di rispetto e gratitudine. I giornalisti dell'"Araldo" dicono che loro scrivono per gli operai – e Diamante non pensava che qualcuno potesse scrivere per gli operai. Io ti ho avvertito, insiste Nello, facendo balenare la punta di un cacciavite. Vacci tu da un'altra parte, risponde Diamante. Non vuole sfidare Nello. Non ne ha la minima intenzione. Solo, non vuole perdere il lavoro. Le notizie su tutto il mondo e sulla sua nuova città, la lingua italiana, le molte parole, le idee che scopre e che ha sempre ignorato, i dollari che spedisce al padre e i sabati con Vita sono le prime soddisfazioni che è riuscito a strappare all'America. Non le sacrificherà per paura di un cacciavite. Non ho paura – gli dice, inarcando il sopracciglio per mostrarsi un duro. In realtà, la paura non può permettersela.

Sul tetto, tutti gli abitanti del casamento hanno assistito alla scena. Alcuni vengono dalla Basilicata, altri dalla Campania e la maggior parte dalla Sicilia, sicché hanno capito tutti cosa sta succedendo. Nessuno infatti muove un dito, quando Nello col cacciavite disegna una croce sulla fronte di Diamante. Gli uomini, che si sono presi il lato che dà sulla strada, continuano a giocare a carte. I bambini continuano a correre cadere e sbavare – sono talmente tanti che tutti auspicano un'epidemia di colera per eliminarne almeno una parte. Le donne, che stanno sul lato del cortile, da cui sale un tanfo rivoltante di marciume, continuano a capare la verdura e a litigarsi, accusandosi dei misfatti più futili, uno dei quali è di appuzzare il palazzo. Sono discussioni pretestuose, appicciate dal caldo, perché l'acqua è poca per tutti. L'unica che sembra accorgersi della brutta situazione di Diamante è Lena, che lo invita a venire a sedersi vicino a lei. Con Lena nessuno si azzuffa perché nessuno parla. Se ne sta con Vita nell'angolo più lercio del tetto, dove non arriva mai neanche un refolo furtivo. Tutte sudate, coi vestiti arrotolati sulle gambe, sedute una di fronte all'altra. Lena ha le gambe lunghe, magre e bianche. Vita tornite e abbronzate. Lena è una donna – e anche desiderabile, Vita una bambina. Lena da quando hanno saputo che è una concubina schiava tutti gli uomini del tetto la guardano allupati, Vita la guarda solo Diamante – chiedendosi quanto ci metterà a diventare grande, e se lui sarà ancora in America quando ciò accadrà. Perché Antonio lo ha mandato qui a crescere, a conoscere il mondo, a guadagnare, a farsi forte, ma non certo a restare. È solo questione di tempo. C'è chi la fortuna la acchiappa in tre anni, chi in dieci. Vita non s'è accorta di niente, spia le figlie del panettiere che giocano a campana, gettano il gesso nelle caselle e saltano finché crollano vinte dalla stanchezza, dal caldo e dalla noia. Non la invitano mai. La delusione bruciante dipinta sul viso di Vita gli dice che molti anni dovranno passare – e il giorno in cui lei sdegnerà quei giochi lui non sarà più qui.

Dove il cacciavite l'ha graffiato, la fronte gli brucia, ma Diamante non ci va, a sedersi con le femmine. I ragazzi parlano di zoccole e sorche mentre tirano i dadi. Le sorche sono pelose e i dadi truccati. Diamante non tira perché non vuole farsi fregare il guadagno. Cichitto, che nessuno sa dove vive, ma che s'intrufola sempre sul tetto, lo avverte: statti accorto che la prossima volta Nello ti buca la pancia. Perché non la buca a te? s'insospettisce Diamante. Cichitto appallottola tristemente il moccio sul dito. Ci pensa su, poi risponde: perché io gli dò la metà dell'incasso. Coca-cola, conciliante, propone: da-da-gliela pure tu. No, risponde Diamante, i soldi me li guadagno io e sono miei. Rocco annuisce, compiaciuto. Celestina promette bene. Non vuole chinare la testa. Poi spiega: allora devi bucare tu Nello e difenderti il posto. Io non buco nessuno, s'inalbera Diamante. Geremia sospira e conclude: allora vedrai che non ti lasciano più vendere i giornali. Devi trovarti un altro lavoro.

Infatti è così. Nei giorni più piovigginosi di settembre, quando il cielo diventa una fuliggine e l'acqua di scolo, mescolandosi con l'acqua piovana, trasforma i cortili in piscine, Diamante si ritrova a camminare per le vie inzaccherate di fango senza il fascio di giornali sottobraccio.

Ma questo succederà solo dopo il funerale del bambino. Ancora per qualche tempo, Diamante passa la notte sul tetto a leggere il giornale. Quando tutti dormono, Rocco viene a sedersi accanto a lui. Gli requisisce l'"Araldo", gli ficca in mano il blocco a quadretti e la penna. Una vera stilografica col pennino d'argento. Chissà dove l'ha rubata. Rocco fuma una cicca dopo l'altra mentre Diamante, assonnato e stracco, fa l'esame di dettato.

Dettato numero uno.

Vi prego di mandare il denaro che ci occorre. Mi dispiace disturbarvi, ma pure io ho il diritto di vivere. Non costringetemi a macchiarmi le mani. Ma se mi costringerete, berrò il vostro sangue e quello dei vostri figli.

                                        Desperado

Dettato numero due.

La pazienza è finita. Questo è l'ultimo avvertimento. Portate il denaro all'Uomo col fazzoletto rosso che incrocerete sul ponte di Brooklyn a mezzanotte di domani, altrimenti la vostra casa brucerà. O il denaro o la vita.

                                        Desperado

Dettato numero tre.

Portate 1500 dollari all'Uomo col fazzoletto rosso. Se mancherete all'appuntamento, il vostro negozio brucerà con quello che c'è dentro. Bruceremo tutto.

                                        Desperado

Coniugazioni del verbo bruciare.

Tu bruci, egli brucia, essi bruciano.

Il negozio brucerà. Noi bruceremo all'inferno.

Rocco non crede a Dio ma crede al diavolo.

Rocco dice che l'inferno l'abbiamo già attraversato.

Noi non bruceremo. Ma voi brucerete.

I ricchi busseranno alle porte del Paradiso e le troveranno chiuse. Bruceranno. I loro dollari bruceranno. Bruceranno tutti.

Perché allora vuol diventare ricco?

Perché ho paura di diventare vecchio.

Bruceremo tutto. Le vostre città, le vostre banche, le vostre strade, le vostre scuole, i vostri uffici, i vostri carri, le vostre barche, le vostre famiglie, le vostre tombe, i vostri nomi.

Le fiamme saliranno fino al cielo e il fumo vi accecherà. Fuggirete e noi vi inseguiremo, vi incalzeremo ovunque andrete finché non avrete più niente da lasciarvi dietro.

Tremate, prenderemo il vostro posto.

Ti posso fare una domanda?

Se non fai domande, nessuno le farà a te, Celestina.

Qualcuno ti ha mai portato i soldi, Uomo col fazzoletto rosso?

No. Nessuno è mai venuto all'appuntamento con l'Uomo col fazzoletto rosso. Una volta hanno mandato i poliziotti. Non hanno paura di Desperado.

Hanno paura della Mano Nera.

La Mano Nera non esiste.

Hai mai bruciato davvero? Sei tu che fai i fuochi?

No. Nemmeno l'Uomo col fazzoletto rosso può fare un falò da solo.

Perché hanno provato a tirarti una coltellata alla schiena?

Perché porto il fazzoletto rosso.

Cosa vogliono?

Che Desperado muoia.

Perché?

Perché porta la polizia nel quartiere.

E Desperado muore?

È già morto, Diamante.

Chi l'ha ammazzato?

La Mano Nera.

Ma se la Mano Nera non esiste.

Dettato numero tredici.

Gentile dottore,

voi avete dichiarato alla polizia che non avete paura di noi, e fate bene perché non vi sarà torto un capello. Naturalmente, solo se porterete quei dollari dove vi abbiamo scritto. In caso contrario, saremo costretti a uccidere vostra moglie. È un vero peccato perché credevamo che le voleste bene. Credevamo che eravate un uomo d'onore e che la famiglia per voi veniva al primo posto, dopo Dio. La famiglia è molto importante. Ma se per voi il denaro è più importante, regolatevi secondo la vostra coscienza. Non abbiamo altro da dirvi.

Mano Nera

# Il fratello americano

Il fratello americano nasce morto o muore nascendo troppo presto. La sera del ventitré agosto i bordanti boccheggiano sul tetto e i ragazzi sono in strada: Lena è rimasta sola nell'appartamento. Dopo l'ennesimo vavattenne abbascio ca te piglio pe' 'ssi quattro pirci ca te 'n coccia uocca fràceta zoccola ch'anzi atu, Lena, che non è il tipo da mettersi a litigare con una turba di befane sudate, sul tetto non c'è salita più, e passa il tempo in casa, a pensare alle montagne sue, ascoltando la musica del grammofono a tutto volume e suscitando l'invidia nera di chi il grammofono non ce l'ha e non ce l'avrà mai – cioè praticamente di tutti. Vita però non ha approfittato della sua assenza per fare amicizia con le figlie del panettiere. S'è esclusa dai giochi puerili delle sue coetanee, che del resto non l'hanno invitata, e ne inventa di più eccitanti. In disparte, accoccolata fra le gabbie dei conigli, sfrega contro le suole graffiate degli stivaletti gli zolfanelli rubati in cucina e li getta accesi in un secchio nel quale ha versato un velo d'alcol puro. Le fiamme che si levano non sono banalmente gialle o rosse o arancioni. Sono di un blu ineffabile, denso e profondo come il cielo subito prima che sorga il sole. Dal cortile, su cui affacciano le poche finestre del casamento, tutte aperte, salgono vapori di cucina, bestemmie di mariti, strilli di ragazzini, la musica del grammofono e urla altissime di donna.

Siccome la creatura deve nascere fra più di tre mesi ed è poco più grande di un gomitolo di lana, siccome il fornaio sta picchiando il figlio, c'è una rissa giù in strada e i ragazzi del vicinato sono arrampicati come babbuini sulle scale antincendio a incitare i contendenti, nessuno capisce cosa sta accadendo nell'appartamento di Agnello. Il monumentale Rocco si difende eroicamente dall'attacco di quattro sicari: ne dà più di quante ne prenda. La sua resistenza suscita grande impressione. Si difende coi pugni e coi calci e quando è sul punto di capitolare solleva una trave da una tonnellata. La adopera come fosse una penna stilografica – al che i quattro, malconci, infilano il vicolo e se la danno a gambe. Se ne parlerà per settimane, perché erano i bros della Bongiorno, e non s'è mai visto nessuno tirare una trave in testa ai bros della Bongiorno. In un certo senso questa strada appartiene a loro. Come se l'avessero comprata.

Quando a mezzanotte Rocco rientra in casa e va a sciacquarsi il naso sanguinante nel catino, non si rende conto subito che sul pelo dell'acqua galleggia qualcosa. Anzi, all'inizio pensa che gli sia cascato il naso e se lo palpa più volte prima di convincersi che, benché ammaccato e dolorante, il naso è sempre al suo posto. Accende il lume a gas e distoglie lo sguardo troppo tardi. Non riuscirà mai a dimenticare l'innominabile cosa rossa che galleggia nell'acqua torbida del catino. Prima vomita sul pavimento, poi tira la tenda e intravede Lena seminuda, raggomitolata sul letto matrimoniale, con le mani, la bocca, i capelli – e tutto il resto – impiastrati di sangue. Geme debolmente, con una specie di miagolo. Tamponandosi il naso con le dita, inseguito sulle scale dall'importuna ammirazione dei ragazzini dell'isolato, Rocco corre a chiamare Agnello. Ma ormai per il fratello americano è troppo tardi.

Poi attorno a Lena e al suo ventre prematuramente squarciato è tutto un affollarsi di donne – le stesse spietate ciccione che fino a stamattina le sputavano dietro i semi di zucca – una frenesia di bende, garze e asciugamani gettati via uno dopo l'altro nel tentativo vano di fermare l'emorragia. Rocco, che ha lavorato ai mattatoi della Quarantaduesima, resistendo ai miasmi più nauseanti e agli squartamenti più efferati, non riesce a evitare di pensare che la cucina della pensione stanotte somiglia al magazzino dove lui e gli altri inservienti estraevano i visceri e svuotavano le carcasse. Chissà se nel corpo di una donna ci sono gli stessi disgustosi organi che imbottiscono i buoi, le stesse vesciche e le stesse sacche piene di fiele amarissimo. Chissà se riuscirà mai a guardare di nuovo Lena. I bordanti hanno già riparato sul tetto, perché la cosa non li riguarda, e i ragazzi sulle scale, perché la cosa li riguarda troppo. Coca-cola ha consigliato a Vita di restare dietro la tenda e non immischiarsi, come fanno tutti loro – ma lei, ovviamente, non gli dà retta, e si fa largo tra le femmine a gomitate. Così vede.

Lena ha la camicia da notte arrotolata sull'ombelico e le gambe divaricate. La vicina ha infilato dentro di lei il tubo di gomma con cui Lena innaffia i vasi di basilico. Ci soffia dentro e poi aspira e indirizza il tubo nel secchio. Il tubo si colora di rosso e il secchio comincia a riempirsi. Lena ha lo sguardo inespressivo, inchiodato sul soffitto, come se ciò che accade non la toccasse. Collabora, bellezza, spingilo fuori, si spazientisce la cicciona, se ti resta dentro ti viene l'infezione e muori. Vita s'aggrappa alla tenda, deglutisce, non si muove. Il secchio trabocca di un liquido denso, vischioso, su cui s'avventano le petulanti mosche d'agosto. Ma cos'altro deve spingere fuori, Lena, se il fratello americano è già morto? Vita fissa il secchio, il tubo, le gambe striate, il sangue sul materasso, la ferita aperta. Ecco, il fratello è morto, ora deve morire anche lei. Se Lena muore, Agnello tornerà da Dionisia, che non può venire in America per via degli occhi malati, e a sua madre Vita pensa tutte le sere, e tutte le mattine, e in ogni momento. Tanto che le sembra di vivere due volte, in due mondi contemporaneamente – con Lena, Diamante e i ragazzi nel mondo capovolto di Prince Street, strano come la luna, e nei vicoli familiari di Tufo con Dionisia. Lena si morde le labbra, geme, sussulta, si contorce, impiega un'eternità a morire. Vita chiude gli occhi. Dio l'ha esaudita, Dio è infinitamente buono.

Nell'ombra afosa delle scale, i ragazzi si passano una cicca, in silenzio. Diamante non capisce perché tutt'a un tratto sembrano costernati. Aveva avuto l'impressione che a nessuno di loro gli importasse niente di Lena. Le rare volte che parlano di lei, i discorsi sfociano inevitabilmente in qualche battuta sconcia. Lui non si permetterebbe mai di offendere la donna dello zio, la padrona di casa che gli lava le brache e gli cucina i maccheroni. Senza contare le olive e le fette di pane che gli fa trovare sotto il cuscino. Anche se è una malamente, non ce l'ha con Lena, e continua a scrivere a casa che si trova bene con la padrona settantenne, e s'è infognato in un pantano di menzogne. Gli dispiace mentire ai cari e amati genitori, ma non ha voglia di andare a Cleveland per colpa di Lena. Lo infastidiva che i ragazzi parlassero di lei in quel modo. Ma forse quelle sconcezze erano in realtà complimenti, e quell'indifferenza ruvida e un po' brutale è l'unico modo in cui ai ragazzi del quartiere sia consentito innamorarsi di una donna. Quando sembra che debbano restare lì pietrificati tutta la notte, Rocco si scuote dal torpore e dice, tutto serio: Agnè, ch'amm'a fa' con la cosa?

Il battesimo costa caro e il funerale ancora di più. La cosa non ha mai respirato e perciò non si può neanche dire che sia nata. Anche quando le ostetriche fanno gli aborti, non li seppelliscono mica, li buttano via. Agnello non ha la testa per pensarci. Ha appena ricevuto la seconda lettera dei ricattatori. Si raccomanda solo di ricucire la donna sua. Non me la facite morire, ripete alle vicine, asciugandosi il sudore che gli cola negli occhi. Rimane tutta la notte accanto a Lena, che a volte sembra cosciente, a volte lontana, comunque estranea, indifferente alla disgrazia che le è capitata, e per consolarla ripete che ne avranno un altro, di figlio, lei è così giovane e lui si sente forte come un toro, e in fin dei conti ha appena quarant'anni. Sono parole, smozzicate e dolci come una ninnananna. In realtà non ci pensa proprio, come non ci pensava prima, e la prossima volta starà più attento. Anche se pure questa volta era stato attento, e non capisce cosa non ha funzionato. Bisogna farlo sparire – nel modo più cristiano possibile. Dio capirà. Coca-cola ritiene che il compito spetti a lui, e vorrebbe occuparsene in segreto. Ma i ragazzi di Prince Street non hanno segreti. Sono uniti come i Paladini contro il mondo intero. Geremia prende la pala, Coca-cola la torcia, Rocco sceglierà il posto e perciò andrà avanti e farà strada, com'è giusto che sia. Diamante è nuovo, non c'entra, ma c'è un compito anche per lui. Porterà il Vangelo. Leggerà le parole che ci vogliono in casi come questo, con la stessa diligenza con cui nelle bettole legge le storie dei crimini agli operai. Anche Vita ha qualcosa da fare. Deve cucire la cosa nel tovagliolo ricamato del servizio buono.

Restano tutti e quattro, compunti, in piedi intorno al tavolo mentre lei succhia il filo e tenta di infilarlo nell'invisibile cruna dell'ago. Alla luce della lampada a gas, ora che è tutto liscio e pulito sembra una bambola. Solo che è più piccolo di una mano. Rocco continua a vedere la cosa rossa, e gli viene di nuovo da vomitare. Diamante nota che il suo bel naso è gonfio come un cetriolo, forse quei bastardi gliel'hanno rotto. Si vendicherà. Rocco non può lasciare impunita un'offesa. I sicari della Mano Nera sono venuti a punirlo perché fa finta di essere la Mano Nera? Vita è lenta e insicura, le trema la mano e la cucitura corre irregolare sui lembi del tovagliolo. Voglio venire con voi, avverte, mentre Rocco infila il tovagliolo in una scatola e la sigilla con lo spago. La risposta è scocciata, lapidaria: Non se ne parla nemmeno.

Lungo il tragitto nessuno dei ragazzi dice una parola. Rocco tiene la scatola contro il petto, come portasse un regalo a qualcuno. Scendono per la Bowery in fila indiana, quasi in corteo.

Rocco davanti, grande, monumentale, col naso che sanguina ancora, poi Geremia, mordicchiandosi i baffetti radi a spazzolino da denti, poi Coca-cola, masticando il chewing gum con tanto accanimento che le mascelle gli fanno male – Diamante per ultimo, piccolo, lesto, ansioso, convinto che stanotte succederà qualche catastrofe. È una notte d'agosto, sono tutti all'aperto, qualcuno li saluta. Non rispondono. Hanno una missione. Attraversano strade, strade, strade. Più scendono verso la punta dell'isola, più la città diventa lercia, fatiscente, disordinata. Ci vuol poco, a capire che l'abaco, e non l'alfabeto, è la chiave di questa città – o forse di questo paese. Le strade non hanno nomi, ma numeri. I carri pubblici hanno numeri, gli isolati, i palazzi, i tram a cavalli hanno numeri. È semplice: più i numeri crescono, più il quartiere migliora, e chi lo abita ha avuto successo, nella vita. Più i numeri scendono, meno contano – e chi abita nelle strade coi numeri bassi vale zero. Noi stiamo proprio all'ultimo gradino: abitiamo nelle strade al di sotto dello zero.

Verso il fiume la città diventa un labirinto di fabbriche e magazzini. Il traffico si rarefà, i lampioni – fracassati dalle pietrate – sono tutti spenti. Si dirigono sulle banchine, all'altezza della discarica, perché Rocco ha pensato all'East River. L'idea era depositare la scatola in fiamme sull'acqua. Ha portato la bottiglia di petrolio, i fiammiferi e un mazzo di fiori vizzi carpiti al primo altare trovato per strada. Su un giornaletto, anni fa, Rocco ha scoperto che gli indiani spingono i cadaveri sull'acqua, accendono una fiaccola, spargono petali, cantano e i morti, bruciando nel rogo di purificazione, vanno sulla corrente a ricongiungersi al grande spirito. Leggendo, sembrava una cerimonia molto poetica. Ma il fiume di New York è una fogna maleodorante, sulla corrente vanno alla deriva bottiglie, topi morti, cacheronzoli e bucce di cocomero. I ragazzi non vogliono buttare il fratello americano tra i rifiuti.

Perché non lo seppelliamo nel cantiere della metropolitana? propone Geremia. Gli è rimasta la voglia di tornarci, in quel cantiere dove non lo hanno più voluto. Ha scavato tonnellate di terra, lungo quella linea che attraverserà tutta la città, scorrendole sotto la superficie come una vena sotto la pelle. Presto ci passeranno i treni. Metteranno le piastrelle bianche sui muri della stazione e sarà tutto bianco come in un ospedale. Non sarà mai un bel posto e non ci saranno fiori, ma di sicuro passerà molta gente, e il bambino non resterà mai solo. Io s-s-sono d'accordo, dice Coca-cola. Anch'io, dice Diamante. Ma Rocco quando muore vuole essere bruciato: ha troppa paura di risvegliarsi, al buio. La notte, quando il lenzuolo gli si appiccica sul viso, si sveglia di soprassalto, convinto di essere morto. No, torniamo verso la stazione – dice ai ragazzi – ho un'idea migliore.

In questa città, tutto sembra in demolizione – o in costruzione. Come dopo un'alluvione, o un terremoto. Ovunque guardi, impalcature, tettoie, scheletri di ferro alti trenta piani, gru, tavole, passerelle, tunnel, buchi, voragini profonde cinquanta metri, da cui di giorno provengono tonfi, colpi di piccone e lontane, ovattate voci di uomini – e di notte la musica stridula del vento che suona fra i tubi di ferro e le lamiere. Tutto cade a pezzi, e tutto è nuovo. Ci sono case centenarie, e case nate ieri e non ancora abitate. In questa città costruiscono tutto – ferrovie, alberghi, banche, chiese. Alla Settima Avenue, fra la Quarantaduesima e la Quarantatreesima, stanno costruendo il grattacielo del "New York Times". Sarà il più stupefacente grattacielo della città, trecentosettancinque piedi – il secondo edificio più alto, dopo il Park Row Building. Più alto del Manhattan Life Insurance Building, che misura solo trecentoquarantotto piedi, del Pulitzer, che ne misura trecentonove, del Flatiron che non arriva a trecento e della chiesa della Trinità che si ferma a duecentonovantasei. Lo porteremo all'ultimo piano. Il fratello americano guarderà la città dall'alto e ci sputerà sopra. È un'idea grandiosa, subito approvata.

L'entusiasmo mette le ali ai piedi. Corrono per tutta la Settima Avenue. A perdifiato. Peccato che non capitano mai in questa parte della città, e perciò non sanno che il palazzo è quasi pronto: ad aprile dell'anno prossimo apriranno gli uffici. Hanno già messo gli ascensori, mancano solo i vetri alle finestre. Il grattacielo ha una torre quadrata con un'asta in cima. Ma per riuscire a vederla devi torcere il collo. Quasi perdi l'equilibrio. Ti gira la testa. La torre non è finita. Le impalcature la avviluppano come un tutore di ferro. Le scalette salgono dritte fino al cielo. Sembrano malferme, instabili, appoggiate nell'aria come i fili di una ragnatela. Ci ammazziamo, commenta Geremia. Ammazziamoci, dice Rocco. La constatazione non suscita neanche un brivido. Solo i vecchi hanno paura di morire.

Scavalcano uno dopo l'altro la recinzione del cantiere. Hanno già violato decine di cantieri per rubare assi, carbone, bistecche o cassette di pesce, perciò sanno come schivare il filo spinato. Diamante, che vuole definitivamente scrollarsi di dosso il nomignolo Celestina, si issa sulla rete per primo, e per primo salta nella polvere. Alla faccia del "New York Times" che lo respinge con le sue pagine tappezzate di parole sconosciute. I guardiani giocano a carte nella portineria, e anche se tengono la porta aperta per far circolare l'aria non li notano quando i quattro, leggeri, inconsistenti come ombre, si avventano sulle scalette che collegano fra loro i vari piani delle impalcature e s'arrampicano sui pioli di ferro. Sono all'altezza del terzo piano, e Diamante già si spenzola per spiare nei riquadri delle finestre, immaginandosi di vedere le scrivanie dei cronisti di nera, in maniche di camicia e con la penna dietro l'orecchio, quando un cane abbaia, con insistenza molesta. Geremia richiama l'attenzione di Rocco. Che dobbiamo fare? Non possiamo lasciarla lì. Cavalcioni della rete, alta più di due metri, c'è Vita, perfettamente visibile alla luce dei fanali che illuminano il cantiere. La lunga gonna rossa s'è impigliata al filo spinato, e non può saltare giù in strada né muoversi. Oh, Cristo. Dalla portineria dei guardiani proviene un rauco ordine a quel cane del cazzo di tacere. Vita scrolla la rete. Invano. Il filo spinato s'è attorcigliato attorno alla gamba, ha strappato la stoffa, imprigionato il piede.

I ragazzi non si muovono. Si sporgono nel vuoto. Che razza di situazione. Se li trovano a quest'ora nell'edificio più prezioso della città, con la scatola e quel che c'è dentro, il rinvio alla Children's Court è sicuro. E tutto per colpa di Vita. Rocco c'è già stato, al collegio dove la Children's Court manda i bad-boys del quartiere, e non ci vuole tornare. Appioppa la scatola a Diamante e scende. È così leggera, la scatola. Come fosse vuota. Forse è davvero così, e dentro non c'è niente. Quanto poco pesa una cosa non nata. Con la sua andatura ciondolante, senza fretta, Rocco riattraversa lo spiazzo. Le braccia penzoloni lungo i fianchi. Così grosso, fa pensare a un orso in piedi sulle zampe posteriori. Quando la deposita a terra, Vita è in mutande, perché quel che resta della gonna è un brandello impigliato sul filo spinato come una bandiera. Diamante pensa che i guardiani lo vedranno e li acchiapperanno. In fondo, però, non gliene importa niente. Non è mai salito su un grattacielo e vuole salirci. Anche se dalle impalcature. I ragazzi non hanno mai visto una femmina in mutande, perché finora le donne le hanno prese troppo in fretta, e sempre al buio, e non c'è stato modo di studiarne la biancheria, sicché sono distratti mentre s'arrampicano sui pioli di ferro – il chiarore del merletto riluce nell'ombra. Meglio così.

Non voltatevi mai. Non guardate in basso. La città sembrerebbe irreale, dipinta sul fondo di una scatola, le distanze ingannevoli. Il cielo illusoriamente più vicino. Salgono, salgono, e si chiedono cosa c'è sotto quel diafano schermo di stoffa.

Il Vangelo di Lena è tutto strappato, stinto e imbrattato di sugo – la metà delle pagine mancano. In casa non ci sono libri e quando i bordanti devono correre d'urgenza al gabinetto non trovano di meglio per asciugarsi. Lena non se n'è mai accorta perché non sa leggere e il Vangelo si accontenta di tenerlo sotto il cuscino. Un foglietto tira l'altro, e ormai è rimasto solo il *Prologo* di Giovanni, che non è molto adatto al funerale di un bambino. Sempre che questo sia un funerale e la cosa rossa un bambino e non piuttosto un errore o un peccato. «Egli venne come testimone per rendere testimonianza della luce», legge Diamante, con l'intonazione più solenne che può, «affinché tutti vedessero – no, scusate, credessero, non si legge bene – affinché tutti credessero attraverso di lui. Egli era nel mondo, ma il mondo non l'ha conosciuto.» Geremia si morde i baffetti a spazzolino da denti, s'aggrappa al tubo di ferro e per un attimo dondola coi piedi nel vuoto. Si sente eccitato – come se stesse per spiccare il volo. La salita non l'ha stancato. L'altezza lo inebria. Non vuole più lavorare sottoterra. Vuole lavorare quassù – vicino a Dio e alle nuvole. Adesso sa che in America non puoi soffrire di vertigini, altrimenti resterai sotto i tacchi di tutti. All'inferno. Coca-cola indugia sulle mutande di trine della sorella. Non s'è ancora abituato al fatto che sia sua sorella. Si tocca, pensando a lei. C'avrà pure nove anni, ma è talmente carina che già gli fa venire il malditesta. Vita guarda la città che sembra vibrare, là sotto, e la scatola che Rocco tiene alta davanti a sé, come un chierichetto la cassetta delle offerte. Dove vanno i morti? È vero che le notti senza luna si aggirano fra i vivi, bussano alle porte, s'infilano nei letti e cercano di vendicarsi dei torti che hanno subito? E il fratello americano ha subito un torto? Lei gli ha augurato ogni giorno di morire perché se a Agnello gli fosse nato un figlio americano non sarebbe mai tornato da Dionisia – e infatti è morto. Verrà a cercarla? Minuscolo com'è stanotte, o grande come i fantasmi? Quanti anni hanno i fantasmi? «È venuto in casa sua e i suoi non l'hanno ricevuto. Ma a tutti quelli che l'hanno ricevuto egli ha dato il diritto di diventar figli di Dio.» Poi Diamante s'interrompe, e non riesce a continuare, perché il vento sposta continuamente la torcia di Nicola. S-s-spicciati, Diamà, non teniamo t-t-tempo. Le righe s'incrociano, si sovrappongono. Forse non finisce così, ma Diamante scandisce: «Nessuno ha mai veduto Dio».

«Amen», dice Rocco. Amen, ripetono i ragazzi, facendosi il segno della croce. In cima alla torre il vento è così violento che se non t'aggrappi ai sostegni voli via. Un giorno quassù ci saranno gli uffici della direzione e gli uomini che siederanno qui comanderanno il mondo. Anche il fratello americano comanderà il mondo ma essi non lo sapranno. Da quassù, la città sembra il ricordo di un sogno e le luci gocce di pioggia dietro il finestrino di un treno. Nell'aprile del 1904 sull'asta in cima alla torre sventolerà la bandiera americana, ma il 23 agosto 1903 in cima alla torre ci siamo noi e ve ne accorgerete. Chi nun ce po' vede', schiatta e crepa; chi ce vo' vede' morti e chi 'n galera, schiatta e more. I ragazzi avrebbero voglia di cantare, ma gli vengono in mente solo le canzoni di Enrico Caruso. Sarà un sacrilegio? Macché, gira la voce che in autunno anche Enrico Caruso se ne verrà in America a cercare la fortuna e le conoscerete anche voi le sue canzoni. Cantano in coro, a squarciagola, E lucevan le stelle, mi cadea tra le braccia, o dolci baci o languide carezze – anche se non si ricordano le parole e ognuno ricama le strofe come può. Stelle quassù ce n'è miliardi, ma non luccicano per niente, sembrano impolverate. Rocco svuota la bottiglia di petrolio nella scatola. La richiude. Tutti vogliono accendere il fuoco, ma alla fine il privilegio è accordato a Coca-cola, in quanto mancato fratello e comunque due volte parente. Il vento spegne uno dietro l'altro tutti i fiammiferi. Fortuna che Vita ha portato i suoi. Rovescia la bottiglia d'alcol sulla scatola di cartone. Il loro primo falò sarà un falò azzurro. La fiamma guizza sul coperchio, lo abbraccia, lo avviluppa, ma non prende: per un attimo la scatola è avvolta nell'azzurro, inviolata. Poi comincia ad accartocciarsi. Annerisce. Scricchiola. Sprofonda. Si liquefà. Diamante si copre la bocca con la mano. L'ascensione non ha un buon odore. Il vento soffia le fiamme in faccia ai ragazzi, sui capelli, sulle camicie. Vita cattura le scintille, le guarda mentre agonizzano nel palmo della sua mano. Il fuoco vola. Lui vola. Voliamo via tutti. Quattrocento piedi da terra. E lucevan le stelle. Sembra di toccarle. Niente ricade. Sparisce, semplicemente. Ciao.

Geremia passa la punta della scarpa sulla cenere, la calpesta, la schiaccia, la appiana, meticoloso, quasi accarezzandola. I ragazzi restano assorti, fissando il cielo in cui se n'è volato l'americano non nato. Se Diamante li ritenesse capaci di tanto, giurerebbe che sono commossi.

Le voci dei guardiani, dall'interno dell'edificio, arrivano all'improvviso, come una folata di vento. Le torce disegnano un cono di luce sulle travi d'acciaio, e – là dove le tavole si interrompono – sui tubi di ferro, sulle impalcature, sulle stelle impolverate, poi si orientano verso di loro. I cani abbaiano. Chi c'è? Chi c'è lassù? Ehi, voi, da dove cazzo siete saliti? I latrati dei cani se li porta via il vento. Via tutti, giù subito – ognuno per sé, ci si vede a casa. No, dobbiamo prima dargli un nome, altrimenti non può andare in Paradiso, protesta Vita. Batte i denti per il freddo dei quattrocento piedi di altezza, il senso di colpa e lo sconvolgimento di questa notte. Voleva che il bambino morisse – ma nel sonno, come i tanti neonati che a un tratto, senza che i dottori sappiano spiegarselo, decidono di non restare, e se ne tornano da dove sono venuti. Voleva che Lena morisse – ma non ancora, perché ha tante cose da insegnarle, e comunque non così. Le scappa irresistibilmente la pipì. Già da tempo tiene le gambe incrociate, e contrae i muscoli, ma le gambe tremano, e a forza di trattenersi un dolore acuto la trafigge nel basso ventre. Sarebbe ridicolo e umiliante farsela addosso proprio mentre il fratello americano vola sopra le stelle stinte dalle luci, sputa sopra alla città e la banda dei ragazzi le ha permesso di assistere alla cerimonia segreta. I cani si avvicinano e il nome per il frettoloso battesimo non viene. Non ci hanno mai pensato, finora. Non si sono nemmeno accorti della sua presenza, e se Agnello non li avesse invitati a brindare al suo futuro figlio americano non lo saprebbero ancora. Lena è così snella che nonostante la gravidanza le spuntavano ancora le vertebre sotto la stoffa del vestito. Lo chiamiamo Bambino, taglia corto Rocco. Il nome è approvato con un cenno collettivo del capo. Buonanotte, ciao, Bambino.

I guardiani devono aver sganciato i guinzagli, perché il ringhio dei cani è vicinissimo. Coca-cola spegne la torcia. Scivolano giù sui pali, urtandosi e spingendosi, in un'oscurità stantia e informe. Non c'è altra via, perché i guardiani presidiano le scale a pioli. Il metallo brucia le mani. Le tavole s'impennano. I pali sono di fuoco. Scendere verso dove. I piedi che poggiano sul niente. La pelle delle mani che s'incendia – i calzoni che per l'attrito coi pali sprizzano scintille. Centinaia di metri di buio, luci, vento, orbite vuote di finestre, stanze vuote, finestre, finestre, finestre. Le impalcature non conducono da nessuna parte. La facciata è stata completata, fino al trentacinquesimo piano. A un tratto sotto Diamante si spalanca l'abisso. Deve essere andato dalla parte sbagliata. È finito troppo a destra. In basso, giù in strada, passano delle carrozze. I cavalli sono più piccoli del suo mignolo. Diamante è sul punto di scoppiare in lacrime. È questo che succede a scrivere le lettere dell'Uomo col fazzoletto rosso. Chi va con lo zoppo impara a zoppicare. Chi dorme col cane si alza con le pulci. Adesso lo arrestano, lo processano e lo espellono dall'America – ha avuto la sua occasione, e l'ha sprecata. Di là – urla Nicola. S'accalcano sull'esile tavola che si protende verso il tubo di scarico della calce, in fondo al buio. I guardiani urlano, sono qui di nuovo, evidentemente gli ascensori già funzionano, i cani zampettano, Bambino è venuto troppo presto e la gatta frettolosa fa i gattini ciechi, c'è odore di calce e un caldo stantio, il tubo di scarico di un grattacielo non nato è un cunicolo sempre più angusto, con le pareti sempre più strette, bagnato, gommoso e molle, la cosa rossa galleggia nel catino, Lena si raggomitola sul letto col ventre squarciato e nessuno ha mai veduto Dio.

Il Vangelo strappato scivola dal cuore in tumulto di Diamante. Non sa perché, ma stanotte gli sembra di aver salutato il suo sesto fratello morto senza aver il diritto di crescere, di diventare qualcuno, e gli viene da piangere. Il tubo di scarico della calce è un cilindro largo poco più di un metro. Nella gomma si susseguono le giunture, a distanza regolare. Sembra un verme. Sarà lungo cento metri. Non ha visto i ragazzi tuffarcisi dentro. Bisogna entrare di piedi? O di testa? Tenersi alle giunture e provare a calarsi piano o buttarsi a corpo morto, come sullo scivolo di una fiera? Diamante è rimasto per ultimo, e il cane gli azzanna il polpaccio. I denti gli affondano nella carne, come la tagliola nel topo incauto. Cerca di scrollarlo via, agitando la gamba, ma la morsa si stringe più forte. S'aggrappa ai calzoni di Rocco, perché non gli venga la tentazione di abbandonarlo là sopra. Aiutami, aiutami, si ritrova a implorare. Con una voce infantile, supplichevole, che quasi non sembra la sua. Infatti è quella di Celestina. Rocco s'inchioda sul bordo del tubo, sbuffando. Lo agguanta per un braccio e lo solleva, con la stessa facilità con cui raccoglierebbe da terra un fazzoletto. Entra, gli dice, infilandolo nel buco. Poi, mentre Diamante urla di non lasciarlo, lo tiene per il tallone con una sola mano, con l'altra afferra la testa del cane e gli affonda le dita nelle palle degli occhi, finché quello non molla la presa, e tonfa nel buio. Molla la presa anche Rocco, e Diamante scivola a capofitto.

Nessuno ha visto Dio, ma Diamante stanotte ha visto Rocco.

Quant'è forte, e quanto è coraggioso. Quanto vorrebbe diventargli amico. L'ha salvato dal cane, dai guardiani e dalla Children's Court, anche se Diamante gli ha già detto che non vuole più scrivere le lettere dell'Uomo col fazzoletto rosso. E tutto ciò, Rocco l'ha fatto in bilico nel buio, grosso, goffo com'è e impedito dal peso morto di una ragazzina paffuta di nove anni. Perché Rocco s'è caricato Vita in braccio: in mutande, con gli stivaletti slacciati e scombussolata com'è, non scendeva abbastanza veloce. Il tubo si stringe. Diamante si graffia le mani contro le giunture, s'incastra, si dimena, si libera, cade ancora a precipizio, sbatte, rimbalza contro le pareti di gomma. Non dubita mai di sfracellarsi. Rocco non lo permetterà. Da qualche parte, là in fondo, deve esserci qualcosa di accogliente.

Rocco continua a vedere la cosa rossa. Continua a tentare di dimenticarla. Affonda il viso nei capelli di Vita. Vita gli serra le caviglie dietro la schiena, e le braccia attorno al collo. Trema come se piangesse, ma non sta piangendo. Non si mostrerà così debole, mai, mai, mai. Rocco scivola lungo il tubo, la giacca si lacera contro la gomma, i piedi frenano contro le giunture, il tubo dondola. Diamante pensa, è incredibile quanto possa essere buono un duro. Gliel'aveva detto di non venire con noi, e lei è voluta venire lo stesso, anche se nessuno disubbidisce a Rocco – e se ne pente, quando lo fa. Di più. Quando Vita non riesce più a trattenersi e svuota la vescica sulla sua camicia, Rocco non si arrabbia, non impreca, non la prende nemmeno in giro, come Vita meriterebbe che facesse e come Diamante stesso farebbe al posto suo. Finge di non rendersi conto che le mutande di Vita sono fradicie, e fradicia è la sua unica camicia buona. Non la mette giù neanche quando cadono nel cassone della calce e affondano in un impasto molle che sembra fango. Si rialza e continua a tenersela avvinghiata al collo. Intreccia sotto le natiche di lei le grosse mani che non sa mai dove mettere e che gli sono sempre d'ingombro. E la porta, bagnata com'è, su e giù tra le buche del cantiere, lungo lo spiazzo illuminato dai fanali, su e giù per la recinzione, attraverso il filo spinato e poi, camminando con quella sua andatura inconfondibile, ciondolante, per decine di isolati, attraverso la città sempre meno grandiosa, sempre meno illuminata – Trentesima strada, ventesima, decima, zero – fino a casa.

Vita continua a stringere convulsamente le caviglie dietro la schiena di Rocco, e le braccia dietro al suo collo. Ma gli ha appoggiato la testa sulla spalla, e forse s'è addormentata. Diamante, dolorando per il morso del cane, per gli urti e gli attriti della discesa, zoppica accanto a quel San Cristoforo colossale: non riesce a distogliere lo sguardo dalle gambe nude di Vita incrostate di calce e da quella macchia sulla camicia. L'alone scuro sulla camicia di Rocco gli sembra lo stemma di una nobiltà che lui non possiede. Rocco vede la cosa rossa e i capelli neri di Vita. Ogni tanto si volta e lancia al suo trotterellante accompagnatore uno sguardo meditativo. Un po' lo intimidisce, Diamante, perché legge i giornali, ha gli occhi così limpidi e azzurri, e conosce un mucchio di storie che lui non sa. Sei buono a tenere un segreto? gli chiede, quando raggiungono i primi blocchi di Prince Street. L'ho già tenuto, risponde Diamante. E non lo dici allo zio Agnello e ai ragazzi? Lo sai che non lo faccio, Desperado. Io non le capisco proprio le donne, dice Rocco, lanciando un'occhiata dubbiosa a Vita, che però non si muove, la testa reclina sulla sua larga spalla. Non se n'è venuto da solo, il bambino – l'ha tirato fuori lei. Chi? sussurra Diamante che stanotte ha perso completamente l'orientamento e s'è buttato a capofitto nel buio per inseguire il senso di fatti che gli sfuggono e che forse non sa. Lena, risponde Rocco, fermandosi a sfilarsi dalla bocca un capello lungo e nero. Mi sa che è uscita completamente pazza. Sta' alla larga da lei.

# Il gemello di James Earl Jones

Quando tornai a Roma, frugai tra le carte di mio padre. Erano conservate nella casa di famiglia che avevo lasciato da anni, in volenteroso disordine, in due stipi di metallo. C'erano pile di cartelle colorate, scatole da scarpe stracolme di fogli, carta velina, giornali scompagnati, dattiloscritti, copioni. Speravo che avesse scritto dell'America. Speravo che, col passare degli anni, si fosse riconciliato col suo autoritario padre e che avesse desiderato scriverne la storia. Accettando l'idea che il ragazzino di dodici anni era lo stesso uomo che, dopo avergli inoculato la passione per i racconti, aveva cercato di impedirgli di crederci – e di viverne. Voleva che diventasse dottore, e mio padre lo aveva deluso. Era morto quando Roberto aveva solo ventiquattro anni. Non avevano avuto il tempo di conoscersi veramente. E nemmeno mio padre e io lo abbiamo avuto. Il primo novembre 1989 – quattro giorni prima di morire – manifestando un rinnovato interesse per la sua famiglia, Roberto aveva organizzato una festa: la chiamò la festa dei Mazzucco. Riunì tutti i sopravvissuti. Erano pochi: una decina. Io ero la più giovane. Quel giorno ha assunto – contro le sue gioiose intenzioni – il significato di un rito funebre, di un testamento aperto alla presenza di fantasmi. Poi abbiamo capito che sapeva. Mio padre aveva un dono di cui non parlava volentieri e che non sapeva da dove gli fosse venuto. Vedeva ciò che gli altri ignoravano. Sentiva accadere le cose, gli oggetti muoversi, la vita fremere – i minimi spostamenti negli interstizi del tempo.

Ma fra le sue carte non trovai niente. Solo poche righe, pubblicate in un racconto autobiografico del 1979, *Cara arma dei binieri*, sul suo rapporto con l'autorità costituita. La premessa riepilogava le disgrazie del nonno spaccapietre, la partenza di Diamante per l'America, la morte per denutrizione dei suoi zii. "Divorati da una fame inarrestabile, cenciosi e abbandonati a se stessi, appena sfuggivano al controllo dei genitori dolenti e avviliti, ingoiavano calcinacci, zolle di terra, pezzetti di carbone. Da lì il passaggio alla malattia incurabile, agli intestini devastati, era immediato. Tutto questo non avveniva in India, o nel Medioevo, ma negli anni Novanta, non lontano da Roma. C'era già chi si costruiva la villa ai Castelli, chi andava a Parigi tutti gli anni, chi parlava di destino imperiale della nazione." Non c'era, insomma, nulla di più, e molto di meno, di quello che mi aveva raccontato. Mi dissi che forse il progetto non si era concretizzato, ma lui poteva aver fatto ricerche negli archivi di Tufo. Forse aveva raccolto documenti preziosi, aveva rimesso insieme i frammenti disordinati della memoria. Era uno storico. Molti lo chiamavano Catone, ma uno dei suoi soprannomi preferiti era Il Professore. Mi sbagliavo.

Trovai soltanto alcune lettere del fratello di suo padre. Leonardo, che si era trasferito in Australia, gli aveva scritto una serie di gustosi aneddoti relativi a sua nonna, a suo nonno, all'infanzia sua e di Diamante. Ma mio padre era interessato agli anni Venti: aveva conservato le lettere di Leonardo a Diamante perché voleva curare un volume sulla feroce repressione dei Senussi di Libia vista da un carabiniere proletario, che tra la fame e lo stato aveva scelto lo stato – con quel che ne seguiva. Non l'aveva mai scritto.

Trovai un albero genealogico privo di radici – con le foglie essiccate all'altezza della nostra generazione. Trovai anche l'intera corrispondenza, vagamente tediosa, con un erudito di Torino, il quale si chiamava Mazzucco pure lui, e gli dimostrava con una lunga dissertazione – suffragata da prove – l'origine piemontese del cognome. Ciò confermava le informazioni di mio padre, che a Roma si era sempre sentito nel posto sbagliato.

Un altro erudito, padovano, sosteneva che Mazzucco fosse una parola veneta. Marin Sanudo, nel Millecinquecento, parla del Mal di Mazzucco. Era una malattia della testa. Una malattia mortale.

Mio padre soffriva il caldo. D'estate, spesso indossava calzoni corti e scarpe di tela coi calzini alla caviglia. Era alto, grande, con la carnagione pallida e rosata. Molti lo scambiavano per un tedesco e lui, non so perché, ne era contento. Forse per quel che di netto, retto e rigoroso associava alla parola "tedesco". Entrambi amavamo sembrare ciò che non eravamo. Nei miei viaggi, mi sono finta turca, ebrea, persiana, francese, araba. Non necessariamente donna. La cosa più stupefacente è che mi hanno sempre creduto. A volte non ho nemmeno scelto io cosa essere: sembravo, e ciò bastava. All'aeroporto di Tegel, Berlino, nel gennaio del 2000, sono stata fermata dalla polizia di frontiera in quanto sospettata di essere una terrorista palestinese. Per un'interminabile mezz'ora il mio passaporto italiano fu ritenuto falso. In realtà, sia io sia Roberto abbiamo tratti decisamente saraceni. Anzi, di più. Dicono che ognuno di noi abbia un gemello – in un qualche luogo del mondo. Spesso non siamo destinati a incontrarlo, né a conoscerlo né a sapere qualcosa di lui. Ma il gemello di Roberto io l'ho trovato. È James Earl Jones, un attore formidabile, dalla voce possente e dal sorriso buono. È un afro-americano.

Vicino a Biella, sulle prealpi piemontesi dell'industria laniera, c'è un piccolo paese fantasma. Nel 1960 aveva centoquarantadue abitanti, poi scomparve dai censimenti dei comuni d'Italia. Era diventato irrilevante. È la frazione di Trivero chiamata Mazzucco. Lì mio padre compì il suo ultimo viaggio. Era l'ottobre del 1989. Sarebbe morto all'improvviso venti giorni dopo. Le ultime immagini che restano di lui sono quelle, tremolanti, di un superotto. La cinepresa riprende Roberto – alto, decisamente grande, coi capelli crespi brizzolati e gli occhiali di plastica trasparenti. Indossa calzoni di velluto marrone, un maglione rosso e la giacca a vento aperta. Il suo sorriso è timido e vulnerabile. È appoggiato al cartello segnaletico che indica il paese di Mazzucco. C'è la nebbia, ma lui è contento. Ha trovato quello che cercava. Crede di essere giunto nel luogo in cui tutto è cominciato.

# La Mano Nera

Quando Diamante raccontò ai figli la storia della sua America, ed essi la raccontarono a me, con varianti e sfumature attribuibili al carattere del narratore (ingenuo e terrorizzato lo zio Amedeo, ironico e divertito mio padre), la Mano Nera faceva la sua sinistra apparizione nella vicenda fin dalla prima notte trascorsa nella pensione di Agnello. Con gli anni, di quella notte erano evaporate le zaffate di stabbio, ed era rimasto solo un senso angoscioso di smarrimento e l'agghiacciante certezza di essere in balia di forze superiori, negative e ostili. Diamante si era svegliato di soprassalto nel cuore della notte, in una casa sconosciuta, in un mondo sconosciuto, nel quale si ritrovava completamente indifeso. Sì, fu proprio allora che sentì parlare per la prima volta della Mano Nera. Lui se ne stava schiacciato contro il muro, e i briganti raccontavano che nel cantiere della sotterranea era stato ritrovato quel ragazzo fatto a pezzi. Anche il padre di quel ragazzo aveva ricevuto la lettera con la mano nera posata su un pugnale. Diamante non aveva capito di cosa parlassero.

Gli bastò un giorno. Il 15 aprile, al numero 743 di Elizabeth Street – pochi isolati dalla pensione di Agnello – fu trovato in un barile il cadavere di un uomo, con la gola tagliata da parte a parte e la testa quasi recisa da diciotto coltellate. Il "New York Times" avrebbe finito per chiamare Prince Street "the Black Hand block". Fra il 1900 e il 1910, ogni saloon o spaghetteria di quella strada era probabilmente luogo di incontro di ricattatori, rapitori di bambini, fabbricanti di dollari falsi, ladri, truffatori e venditori di biglietti di lotterie truccate: il malcapitato vincitore veniva immediatamente derubato della vincita e spesso assassinato. "Prince Street" dichiarò anni dopo alla polizia il padre di un bambino rapito "è piena di manoneristi: sono praticamente in ogni casa." Non che fosse più tranquillo il luogo al quale Diamante era diretto, l'Ohio (fra Cleveland, Ravenna,

Accron e Youngstown si era aggrumata una folta colonia di Minturno). Solo a Ravenna nei primi anni del secolo si contarono decine di omicidi. Gli assassinati avevano cognomi italiani. A New York, nel Mulberry Bend, il 4 luglio duecento italiani inferociti aggredirono e quasi linciarono un medico che voleva portare al Bellevue un ragazzino di quindici anni ferito da un proiettile vagante. Il 7 dello stesso mese, quando la polizia andò ad arrestare un rapinatore, i giovani del quartiere assaltarono i poliziotti, e la battaglia, combattuta a colpi di stiletti, rasoi, coltelli e tenaglie da ghiaccio, lasciò sul selciato decine di feriti.

Poche settimane dopo quattro sicari ruppero il naso a Rocco, e all'inizio di settembre Diamante dovette abbandonare il lavoro di strillone. Quel lavoro – del quale fu defraudato tanto presto – gli avrebbe lasciato una tenace venerazione per i giornali. Gli avevano insegnato ciò che non sapeva, e furono le sue scuole superiori. Gli avevano offerto un dono che sul momento gli sembrò inutile: la lingua italiana. L'abitudine al giornale doveva restare un vizio precoce di famiglia. Di quei primi mesi remoti e confusi sono rimaste solo parole. Racconti che la memoria ha trasfigurato, cambiato, o addirittura inventato. Un solo dato è certo. Qualche mese dopo l'arrivo di sua figlia e del ragazzino dagli occhi azzurri, Agnello vendette il negozio che, indebitandosi fino al collo col suo banchista, aveva comprato neanche diciotto mesi prima.

Chi era, Agnello? Quando Antonio Mazzucco tentò di sbarcare per la prima volta in America, il 17 agosto del 1901, dichiarò ingenuamente di essere diretto da *nobody* e fu respinto. Il secondo tentativo si concluse il 24 maggio del 1902, dopo una terrificante traversata di tre settimane sul famigerato piroscafo Calabria dell'Anchor Line che, fra una multa e l'altra delle autorità portuali, navigò ancora per anni. Stavolta Antonio dichiarò di essere diretto da un certo Agnello Mazzucco, *relative*, New York, 18, Prince Street. Fu respinto ugualmente. Ho consultato negli archivi di Ellis Island la *List of Alien Immigrants for the Commissioner of Immigration*. Antonio è il passeggero n. 608. Risulta che era in possesso di dodici dollari, che sapeva leggere e scrivere. Nella casella *deformed or crippled. Nature and causes* c'è scritto NO. Accanto alla casella *condition of health mental and physical* c'è scritto: *good*. Dunque era di sana costituzione. Eppure, accanto al suo nome figura una palla nera. Siccome altre palle nere sono sparpagliate a casaccio sulla pagina, mi sorge il dubbio tremendo che si tratti di una macchia d'inchiostro. Davvero fu così? Perché lo rimandarono indietro? Non ci sono altre carte relative al suo caso, e probabilmente non saprò mai perché gli fu negato di rifarsi una vita negli Stati Uniti. Se davvero Antonio ha perso l'America per una macchia d'inchiostro, o se quella palla nera che lo contraddistingue sia invece il segno di una condanna – arbitraria, imperscrutabile e definitiva. Comunque, nel 1902 Antonio aveva già cinquant'anni, e non ebbe un'altra possibilità. Fu costretto a restare nel villaggio nel quale gli erano morti cinque figli, e che odiava con tutto se stesso.

Agnello era stato molto più fortunato. Percorrendo a ritroso le liste passeggeri dell'archivio di Ellis Island, nelle quali sono schedati gli arrivi di altri viaggiatori da Tufo e Minturno, scopro che il suo nome ricorre spesso come *destinazione*. Era stato uno dei primi a partire, con Brigida Mazzucco, Costanzo Mazzucco, Desiderio Mazzucco, Fiorentino Mazzucco, Ignazio Mazzucco, Placido Rasile, Giuseppe e Pietro Ciufo. Prima del 1900 risulta residente a Cleveland. Quando rientrò col figlio Nicola, nel 1897, si disse già domiciliato negli Stati Uniti e diede l'indirizzo della compagnia ferroviaria Erie Railways. Non c'è invece traccia del suo primo sbarco a Ellis Island. Perciò: o entrò in America prima dell'istituzione dell'isola o entrò clandestino. È lui il punto d'arrivo di una intricata rete di viaggiatori. È lui che, come il pifferaio magico, ha chiamato tutti dall'altra parte. Curiosamente, quando rientra da Minturno col figlio, come professione dichiara: *musicista*.

Quelli che tornarono non sapevano niente del suo talento musicale – simbolico o reale che fosse. Lo conoscevano solo come un ringhioso caposquadra alle ferrovie. Molti lo temevano e la maggior parte lo odiava. Non ha lasciato dietro di sé un buon ricordo. A Tufo, era quello che aveva abbandonato la moglie dopo poche settimane di matrimonio, le aveva regalato due figli nel corso di due brevi inverni nei quali era riapparso in paese (arricchito e odioso, e odioso perché arricchito), e non era tornato da lei quando gli americani l'avevano respinta. Ma nel 1900 Agnello cambiò città, cambiò mestiere. Aveva incontrato qualcuno? Era Gwascheliyne Hex'wpasch'e Meshbash – Lena – la persona che gli cambiò la vita?

L'unica traccia dell'esistenza favolosa e insieme banale di Lena sono i censimenti della città di New York. La Chiesa dei Santi dell'Ultimo Giorno – meglio conosciuti come Mormoni – ha iniziato una sorta di schedatura universale delle famiglie, forse affinché ognuno, sapendo dove è diretto, sappia da dove viene. O forse, più laicamente, perché resti almeno una scia del suo effimero passaggio. Sono stati microfilmati milioni di atti di nascita, matrimonio, residenza e morte. Gli italiani – per congenita diffidenza nei confronti della memoria, dell'eternità e dell'universale o per scaramanzia – hanno fornito elementi imprecisi e contraddittori. Ma gli americani sono stati catturati – quasi indiscriminatamente. La Biblioteca di Storia Familiare dei Santi dell'Ultimo Giorno di Oakton, Virginia, mi indirizza perciò subito ai Regional Archives di Manhattan, dove è conservata la completa collezione di microfilm con i censimenti di New York city. Dai certificati, risulta che Agnello dichiarò che la donna era sua moglie. Convissero fino al 1906. Poi le tracce si confondono. Lena scompare e spuntano vari omonimi. Siamo sempre stati troppo numerosi – come i Malavoglia. Un esperto di storia locale definì i Mazzucco "un esercito. Erano considerati appartenere alla plebe". Comunque, nel 1902 Agnello comprò il negozio di frutta e verdura all'angolo con Elizabeth Street. Ricevette la prima lettera appena gli affari cominciarono ad avviarsi: era l'aprile del 1903.

Probabilmente dopo l'estate (anche i briganti vanno in vacanza) Agnello ricevette una seconda lettera, che poteva suonare così.

*Credi che noi ti abiamo dimenticato? Credi che noi siamo lontani da te? Abiamo avuto finora qualche altra faccenda, ma adesso e venuta di nuovo la tua volta. Tu comprendi e sai ciò che vogliamo da te. Mandaci subito il denaro dove sai oppure attento alla vendetta i nostri occhi non si tolgono mai dalla tua persona. I tuoi giorni sono contati. Piangi che tua figlia e morta.*

La lettera era firmata da una fantomatica Società della Morte e adornata da teschi, stiletti, spade e cuori trafitti nonché da un sinistro corredo di ingiurie, bestemmie e minacce di torture. Lettere simili cominciarono ad apparire sui giornali a seguito delle prime denunce. È anche possibile che ad Agnello fosse stato invece chiesto di contribuire a pagare le spese per l'avvocato di due capibanda arrestati a Prince Street proprio nell'aprile del 1903, e che lui si fosse rifiutato di pagare, divenendo così il bersaglio della vendetta quando i due furono rilasciati. Di sicuro Agnello non denunciò il ricatto alla polizia, né se ne lagnò sui giornali, come fece Salvatore Spinella, proprietario di vari palazzi sulla Undicesima strada: nel 1908 dichiarò al

"New York Times" di essere sempre stato onesto, ma di aver visto la propria casa bombardata cinque volte da quando aveva rifiutato di pagare la Mano Nera. Ora i suoi inquilini lasciavano le sue case, i suoi affari erano in rovina, la sua famiglia in pericolo. Quanto poteva resistere senza vedere distrutta la propria famiglia? Siccome Agnello non aveva il denaro che i ricattatori gli chiesero con sempre maggiore – e sinistra – insistenza, li pagò col suo negozio. Vendette nel novembre del 1903. Al suo banchista. Il che può far sospettare i maliziosi che il banchista conoscesse chi lo ricattava, o perfino che fosse stato proprio lui a mandarli.

Poiché era un uomo che avrebbe preferito morire piuttosto che pagare, ci si chiede perché Agnello pagò. Forse perché non voleva far morire chi gli era caro, e la presenza della figlia lo rendeva vulnerabile. I ricattatori potevano facilmente fare del male a Vita, come fecero a Francesco Scalisi, di cinque anni, rapito il 12 marzo e rilasciato solo dopo un pagamento di 250 dollari, al figlio di Peter Lamanna, ricco impresario di pompe funebri, rapito a nove anni e barbaramente assassinato nel 1907, o a Michele, il figlio del dottor Mariano Scimeca, che il 21 giugno del 1910 fu rapito mentre giocava sul pianerottolo di casa sua, al numero 2 di Prince Street. Forse Vita, senza saperlo, fu la causa della rovina di suo padre.

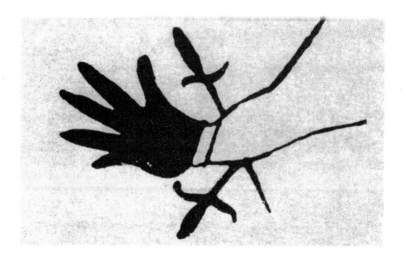

# Le scarpe nuove di Cesare Cuzzopuoti

La differenza fra un cavallo americano e un ragazzino italiano è la seguente. Se il padrone lascia il cavallo al freddo per troppo tempo, la Society for Prevention of Cruelty to Animals può denunciarlo per maltrattamenti, appioppargli una multa fino a cinque dollari e togliergli l'animale. Se il padrone al freddo ci lascia il ragazzino, nessuno ci fa caso. Il cavallo va difeso perché vale di più (cavalli ce n'è pochi, ragazzini migliaia), ma anche perché è più fragile. Fatica, si sottomette, obbedisce, finché può, ma a un tratto s'impunta, soffia, ingroppa la schiena, agita la coda, scalcia, lacrima dagli occhi tondi, si arrende – si accascia nella gelida poltiglia di neve sporca e muore. Il ragazzino resiste. Infatti il cavallo dello straccivendolo Tommaso Orecchio detto Tom si lascia cadere in mezzo alla Second Avenue una sera di febbraio, e non c'è frustata né pugno né carezza capace di muoverlo perché desidera solo morire – mentre Diamante, pietrificato dal gelo com'è, cade, ma si rialza, e alla fine del turno di lavoro ritorna a casa, come ieri, l'altro ieri, e tutto l'inverno.

Quando si richiude la porta alle spalle è mezzanotte passata. Dormono già tutti. Anche Vita. Neanche stasera la vedrà. Ormai, siccome esce all'alba e rientra troppo tardi, la incontra solo la domenica. La risata di Vita gli alita nelle orecchie, quando le mani gelate non riescono più a piegarsi e il freddo è così intenso che le sue giunture scricchiolano, e i polsi le nocche le caviglie lo scheletro sembrano assottigliarsi, sul punto di frangersi come cristallo. Diamante fruga nei barattoli sopra i fornelli e, fra le provviste siglate D. M. – le uniche che abbia il permesso di toccare – scova una conserva di fagioli. La sventra. Mangia nel buio, rannicchiato sul solito bidone. Estrae un fagiolo dopo l'altro, per illudersi che siano più numerosi, mastica lentamente e gli si chiudono gli occhi – di tanto in tanto si addormenta, perché da mesi non dorme abbastanza e a volte gli capita di assopirsi in piedi, e perfino di camminare dormendo, sulla via del ritorno. A volte non saprebbe dire come riesce a ritrovare la strada. A un tratto apre gli occhi e riconosce l'ingresso del casamento di Prince Street. Lo riconosce dall'odore rancido e stagnante. Ma ormai quello è per lui l'odore di casa, e respirarlo lo consola. Con le dita scivolose di salamoia pesca un altro fagiolo. Lo deposita sulla lingua e per qualche istante lo tiene lì, senza masticarlo: gusta il sapore che filtra lentamente sulle papille, la polpa che si disfa a poco a poco. Mangia fagioli tutte le sere. A pranzo una fetta di pane e salame, o un pugno di olive e una cipolla. Qualche volta, se col carro si fermano davanti a un negozio di frutta e verdura, riesce ad arraffare una mela e a inguattarla nella manica del cappotto. Non gli sembra più di derubare lo zio Agnello, perché Agnello non ha più il negozio. Il giorno che ha consegnato le chiavi al boss, Agnello ha pianto – con le lacrime che gli gocciolavano sulle rughe delle guance. Diamante ha voltato la testa dall'altra parte, perché si vergognava di veder piangere un uomo vecchio come suo padre.

Il barattolo è già vuoto. In tutto, ormai Diamante lo sa, contiene trentasei fagioli. Alle cinque avrà di nuovo fame. Ma a quel punto sarà già in piedi, e non avrà il tempo di accorgersene. Gli girerà la testa, poi si abituerà, e si sentirà leggero tutto il giorno. Gli sembrerà di attraversare un sogno nebbioso, inconsistente, non sgradevole. Un pensiero molesto però gli avvelena l'ultimo fagiolo. Non essendoci più il cavallo, domani toccherà a lui spingere il carro davanti alle fabbriche di pantaloni, davanti agli scarti dei laboratori di vestiti, e alla discarica dell'East River, trascinare quell'ammasso sconnesso di tavole e traversine sormontate da un covone di stracci per tutta la città, fino a Baxter Street, scaricare gli stracci e pesarli sulla bilancia, e ricavare un dollaro per ogni quintale. E alla fine spingere il carro vuoto nel cortile del Pickers Row e salutare Tom Orecchio che si ritira nella Old Brewery, e prendere un quarto di dollaro se hanno raccolto un quintale, mezzo dollaro se, come accade spesso, ne hanno raccolti due – e, ma sarebbe proprio un'eventualità miracolosa, un dollaro se ne hanno raccolti quattro. Però i miracoli qui non si verificano: si sono verificati a Loreto, a Pompei, perfino a Lourdes, ma nemmeno uno s'è mai verificato negli Stati Uniti e non sarà di certo un caso. Per quanti giorni un ragazzino sopravvive al suo cavallo? Dieci? Venti?

«Sei ancora sveglio?», gli chiede a un tratto una voce maschile. «No», risponde, versandosi in gola la salamoia che, anche se sa di sale e acqua sporca, e puzza come un topo morto, conserva ancora un vago gusto di fagiolo. È Rocco. Torna sempre più tardi, e a volte non torna affatto. Ha smesso di ciondolare disoccupato e non frequenta più nemmeno quelli dello sciopero. Ha un altro lavoro. Quando Vita gli ha chiesto di che lavoro si tratta, visto che non segue orari e non rispetta le feste, Rocco ha risposto che si tratta di pugni. Già si era fatto notare durante lo sciopero – ha ammaccato più poliziotti lui di tutti gli altri scavatori messi insieme. Nemmeno quando l'hanno aggredito in quattro a Prince Street, la notte della morte di Bambino, sono riusciti a metterlo con la schiena per terra. Tutti pensano che Rocco diventerà pugilatore. Ma i pugilatori che combattono negli scantinati delle birrerie hanno sempre il viso tumefatto e Rocco ce l'ha fresco e liscio. A Diamante ha rivelato che in realtà non ci pensava proprio a trovarsi un lavoro. Non dar retta ai padroni e ai preti – il lavoro abbrutisce. La conosci la filastrocca dei dritti? Con arte e con inganno vivrò metà dell'anno, con inganno e con arte vivrò l'altra parte. Qualunque mestiere faccia, Rocco guadagna meglio di prima, perché s'è appena rifatto il guardaroba (tre vestiti nuovi, tutti neri, con le righe e i risvolti a cuneo), ha regalato un mucchio di 78 giri a Lena, un rasoio con l'impugnatura di osso a Coca-cola, un collare coi campanellini d'argento al suo gatto e una bambola parlante a Vita, un vero prodigio meccanico che muggisce parole come *Mamy, Daddy, I love you,* e via dicendo, e stavolta non l'ha rubata perché era ancora avvolta nella carta del negozio. Un negozio della Quinta Avenue, cioè il viale più illuminato, sgargiante e formidabile della città, dove Diamante però non ha mai messo piede per paura di sentirsi cantare dietro ghini ghini gon. Rocco ha preso in affitto dallo zio Agnello una stanza tutta per sé, l'unica con la finestra, l'unica con un vero letto – con tanto di testiera di ferro. Ha preso dal rigattiere un vero comodino, un pitale di ceramica bianca, una stampa con la faccia di un profeta barbuto (non è Garibaldi, né Cristo, anche se Diamante non si ricorda come si chiama) e una cuccia di vimini per il gatto. Quella camera è l'unica sempre in ordine. Vita la scopa e gli rifà il letto tutte le mattine, gli lava i calzini e le maglie, Lena gli spazzola i vestiti – e cucina le polpette solo per lui. Rocco non è diventato suo amico e Diamante muore d'invidia.

«Come te la passi, Diamante?» butta là Rocco, notando che alluma la fetta di pane sulla quale, lentamente, meticolosamente, va spalmando burro di arachidi. Rondello è morto, mormora Diamante, avvilito. Chi è? s'incuriosisce Rocco. L'hanno acciso? Sì. Rocco, che quando sente parlare di crimini si rianima, risvegliandosi dall'indifferenza che il mondo circostante ha preso a suscitare in lui, comincia a chiedere se si tratta di un delitto di coltello o di pistola. Rondello era un cavallo, Rocco, è morto di fatica. Gli ha dato il nome altisonante del cavallo di Buovo d'Antona, discendente di Gostantino Imperatore, perché se un ronzino azzoppato può essere un destriero, anche lui potrà essere un paladino, un giorno. Rocco, deluso, infila in bocca la fetta di pane. Diamante scivola giù dal bidone e si trascina verso la sua branda. La divide ancora con il cugino Geremia. Conosce ogni centimetro del suo piede, ogni pelo che gli spunta sulle dita. Dalle vesciche sulla pianta potrebbe dire che lavoro ha fatto quel giorno, dall'odore se ha spalato nella fogna, dai geloni se ha spalato neve, dal fango se ha scavato nelle fondamenta di un palazzo – ma non saprebbe più dire se ha ancora i baffetti o se s'è fatto le basette a triangolo, come Rocco, perché non lo incontra più. Geremia lavora sempre. È diventato zelante come un crucco. La domenica va a scopare la chiesa. Quale chiesa, non si sa, perché i ragazzi si sono guardati bene dall'accompagnarlo. Sgobba sedici, diciotto ore al giorno, e per il resto del tempo dorme. Coca-cola dice che Geremia è già diventato vecchio.

Rocco lo trattiene per la manica. Non sei gentile a lasciarmi mangiare da solo. Tu stai mangiando, e io non ho tempo da perdere per stare a guardare, gli risponde. Chi ti credi di essere, caccola? sbuffa Rocco, impermalito. Ho solo detto la verità, risponde Diamante. La verità è una suora che non si lascerà mai toccare da te. Il punto è che io sono più grande. Tu a me mi devi rispettare. Anche tu, risponde Diamante. Tira la tenda, scosta la coperta e, tutto vestito com'è, si raggomitola nella branda. È lui, adesso, a spingere Geremia contro il muro. Lui a rientrare per ultimo. Sta facendo progressi. Dopo qualche secondo, la tenda scorre sugli anelli. Gli occhi fosforescenti del gatto che Rocco tiene in braccio scintillano nel buio. Rocco ha un sorriso cordiale, bianchissimo, da réclame. A dispetto dei bicipiti, della statura fuori dal comune e del naso che gli è rimasto schiacciato dopo i pugni dei sicari, ha un viso dolce e l'aria da bravo ragazzo. Ma non è un bravo ragazzo. Beato lui. Hai coraggio, Diamante? gli chiede, lanciandogli il gatto in faccia come un proiettile. Coraggio davvero?

A Brooklyn, Diamante non c'è mai stato. Qualche volta, quando fruga con Tom Orecchio nella discarica dell'East River, alza lo sguardo dai rottami contorti e dai divani sventrati, e lancia uno sguardo al ponte di ferro che collega le due rive. Tutti cadono in venerazione, davanti a quel ponte. Lui no, perché a pochi chilometri da casa sua, sul Garigliano, c'è un ponte sospeso di ferro – più piccolo di questo, certo, ma altrettanto magnifico. È solo una questione di dimensioni, qui tutto è più grande – il fiume, il porto, le case, perfino le persone. Ma se solo le cose grandi valessero qualcosa, lui non varrebbe niente, e non è così. Non può essere così. Il ponte di ferro che porta a Brooklyn Diamante non l'ha mai attraversato. E adesso lo valica in bicicletta, e se si volta indietro la città che si allontana risucchiata dal buio sembra un presepio irreale nella neve e sull'acqua.

È tardi, il ghiaccio s'è già rappreso in aguzze candele sui cornicioni. I lampioni elettrici disegnano nell'oscurità pozzanghere di luce. In strada, salvo qualche carrozza, non circola più nessuno. Il freddo è talmente intenso che respirare è doloroso: se schiude le labbra ingoia una stilettata di gelo tagliente come una sega. Ma Rocco non sembra accorgersene. Stringe la cicca fra i denti e pedala. Dal suo cappotto sale un filo fragile di vapore. Sembra che la sua schiena fumi. Se cade il freddo, ricomincerà a nevicare. Ci sarà lavoro per gli spalatori. Quando c'è la neve a Manhattan, si fa festa. È un lavoro faticoso, la pala è così pesante, e la neve così compatta che in tre ore Diamante non sgombra neanche un isolato. I negozianti si lamentano, quando scoprono che tocca a lui liberargli il marciapiede davanti all'ingresso. Lo considerano il peggior spalatore di New York. Ma il sale scioglie presto la neve, e deve capitare proprio una tormenta per avere tre giorni consecutivi di lavoro. Di tanto in tanto Rocco gli getta un'occhiata provocatoria, e Diamante, aggrappato alla canna, batte i denti per il freddo e sorride perché non ha paura di lui. Lo sa benissimo che la bicicletta Rocco l'ha rubata nella città alta. Se n'è venuto pedalando a Prince Street, e i marmocchi del palazzo l'hanno applaudito perché vogliono diventare come lui. Vita e Cichitto l'hanno dipinta di nero. Adesso è il nero il colore preferito di Rocco. Il fazzoletto rosso l'ha regalato a Diamante, ma Diamante non se lo mette perché magari la gente si ricorda ancora dell'Uomo dell'estate scorsa. La gente dell'isolato ha cominciato ad aver paura di Rocco. Ma non Diamante. Figuriamoci se ha paura di un orso con gli orecchini, lui che ha attraversato l'oceano da solo, ha dormito a Central Park dove neanche i dritti hanno il coraggio di entrare dopo il tramonto. Ha pure rubato i cani nell'orto dei guappi. Glielo fa vedere lui quanto vale. Spaccone che non è altro.

Rocco gli passa la cicca. Diamante aspira una boccata disinvolta. Il sapore del tabacco è nauseante, ma tutti i veri uomini fumano. Le scarpe di vernice di Rocco luccicano nel buio. Sono mesi che Rocco non lo degna di uno sguardo. L'ultima volta, facevano il bagno insieme nella tinozza. C'era poco spazio, e si erano incastrati l'uno nell'altro come una vite in un bullone. Si toccavano. Celestina, ti sei accorto che ti stanno crescendo i peli? ha commentato Rocco, allungando la mano sul suo gamberetto rosa, attorno al quale in verità spuntava appena un misero ricciolo scuro. Gli ha suggerito di tagliarli, così gli vengono più duri. Appena è rimasto solo, Diamante s'è fiondato sul rasoio di Agnello e si è affrettato a potare il ciuffo. Per settimane, fremendo di impazienza, ogni volta che si è chiuso nello sgabuzzino del bagno ha studiato la situazione. Ma niente ricresce. Rocco lo ha fregato. Scendi, dice Rocco, fermando la bicicletta. Siamo arrivati.

Un alto muro, di là dal quale sbucano cime di cipressi frustati dal vento, corre attorno a quella che sembra una villa. C'è un cancello chiuso e nulla tutt'intorno. Sono le due di notte. Non passa un cane, non c'è neanche una luce. Sembra il luogo ideale per un agguato. Rocco gli caccia uno scalpello fra le dita. Che devo farci? chiede Diamante, sorpreso. Se non ti chiami Celestina, se hai coraggio, scavalca il muro e cerca la tomba di Cesare Cuzzopuoti. Sopra c'è un angelo con la spada, l'ha fatto costruire il padre per dimostrare di essere davvero ricco. Pensa che coglione. Invece che regalare i soldi ai poveri o goderseli, ha voluto fare questo sfregio a tutti quanti. Chi è Cesare Cuzzopuoti? domanda Diamante, che comincia a pentirsi di aver seguito Rocco. Che gli importa di lui? Deve forse dimostrargli qualcosa? Anche se non gli crescerà mai più un pelo, è già un uomo, libero di decidere della sua vita, e nessuno gli dà ordini né consigli. Lavora come un uomo, vive come un uomo, guadagna come un uomo – Celestina non esiste e se esisteva è morta. Era un bravo vaglione, ghigna Rocco, altrimenti perché l'avrebbero ammazzato?

Ammazzato! quasi urla Diamante. I morti ammazzati non riposano mai in pace, e continuano a vagare sulla terra per vendicarsi. La notte, se vai in giro, rischi di incontrarli. Non gli piace questa storia. Vuole andarsene. Tornare a casa. Anche se domani dovrà andare alla discarica, e rompersi le unghie frugando nella terra ghiacciata, e raccattare quattro stracci talmente lisi e trasparenti che non muovono nemmeno l'ago della bilancia. E invece Rocco se ne sta immobile nel gelo, con la cicca tra le labbra e il cappello a tesa calcato fin sul naso, e l'ombra gli nasconde metà del viso. Lo guarda, e ride. A questo Cesare gli piaceva giocare a carte. Nella vita, non gli importava di nient'altro. Gli ho messo io stesso l'asso di cuori nella bara. Altri mettono il rosario, ma Cesare non pregava mai, sapeva solo giocare a carte, così prima di chiudere la bara fra le dita gli ho messo l'asso di cuori. Lo conoscevi? chiede Diamante. Mai visto vivo. Ma l'ho visto morto da Cozza.

Quel nome non dice nulla a Diamante. Non è certo venuto fino in America per conoscere la gente. Per risparmiare e aiutare i suoi genitori. Solo questo, sembra poco, quasi niente – eppure nemmeno quel niente gli è riuscito. In dieci mesi, ha mandato di là la miseria di quaranta dollari. Che gli sono costati la fame e il sonno perenni. Rocco ride, incredulo che Diamante non abbia mai sentito nominare Mister Cozza, che in verità si chiama Lazzaro Bongiorno ed è fabbricante di bare, imbalsamatore, direttore di funerali e impresario di pompe funebri. A Tufo lo avrebbero chiamato schiattamorto. Qua undertaker – che suona molto più distinto. È magro come uno scheletro e veste sempre di nero, per questo lo chiamano Cozza. Lavoro con lui – afferma compiaciuto Rocco. Mentre stavo all'agenzia gli amici di Cesare mi hanno chiesto di mettere l'asso nella bara. Ma che c'azzecco io con chissu Cesare? insinua Diamante, rigirandosi il punteruolo fra le mani, senza capire. Quando trovi la tomba di Cesare, entraci, apri la bara – non è saldata. Il morto ha un orologio d'oro nel taschino e non gli serve più. Prendi quell'orologio e portamelo. Diamante rabbrividisce. Gli sta chiedendo di rubare. A un morto. I morti ammazzati sono i più pericolosi e vendicativi fra i morti. Le preghiere non li blandiscono. Mai e poi mai. Oh, scusami, ti hanno insegnato che rubare è peccato e tu eri il primo della classe, la lezione l'hai imparata. Diamante non risponde, titubante. Con chi stai? insiste Rocco. Con un fetente che si fa seppellire con un orologio d'oro? Tu un orologio d'oro non ce l'avrai mai. Tu non c'hai niente di niente. Diamante è confuso, perché è vero che rubare è peccato, ma è vero anche che lui non c'ha niente. Allora sei uno zio Tom pure tu – conclude Rocco, che sembra sinceramente deluso. Stai dalla parte dei ricchi con l'orologio d'oro e degli sbirri. Peggio per te. Continua a raccattare stracci.

Non è per il fatto di rubare, balbetta Diamante. Allora è peggio ancora. Ti pisci sotto, scazzimma – conclude Rocco, risalendo in bicicletta. Lo sapevo, non ci sei tagliato, non avrai mai il coraggio di guardare in faccia un morto. Diamante stringe i denti. Gli sale il sangue agli occhi. Si lancia contro Rocco urlando. Ho visto i miei fratelli – Talarico e Amedeo erano con me. Gli è scoppiata la pancia perché abbiamo mangiato l'intonaco della chiesa. Loro sono morti, e io no – perché io sono duro come un diamante e posso digerire anche i sassi. Non ho paura dei morti. Non ho paura di nessuno. E non me ne fotte niente di rubare a un riccopellone fetente. Bravo, dice Rocco, scrollandoselo di dosso. Dimostramelo. Diamante stringe il punteruolo nel pugno. Vorrebbe infilzarlo. Invece se lo caccia tra i denti e s'avvicina al muro del cimitero di Brooklyn. Infila il piede nella fessura tra due mattoni, fruga con la mano in cerca di un appiglio e s'arrampica. Quando si issa in cima al muro, la città è ai suoi piedi. Pulsante di luci, vivida, lontana.

La tomba di Cuzzopuoti spunta nell'angolo più monumentale del cimitero, in fondo a un viale di ghiaia punteggiato di croci, putti e madonne. L'angelo con la spada sembra di cartapesta, ma deve essere di marmo. Diamante non si intende di scultura, ma gli sembra che non valga la fortuna di un milionario. Tuttavia, se il morto fosse lui, suo padre non pagherebbe certo per far scolpire un angelo. Lo porterebbe al camposanto, come ha fatto con gli altri figli che gli sono morti, e lo seppellirebbe nella terra avvolto in un lenzuolo perché non ha i soldi nemmeno per comprargli la cassa. Perciò Cuzzopuoti non gli fa paura né pietà. Sulla lastra, lo scalpellino ha inciso le date della breve vita di Cesare: 1882-1904. Requiescat in pace. Facendo leva col punteruolo, Diamante solleva la lastra, e s'ingegna di infilare un ramo nella fessura. Prova a farla scorrere sul ramo, ma è troppo pesante. Si china sul buco, e intravede una fossa profonda – nera come l'inferno. Rocco non gli ha lasciato una lampada né un cerino, sicché quando sgattaiola nella fessura, e si lascia cadere, per qualche minuto non vede altro che buio. La luce della luna, là fuori, è lontana come il riflesso sbiadito del sole quando t'immergi sul fondo del mare. C'è odore di freddo, terra e fiori marci. Sulle pareti, su entrambi i lati, ci sono delle cuccette, come nel dormitorio del piroscafo. Solo che, invece di corpi, su quelle cuccette sono sistemate sette casse di noce. Tutte con le maniglie di metallo. Molte sono rovinate, con il legno gonfiato dall'umidità, solo una sembra nuova. Sulla targhetta c'è scritto CESARE. Caro Cesare, dice Diamante, ad alta voce, per farsi coraggio – sono venuto a chiederti un prestito. Gli tremano le mani e batte i denti. C'è un tale silenzio, un vuoto così assoluto nella notte – non il verso di un uccello, non un battito di ali – che gli sembra di essere l'unica cosa viva nel regno dei morti. C'è un silenzio sottomarino, nell'aldilà. Altro che canti celestiali. Ma quel Cesare sicuramente non è andato in Paradiso. Prova a sollevare il coperchio, non ci arriva. S'arrampica nella cuccetta, ma c'è poco spazio e deve sistemarsi a cavalcioni della bara. Si lega il cappotto sul viso e tira il coperchio con tutte le sue forze.

Poi urla. Cesare ha metà del viso riempito di ovatta. Qualcuno gli ha fatto saltare la testa a fucilate. Col passare dei giorni, l'ovatta si è intrisa di liquido e ha assunto un colore scuro. Diamante è fortissimamente tentato di saltar giù e fuggire. Invece non si muove. Non esce di qui senza l'orologio. Il resto del viso dorme. Cesare non sembra né incavolato per la sua presenza né eccessivamente morto. Gli hanno fatto indossare uno sciccoso vestito a righe, la cravatta e il gilet. Il gilet ha bottoni di madreperla e la camicia gemelli di metallo dorato. Calza delle scarpe fantastiche, mai usate, con la suola ancora liscia. Fra le mani, stringe un rosario, e non un asso di cuori. E, cosa ancora più strana, nel taschino del gilet non ha affatto un orologio d'oro. Tenendo il cappotto premuto sul viso per non respirare il tanfo di putrefazione che sale dal cadavere, febbrilmente, tremando, sempre più spaventato, Diamante gli fruga nelle tasche della giacca. C'è un santino della Madonna di Pompei, un chicco di riso, un ferro di cavallo contro la jella, c'è perfino uno scarafaggio – ma nessun orologio. Non esco di qui senza l'orologio, urla, sul punto di scoppiare in lacrime. Dove hai nascosto l'orologio! Gli svuota le tasche dei calzoni, e gli fruga perfino sotto la camicia. Cesare è duro come il marmo. Ma l'orologio non c'è.

Quando prova a richiudere la bara, il coperchio non ne vuole sapere di scivolare sulla cassa, e rimane fuori squadra. Dallo spiraglio socchiuso s'intravede il mezzo viso di Cesare. Ma Diamante non ha più tempo, e non può restare un altro minuto in quel dormitorio di morti, perché altrimenti potrebbe svenire – asfissiato di terrore. Salta sul fondo della tomba e tenta d'arrampicarsi sugli scaffali di pietra per riguadagnare lo spiraglio di luna che filtra dalla lastra dischiusa. Ma – o la lastra si è spostata o lui è rimpicciolito, perché adesso, anche allungandosi sulla punta dei piedi, non arriva ad afferrare con le mani il bordo della tomba. Guarda, col naso in aria, il chiarore della luna, e gli sembra di essere caduto in fondo a un pozzo. Cesare mezza faccia potrebbe alterarsi. Senza contare i suoi parenti, che giacciono lì indisturbati da almeno dieci anni. Vorrebbe urlare. Ma chi può venire a tirarlo fuori? Rocco è troppo lontano. E se lo sorprende il custode, come potrebbe spiegargli che non è un ladro vero, solo un apprendista? In quale lingua? Non l'avevano avvertito che in questo paese sarebbe tornato piccolo e impotente – come i bambini prima di imparare il nome delle cose, che piangono, gesticolano senza potersi spiegare e urlano senza poter dire di cosa hanno paura o cosa li fa soffrire. Ma un giorno Diamante imparerà la lingua dei biondi. Leggerà il "New York Times" e nessuno lo chiamerà più gorilla. Ritenta. S'afferra alle maniglie di una bara e si issa nel dormitorio del secondo piano.

Carponi, si rigira in quel cubicolo basso, ma non riesce a salire alla cuccetta superiore. È bloccato. Potrebbe pregare Gesù, la Madonnina delle Grazie, san Leonardo o anche Dio, ma non si fida più di loro, come se i loro poteri li avessero lasciati di là dall'oceano. Gli manca l'aria e il tanfo di morte che filtra dalla bara aperta di Cesare stronca la mente. Morire in fondo a una tomba, che razza di destino infame. E di venerdì. Quando domani potrebbe andarsene a passeggiare con Vita. Vita che da quando lavora con Tom Orecchio è l'unico pensiero luminoso della sua giornata. Quando scaricano gli stracci, riesce sempre a far sparire un lembo di merletto, o uno scampolo di tela. Di notte, scende a lavarli alla fontana, e le confeziona sciarpe scialli e fazzoletti. Fruga tra i rifiuti per lei, per portarle un pazzareglio rotto e un trenino di ferro senza ruote. Carponi, batte lande immense di fango, catorci e ferrivecchi, rovista sotto cumuli di neve dimenticandosi di essere venuto a cercare stracci, e si lascia fuorviare da un cerchio spezzato, che forse ancora potrebbe rotolare su un marciapiedi, e dalla gamba grassoccia di una bambola. In gran segreto, stava rimettendo insieme una pupata, incollando pezzo su pezzo, scaglia su scaglia. Una pupàta vera, di porcellana, non di pezza. Poi le avrebbe fatto un regalo. Vita non ha mai avuto una bambola, perché poteva sempre connellare il figlio di una vicina o di una parente. Anche a Prince Street cambiava i pannolini al figlio della vicina Melchiorra Corpora, un neonato rachitico che chiaramente non sarebbe sopravvissuto all'inverno, e infatti è morto una notte di dicembre, lasciando Vita senza giocattolo, a urlare che voleva tornare a casa sua. Quel giorno gli era venuto in mente di farle una bambola. E l'aveva quasi finita. Gli mancava solo la testa. Diamante afferra il manico della bara che sporge appena sul ripiano superiore. L'afferra con tutte e due le mani e si lascia penzolare nel vuoto. Nel salto, il cappotto gli cade dalla faccia e precipita nel buio. Per qualche istante rimane appeso, incerto se inseguire il cappotto o inseguire la luce. Poi, come al solito, è arrivato tardi. La bambola gliel'aveva già regalata Rocco. Vita l'aveva messa seduta sul tavolo della cucina e gli faceva ascoltare Enrico Caruso. Una bambola vera, non fatta di scarti. Una bambola di porcellana, con i capelli biondi e un sorriso bianco a trentadue denti, che parla in americano.

Rocco ride, quando Diamante salta giù dal muro del cimitero – coi capelli ritti in testa, guardandosi le spalle come se un esercito di morti gli stesse correndo appresso. Una luna diafana brilla nel cielo come un debole cerino e Diamante ha il viso grigio di ragnatele. Ha lanciato qualcosa, e si china a raccoglierlo. Non lo guarda nemmeno. Si siede sul bordo del marciapiede e si sfila le ciabatte. Dov'è l'orologio? chiede Rocco. Non vedo l'orologio. Diamante sibila: bugiardo. Rocco scuote la testa. Lo sapevo che non avevi il coraggio di entrare nella tomba. Diamante gli tira contro una ciabatta sfondata. Allora Rocco si accorge che Diamante sta infilando i piedi, avvolti in due calzini trasparenti e traforati di buchi, in un magnifico paio di scarpe di vernice nera. Di qualche numero troppo grandi, intensamente maleodoranti, ma nuove. Mai usate. Con la suola perfettamente liscia. Rocco sorride. Ancora una volta ha visto bene. Non è facile pescare un ragazzino sveglio, in questo quartiere di pecore. Cacaroni capaci solo di farsi mangiare dal lupo – di subire. Gente che s'accorgerebbe che in cielo c'è la luna solo se questa gli cadesse in testa. S'avvia verso la bicicletta, appoggiata contro il muro, nell'ombra giallastra di un fanale. Vieni, gli dice, compiaciuto. Quando Diamante si sistema sulla canna, gli avvolge la sciarpa attorno al collo e gli calca in testa il suo cappello nero. Troppo largo, gli scende fin sugli occhi. Sono proprio contento per te, Diamante – dice Rocco. Toh, è la prima volta che non lo chiama Celestina. Hai finito di frugare nella mondezza. Hai trovato un lavoro vero.

# Il caso Vita M.

Sulla "Rivista di Emigrazione" del 1909, nell'articolo *Donne e fanciulli italiani nella North Atlantic Division* ai "casi" Teresa S., Carmela dodicenne di Mott Street e Carlo R. anni sei affetto da scabbia segue uno scarno rapporto relativo al "caso Vita". Si presenta così:

*d. Vita M., età anni 10, da undici mesi in America. Non è mai andata a scuola. Vive con la famiglia e 7 bordanti in casa di 4 stanze. Padre da 16 anni in America, ex-proprietario di un negozio di frutta. La giovane madre, neuropatica, sostiene che la bambina la aiuta a tenere il bordo e che recentemente hanno dovuto sobbarcarsi il lavoro di fiori finti a domicilio a causa di gravi problemi economici. In casa vivono inoltre: 1 bordante di 18 anni (dipendente di un'impresa di pompe funebri, precedenti penali per furto, rissa e oltraggio), 2 musicisti ambulanti, 4 bordanti che non fu possibile identificare.*

E lei? Vita non abitava con la madre. Nella scheda non c'è traccia di Nicola, né di Diamante né di Geremia. Forse non furono denunciati perché anche loro minorenni non in regola con i permessi di lavoro? Inoltre nel 1909 Vita non aveva dieci anni, ma quindici. Aveva dieci anni nel 1904. I casi erano stati campionati dall'ispettrice negli anni precedenti? O forse è solo una coincidenza. In fondo dovevano esserci altre ragazzine chiamate Vita, nella North Atlantic Division. Ma l'esposizione del "caso Vita" implicava un severo esame dell'abitazione della minore.

*Casa in condizioni desolanti (fitto 18 dollari), puzzolente. Quattro stanze maltenute, solo una (affittata) ventilata dalla strada, 1 dal retro-cortile, 2 camerette assolutamente buie e cucina con feritoia. Soffitti bassi, aria infetta, il bucato è steso ad asciugare nelle camere. Un merlo sul fornello. Gatto. Galline. Bordo di tipo C (scadente). Latrina unica al pianerottolo. Lavoro femminile e minorile a domicilio senza autorizzazione. 12-14 ore di lavoro quotidiano, fino alle 11 p.m. Un caso accertato di renitenza alla scuola: nell'appartamento abita una minore che non risulta iscritta alle liste delle scuole dell'obbligo. (Prince Street).*

L'inviata della Society for Charity Organization si presentò al 18 di Prince Street il 4 di marzo – e nessuno, ovviamente, le aprì la porta. Risoluta e infervorata, s'infilò nello stretto corridoio incuneato fra due case, oltrepassò il cortile ingombro di bidoni e rottami, allagato da un rigagnolo di acque di scolo, spinse la porta sgangherata che si apriva sulla scala di legno, s'afferrò alla fune unta e viscida come la pelle di una biscia che doveva sorreggere chi s'azzardava a salire e scendere quella scala sdrucciolevole, s'arrampicò di piano in piano e cominciò a bussare alle porte. Le donne erano in casa, confezionavano giarrettiere, cravatte e busti, orlavano guanti, rifinivano calzoni e cappotti, cucivano bottoni e componevano fiori di velluto per un dollaro al giorno. I bambini incollavano gambi e foglie, sfilavano le imbastiture. Il palazzo era una fabbrica di sudore, echeggiava di voci, ordini e richiami – ma nessuno aprì la porta. Gli americani avevano la fastidiosa mania di presentarsi all'improvviso a casa della gente, per qualunque motivo. Per vendere una lozione antipulci, una Bibbia, per verificare la statica degli alloggi, denunciare la piaga del lavoro in nero a domicilio, del lavoro infantile – insomma, per ficcare il naso negli affari della brava gente. Scoraggiata, all'ultimo piano l'ispettrice salì solo per scrupolo e bussò senza convinzione a una porta scrostata sulla quale era appeso un corno di corallo contro il malocchio. Dall'appartamento proveniva la voce retorica di Enrico Caruso. *Questa o quella per me pari sono.* L'inviata fissò il corno con disgusto. Questi italiani erano indicibilmente primitivi. E sudici come animali. Il pianerottolo era ingombro di rifiuti neri di mosche. Salendo quelle scale abominevoli, in cui rischiava a ogni gradino di rompersi l'osso del collo, aveva avuto l'impressione di essere osservata da un cane. Ma si era accorta con terrore che quel botolo scuro aveva una lunga coda a spago, e benché fosse più grosso di un cane, era un ratto. Quando la porta si aprì, rimase sorpresa. Una bambina la fissava con grandi occhi neri lucenti, e, incredibile a dirsi, le sorrideva. L'inviata non riceveva molti sorrisi, nel quartiere italiano. Da queste parti non sapevano distinguere un'associazione di beneficenza da un'associazione a delinquere. E dire che lei e la gente come lei volevano solo il loro bene – anzi, come da statuto, *il miglioramento individuale attraverso il miglioramento sociale*. Guardò l'orologio. Erano le dieci e venti del mattino. Quella bambina avrebbe dovuto essere a scuola.

«Where is your mother, little one?» Vita la fissò senza capire. La dama – bionda, con gli occhialini a spillo e lo sguardo schizzinoso – costituiva una sensazionale novità nella sua giornata. A quest'ora, finito il giro al mercato e nelle botteghe, depositata la spesa davanti ai fornelli, lavate le mutande dei bordanti nel mastello, strofinato finché le braccia non le facevano male e l'alone giallo attorno all'inguine non sbiadiva, non le restava che la noia infinita di attaccare petali alle rose artificiali. Ogni volta che Lena terminava una dozzina di rose, le gettava in una scatola. Ogni dodici dozzine, guadagnavano diciotto centesimi. Il che significava che per racimolare almeno un dollaro dovevano comporre qualcosa come sessanta dozzine – più o meno settecentoventi rose. Le mani avevano acquistato una tale abilità che si muovevano da sole fra i petali – scegliendoli al tatto. Le rose di Lena erano le più fiorenti dell'isolato. Sembravano vere. Ma erano rose senza profumo, senza bellezza.

L'ispettrice gettò un'occhiata nel tugurio. Panni stesi ovunque. Tre galline afflitte da una grave forma di alopecia razzolavano sul pavimento, un merlo afono saltellava in una gabbietta di ferro appesa sull'acquaio, un gatto scorticato passeggiava sulle stoviglie sporche, mucchi di stoffa, aghi, filo, forbici, colla, e nei locali mal aerati, mal riscaldati, un livello di umidità prossimo alla saturazione. Si insinuò nella stanza che fungeva da laboratorio e da cucina. Una giovane donna dal viso emaciato era china sul tavolo, le mani affondate in un rosaio. Vedendo la dama, Lena impallidì. Non dovevi aprire, Vita! mormorò. Ma Vita le indirizzò un sorriso canzonatorio e con gesti plateali, come parlasse a una sordomuta, invitò la sconosciuta a sedersi. La dama scansò il gatto temendo che le sue pulci le saltassero addosso. Vita le offrì un caffè, nero fumante e denso, che però l'americana non volle bere. Le offrì gli avanzi della sublime pastiera della domenica – rifiutata anche questa. Alla fine, le offrì una rosa – e l'inviata la prese, se non altro come prova. «Why isn't this child in school?» chiese con tono severo a Lena. Lena non alzò neanche la testa. Era in America da dodici anni ma non s'era accorta. Aveva parlato arabo col marito circasso-libanese, armeno con l'ambulante che se l'era presa dopo la morte del primo, svedese col marinaio con cui era scappata dal secondo, napoletano con Strappadenti. In americano sapeva solo dire il prezzo delle sue specialità. L'inviata tentò invano di intavolare una conversazione, poi, vista l'insormontabile barriera linguistica, ripose il lapis, raccolse la sua cartella e uscì.

Due giorni dopo, tornò con i *truant officers* – il signor Pugliese e la signorina Cavarata, ispettori scolastici preposti alla renitenza. Purtroppo, erano italiani, e sottoposero la riluttante Lena a un serrato interrogatorio. Mentre lei farfugliava, confusa, temendo di sbagliare, di danneggiare Agnello, Vita, se stessa, la dama compilava una scheda – punteggiandola di croci. Alla fine dell'interrogatorio, l'inviata della Society e i due ispettori scolastici se ne andarono con Vita.

Vita attraversò il quartiere con passo danzante, guardando le bicocche fatiscenti e la folla cenciosa come se non dovesse rivederle mai più. Quando Cichitto, che si spidocchiava raggomitolato davanti all'ufficio postale, le corse incontro per chiederle dove andasse, gli sorrise, gongolante. Dovunque la portassero i tre sconosciuti, sarebbe stato un luogo migliore della casa di Prince Street. Prima di venire a New York, non sapeva cosa fosse la noia. A Tufo, era sempre circondata da parenti, vicini, amici. Aiutava sua madre nell'orto, portava da bere ai mietitori, conosceva tutti, tutti la conoscevano, i giorni passavano in fretta, inavvertiti. Ma qui il tempo si era fermato. L'inverno era stato interminabile. Sola, tutto il giorno con Lena, a strofinare panni e stoviglie, a stirare giacche e calzoni, lessare patate, affettare cipolle, capare verdura, negli ultimi mesi perfino a cucire petali e confezionare rose. Agnello non voleva che giocasse in strada – perché i bambini di strada diventavano delinquenti e alcolizzati a sei anni, come Cichitto, senza contare i proiettili vaganti e le sparatorie – né che badasse ai figli dei vicini – gente invidiosa e maligna che giudicava responsabile della sua rovina. Nemmeno al negozio di Elizabeth Street le aveva mai permesso di andare. Le piaceva quel buco che odorava di pomodori e peperoncino. Ma Agnello non voleva che lavorasse alla frutteria – le donne sue dovevano stare in casa, non trafficare con estranei. Le rose potevano anche confezionarle, dal momento che era Cichitto a prendere e consegnare le scatole al datore di lavoro. Del resto un giorno, mentre accompagnava Lena a fare la spesa, Vita aveva trovato nel negozio dietro le piramidi di pomodori un altro uomo, e quello era il nuovo padrone. Agnello voleva solo che mandasse avanti la pensione. Ma la pensione era un porto di mare. Da quando la reputazione dello zio Agnello che aveva perso il negozio e di Lena che non era sua moglie si era guastata senza rimedio, gli inquilini perbene non si stabilivano più da loro. I baffoni erano partiti. Adesso venivano gli sradicati più irrequieti, che partivano alla prima occasione e si fermavano talmente poco che Vita non faceva in tempo a impararne il nome. Di loro ricordava solo le liti, le provocazioni, le imboscate che le tendevano appena restava sola.

Così, siccome i ragazzi erano fuori tutto il giorno, non le restava – fino alla domenica – che la compagnia delle rose, di Enrico Caruso e di Lena. Continuava ad augurarsi che morisse, e ogni giorno la scrutava per leggere sul suo viso i segni della punizione di Dio onnipotente. Ma Lena non moriva. Ogni mattina si alzava alle quattro, ancora mezzo addormentata preparava il caffè per i bordanti, e poi rifaceva le brande, si trascinava per bancarelle come una sonnambula, contrattava tenacemente il prezzo di una patata e di una manciata di piselli, s'avviava, curva sotto le sporte, verso casa dove, senza fermarsi un attimo, lavava i panni, stirava, cucinava, cuciva sette dozzine di rose, cantando e raccontando storie per non cedere al sonno, e non pungersi con l'ago. Perché dopo due ore le mani formicolavano, e dopo quattro non le sentivi più, e ti conficcavi l'ago nelle dita senza accorgertene, e se macchiavi un petalo, anche uno solo, perdevi il guadagno della giornata. Di nuovo lavava, rammendava, spazzava, cucinava, finché il sole tramontava, gli uomini tornavano, si cenava – chi in piedi chi accosciato su un bidone – e finita la cena lavava le pentole, cuciva un altro centinaio di rose, e a mezzanotte se ne andava a letto, e poco dopo Agnello, che era a letto già da un pezzo, d'inverno tutto vestito perché in casa si gelava, si spogliava, saliva sopra di lei, si agitava per qualche minuto, incatenato e inghiottito dalla sua carne diafana, e i loro corpi non si riconoscevano più, sparivano come ombre che si confondono su un muro – e tutta la casa vibrava al cigolio della rete, tutti tacevano e drizzavano le orecchie, aggiungendo a quello il cigolio sibillino di altre reti. Poi tutto tornava immobile, i piatti smettevano di tintinnare sugli scaffali, i corpi ritrovavano consistenza e forma, Agnello si voltava verso il muro e si riaddormentava. Lena restava supina a fissare i ghirigori che l'umidità disegnava sul soffitto, qualche volta si alzava, e andava a sedersi davanti all'acquaio, e là restava – immobile, col gatto di Rocco in grembo, a mormorare parole senza senso. E così tutto l'inverno, ogni giorno, senza pause e senza mutamenti. E Vita osservava e taceva, e collaborava, ora cucendo qualche rosa ora premendo il dito nella pasta degli gnocchi, e si chiedeva perché penare tanto se la felicità è breve come un sogno continuamente interrotto.

Una mattina di gennaio, mentre le spazzolava i capelli, Lena si era messa a cantare *La donna è mobile* – una canzone cinica e bugiarda che piaceva tanto ai ragazzi secondo la quale la donna è una piuma al vento muta d'accento e di pensiero. Non faceva mai né una cosa né l'altra, e Vita era rimasta così sorpresa, le aveva fatto talmente tante domande che alla fine Lena le confessò di aver sognato il figlio. Vita disse tutta eccitata che lo sognava pure lei, perché Bambino la visitava tutte le notti – era un fantasma buono e le diceva di non preoccuparsi perché lui era volato in Paradiso direttamente dalla torre del "New York Times", e la janara che lo inseguiva era caduta dalla scopa per il troppo vento. Bambino era diventato il loro angelo custode. A Lena però questa notizia non fece né caldo né freddo perché parlava di un altro figlio – di cui Vita ignorava l'esistenza. Questo figlio di Lena avrebbe dovuto essere morto da un pezzo, ma stanotte Maria Vergine le aveva mandato un sogno e Lena aveva saputo che non era morto affatto, l'aveva raccolto il comandante di una nave e lo aveva portato nella sua villa a Long Island. Lo aveva cresciuto e adesso lui era molto ben vestito e ormai aveva già cinque anni. Ma quando ti è morto questo figlio? insiste Vita, inclinando la testa perché Lena s'è incantata, e ha dimenticato la spazzola nei suoi capelli. Quando abitava a Cleveland sotto la ferrovia, e il chiasso del treno lo faceva piangere tutto il giorno. Il bambino si chiamava Senjeley Pshimaqua come il marito circasso che era morto di tubercolosi tanto tempo prima, e non cresceva perché anche se se lo teneva attaccato agli zezzilli per ore, finché le facevano male, non tirava nemmeno una goccia, in quanto il latte lei non ce l'aveva. Senjeley era pieno di piaghe, quando lo lasciava solo per lavorare con Strappadenti se lo mangiavano i topi, la guardava come a dirle smettila di farmi soffrire, non ce l'hai un cuore? liberami, lasciami tornare dalla nostra gente, che aspetti? e lei l'aveva liberato, l'aveva buttato nel lago di Cleveland che ancora piangeva, avvolto nello scialle, con una pietra cucita dentro. La pietra non era abbastanza pesante, o non l'aveva cucita bene, comunque si era sganciata, e lo scialle si era allargato come un foglio di carta. Lo scialle nero se ne andava alla corrente, la testa di Senjeley galleggiava come un'arancia, poi non l'aveva visto più. Tutto questo Lena sosteneva di non averlo detto a nessuno, tanto meno a Agnello, perché non era colpa sua se aveva buttato il figlio nel lago, anche se c'entrava qualcosa, perché le aveva appena chiesto di mettersi con lui, ma comunque si era pentita, aveva chiesto perdono a Dio che poteva capirla perché pure lui ha crocifisso il figlio suo e infatti Dio aveva capito e in cambio lei figli non ne voleva più. Però stanotte la Vergine le aveva spiegato il miracolo: Senjeley era stato salvato dalle acque perché noi siamo il popolo che si è salvato dal diluvio universale, e ora vive felice. Lena raccontava della morte di Senjeley e del suo salvataggio con lo stesso tono, come se parlasse di fatti ugualmente veri e ugualmente credibili. Sulle labbra aveva un sorriso così disperato che Vita distolse lo sguardo. Lena si illude, e Senjeley è ormai un fantasma come Bambino. Così la notte, insieme a Bambino, Vita cominciò a sognare anche Senjeley. Senjeley però se lo era portato via la janara e non era per niente come nel sogno di Lena. Vita lo sognava livido e blu, che s'aggrappava a lei per trascinarla sul fondo del lago. Vita aveva paura di lui, e aveva paura anche di Lena. Seguì gli ispettori contenta.

La portarono in un edificio bianco, accanto alla chiesa di Saint Patrick. Capì subito che si trattava di una scuola. Vita scalciò e urlò perché a scuola c'era già andata in Italia e non voleva tornarci. Aveva inventato perfino una canzoncina che faceva: AEIOU a la scola 'nce vaco chiù. Non ci sapeva stare ferma quattro ore ad ascoltare la litania dei maestri, supponenti come se stessero per rivelarle il segreto per farla riuscire nella vita pur non essendo riusciti nella propria. Scappava alla sola vista dell'edificio scolastico che, di tutti gli edifici pubblici di Tufo, era il più squallido, trascurato e cadente, e il più simile a un ospizio o a una prigione. Scappava in campagna, ad annusare l'odore della terra dopo la pioggia, dei fichi dopo ore di sole, assaporare l'argento polveroso degli ulivi, il fusto coriaceo delle agavi, la violenza improvvisa dei temporali. Era sempre stata così, e anche se Dionisia era la scrivana del paese e diceva che gli uomini ignoranti sono canne vuote che si fanno comandare dal vento, e solo andando a scuola uno può sollevarsi e migliorare la propria condizione, Vita sapeva che se sei una donna l'unica cosa che conta è il matrimonio che fai, o che ti fanno fare. Infatti Angela Larocca anche se non sapeva scrivere il suo nome aveva sposato Mantu, che era gentile e bravo, e stavano ancora insieme, mentre Dionisia con tutte le sue lettere ci aveva guadagnato solo una malattia agli occhi e Agnello con la scucchia e le bastonate, che se n'era scappato in America due mesi dopo il matrimonio. In Italia, dopo due anni di tormenti l'avevano lasciata in pace, e nessuno le aveva mai chiesto perché non frequentasse le lezioni. AEIOU a la scola 'nce vaco chiù.

Ma qui non ci fu verso di opporsi. La misero a sedere in fondo all'aula della Quinta classe, e chiusero la porta. Gli altri bambini la fissarono con derisione. «What's your name?» le chiese un maestro biondo. Vita evitò di guardarlo. Fissò il muro, con disgusto. C'era un quadretto, al centro del quale spiccava la faccia barbuta e solenne di un uomo. Il maestro tralasciò. Del resto, il nome della nuova arrivata – l'ennesima greenhorn del Mulberry District – poteva leggerlo nel registro. Iniziò a tracciare parole sulla lavagna. Erano parole americane. Vita non le capiva. Il maestro camminava fra i banchi. Gli altri bambini spuntavano le matite sui quaderni e alzavano la mano. Erano cinesi, irlandesi ed ebrei, ma parlavano tutti americano. Per passare il tempo, Vita scarabocchiò il quaderno, e pensò a Cichitto libero come un gatto, che a quell'ora saliva da Lena a portare le rose, e Lena gli offriva un bicchiere di latte, e gli lavava la faccia, infilando pure i suoi vestiti incrostati di lorcia nel mastello dei bordanti – che se Agnello lo fosse venuto a sapere la pestava – e poi se ne andava vagando per la città, senza nessuno che lo trascinasse a scuola, perché era figlio di nessuno e nessuno gli dava il tormento. Pensò a Diamante che a quell'ora era nell'agenzia di pompe funebri Bongiorno Bros e inchiodava le casse da morto. Doveva essere eccitante vedere tanta gente viva e tanti cadaveri. Ma, proprio come Cichitto, Diamante era un maschio. Anzi, era quasi un uomo. Gli stava cambiando la voce, che aveva preso un timbro roco. E il sabato non la portava più al teatro delle marionette. Il cuore le faceva male quando, strafottente nell'abito della festa, Diamante usciva con Rocco e Coca-cola, scendeva le scale a precipizio e spariva fino a notte fonda. Il quartiere era pieno di donne – donne di malaffare che vivevano rinchiuse negli scantinati. Certi bordanti raccontavano che c'erano alcune puttane, a President Street, che avevano dieci anni – proprio come lei. Una volta, quando rimasero sole, Vita aveva chiesto a Lena dove vanno gli uomini. Lena aveva abbozzato un sorriso. Vanno a divertirsi. Perché non possono divertirsi con me? Perché a te ti vogliono bene, aveva risposto Lena, pensierosa. Il che aveva lasciato Vita perplessa, perché lei non avrebbe mai potuto divertirsi con qualcuno a cui non voleva bene.

Sfogliò il libro della sua compagna di banco. C'erano decine di illustrazioni, c'era una casa bianca e tonda con le colonne e la bandiera, c'era un ragazzino biondo con la faccia stupida, c'erano famigliole di biondi che abitavano in camerette pulite con la carta da parati rosa, fra prati verdi senza una cartaccia. Dalla parete di fronte, il barbuto nel quadretto le indirizzava un sorriso fiducioso, condiscendente. Quando Vita gli ricambiò il sorriso, l'uomo cadde dalla parete e si fracassò sul pavimento con gran fragore.

Vado a scuola, disse a Diamante, quella sera, mentre dopocena lui fumava seduto sulle scale. È una scuola americana. Sono contento per te, fu il suo unico commento. Facciamo a cambio? propose Vita. Non si può, disse lui. Spense la cicca sotto la scarpa. Da qualche tempo, Diamante indossava un paio di meravigliose scarpe di vernice, che avevano l'unico difetto di mandare un cattivo odore, come di carogna. A ogni modo, non aveva più l'aria cenciosa e da quando non rastrellava più stracci alla discarica con Tom Orecchio ma frequentava i beccamorti della Bongiorno Bros aveva preso l'aria distaccata di un principe – decaduto, malmesso, certo, ma pur sempre un principe. Eppure lei avrebbe dato qualsiasi cosa per tornare indietro di tre mesi, quando Diamante rincasava brinato di neve, grommato di fango, e dal cappotto sdrucito estraeva i giocattoli rotti pescati nella discarica e glieli porgeva con un sorriso fiero e insieme incerto. O quando la portava sul tetto e le mostrava i cuccioli. Si chinavano a farsi leccare le mani. Diamante andava a rapire i cani per conto di Pino Fucile che li vendeva poi al canile dove li sopprimevano. Rapiva i cani randagi ma, se non li trovava, rapiva anche i cani che un padrone l'avevano, e che si distraeva un attimo di troppo. Li afferrava per il muso, tenendogli chiuse le mascelle, così non potevano morderlo, e li infilava in un sacco. Quel lavoro era durato poco, come tutti gli altri, perché Diamante nascondeva i cuccioli sul tetto, in scatole di cartone, e consegnava solo i cani vecchi. Ma se i cani vecchi lo guardavano quando stava per portarli a morire, li liberava. Nutrivano i cuccioli con il latte, di nascosto. A parte lei, non lo sapeva nessuno, e Vita si sentiva importante per la fiducia che Diamante le aveva dimostrato. Ma Coca-cola finì per trovarli, e andò a venderli come carne bianca a quelli del piano interrato che campavano portando in giro per Manhattan un orso – il quale orso viveva in una gabbia così stretta ed era così affamato che li sbranò con una zampata.

Se impari l'americano, me lo insegni? disse a un tratto Diamante. E tu che mi dai in cambio? ribatté Vita, delusa che lui non compatisse la sua infelicità. Ti racconto dei Paladini, propose lui. Li so già, disse lei. La trattava come una bambina, ma se i Paladini non andavano più bene per lui, non andavano più bene nemmeno per lei. Ti leggo le avventure di Riccieri e Fegra Albana di Barberia. Non mi piace, perché lei si uccide. La storia di Fioravante e la bella Drusolina. No, perché pure questa finisce male, e lei diventa vecchia e brutta prima di rivedere Fioravante. *Le Mille e una notte.* Che storia è? s'informò Vita, diffidente. Diamante si passò una mano tra i capelli. Sorrise, con aria navigata. È una storia d'amore col peccato. Vita scrollò le spalle, Diamante fissava la sua bocca imbronciata-ostile. Strinse i pugni, nervoso. Non voleva perdere l'occasione, ma non capiva cosa potesse convincere quella ragazzina testarda a non abbandonare la scuola e prestare attenzione al maestro. Soldi? Non ne aveva abbastanza. Regali? Glieli aveva già fatti. Attenzioni? Fra il nuovo lavoro e i nuovi amici, gli restava poco tempo per lei. Non aveva più niente da offrirle. Vita non si rendeva conto dell'opportunità che le veniva offerta. Lui avrebbe dato qualsiasi cosa per non dover inchiodare casse da morto, per sedersi in una classe e imparare daccapo a parlare, così che quando avesse superato Houston non si sarebbero accorti che era un dago, e non gli avrebbero più cantato ghini ghini gon. E avrebbe potuto trovare un lavoro da fattorino o commesso in uno di quegli uffici nei grattacieli, con gli ascensori volanti e i tappeti rossi negli androni. E sarebbe potuto entrare in un grande magazzino e comprarsi una cravatta senza essere cacciato a calci in culo, e sedersi nei teatri con le insegne della Broadway dove entravano le signore in pelliccia e gli uomini col cilindro e non nel baraccone delle marionette, dove entravano gli operai. Allora non si sarebbe vergognato di aprire bocca perché tutti capivano subito che veniva dall'Italia, tanto che in America stava sempre zitto – sgranando gli occhi azzurri quando lo guardavano, fissandoli, muto, perché credessero che era esattamente come loro.

Un bacio, se ne uscì a un tratto Vita. Che ti viene in mente? sbalordì Diamante. Vita si lisciava il grembiule con le mani. Si spiegò meglio: quei baci che Agnello dà a Lena quando si stende sopra di lei. E anche se Diamante scuoteva la testa, dicendo che era impossibile, sbagliato, un peccato mortale, ripeté, convinta: Voglio un bacio per ogni parola.

Così la domenica Diamante smise di uscire con Rocco e Coca-cola, anche se Coca-cola lo canzonava, gli dava della fetecchia, faccia de semola, te puzzi sconoccia', fa' li tauti, fa', co' ti-cu non ce spero mai nente. Diamante incassava, aspettava trepidando che Agnello scendesse all'osteria, che Lena cominciasse a sgrumare la farina, poi tirava la tenda, si sedeva sulla branda e le faceva posto, perché lei, la piccola Vita piatta come una frittata e inesorabilmente bambina aveva qualcosa che mancava a tutte le altre femmine del quartiere: le parole. La prima cosa è dare un nome alle cose. Così sai sempre dove sono. Se non lo sai, non puoi cercarle. *Job, train, bed, fire, water, earth, hearth, hurt, hope.* Un bacio sui capelli, uno sulla guancia, un altro sul naso, sulle mani, nell'incavo di un gomito, sul collo, sulle palpebre, sulle ciglia. Dopo, la pelle le bruciava come una scottatura. È questo che significa, una *storia d'amore?* È questa sensazione di pericolo, gioia e turbamento, che fa arrossire, tumultuare il sangue nelle vene, tremare le ginocchia? Diamante si alzava sempre tutto sconvolto, con l'aria di un ladro. I baci di Vita erano acerbi come i limoni selvatici. E, come quelli, placavano la sete.

La domenica, per esercitarsi, risalivano la Bowery, incrociavano l'Ottava strada e leggevano le insegne delle botteghe. La città si rivelava. La *butchery* era semplicemente una chianca, la *elevated* nient'altro che un treno soprelevato. La città perdeva fascino, potere e mistero. Sembrava perfino meno ostile. E infatti scoprirono una piazza vera – con gli alberi, i passeri e la fontana. Si chiamava Washington Square e quando Diamante fosse andato a lavorare nell'ufficio di un grattacielo lì avrebbe vissuto. La sera, quando Agnello si addormentava dopo essere salito sopra Lena, Diamante scavalcava il corpo inerte di Geremia e Vita sgusciava fra i secchi, si acquattavano sulle scale buie e bisbigliavano per ore, viso contro viso, sfiorandosi – *help, work, cry* – baciandosi – *kill, live, pray* – le orecchie, le dita, la nuca, il mento, le ginocchia, le unghie, i palmi, i polpacci, le spalle, le fossette. La bocca.

Ma poi Cichitto la tradì. Lo conosceva da tempo perché Cichitto ronzava attorno al negozio, veniva a mendicare, con quella voce fioca che sembrava il miagolio di un gatto sperso, e

Agnello gli regalava sempre qualche banana marcia. Cichitto, che era gracile, rognoso e scamuso come un randagio, si sedeva per terra, fuori dalla bottega, e s'ingozzava subito, senza mettere niente da parte. Quando lei gli chiese perché, Cichitto rispose saggiamente che in questo paese non puoi mettere da parte niente, perché qualcuno più forte di te te lo porterebbe via. Perciò, meglio la pancia piena subito e il digiuno stasera, piuttosto che il digiuno adesso e pure stasera. Ma Cichitto non si lamentava mai, e Vita fu molto colpita dalla sua capacità di sopportazione e dalla sua attitudine alla sopravvivenza. Vita si attirava rimproveri, si ribellava, protestava, subiva digiuni e ceffoni, e Cichitto scivolava come una vipera attraverso le bastonate, la fame, le angherie che chiunque, essendo l'ultimo, esercitava su di lui: chinava la testa, quando gli rubavano i giornali, l'incasso o le banane abbozzava, quando lo pestavano piangeva, ma la sua ribellione si limitava a uno schizzo di lacrime. Poi, ostinato e irriducibile, raccoglieva i suoi giornali che i più grandi per dispetto gli avevano buttato nella chiavica, e zoppicando sui piedi scalzi rovinati dal gelo, riprendeva il suo giro. Vita lo paragonò alle larve delle zanzare che si nascondono negli stagni, fra i canneti del Garigliano. Larve invisibili e fragili, ma testarde, capaci di sopravvivere in condizioni ambientali impossibili, intelligenti e attendiste. Muoiono se vanno a fondo, e devono portarsi sul pelo dell'acqua per respirare. Se ne stanno lì, appese alla superficie, e fanno tremare l'acqua per rimediare qualcosa da mangiare – e lì restano finché non sono cresciute, e allora volano via. Mangiano l'acqua! Vivono di niente – d'aria e d'acqua – perché l'aria e l'acqua, cioè il minimo indispensabile per non morire, si trovano sempre.

Cichitto bussava a Prince Street dopo il tramonto. Si stropicciava gli occhi cisposi, incollati dal cimurro, e correva a riempire per Lena il secchio di carbone, lo trascinava su per le scale, per quell'attitudine appunto da larva degli stagni che aspetta pazientemente di volare via e intanto sopporta la palude. Vita invece protestava, reclamava, e aveva spesso assaporato gli alleccamussi di Agnello, che le lasciavano sulla guancia l'impronta delle cinque dita. La faccia sparuta di Cichitto che leccava la scodella, in piedi, in fretta, perché doveva scappare prima che tornassero gli altri, la disturbava, perché la riportava alla realtà di un mondo in cui la prepotenza e la sopraffazione coinvolgevano tutto e tutti – e nessuno era innocente. La disturbavano i suoi occhioni devoti e la sua servile passività. Tuttavia aveva pazienza con Cichittolarva, che oltre a essere precocemente saggio aveva i riccioletti chiari, abboccolati come il pupazzo di Gesù Bambino nel presepio, e capiva Lena che d'inverno, quando in strada la temperatura scendeva a dieci gradi sotto zero, gli faceva riscaldare le mani sui fornelli e gli prestava una coperta, così poteva dormire in un barile senza morire assiderato. Mentre cucinava, Vita gli raccontava storie, soprattutto quella che le dava più soddisfazione: si vantava dicendogli che suo padre era un celebre tenore, si chiamava Enrico Caruso ed era venuto in America apposta per ritrovarla, perché gliela avevano portata via.

Se Cichitto non ci credeva, doveva solo andare fino al teatro Metropolitan, dove il suo nome e i suoi baffi neri stavano su tutti i cartelloni. Suo padre era prodigiosamente bello e aveva una voce di velluto. Aveva un castello con le torri, di fronte al Central Park, era stato costretto ad affidarla a un povero cristo della città bassa perché aveva dovuto sacrificare i suoi affetti al successo, ma fra qualche tempo sarebbe venuto a prenderla, e l'avrebbe portata via. Vita rimestava la minestra, Cichitto si grattava la testa perché era perseguitato dai pidocchi, e lei gli descriveva il castello di Enrico Caruso al Central Park, le torri e i pinnacoli e le mille finestre, con tanti particolari che Cichitto azzittiva e si convinceva che era tutto vero. Non lo dire a nessuno, perché è un segreto mio e di mio padre. Sì, sì, giurava Cichitto, e intanto si grattava – tanto che, a forza di grattarsi con le unghie sporche, la sua pelle si era piagata, una superficie rossa di cozzeca, tutta pustole e croste – e tossiva, squassato da una tosse violenta, che gli nasceva dall'anima. Cichitto, che era di natura analitica, rimase molto colpito dai racconti di Vita e una mattina le chiese come mai suo padre che era tanto ricco permetteva che lei si bucasse le mani con l'ago per comporre quelle rose finte senza profumo. Vita rimase spiazzata, ci pensò su a lungo, poi disse: perché è buono, e pensa che tutta la gente è come lui. Ah, esclamò Cichitto, non ci aveva mai pensato. Forse anche suo padre era buono come Enrico Caruso, per questo l'aveva lasciato all'orfanotrofio dei Five Points, perché pensava che tutta la gente era come lui. Dopo qualche tempo, a Vita dispiacque di aver raccontato quella bugia a Cichitto: perché adesso (non sapeva perché) Enrico Caruso non le piaceva più, e non era certa di volerlo come padre. Anche se aveva la scucchia e la pelle raggrinzita e scura come un chicco di caffè, anche se l'aveva separata da Dionisia e non voleva tornare a casa, non ci poteva fare niente se Agnello era suo padre.

Poi cominciò ad andare a scuola, le sue giornate cambiarono, e si dimenticò di Cichitto. Adesso pensava solo al modo di aggirare la sorveglianza di Agnello per rintanarsi con Diamante nello sgabuzzino del bagno, sulle scale, nel deposito del carbone – a ripetergli *street, railroad, mouth, love*, e a farsi baciare i capelli, le mani e le palpebre. Col batticuore e un desolante senso di povertà e mancanza, finché lui non arrivava, con un solletico che si spargeva dalla radice dei capelli alla punta dei piedi quando la mano di lui si poggiava sulla sua spalla, con un dolore lancinante nel costato quando si separava da lui – come se le avessero strappato un pezzo di carne. Cominciò a spiare i movimenti oculari del padre, a riconoscere l'odore del suo fiato e a indovinare quanti bicchieri avesse bevuto. Quando beveva, dormiva meglio, e non lo svegliava nemmeno la vicinanza di Lena. Adesso era lei a vigilare sul padre, e non il contrario, spiava i suoi colpi di sonno, la sua disoccupazione, le sue peregrinazioni al banco dei pegni, metteva alla prova la sua sensibilità acustica camminando in punta di piedi alle sue spalle, giungeva a sfidare il suo boccheggiare notturno in quella casa senza pareti, scostava tende, scivolava nel buio – pensando: sono brava, ho fatto la magia, sono diventata invisibile.

Cichitto peggiorava. I colpi più violenti gli portavano sangue su per la gola. Cichitto la invitava a non avere paura perché aveva sempre tossito, ma Vita non si fidò, e rifuggì la sua vicinanza – forse fu l'istinto, forse anche lei era una vera larva di stagno (sopravvivere, prima di tutto), forse solo un disagio immenso, il disgusto insopprimibile ispirato dalle malattie altrui: ma adesso non lo lasciava più entrare in casa, e gli portava la scodella sulle scale, per non respirare il suo fiato. Cichitto si fermava poco – quando la stagione s'addolciva non aveva più bisogno di scongelarsi le mani sul fornello. Vita continuava a baciarsi con Diamante, scoprendo quanto sia complicato il corpo umano e quante sue parti che sembrano inutili si rivelano invece fatte proprio per essere sfiorate dalle labbra di un altro – sempre più sicura di sé, prese ad appartarsi con lui sul tetto, perché da lassù si vedeva tutta la città che s'illuminava e risplendeva nel buio, e nessuno poteva ascoltare i loro bisbigli.

Agnello s'accorse che la figlia gli nascondeva qualcosa e diede incarico di sorvegliarla a Coca-cola, che però chiudeva gli occhi, perché da qualche tempo anche lui aveva i suoi traffici segreti, di notte. Sospettoso e inquieto, Agnello rondava e rondava per ore, sorvegliando le zone a rischio – lo sgabuzzino del bagno, il deposito del carbone – ma la figlia gli sorrideva sempre e lui non riusciva a immaginare che Vita, proprio Vita, fosse capace di imbrogliarlo. Poi, una domenica di giugno, capì che era davvero così. Vita aiutava Lena a preparare la minestra con le fave e i piselli. Soffriggeva la cipolla, euforica perché dopo pranzo Diamante le aveva proposto di andare con lui e i ragazzi al museo delle curiosità. Al 210 della Bowery c'era il New York Museum, il più grande di tutti. Il museo delle curiosità è un posto dove c'è la donna barbuta, la regina delle Amazzoni, l'uomo scheletro, Volo il volitante, l'Uniciclista che pedala su una ruota sola, la ragazza tatuata che pesa 485 libbre, i giganteschi gemelli zulù con le braccia larghe 36 pollici, la donna albina, il demone cinetico che va in perpendicolare sui muri, il teschio del pirata Tamany e tutte le rarità e le meraviglie del pianeta. Lena guardava Diamante come fosse lui stesso una meraviglia, e Vita si stupiva del rossore che imporporava le guance di Diamante, perché era lo stesso che lo imporporava quando baciava lei. Nonostante ciò, incapace di sospetto, mise a bollire in pentola le fave sbucciate, i piselli, cinque torsoli di carciofi e due foglie di lattuga. Aiutava Lena a preparare le polpettine di pesce quando il padre sbottò che erano imbrogli grossolani per i broccoloni, la donna albina la sbiancavano con la soda, la donna barbuta era un maschio vestito da donna, gli zulù erano negri della Virginia e l'uomo scheletro solo un poveraccio denutrito che portava una maglia stretta. Oh, voglio andarci lo stesso – protestò Vita. Agnello la scrutava con odio.

Da mesi era caduto in una depressione nera, perché da quando aveva venduto il negozio gli sembrava di essere diventato inutile. Aveva cercato un altro lavoro, ma al banco gli avevano risposto che era troppo malandato per la fabbrica, per tornare in squadra alle ferrovie o per andare all'Ovest ad aggiustare i pali delle linee elettriche. Alla fine il padrone di casa, al quale in tutti questi anni aveva fornito tanti bravi, docili e ubbidienti lavoratori a prezzi davvero concorrenziali, e che gliene era grato, gli aveva offerto un posto da caposquadra alle Canadian Pacific Railways per cinque dollari al giorno. Era un buon posto, anche se gli sarebbe toccato tornare a minacciare i suoi compagni col fucile e Agnello, che l'aveva fatto per anni, non ne aveva più voglia. Inoltre il campo di lavoro era lontanissimo – almeno dieci giorni di viaggio, in mezzo alle pianure del Saskatchewan. E lui non voleva partire per sei mesi e lasciare soli i figli e Lena. Non si fidava né dell'America né di loro. Perciò li fissava ringhiando, e la loro allegria lo feriva. I ragazzi scherzavano, parlavano della regina delle Amazzoni, Coca-cola diceva a Lena che doveva venirci anche lei al museo delle curiosità, Lena sorrideva, tentata, Vita impastava le polpettine e ficcava le dita in bocca a Diamante per fargli sentire quanto erano buone le sue fish balls, e Agnello provò l'acuto desiderio di ammazzarli tutti. Era stato molto più tranquillo quando viveva solo. I figli gli avevano creato solo problemi. Non si curavano di lui. Ridevano, pensavano solo a divertirsi, e, per dio, nemmeno si accorgevano della sua presenza. A vulite finì? Sento 'nu cuorpo ca mo' schiatt'e fame, cornuti 'nfetti! ruggì.

Oh, don't worry, papa, scherzò Vita, you'll eat like a god! Agnello la fissò, stupefatto dall'oltraggio di quella sfacciata. E così Vita, non solo lo tradiva, ma lo spernacchiava. Che Nicola lo avrebbe piantato, lo immaginava. Era uno scansafatiche, vanitoso e affascinato dalla disonestà. Lo aveva portato in America troppo tardi, e dell'America Coca-cola aveva capito solo il peggio, e il male. Che Lena lo avrebbe piantato, lo temeva. Se non avesse avuto un carattere così imprevedibile, probabilmente lo avrebbe già fatto. Solo la follia la teneva con lui. E forse la paura di tornare dove l'aveva raccattata – in una topaia sotto il ponte della ferrovia, dove sgambettava mezza nuda per Strappadenti Senzadolore e faceva pompini a venticinque soldi. Costava meno di un pranzo all'osteria. Era arruffata e maldestra – ballava bene, ma come amante non valeva niente.

Quando l'aveva incontrata, a Cleveland, Agnello era reduce dai campi della ferrovia – in una foresta che sembrava quella delle favole, nera, fitta e spaventosa. Non andava a letto con una donna da secoli. Aveva un molare cariato e cercava un cavadenti. A Mayfield Road incontra Strappadenti Senzadolore con le sue Pinzette Tentatrici. Cinque disgraziate mezze morte di fame che ballavano con le gambe nude a dieci gradi sotto zero. Molte erano scarti dei bordelli di New York e Chicago, che rifluivano in provincia quando per via della vagina slentata nessuno le voleva più. Ballavano e cantavano, contorcendosi attorno a questo lurido dentista, per invogliare gli spettatori a farsi cavare i denti. Un dollaro per un molare, assicura Strappadenti, estrazione rapida e piacere garantito. Strappadenti avrà cinquant'anni, la faccia rubizza, i capelli tinti di biondo e le sopracciglia a cespuglio. Agnello l'ha capito subito che quel tizio non era un dentista, e che gli avrebbe provocato un ascesso, ma poi ha incontrato lo sguardo di Lena. Lo sguardo di una che vive su un altro pianeta

– dove né il dolore né il male possono raggiungerla. Una donna senza età, praticamente vestita dei suoi soli capelli. Con il bustino troppo stretto a strizzare due seni adolescenziali, due gambe sottili e le calze a rete tutte smandrappate.

Si è fatto coraggio. È venuto avanti. La folla batteva le mani. Si è seduto sulla poltrona. Le Pinzette Tentatrici gli hanno sistemato un telo bianco intorno al collo. Strappadenti Senzadolore imboniva spiegando che le sue mani sono lievi come zampe di libellula, e che lui ipnotizza i suoi pazienti con la bellezza. Le Pinzette Tentatrici hanno preso a vorticargli attorno, sculettando, dimenando i fianchi, le chiappe, le tette – tutto ciò che potevano mostrare, e che per lo più non era bello. Era vizzo come un fico moscio, o smagliato, o straripante. Lui guardava le ossa sporgenti di Lena. Le anche strette, le clavicole acuminate, le scapole che sembravano due parentesi. O due ali. Le Pinzette cantavano Ti farò guarir senza patir, ti farò sognar senza dormir, e altre strofette dello stesso livello artistico. Ha aperto la bocca. Strappadenti Senzadolore gli ha schiacciato la lingua con una lima di ferro. Le Pinzette cantavano: erano completamente stonate. Strappadenti gli ha legato un filo attorno al molare. In realtà non era un filo, era un nastro, esagerato, lungo almeno dieci metri. Le Pinzette hanno danzato, passandosi il nastro in mezzo alle gambe, cacciandoselo in bocca, succhiandolo, leccandolo, mormorando. La folla sembrava impazzita di eccitazione. Lena si è messa a ballare davanti a lui col nastro fra le dita, ballava trasognata, smemorata, intatta – poi ha preso il nastro in bocca e ha cominciato a girare su se stessa, avvolgendoselo sui fianchi. Il nastro ha cominciato a tirare, e più lei gli si avvicinava, più il dolore si faceva lancinante, più la distanza fra loro si riduceva, più il dente s'ammollava, poi tutto si è confuso. Si è ritrovato con la bocca piena di sangue, il cratere di un dente vuoto e i calzoni bagnati. La folla si spellava le mani a forza di applaudire. Strappadenti ha rimediato decine di volontari, frotte di operai delle ferrovie si sono lasciati attirare, disposti a tutto per un contatto ravvicinato con le Pinzette. Il viso di Lena era inespressivo come quello di un angelo portacandela. Lei non era di questo mondo e non era lì. Agnello non si capacitava di non aver sentito dolore – tutt'altro. Piacere. Il piacere lancinante della sofferenza. Lena gli ha premuto sulla bocca uno straccio imbevuto di cloroformio. Dormi, gli ha detto, sognami.

Dunque, anche se Lena aveva mostrato le gambe a intere

squadre di sterratori che svernavano a Cleveland, Agnello se la era presa lo stesso, perché era stufo di vivere come un mastino, sempre ad abbaiare contro i suoi uomini, temuto, odiato, e solo come nessuno. Se non ci fosse stata Lena, non avrebbe lasciato le squadre, non sarebbe venuto a New York, non avrebbe preso il negozio, non avrebbe tenuto la pensione. Non avrebbe cercato di vivere come un uomo – e non come una bestia in questa maledetta città.

Ma che perfino Vita avesse in mente di piantarlo, non poteva accettarlo. E se Vita imparava le cose che lui non sapeva, avrebbe finito per ridere di lui. Per infischiarsene delle sue regole e dei suoi insegnamenti, mentirgli, e comportarsi come un'americana. E invece lui non voleva dimenticare le regole di quell'altro mondo da cui era stato costretto ad andarsene e in cui nemmeno voleva tornare, perché beffarsi di quelle regole sarebbe stato come beffarsi dei suoi sedici anni di America, delle sofferenze patite, e trasformarle in un sacrificio insensato. Vita non doveva rinnegarlo. La pensione l'aveva aperta anche per lei, perché Vita era la speranza della sua famiglia.

Cichitto sgranocchiava una crosta di pane, acquattato su un mucchio di giornali. La vuoi una banana? gli chiese. No, disse Cichitto. Eh, la bella stagione dura poco – disse Agnello, scrutando il cielo. La buona occasione arriva zoppicando e se ne va di corsa. Lo vuoi un piatto di spaghetti? No, zufolò Cichitto, angelico. Cosa vuoi per dirmi che va combinando Vita? insisteva Agnello, e poiché la larva degli stagni s'accontenta di poco per sopravvivere, ma vive solo per sopravvivere, e a questo scopo diventa insensibile alla temperatura, alla luce, al calore, poiché la sua vita si riduce a un galleggiamento perpetuo, una lotta disperata in attesa della stagione propizia, poiché dunque l'unica cosa che gli interessa è sopravvivere, e a tale scopo non disdegna un'ibernazione pressoché totale degli altri impulsi vitali, Cichitto rispose.

Sul tetto, avvoltolato nella coperta, Cichitto fumava un mozzicone, tossendo. Voleva avvertire Vita di non incontrarsi con Diamante, quella notte, ma poi non ne ebbe il coraggio, perché se l'avesse fatto Vita avrebbe capito chi aveva spiato. La riconobbe quando nell'ombra qualcuno scivolò fra le gabbie, e dei passi felpati s'allontanarono verso le ringhiere. *Boy* – sentì la voce di Vita. Lo schiocco furtivo di un bacio. *Girl* – un gemito soffocato. Agnello e Coca-cola le saltarono addosso mentre le labbra di Diamante brancicavano nel buio alla ricerca della sua guancia. Lùppeca, malafèrcola! strillava Agnello, fuori di sé – mentre Diamante, vacillando dopo un cazzotto, approfittava della complice distrazione di Coca-cola e sgusciava nel buio, eclissandosi. Agnello la trascinò a terra, strillando, mulinava la cinghia. Vita non gridava, non si lamentava, perché la fortuna è di vetro e mentre splende s'infrange, e l'importante era che non avessero acchiappato Diamante. Altrimenti, Agnello l'avrebbe ammazzato o Diamante avrebbe ammazzato Agnello. Avevano il sangue in ebollizione, tutti e due. Salivano i vicini, attirati dalle urla, tutti là, nel buio, scarmigliati, insonnoliti, irritati perché quel trambusto gli aveva guastato il sonno. Uazza marro? Uazza marro? chiedevano. No iu bbisiniss – rispondeva Agnello. Salì anche Lena, assonnata, con la giacca del pigiama da uomo mezza sbottonata, che lasciava intravedere i seni appuntiti. Cichitto rintanato dietro un bidone si turava le orecchie coi pugni. Vita non chiese aiuto, non implorò perdono, non si rifugiò fra le braccia infide di Lena, che più supplicava, più irritava Agnello, convinto che fosse stata proprio lei a dare il cattivo esempio a sua figlia. Non gridò quando Agnello la prese a ceffoni, né quando le ruppe sulla schiena la cinghia logora. Neanche quando prese a frustarla con la fune di ferro del bucato e non smise finché gli si intorpidì il braccio. Chetati, pàteme, abbasta, l'acciri – azzardò Nicola, sottovoce, spaventato all'idea di stornare la fune dalla schiena della sorella e di attirarla su di sé. Allora Agnello si placò e la trascinò per le orecchie verso le gabbie dei conigli.

I vicini allevavano conigli nonostante il divieto dei padroni di casa – per macellarli e racimolare qualche pezza. Dei conigli si occupavano i bambini: all'alba salivano a portare le foglie d'insalata, al tramonto a scrostare le gabbie. Spesso, in cambio di un pomodoro, ci andava anche Cichitto. Avrebbe voluto avere un coniglio, ma non aveva un posto per tenerlo, e, comunque, niente da dargli da mangiare. Certe volte, nei cumuli di spazzatura, d'inverno, non trovava neanche un torsolo di mela per sé. Agnello aprì l'ultima gabbia, che era vuota, e la scaraventò dentro, chiudendola col lucchetto. Adesso vediamo se sei capace di uscire per andarti a svergognare – ringhiò. La gabbia era alta sessanta centimetri e lunga cento, Vita non poteva starci né in piedi né distesa, doveva starci accovacciata, carponi, anche se le ginocchia le dolevano e dopo un'ora cominciarono a tumefare. Tirami fuori, tirami fuori, non ho fatto niente di male, non lo faccio più – gridava, premeva il viso contro la grata metallica, i conigli squittivano nelle gabbie accanto, divoravano lattuga e carote, i loro denti sbattevano nel buio – non lo faccio più! tata! tata! urlava. A forza di urlare le mancò il fiato e la voce nella gola. Guardò a lungo il lucchetto – lo guardò come aveva guardato il quadro del presidente Lincoln –, ma era troppo debole, o i suoi occhi troppo liquidi di lacrime – e il lucchetto non si mosse. Venne l'alba e non riusciva più a reggersi sui polsi, aveva sete, e neanche la forza di piangere. Un cigolio, la porta si apriva, passi strascicati, i vicini, i passi claudicanti di Cichitto. Dalla grata vedeva solo il cespo d'insalata che s'avvicinava, una macchia verde nella luce che dilagava sul tetto. Fammi uscire, Cichitto! gridò disperatamente. Cichitto s'affacciò alla gabbia, un sorriso mite sotto i riccioli chiari. Non posso, non posso, schiusmi. Ho fame, ho sete, acqua, acqua, ti prego, mi fa male – aveva la schiena in fiamme e le braccia rotte. I figli dei vicini ciabattarono altrove. Cichitto s'affacciò alla grata – fammi uscire, Cichitto, stava per mettersi a piangere perché non ce la faceva più, le orecchie fischiavano, e grossi ragni neri, agili e pelosi, attraversavano il suo campo visivo – e mentre lo pregava incrociò il suo sguardo colpevole e capì tutto. Non disse niente e smise di lamentarsi. Cichitto se la svignò zoppicando e non si fece più vedere. Per tutto il giorno si dimenticarono di lei: era inutile urlare e chiamare perché non veniva nessuno. Il sole arroventò il catrame del tetto, squagliò il bitume nei secchi, le bruciò la pelle. Non aveva più saliva, le labbra si spaccavano di sete, aveva i crampi dalla fame, formiche nelle braccia ed era tutta bagnata perché a un certo punto si era pisciata addosso. I conigli si azzuffavano nelle gabbie, denti che sbattevano, odore di carote e insalata marcia. Nelle sue orecchie il ronzio si era fatto assordante e vedeva nero, pensava fosse notte. Svenne – rinvenne, accovacciata su se stessa come una gallina da cova, perché era l'unica posizione in cui potesse stare, adesso che non sentiva più le braccia e le ginocchia. Il lucchetto abbagliante, sempre più immenso, davanti ai suoi occhi. Sole ovunque, trafitture, bruciore, arsura, fame, crampi, debolezza, ronzii. Ragni neri negli occhi. Il lucchetto solido e appeso alla catenella. Odore di carote e di piscio. Il lucchetto. La catenella. Non s'accorse nemmeno che avevano aperto la gabbia, e Diamante e Coca-cola la tiravano fuori, adagiandola sul catrame bollente. Vita... mormorava Diamante, Vita, mi senti?

La cicatrice lasciata dalla fune del bucato guarì in tre settimane, e sparì, lasciando dietro di sé solo un alone a forma di fulmine, ruvido al tatto, vagamente poroso – ma Vita non tornò più a scuola. All'inizio del nuovo anno scolastico l'inviata della Society for Charity Organization venne a cercarla. La prima volta, Lena cercò di spiegarle che la bambina era malata, e perciò non poteva uscire. L'inviata minacciò di iniziare le pratiche per multare il genitore renitente. La seconda volta, Coca-cola disse che Vita era partita per Youngstown, era andata a stare da certi parenti. L'inviata denunciò Agnello a qualche tribunale, e la pratica si arenò in un ufficio, fra migliaia di altre. La terza volta, davanti al corno di corallo, l'ispettrice fu assalita da un senso di sconforto. Alla fine, se quegli esseri inferiori e brutali la consideravano la loro nemica e non un'alleata che voleva il loro bene, se non volevano istruire i loro figli, migliorare la loro vita, elevare la loro morale, aiutarli a diventare dei veri americani, lei che poteva farci? Era solo una benefattrice idealista, un minuscolo ingranaggio nel meccanismo del destino. Il nome di Vita rimase nel registro della Saint Patrick School per tutto l'anno 1904-05, anche se lei non frequentò neanche una lezione e il maestro smise di chiamarla quando faceva l'appello. In quello dell'anno scolastico successivo, 1905-06, l'elenco – alla lettera Emme – diceva: MacDuffy, Mazzoni, Meyer. Il suo nome era scomparso.

Vita non perdonò mai Cichitto. Non lo vide per settimane. Poi un giorno si scontrò con lui che pietiva i passanti coi soliti giornali sottobraccio. Gli sputò in faccia. Lo ignorò, da allora e per sempre. Cichitto era morto nella conigliera – morto e sepolto – un amico bugiardo, giuda traditore. Se lo intuiva – appostato davanti all'ufficio postale, in un vicolo, sui gradini sdrucciolevoli della scala – voltava la testa e lo scavalcava sibilando: chi fa la spia non è figlio di Maria. Non gli disse mai altro, inflessibile, incapace di perdonare un vigliacco spione anche se era il figlio di nessuno e dalla vita non aveva avuto niente, neanche un bel ricordo. Mentire a volte si rivela necessario, anche ingannare, ma tradire un amico mai, neanche per un coniglio, l'unica cosa che Cichitto avesse osato chiedere nella sua grama esistenza di larva di stagno vissuto di niente per tutta la vita. Perché proprio un coniglio gli aveva promesso Agnello per estorcergli il segreto di sua figlia. Un coniglio da tenere sotto la coperta, sugli sfiatatoi della metropolitana, d'inverno. Vita, è colpa tua, non dovevi baciarti con Diamante, mormorava, correndole appresso. Vita non lo ascoltava nemmeno. Facciamo pace, Vita. No, peggio per te. Se non facevi la spia restavamo amici e ti raccontavo ancora le storie.

Cichitto non respirava più. All'inizio dell'inverno sputò tanto sangue che lo trovarono riverso per strada – blu in viso, quasi assiderato. Lena lo trascinò in casa e mandò Nicola a cercare il dottore, anche se Agnello biastimava che non potevano fare la carità a chiunque, non erano mica la Chiesa cattolica. Lo stesero sulla branda di Diamante. Vita non si avvicinò. La disgustava, e non gli nascose più il motivo. Il tuo sangue mi fa schifo e non ti voglio toccare. Cichitto piangeva, Vita, Vita, ti voglio bene, piangeva, e Vita taceva, ammutolita. Il dottore volle essere pagato prima di varcare la soglia. Conosceva la furbizia di questa gentaglia. Se non faceva così, rischiava di uscire a mani vuote. Siccome Agnello non voleva sprecare un soldo per quel figlio di nessuno, e Lena lo supplicava invano, finì che Diamante andò a frugare nel barattolo del borotalco, dove custodiva i suoi risparmi, e sprecò un mese di stipendio per sentirsi dire – non c'è niente da fare, è tubercolosi all'ultimo stadio, tremendamente contagiosa, bisogna portarlo all'ospedale.

Mentre discutevano chi dovesse portarlo fino al Bellevue, che stava alla First Avenue, non dietro l'angolo, con dieci gradi sotto zero, la nebbia gelata e un vento che affettava la faccia, Cichitto si raggomitolava sulla branda, e continuava a fissarla. Vita, dimmi una cosa, sono anch'io – chiese con un filo di voce, inseguendo l'ultimo folle desiderio – sono anch'io figlio di Enrico Caruso? Tu? rispose lei, sorridendo – tu, Cichitto? no, tu no, tu sei il figlio di nessuno. Adesso dormi, che ti portano all'ospedale – aggiunse poi, dispiaciuta di non avergli detto di sì, dopotutto non le costava niente, neanche lei era figlia di Enrico Caruso. Domattina gli dico di sì, gli dico pure che suo padre lo viene a prendere con l'automobile quando arriva la primavera e lo porta nella torre del castello – pensava, quando s'addormentò col viso nel cuscino.

L'indomani all'alba Cichitto non c'era più. Diamante e Geremia l'avevano portato all'ospedale di beneficenza col carro dei monnezzari. Quando andiamo a trovare Cichitto? cominciò a chiedere a Lena, tormentandola. Ma Lena esitava. Quel posto – una specie di città dannata, un castello coi cancelli di ferro e le torri merlate come una fortezza – era un'officina che rabberciava senza compassione, in nome di una carità che nella città degli altri evitava di dispensare, le anime e i corpi devastati dei più derelitti – era l'inferno degli ultimi, l'ultima ferita dolorosa e umiliante che subivano dalla vita. Diamante le promise di accompagnarla, non prima di domenica, però, perché i giorni feriali doveva lavorare fino a tardi nell'agenzia di pompe funebri. Per farsi strada doveva mostrarsi sempre disponibile. Vita contò i giorni. Mise da parte una rosa artificiale per Cichitto, e aspettò. Ma la domenica, mentre finalmente si preparava, annodandosi il nastro rosso fra i capelli, Agnello, con gli occhi lustri, le disse che era inutile, perché Cichitto se n'era andato a casa. Che piangi tu, voleva urlare Vita, tu che sei solo stato capace di farlo diventare una spia! La rabbia le tolse anche il dispiacere, non riuscì a piangere Cichitto che se n'era andato alla chetichella, di nascosto, scusandosi per il disturbo.

Agnello gli pagò un funerale vero, dall'agenzia Bongiorno Bros, con le ghirlande bianche e il carro tirato dai cavalli pure bianchi. I ragazzi pensavano che l'avesse fatto per Lena, che si era preso a cuore quel figlio di nessuno, forse perché il suo, di figlio, l'aveva buttato nel lago. In realtà Agnello l'aveva fatto per Vita. Al corteo vennero tutti gli abitanti del quartiere, perché Cichitto lo conoscevano tutti, e tutti almeno una volta lo avevano preso a calci o gli avevano comprato *l'ultima copia*. Gli uomini stavano a gambe larghe col cappello in mano, l'edicolante posò un giornale sulla bara, Vita la rosa finta, le donne si facevano il segno della croce e Lena si soffiava il naso, ripetendo nennello mio povero nennello mio. Il prete parlava bene latino, c'erano tanti fiori bianchi, e la cassa pure bianca, con la croce d'oro a rilievo sul coperchio: fu un bel funerale, e Cichitto sarebbe stato contento perché non se l'aspettava che gli avrebbero fatto un corteo così, come se fosse il re del quartiere. Però, quando Diamante sistemò sulla cassa il basco tutto bucherellato di Cichitto, e salì sul carro accanto al cocchiere e partirono verso il cimitero di Hart Island, l'isola dietro il Bronx, dove, lontano dagli sguardi e dagli imbarazzi, la municipalità di New York seppellisce nelle fosse comuni i poveri, i vagabondi e i senza nome, mentre Agnello le carezzava la testa, Vita scoppiò in lacrime, e voleva mettersi a urlare che neanche lei era la figlia di Enrico Caruso, neanche lei, neanche lei: ma ormai Cichitto se n'era andato a casa.

# Il dono

Vita se n'era accorta per caso. Forse c'era sempre stato – dove era lei, lì era anche quel *qualcosa*. Ma solo a un tratto, nel camerone di Ellis Island, ne aveva avuto la consapevolezza. Non era dentro di lei né altrove – le era vicino, sempre accanto, era la sua ombra. Non sapeva se fosse un dono, una punizione o un difetto congenito come un soffio al cuore o un occhio guercio. Gli oggetti la conoscevano. Sentivano la sua presenza. Gli altri la chiamavano distrazione. Sbadataggine. Bicchieri che si rompevano, porte che si chiudevano lasciandola a vagabondare fuori casa per ore, pentole che si sganciavano dal muro e crollavano sul pavimento. Una ragazzina con la testa per aria. Vita sapeva che in presenza degli altri doveva ricordarsi di non guardare niente troppo a lungo. Doveva *sembrare* come loro. A ogni costo. Dissimulare o perfino fingere. Socchiudere le palpebre se si scopriva a indugiare su un secchio in bilico su un gradino o una gabbietta sul davanzale, che le sembravano fuori posto, decisamente scomodi, precari, o brutti. A volte se ne dimenticava. E allora i suoi occhi parlavano. Rivelavano ciò che pensava, desiderava o odiava – e che lei non sapeva nemmeno di pensare, desiderare o odiare. Il secchio rotolava giù per le scale, la gabbietta cadeva, e cadendo liberava il cardellino. Piatti, forchette, scope si animavano, si squagliavano, si ridisponevano nello spazio, disegnando armoniosamente un ordine segreto. E lei non aveva dovuto muovere un dito, pronunciare una parola. Dopo, si voltava di soprassalto, temendo che qualcuno l'avesse sorpresa. Ma se qualcuno la stava guardando, vedeva soltanto una ragazzina coi capelli neri, che affacciata alla finestra scuoteva una tovaglia o spazzava le scale, con un sorriso indecifrabile sulle labbra.

Diamante non aveva riferito a nessuno la misteriosa sparizione dello scontrino giallo. Non era sicuro di aver visto bene, poteva essersi sbagliato: il giorno del suo arrivo era stato tutto così strano, così innaturale. E quand'anche, non ci credeva. Diffidava di ciò che non si può toccare – di ciò che non si può spiegare con la ragione. Probabilmente Vita era riuscita ad accartocciarlo e a liberarsene mentre lo teneva nel palmo della mano. Doveva essere andata così. Se in seguito altre volte gli sembrò di sorprenderla a dialogare con la silenziosa resistenza di un piatto, preferì pensare che stesse giocando a un gioco segreto, di cui lei sola conosceva le regole.

Però, col tempo, gli oggetti della casa di Prince Street rivelarono un'energia importuna – cominciarono a camminare, sparire. Niente sembrava resistere nel posto in cui era stato sistemato. Tutto si muoveva – silenziosamente, furtivamente. La fibbia della cinghia di Agnello venne ritrovata sotto il materasso, contorta, rammollita. Il lucchetto della gabbia dei conigli in cui era stata rinchiusa penzolava dalla catenella – oblungo, squagliato: sembrava che l'avessero messo a cuocere in una fornace. La fune del bucato cedette come spezzata da una cesoia. Le bottiglie di benzina che Coca-cola nascondeva sotto il letto esplosero, allagando il pavimento e impestando la stanza di un odore acre. La brocca dell'acqua fu vista da Geremia con i suoi occhi – giuro su Dio – slittare sulla cerata per tutto il tavolo quant'era lungo e fermarsi alla fine davanti al suo bicchiere, che del resto era il punto in cui avrebbe dovuto essere se Geremia avesse avuto il tempo di chiedere a Vita di passargliela.

Poi Coca-cola e Diamante la sorpresero, e niente fu più come prima. Era notte. Tornavano da Second Street, dove avevano sbrigato un favore per conto degli amici di Rocco appiccare il fuoco al salone dell'avido barbiere Capuano. Un napoletano testone che rifiutava di farsi dei buoni amici. Era durato meno del previsto. Rusty ci aveva impiegato trenta secondi a forzare le imposte e sfondare la vetrina, Coca-cola aveva innaffiato di petrolio le pareti della barberia e acceso la miccia nella bottiglia, mentre Diamante passeggiava nell'ombra, dall'altro lato della strada, pronto a fischiettare se capitava un passante che non voleva farsi i fatti suoi. Tutto era filato liscio. Niente testimoni – il fuoco aveva preso bene, ma non aveva fatto gran danno. Poco più di una dimostrazione. Nessun ferito. Messaggio recapitato. Se l'avido Capuano non avesse capito l'avvertimento dei ragazzini, sarebbero tornati i grossi – Nello, Elmer e Rocco – a spiegarglielo meglio. Rientrarono in punta di piedi per non svegliare Agnello. Vita non si accorse di loro. Era seduta al tavolo della cucina. La sua camicia da notte sembrava ardere nella penombra. Aveva le braccia tese davanti a sé, e, fra le mani, ben dritto, con la lama puntata verso il soffitto, teneva il coltello di Diamante. Per questo lui, uscendo, non era riuscito a trovarlo. Vita era immobile, concentrata, e non faceva assolutamente niente. Fissava con gli occhi sgranati e vuoti, come se dormisse, quel coltello. A un tratto, la lama aveva cominciato a piegarsi. Irresistibilmente. Si era afflosciata su se stessa come una candela liquefatta.

Vita? esclamò Diamante, che vai facendo?

Lei era arrossita. Aveva lasciato cadere sul tavolo quel che restava del coltello. Come si sentisse colpevole. Non aveva risposto.

Era un buon coltello.

Resistente. Come Rocco, che molto l'aveva usato, prima di cederlo al suo pupillo come pegno d'amicizia eterna, ben sapeva.

Le lame non si afflosciano da sole.

Il caso fu sottoposto al grande Rocco.

Coca-cola giurò che Vita l'aveva fatto apposta, con li uocchi. L'aggio viduto co' ss'uocchi miei, pozzi mori' cecato se vaco dicenno 'na bucìa.

Non ci credo. Non può essere.

Le lame non si affosciano da sole.

Vita sapeva che non potevano capire. Non avrebbero mai capito cosa c'era accanto a lei. Non ne erano capaci – non avevano abbastanza immaginazione.

Contemplando la testa bruna di Vita che si stagliava sul biancore dei lenzuoli stesi ad asciugare come un'ombra cinese, Rocco finalmente capì chi l'aveva mandata qui. Lei, proprio lei, avrebbe permesso a tutti loro di abbandonare per sempre Prince Street. Li avrebbe *spostati* – letteralmente, come faceva con i bicchieri e le fibbie dei calzoni. La palmista Belfiore, che al 179 di Prince Street predice il futuro leggendo le mani, sostiene che solo i grandi medium possiedono la capacità di imprimere un movimento agli oggetti – spostarli, o addirittura piegarli e romperli – senza toccarli, con la semplice forza del pensiero. È un talento che non s'inventa. Uno può studiare cent'anni, e non impararlo mai. Chi sono i medium? le aveva chiesto, inquieto. Quelli che si muovono fra questa dimensione e un'altra. Quale altra? L'altra e basta. Adesso pensava ai santoni, ai predicatori fanatici della fine del mondo, alle chiromanti che pretendono di parlare con gli spiriti e con le anime dei defunti. Ce n'erano centinaia, in città. La credulità della gente è pari solo alla sua disperazione. Ognuno di quei ciarlatani, che non avevano nemmeno il dono di Vita, solo una rapace capacità di prosperare sul dolore e l'ignoranza altrui, si faceva pagare dieci dollari la visita. Gli bastava muovere un globo di vetro, un tavolino o anche niente, per mettersi in tasca, con un consulto di pochi minuti, lo stipendio di un mese di un beccamorto. Una ragazzina dotata come Vita rappresentava un affare gigantesco – un capitale inestimabile. Sarebbe cambiato tutto. Senza pugni, fuochi, coltelli, sangue, fatica. All'inferno Lazzaro Bongiorno, i cadaveri e i negozianti che non vogliono pagare. Lui non ce l'aveva mai avuta coi negozianti e avrebbe preferito spaccare una costola allo scheletro di Cozza piuttosto che al proprietario di una montagna di patate. Tutto questo, grazie a Vita – era finito. E sarebbe stato presto dimenticato. Avrebbero messo su la stanza della santona. Tende scarlatte alle finestre. Lampade schermate di rosso. Vita nella penombra, truccata – un nero rigo di kajal sulle palpebre, i capelli sciolti, forsennati. La santona-bambina. Undici anni di arcana saggezza. Diamante si sarebbe inventato, o avrebbe copiato, qualche sentenza oracolare, incomprensibile ma buona per ogni evenienza. Chi l'ascoltava, avrebbe dovuto credere che quelle parole fossero state pensate proprio per lui. Invece Vita doveva solo imparare la lezione, e recitare, come in trance. La santona-bambina, ineffabile, seduta sull'orlo del divano, che fa tremare i vetri e rintoccare gli orologi con la sola forza dello sguardo.

Vestiti, principessa, le disse, facciamo un giro. Ti porto a uptown. Vita lo fissava, mordicchiandosi le unghie. Sembrava molto spaventata. Ora che le era stato strappato, il suo segreto non le apparteneva più, la disgustava quasi – e avrebbe voluto scambiarlo con lo stupido entusiasmo di Nicola, e il muto sgomento di Diamante. Non è per quello, vero? chiese a Rocco, che le porse l'impermeabile, ed evitò di guardarla – d'un tratto gli era venuta paura che lei lo facesse volare dalla finestra o lo incenerisse perché progettava di venderla alla disperazione degli altri e alla insaziabile curiosità del mondo. Ma Vita stessa gliene sarebbe stata grata. Anche per lei, basta lenzuoli, basta bordanti zotici che le insegnano cose che una ragazzina dovrebbe ignorare, basta rose artificiali, sacrifici, pene. Presto si sarebbe sparsa la voce, la sua fama avrebbe superato i confini del quartiere. Sarebbe finita nei salotti. Se la sarebbero contesa le vedove inconsolabili, le zitelle, gli uomini di scienza, i dottori. Sarebbe stata invitata a spostare i piattini d'argento sul tavolo di una nobildonna. Alla Casa Bianca a indovinare quanti gatti selvatici ucciderà il presidente Theodore Roosevelt nella prossima caccia in Arizona. Sarebbero diventati tutti ricchi. Ricchi, bugiardi e famosi.

Rocco le disse che ognuno di noi ha un dono – uno solo. E che ce l'ha dato Dio perché ne facciamo uso. Rinnegarlo o rifiutarlo è come rinnegare Dio. Vita rispose che le capitava qualche volta, ma che non dipendeva da lei. Non era la sua volontà. Era qualcosa di molto più potente. Rocco replicò che era troppo piccola per saper riconoscere quale fosse la sua volontà. Perciò attribuiva a qualche forza imperscrutabile ciò che era soltanto lei. E allora? disse Diamante, con noncuranza. Quel *qualcosa* apparteneva a Vita – era suo. Rocco disse che qui tutto era di tutti. E Vita era il dono che Dio aveva mandato a Prince Street.

Vita e Rocco entrarono nella gioielleria profumati di decoro. Lui col completo a righe, lei con un vestito alla marinara e le scarpe bianche. Sfoggiando la sua migliore parlantina, Rocco spiegò al venditore che si trattava della prima comunione di sua sorella. Voleva regalarle una catenina d'oro. Non qualcosa di volgare, una lavorazione fine, delicata: preziosa. Vita non era mai entrata in una gioielleria prima d'ora. Appoggiò le mani sul vetro del bancone. Dietro, adagiati su un cuscino di velluto nero, spiccavano fili d'oro di ogni lunghezza, forma, peso e consistenza. Rocco chiacchierava col commesso, e di tanto in tanto le strizzava l'occhio, come invitandola a procedere. Ma le catene non si mossero. Non successe niente.

Mentre inforcava la bicicletta, e aspettava che lei si sistemasse sulla canna, Rocco non le rivolse la parola. Era furibondo. Vita raccolse la gonna fra le ginocchia perché non s'infilasse nella ruota e fissò i lampioni che s'accendevano sfrigolando. Il vento aveva odore di tiglio e di sterco di cavallo. Era già primavera. E poi sarebbe venuta l'estate, e di nuovo l'inverno. Tutto si ripeteva inesorabile. Le stagioni non hanno futuro. Rocco appoggiò le mani sul manubrio, per non prenderla a sberle. Perché non l'hai fatto? sospirò. Perché non lo vendo – rispose Vita.

Quando Dio dà un dono a qualcuno, non vuole che questo qualcuno se lo tenga per sé, gridò Rocco. Vuole che lo metta a disposizione degli altri.

Tu non ci credi. Perché allora continui a parlarmi di Dio? gli chiese Vita. Era pallida, e sembrava stanca. Rocco s'ingobbì sul manubrio. Pedalava veloce, per scaricare la delusione che gli montava in corpo. Pensò che gli sarebbe toccato continuare a rompere setti nasali, bruciare negozi e bucare negozianti, che Diamante avrebbe dovuto continuare a lavare cadaveri e Geremia a scavare in una fogna. Non era giusto. Avrebbe dovuto farlo, Vita – avrebbe dovuto capire. Superò sfrecciando la fila dei carretti che s'incolonnavano verso downtown. Non sei come tutti gli altri, e non puoi farci niente, Vita. Ti è già successo.

Nemmeno tu sei come tutti gli altri e non puoi farci niente, rispose Vita. Rocco non voleva più parlare con lei. Lo irritava la sua perspicacia. La sua ingenua saggezza. Questa stupida ragazzina aveva qualcosa che altri cercano invano – e non sapeva cosa farsene. Questa ragazzina così ostinata e così incosciente. Sarebbe davvero formidabile nella penombra scarlatta di un salotto, a pronunciare oscure profezie sui segreti degli altri. Le basterebbe starsene seduta nel buio, e lasciar vagare lo sguardo sui corpi, sui volti – per conoscerli più di quanto loro possano conoscere se stessi. Continuò a pedalare, sempre più veloce – l'idea quasi si formò da sé. Il muro della fabbrica chiudeva la strada, e lui accelerò. Lanciò la bicicletta contro il muro per vedere se lei era capace di evitare lo schianto. Ma Vita non raccolse la sfida, s'aggrappò al bavero della sua giacca e guardò solo il viso terreo di lui, e fu Rocco che dovette staccare i piedi dai pedali e tirare i freni con tutta la sua forza. Ma andava troppo veloce, e il muro era troppo vicino. Caddero. Schiantandosi, la bicicletta levò un assordante fragore di ferraglia.

Venne gente. Lui si massaggiava il collo, stordito. Vita non si muoveva. Era riversa sul selciato. Coi capelli neri sparsi a corona intorno alla testa e la gonna sollevata sulle ginocchia sbucciate. Vita? cominciò a urlare Rocco – Vita? mannaggia, rispondimi, Vita! Urlava, in ginocchio in una pozzanghera, senza osare toccarla per timore che gli rimanesse fra le mani, afflosciata – piegata in due come la lama di quel maledetto coltello. Qualcuno gli consigliava di non muoverla, perché se aveva picchiat'a capa... Altri di bagnarle la fronte. Sudò freddo, e gli bruciarono gli occhi. L'aveva odiata talmente che era stato capace di ammazzarla. Senza nemmeno pensarci.

La donna del carretto del pane disse che la ragazzina non sembrava ferita. Non c'era sangue – tutte le ossa integre. Per quanto assurdo fosse, stava dormendo. Vita? urlò Rocco, scuotendola per un braccio, Vita!!! Fa' che non l'ho ammazzata, fa' che non ho fatto del male proprio a lei. A lei no.

Quando Vita riaprì gli occhi, non sapeva dove fosse, né cosa ci facesse attorno a lei tutta quella gente. La bicicletta era adagiata su un fianco. Tutta contorta. Incontrò lo sguardo sconvolto di Rocco. Le sorrideva, preoccupato – e anche intenerito. Le massaggiò le tempie, le spazzolò la gonna. Era tornato il Rocco che lei aveva sempre conosciuto. Il più misterioso e dolce dei ragazzi. Quando rimasero soli, gli spiegò di sentirsi molto stanca. Succedeva sempre, dopo. Come se avesse fatto uno sforzo sovrumano. Ma dopo cosa? esclamò Rocco. Era seduto sul marciapiede, cercava di raddrizzare la ruota anteriore che l'urto aveva deformato, perché se non ci riusciva avrebbe dovuto portarsela a casa sulla schiena. Dopo che l'ho fatto – disse Vita. Rocco la fissò, senza capire, e lei gli depose sulla mano un oggetto che nel buio aveva la consistenza di un sasso. Era l'Occhio di Dio. Lui avrebbe giurato di averlo visto appeso alla parete della gioielleria incastonato in un triangolo di legno. Stava lì, era sempre stato lì, mentre loro esaminavano le catene d'oro. Ho chiesto a Dio di scegliere per me – bisbigliò Vita. Se non lo voleva, non sarebbe sceso dal muro, non pensi? gli chiese. La sua voce era poco più di un sussurro. Rocco rispose che era senz'altro così.

Non gli venne mai più in mente di portarsela dietro. Pensò che ogni dono è di per sé gratuito – e non serve a niente. Ci individua, ci determina – cresce con noi e per noi. Ma ciascuno è responsabile del proprio. Lui aveva questo talento dei pugni, questa freddezza con i coltelli e, in generale, con gli altri. Essi non esistevano per lui – avevano l'indifferente irrealtà di una pietra, o di un albero. Ci aveva messo del tempo, ma adesso aveva capito come accettarlo – e accettare, con ciò, se stesso. Vita avrebbe deciso come accettare il suo. Se lo avesse voluto, si sarebbe un giorno esibita a pagamento per le grandi folle del New York Museum, o in qualche ricco salone. Se glielo avesse chiesto, l'avrebbe portata ad aprire i cancelli delle ville e le serrature degli appartamenti, ai binari della Union a spostare treni e incettare quintali di carbone – ai depositi della White Star Line a saccheggiare le valigie dei viaggiatori, nei grandi magazzini della Trentaquattresima a scegliersi i pettini e i fermacapelli.

Vita non glielo chiese.

# L'ostinato profumo del limone

Il fratello di mio padre, Amedeo, era maestro. Negli anni Quaranta, subito dopo la guerra, si occupava di teatro. Era un critico competente, informato, equanime. Poi, rinunciò. Dovevo vivere – mi disse. I Mazzucco avevano la convinzione che il teatro, la scrittura, la poesia, la musica, siano dei piaceri – appagati i quali resta la fame. Era loro proibito lamentarsi, confessarsi, manifestare debolezza, ignoranza, fragilità – proibito essere bocciati a un esame, in amore, nella salute. Se si scoprivano malati, dovevano soffrire in silenzio fino a che il ricovero in ospedale si rivelava inevitabile. Molti sono morti prima del ricovero, gli altri erano disperatamente ipocondriaci. I Mazzucco temevano i piaceri. Se li sono sempre negati: non so perché. Forse, all'origine, c'è qualcuno che se li è concessi tutti e, per qualche ragione a me incomprensibile, se ne è pentito. Tutti hanno praticato un culto ossessivo per la rettitudine, la lealtà, la disciplina, la cultura, la conoscenza (Entità suprema che nella famiglia laica e atea aveva sostituito Dio), il sacrificio di sé fino all'autodistruzione. Lo strano intreccio di queste istanze fra loro inconciliabili ha generato nevrosi, dolore e pazzia. Mio nonno, mio padre, io stessa, abbiamo convissuto con la certezza (o la paura) di impazzire: spiandoci continuamente per cogliere l'esatto momento in cui la pazzia si sarebbe impadronita di noi.

Tormentato fin dalla giovinezza da una lunga serie di dolorosissime malattie, affrontate con uno stoicismo degno di un saggio antico, il fratello di mio padre era ormai immobilizzato sulla poltrona del suo salotto, in un appartamento di Monteverde nuovo. Non usciva mai. Durante la bella stagione, la poltrona veniva spostata sul balcone, sospeso sulla trafficatissima strada sottostante. Un alberello di limone sprigionava un profumo ostinato, e mio zio lo aspirava con gli occhi chiusi. Se il limone si fosse ammalato, se ne sarebbe accorto subito. La sua situazione familiare lo aveva reso simile a un personaggio di Thomas Bernhard, ma lui non lo sapeva. Stava diventando cieco, e non poteva più leggere. Era stato un lettore formidabile. Pare che tutti i Mazzucco lo fossero. Chissà quale demone esorcizzavano leggendo. Perfino Antonio, che aveva frequentato solo la prima elementare, leggeva furiosamente. Mio zio era il primogenito, e aveva ricevuto il nome del fratello prediletto di Diamante, Amedeo. Lo zio ne è sempre stato fiero, pur sapendo che quel nome evocava una vita spezzata e incompiuta, che ha finito per riverberare un'ombra anche sulla sua. Quando andai a parlargli, nel 1998, aveva settantotto anni. I suoi capelli crespi, folti, erano di un bianco abbagliante, di una bellezza candida, di una purezza che non ho mai ritrovato. Aveva lineamenti delicati, labbra grandi e carnose, limpidi, vitrei occhi azzurri, e sopracciglia aggrottate come a esprimere un perenne dissenso. Quelle sopracciglia, quel dissenso, sono l'unica caratteristica fisica che si è perpetuata nella famiglia, e il suo segno distintivo.

Mi disse subito che la sua memoria era confusa. Siccome non poteva leggere, il suo cervello si stava indebolendo, non riceveva stimoli, come una pianta priva di luce. Eppure, i suoi giudizi risultarono netti, insieme commossi e inesorabili. Il suo punto di vista disincantato e amaro. Nel corso dei nostri sporadici incontri, che si sono ripetuti per anni – io immobile, gli occhi fissi sul fascinoso biancore dei suoi capelli, lui immobile sulla sua poltrona, gli occhi fissi su qualcosa che non saprei definire – mi resi conto che, se il presente gli appariva ormai come un sogno confuso e irreale, un universo fitto di trame e segni insensati, nel passato si muoveva liberamente. Mentre parlava, non era con me, prigioniero della sua immobilità e delle sue ombre, ma altrove – esattamente nel tempo in cui io cercavo di inseguirlo. In esso, Amedeo non era paralizzato né cieco. Correva, e vedeva lucidamente – Diamante, Antonio, il limone, Tufo, le fionde, i sassi. Il mare.

Andò in America in primavera, mi disse.

Che anno era?

Il 1903.

Ne sei sicuro? Papà scrisse che aveva quindici anni.

Ci siamo sempre sentiti più grandi della nostra età. E il corpo ci capiva. A vent'anni, io avevo già i capelli bianchi. No, era il 1903. Fu l'anno che morì il papa.

Perse il treno che doveva portarlo a Cleveland. Non so perché. Non ce l'ha mai detto.

A Cleveland poi ci andò. Cleveland gli sembrò uno sbaglio orribile.

Cosa diceva di New York?

Non gliel'ho mai chiesto. Da ragazzi, io e tuo padre divoravamo i fumetti e i libri d'avventura. Molti erano ambientati in America. C'erano i Cheyenne, i cow-boy, le praterie, i bisonti. C'era Matiru il Re dei Pellirossa. Ecco, noi ce la immaginavamo così, l'America, quando lui ce ne parlava. Non ci siamo mai resi conto che aveva vissuto in una grande città – una metropoli. Non ci siamo nemmeno resi conto che quell'America era abitata non dai pellerossa né dai bisonti, ma dagli americani. Degli americani non parlava mai. Parlava degli italiani – con un pessimismo che non prevedeva riscatto. Però, proprio per questo, cercò varie volte di morire per loro.

Perché?

Aveva scelto l'Italia. La amava, anche se non fu mai ricambiato.

Cercò di convincermi ad andare a New York, almeno una volta. Diceva che aver visto molti paesi significa arrivare giovani all'età matura.

Ti disse mai qualcosa della pensione di Prince Street?

Disse che la gestiva una vecchia parente di suo zio. Una napoletana di settant'anni. Brutta. Sporca. Mi pare che si chiamasse Maddalena, o Lena. Qualcosa del genere.

Amedeo ricordava tutto: la pensione, la Mano Nera, il cugino Geremia, le ferrovie, i compiti del waterboy. Nei suoi racconti, tuttavia, mancava una persona. Non mi ha mai nominato Vita.

Quando, nell'archivio di Ellis Island, consultai la lista passeggeri della nave Republic, a bordo della quale Diamante arrivò in America, scoprii il nome delle 2200 persone che viaggiarono con lui. Ora posso dire di conoscerli uno a uno. La nave – che dopo la sosta a Napoli fece scalo a Gibilterra – trasportava italiani e turchi. Ma la parola "turchi", nel 1903, ai tempi dell'Impero Ottomano, significava molte cose: ebrei, greci, armeni, albanesi, siriani, libanesi, slavi, berberi. A Ellis Island sbarcò per primo Athanapos Kapnistos, sedicenne di Creta, poi Marie Kepapas, diciannovenne di Salonicco. Quindi, in successione, gruppi di Beirut, di Rodi, della Macedonia, di Samo, Vasto, Fano; poi decine di ragazzi da Platì e Gioiosa Jonica, Gerace, Polistena, Scilla, Agropoli, Nicastro, Nocera, Teramo, Castellabbate. La maggior parte aveva meno di vent'anni. I passeggeri ragazzi di quella nave – e di tutte le altri navi di quegli anni – non corrispondono all'immagine che mi è stata tramandata. Alle fotografie che ho visto nelle mostre e nei musei, e che si sono impresse così profondamente nella mia memoria da condizionare la mia immaginazione. Figure dolenti e incomprensibili, comunque lontane, distanti. Ho negli occhi i volti tristi dei contadini, le loro mogli tristi, vestite di nero, i loro bambini tristi, ho negli occhi i loro tristi fagotti, che contengono tutto il loro niente. Forse ho negli occhi uno stereotipo. Possibile che tutti questi ragazzi senza bagaglio – S, single, nella casella relativa allo stato coniugale – siano partiti per *non* tornare? Scorro l'elenco interminabile di quei nomi – Saverio Ricci da Brodolone, 17 anni, Aniceto Ricco da Montefegato, 17 anni, Annibale Spasiani da Sgurgola, 16 anni, Giuseppe Vecchio da S. Coseno, 14 anni... – e comincio a pensare che per un'intera generazione di ragazzi l'America non fosse una meta né un sogno. Era un luogo favoloso e insieme familiare – dove si compiva, con il consenso degli adulti, un rito di passaggio, un rito di iniziazione. Altre generazioni ebbero il servizio militare, la guerra in trincea, le bande partigiane, la contestazione. I ragazzi nati negli ultimi decenni dell'Ottocento ebbero l'America. A quattordici, sedici, diciott'anni (qualcuno prima, qualcuno dopo), in gruppo, con i cugini, i fratelli, gli amici, dovevano compiere la traversata – morire – se volevano crescere, se volevano sopravvivere. Risorgere. Dovevano affrontare l'America come i ragazzi delle tribù australiane, di Papua e della Nuova Guinea affrontavano il mitico mostro che li inghiottiva per rivomitarli uomini. Dovevano essere pianti, essere persi, essere considerati morti. E dovevano tornare indietro. Solo una parte lo fece realmente: il protagonista di molte favole iniziatiche, viaggiando, spingendosi al di là dei confini del mondo noto finisce per trovare un regno preferibile a quello da cui è partito – e per restarvi, cominciando un'altra vita.

Quasi per ultime sbarcarono dal Republic ventidue persone che dichiararono di provenire da Minturno. I loro nomi figurano a pagina 95 e 96. È un gruppo eterogeneo. Ci sono dieci uomini d'età compresa tra i 24 e i 38 anni, una donna di 31, otto ragazzi (Pietro Ciufo di 14, Ferdinando Astane di 15, Angelo Ciufo e Giuseppe Tucciarone di 16, Antonio Rasile, Pasquale Tucciarone e Alessandro Caruso di 17, Giuseppe Forte di 19), una bambina (Filippa Ciufo, di 5 anni) e due ragazze (Elisabetta e Carmina Ciufo, di 17 e 21 anni). Ben due adulti si chiamano Leonardo Mazzucco, e almeno uno deve essere zio di Diamante. Dichiarano di essere diretti a Cleveland.

Diamante non aveva mai raccontato di essere partito con altre persone (la solitudine costituiva l'elemento epico del suo viaggio), e perciò questa scoperta mi sorprese. Ancora più sorprendente scoprire che Diamante non sbarcò con Pasquale e Giuseppe, due cugini poco più grandi di lui che avrebbe ritrovato alle ferrovie anni dopo. Entrambi tornarono in Italia. Dalla corrispondenza di Diamante ho appreso che Giuseppe rimase disperso sul Piave nel 1917 e che la sua morte lo sconvolse. Ma nel 1903 Diamante volle dimostrare di sapersela cavare senza di loro. Quando i ventidue di Minturno furono sbarcati, scese una famiglia di libanesi: Sabart David con la moglie e i dieci figli, l'ultimo dei quali Habil di sei anni. I passeggeri seguenti sono Diamante e una bambina di nove anni: Vita Mazzucco.

Nei racconti di mio padre, che con ostinazione cercavo di ricordare, ma che apparivano ormai irrimediabilmente frammentari, slegati, contraddittori, Vita sbucava all'improvviso accanto a Diamante. Era già in America, come fosse sempre stata lì. C'era, e svaniva. Forse per una forma di rispettosa censura, forse per distrazione. Una ostinata amnesia impediva alla sua figura di uscire dalla nebbia leggendaria – di essere qualcosa di più di un nome perduto.

Eppure, quel nome leggendario corrispondeva a una persona in carne e ossa – la cui immagine reale differiva profondamente da quella dei racconti. Era una signora americana che, negli anni Sessanta, mandò puntualmente pacchi dono colmi di cibarie e vestiti a mia madre, a mia sorella Silvia e poi anche a me. Io non l'ho mai vista, ma mia madre l'aveva incontrata. Poco dopo la nascita di Silvia era venuta a casa nostra "per conoscere la figlia di Roberto". Aveva fatto parecchia strada... «Parlava inglese e l'italiano non lo capiva tanto bene. Era generosa. Una persona semplice, direi. Piuttosto intelligente. Tuo padre diceva che non era mai andata a scuola. Lei gli voleva molto bene.» Perché? «Come un figlio.»

Una donna della quale la sorella di mio padre conservava una fotografia firmata – il timbro sbiadito di un laboratorio di stampe di Minturno rivela la data: agosto 1950. Una piccola donna paffuta. Con un sorriso contagioso e solare. Un corpo formoso – morbido e accogliente. Così diversa dai cipigli dei

Mazzucco e dal lirico smarrimento di Emma. Eppure anche lei era una Mazzucco. C'era forse un altro modo, un'altra possibilità. Quella dura teoria di maschi – narratori e spaccapietre – comprendeva anche una donna. Che non era una poetessa, né una santa, né una puritana. E io volevo trovare il suo posto, nella sua storia e nella mia.

Cercai i ventidue compagni di viaggio di Diamante. Ero in ritardo. Erano tutti morti da tempo. I loro discendenti dispersi in un altro continente. Irreperibili. I Ciufo sono rimasti in America; qualche Tucciarone è tornato e ha comprato le terre nelle quali mio padre da bambino imparò a detestare la campagna. Di Ferdinando Astane non ho trovato alcuna traccia. Quanto a Caruso, mi dissero che era tornato anche lui, ma solo dopo la Seconda guerra mondiale. Era vissuto cinquant'anni negli Stati Uniti. Purtroppo era morto negli anni Sessanta. Se mi poteva interessare, una sua nipote viveva in un pensionato sui monti Aurunci. Ero incerta. Se le avessi detto che stavo cercando una ragazzina partita per l'America quasi cent'anni fa, non avrebbe nemmeno capito di chi parlavo.

L'ospizio ricordava un campo nomadi, formato com'era da arrugginiti container che risalivano forse ai tempi del terremoto dell'Irpinia. Sorgeva ai margini dell'abitato, in un terreno incolto che non si sforzava nemmeno di somigliare a un giardino. Dall'altra parte della strada, qualcuno aveva gettato un vecchio frigorifero, un materasso e il sedile anteriore di un'automobile. Nessuno si era preoccupato di ritirarli. Marianna Zinicola era nata negli Stati Uniti e la conversazione procedette fra sbalzi e silenzi, lampi e malintesi. In quel gennaio del 1999 aveva novantatré anni. Mi disse che le donne di Tufo sono rinomate per la longevità. Settanta su cento superano il secolo. Osservai che era un peccato che io non fossi di Tufo. Rise. Era una donna robusta e sospettosa, con grandi occhi scuri, zigomi sporgenti e mani rovinate dall'artrite. Le sue compagne facevano l'uncinetto in un vasto salone spoglio, ornato da un crocifisso e qualche stampa a colori. Una riproduceva i girasoli di Van Gogh. Era la fine di gennaio, e fuori pioveva. L'erba aveva un colore grigiastro. Al tavolo accanto, quattro anziani ospiti giocavano a briscola. Cercai di spiegarle chi fossi, ma non ne venimmo a capo. Aveva conosciuto troppi Mazzucco. In America o qui? In America. In America dove? A New York.

Aveva mai sentito nominare una certa Vita Mazzucco? Marianna Zinicola si guardò le mani, rigirò la fede sul dito gonfio. Era vedova da sessant'anni. Forse questo container, nel quale aveva trovato dei corteggiatori e delle amiche, era preferibile alla solitudine di un ospizio in qualche suburbio americano. O forse in America non è previsto raggiungere i cento anni. È un paese giovane, e per i giovani. Sì, aveva conosciuto missus Mazzucco a New York. Negli anni Trenta, Vita aveva aperto un ristorante. C'era la depressione e tutti erano rimasti senza lavoro. Marianna Zinicola non sapeva dove sbattere la testa, voleva chiedere aiuto alla paesana che se la passava bene, ma le comari la sconsigliavano. Vita non frequentava la gente nostra e teneva cattiva reputazione, era scappata con un ganghestèr, si era sposata scandalosamente tardi. Lei però ci era andata lo stesso. Vita – che Dio la benedica – l'aveva presa come donna di fatica in cucina. Ah, dissi, e ci è rimasta a lungo? Finché me ne tornai – disse. Diciassette anni. Sospirò. Forse la turbava parlare del passato. Forse le stavo usando una violenza che non meritava. «Forse non dovrei farle tutte queste domande.» Mi guardò sorpresa. La gente pensa che i ricordi rendono tristi, disse. Invece è vero il contrario. Si diventa tristi quando si dimentica.

No, purtroppo di quel periodo della sua vita non conservava niente. Che doveva conservare? Era inalfabeta, non ci aveva mica lettere e cartoline. Stava tutto nella sua testa. Però teneva i picci del suo matrimonio. Li volevo vedere? Certo che sì.

Ciabattando, scomparve nel corridoio. La luce al neon sfrigolava. Gli ospiti mi gettarono un'occhiata severa; pensavano che fossi una nipote ingrata, e che avessi abbandonato l'anziana parente alle cure della sanità pubblica. Nel salone c'era silenzio – come in un acquario. Un'infermiera leggeva "Confidenze"; un'altra, seduta vicino all'ingresso, tentava le parole crociate. Marianna Zinicola tornò con una scatola di biscotti dai bordi arrugginiti. Conteneva bottoni, santini, biglietti d'auguri, fiocchi, confetti pietrificati e una pagina strappata a una guida turistica (forse il Baedeker di New York). La pagina è la 234, l'anno sconosciuto. La traduzione è mia.

** VITA – 52nd Street angolo Broadway.
*La cucina di un tempo per i gusti di oggi. La cucina – di cui si occupa la proprietaria, una piccola, loquacissima signora italiana – propone piatti di tradizione con riguardo alla stagione rivisitati e*

*presentati con stile. Da non perdere le tartarughe coi piselli, il baccalà alla marinara, la crostata con le visciole, le zeppole, i mostaccioli e la migliore oca ripiena mai assaggiata. Sala piacevole e ariosa. Ritmo di servizio lento. Il conto è un po' salato. Necessaria la prenotazione.* Assolutamente raccomandabile.

Marianna Zinicola mi guardava compiaciuta. Era famosa, eh, disse. Ci veniva la gente importante. Venne pure Charles Lindbérgh, quello degli aeroplani. Vita faceva tutto da sola. Era abituata a comandare. Faceva sempre di testa sua. Ce l'aveva dura. Un giorno ve la rompete, dicevo io. E issa rideva, e diceva: me la fascerò. I ganghestèr ci avevano messo la bomba, i negri ci avevano appicciato il buro, ne aveva passate tante, ma mai si pianse addosso.

Il salone era arredato con tavoli di formica che a me ricordavano banchi scolastici e forse lo erano. Tutto, in questo cronicario, era di terza, quarta, perfino quinta mano. I mobili, i golfini, le camicie da notte, l'attenzione delle infermiere scocciate, i vetri opachi delle finestrelle, i pavimenti, i termosifoni. Eppure, mentre la immortale Marianna Zinicola stropicciava quel foglio sul tavolino, e sorrideva ripensando ai successi e ai dolori della sua padrona e amica, mi resi conto che sapeva tutto di Vita.

# Bongiorno Bros

I funerali dell'agenzia Bongiorno Bros sono i più spettacolari del quartiere. Una pariglia di cavalli bianchi, addobbati con gualdrappe cremisi e pennacchi neri, tira maestosamente il carro funebre scuro, coi grandi vetri lucenti e i cuscini coperti di rose bianche e mughetti. Il cocchiere porta una livrea viola e un cappello a cilindro. I movimenti delle carrozze, la solenne lentezza del corteo, i colori delle guarnizioni, la coreografia delle lacrime e dei canti sono curati personalmente dal padrone, che sovrintende ai funerali come un direttore d'orchestra. L'agenzia affitta anche le donne che piangono e danno prova di grande dolore – e, nei casi di personalità eminenti, i disoccupati, perché seguano il corteo funebre e lo facciano sembrare imponente. Come tutti i dipendenti della Bongiorno Bros, Diamante indossa guanti bianchi, bombetta e abiti neri e in servizio non deve mai ridere. L'agenzia ha tre locali sulla Bowery, un'anticamera con le piante ornamentali e le seggiole per i visitatori, una cappella ardente e un grande salone per le veglie funebri, con i drappi neri e viola alle pareti, i candelabri, il crocifisso, i fiori e le ghirlande sempre freschi, un ventilatore d'estate e una stufa d'inverno. Nel retrobottega e nelle cantine ci sono le camere segrete dove gli inservienti lavano i cadaveri (che a volte solo in quell'occasione ricevono, dalla nascita, il loro secondo bagno completo) e li vestono. Là Shimon Rosen li trucca, e gli piega le labbra in modo di far sembrare che sono morti sorridendo. Perché in realtà nessuno è contento di morire, nemmeno chi si suicida.

Sul retro si apre un cortile lungo e stretto, ingombro di cataste di legno, tavole di abete e cedro, mogano e castagno. Nei depositi il falegname sega le assi, le lucida e inchioda le bare. L'intagliatore le scolpisce e rifinisce. Ce n'è sempre una ventina pronte all'uso, allineate contro i muri, a mo' di campionario. Alcune sono profonde, massicce, imbottite di velluto, borchiate, con le maniglie cesellate d'argento e una finestrella all'altezza del viso – altre leggere, di zinco, con lo spazio appena per un cuscino. Molte sono bianche, minuscole, e servono per i bambini. I bambini muoiono più degli adulti, e i giovani più dei vecchi. In verità, Diamante lavora alla Bongiorno Bros da un anno, ma non ha ancora visto il cadavere di un vecchio. Diamante, che ha dimostrato di non avere paura dei morti, va a prenderli nelle case, nelle strade dove li ha schiacciati un carro o un'automobile, nei cantieri. Nelle culle, negli ospedali pubblici e privati. A volte nelle osterie dove li hanno sbudellati – sgozzati o pugnalati al cuore. Molti dei morti di Mister Cozza muoiono di morte innaturale. Ma esiste una morte naturale?

Diamante carica i morti sul carro, li accompagna nel loro ultimo giro per Manhattan, li scarica nel deposito dell'agenzia, li distende su una tavola, costringendoli ad assumere la definitiva posizione orizzontale, e poi con un metro da sarto gli prende le misure per la bara – altezza, lunghezza, grassezza. Dopo, insieme con Shimon, che è appena arrivato dalla Lituania e parla solo ostrogoto, li lava, li deterge con una spugna, li disinfetta con una lozione asettica che odora di ospedale, gli unge i capelli con la brillantina, li arriccia con i bigodini o li liscia coi ferri roventi, gli taglia le unghie e li sbarba. Poi lascia Shimon padrone della stanza segreta, che pare il camerino di una cantante di teatro, ingombro com'è di pennelli, specchietti, ciprie e flaconi di profumo. Shimon Rosen è ebreo, ma siccome è un vero artista del trucco il signor Bongiorno l'ha assunto lo stesso. Shimon, che tutti chiamano Moe, ha il dono di rendere le persone felici. Fa sembrare sereni e soddisfatti uomini dai visi deturpati, scontenti, malvagi. Restituisce il sorriso a donne che probabilmente non sorridevano da anni, accoltellate a tradimento, che quando arrivano all'agenzia hanno le labbra contratte in una smorfia di sorpresa, dolore e delusione così inconsolabile che Diamante non riesce a guardarle. Anche al viso scarnito di Cichitto aveva appiccicato un sorriso beato, che tutti dicevano guarda com'è contento, come se avesse qualcosa di cui essere contento, un bambino di sei anni che crepa da solo in un ospedale di carità.

Quando c'è un morto esposto nel salone, Diamante sorveglia che i parenti – che mentre lo piangono parlano nemmeno sottovoce di eredità – abbiano sempre a portata di mano il caffè e le bibite fresche. Gli sembra strano che i morti non stiano nelle loro case fino al funerale, ma nel salone della Bongiorno Bros, tutti in ghingheri come dovessero andare a una festa, e quando la festa finisce se ne restano soli in un'agenzia chiusa. Rocco gli ha spiegato che in America la gente è felice, sorridente e ottimista, non vuole pensare alla morte, e perciò paga bene chi si prende la briga di occuparsene. In effetti, quello di Diamante è un lavoro ben remunerato e pure istruttivo. In poco tempo, ha scoperto quant'è meravigliosa, perfetta e fragile la bellezza delle donne. I loro corpi non hanno più segreti, per lui. Sono tutti differenti – ognuno un universo intero, un enigma, una beatitudine. Ha scoperto di amarle pazzamente, le donne. I loro capelli, il pube ricciuto, le gambe bianche, i piedi pallidi. Quando le bacia sulla fronte, per un attimo si immagina che le addormentate si risveglino, e gli sorridano. Ha imparato che la bellezza delle donne è cosa precaria – e dura quanto un temporale d'estate. Dopo i vent'anni è già un ricordo. Per questo si deve sbrigare a mettere da parte i soldi per sposarsi Vita. All'agenzia ha imparato pure nozioni più utili. Per esempio che anche la morte conosce l'aritmetica. Il funerale di un bambino costa 25 dollari, ma Agnello per noleggiare a Cichitto il carro bianco come la bara ha dovuto sborsarne almeno 40. Un adulto non muore decorosamente per meno di 100 dollari. Se poi vuole morire alla grande, e per esempio andarsene al cimitero in automobile, gliene servono fino a 300. In pratica, la morte è un danno irreparabile – soprattutto per quelli che restano vivi. È preferibile non avere parenti da seppellire, e Diamante si reputa fortunato di non aver chiamato qui i suoi fratelli.

L'ideale comunque in America è non morire proprio, e forse è per questo che della morte qui nessuno parla mai, e lui si è ripromesso di scansarla con circospezione. Del resto gode buona salute, anche perché mangia molto più di quando vendeva giornali o raccattava stracci. Riesce a risparmiare metà dello stipendio e a mandarlo in Italia tramite il banco del boss di Agnello – che, anche se intercetta una percentuale sproporzionata per il fastidio, almeno i soldi non li ruba, come fanno molti altri approfittando dell'ingenuità dei risparmiatori – e dopo un mese i dollari sopravvissuti al setaccio degli intermediari arrivano all'ufficio postale di Minturno, dove Antonio di certo va a ritirarli molto orgoglioso dei progressi di suo figlio. Diamante riesce quasi a vederlo, suo padre nell'ufficio postale col cappello in mano, timido diffidente e vulnerabile com'è sempre stato, e si sente molto fiero di sé. Al padre però non ha raccontato dell'impresa di pompe funebri, perché Antonio s'è fatto superstizioso, dopo tutta la scalogna che gli si è accanita contro da quando è nato, e gli ha scritto di avere trovato un lavoro da fattorino in un ufficio. In fondo in America le bugie saranno anche un peccato più grave della lussuria, ma in Italia no, e le dicono tutti, e per primi i proprietari della terra, i maestri e i preti. L'agenzia lo paga un dollaro al giorno, il che a lui sembra abbastanza. Perciò riverisce molto il signor Bongiorno, salito rapidamente nella sua scala di valori fino a diventare il modello supremo.

Ecco finalmente, fra tanti poveracci schiantati dal lavoro, un italiano che ce l'ha fatta. Un uomo che ha lavorato duro e ha avuto successo. Il successo ha lavato la macchia della sua origine, la nodosità callosa delle sue mani, la povertà della sua lingua – bastarda mescolanza di un dialetto che ormai non si parla nemmeno al suo paese e di un americano incompreso dai più. Sui giornali, Lazzaro Bongiorno viene definito con rispetto "popolarissimo e primo undertaker" e i suoi funerali lodati per ordine e fasto. È membro di influenti associazioni patriottiche ricevute dal Console o invitate a festeggiare gli emissari del Governo italiano quando sbarcano su questa riva dell'oceano. È amico di imprenditori e commercianti, ha una bella casa a Saint Mark's Place, con il janitor all'ingresso e le tende alle finestre, una moglie con la pelliccia e una figlia rossa e nasuta che però i bei vestiti e le acconciature ricercate trasformano in una miss affascinante. È talmente magro che i suoi baffi sembrano appiccicati a un teschio. Veste sempre di nero, e se ne ride della jettatura. Il nero fa sembrare importanti – ha detto a Diamante quando lo ha assunto e gli ha allungato l'abito smesso dal suo precedente fattorino. Meglio essere temuti che sfottuti. È vero, ha consentito Diamante, che finora è stato sfottuto da tutti e temuto da nessuno. Bongiorno tratta bene i garzoni, perché anche lui è stato un garzone, anche lui ha raccolto stracci e lustrato scarpe. Fra i suoi dipendenti, oltre a un ebreo, ci sono perfino dei negri. Ciò perché, tanto tempo prima di scoprire che avrebbe potuto tirar su una fortuna aprendo un'agenzia e rispedendo in patria i cadaveri degli sventurati caduti in America e bramati dai parenti italiani come reliquie di santi, il signor Bongiorno aveva lavorato in una piantagione dalle parti di New Orleans ed era stato considerato, in quanto italiano meridionale, la feccia della feccia, l'indesiderato anello di congiunzione fra la razza negra e quella bianca. Ma più vicino alla prima che alla seconda. Perciò, caso assolutamente strabiliante, i negri gli piacciono, li paga quasi come gli altri e sta ore ad ascoltarli cantare. Dopo un funerale riuscito, distribuisce mance generose a tutti. Ovunque vada, il signor Bongiorno è seguito come un'ombra da Rocco. Rocco cammina accanto a lui, o dietro di lui, lo precede se entrano in un locale, lo aspetta davanti all'ingresso mentre pranza, cena o gioca a tressette. In pratica, è la sua guardia del corpo. Ma perché il molto riverito signor Bongiorno abbia bisogno di una guardia del corpo, Diamante ha impiegato molti mesi a capirlo.

È fattorino da qualche tempo quando Rocco comincia a chiedergli di fermarsi dopo la chiusura. Certe sere, infatti, il salone delle veglie si riempie di gente nonostante l'imbarazzo americano della morte. Quando i familiari, i garzoni e gli apprendisti lasciano l'agenzia, arrivano nuovi visitatori – tutti maschi e tutti col viso mezzo nascosto da un cappello a tesa larga. Diamante accetta subito, perché da quando Agnello gli ha rubato i baci di Vita la casa di Prince Street ha perso ogni attrattiva per lui, e preferisce essere ovunque, tranne che in quella cucina a cercare malinconicamente di ricordarseli. Non deve fare niente, può leggere il giornale o spiare nella stanza del trucco le fetenti cartoline sconce che gli regala Coca-cola. Solo, se arriva qualche irlandese del Distretto di polizia, deve dire che è in corso una veglia funebre. Diamante sa benissimo che quei visitatori il morto non lo conoscono proprio, e non avrebbe voluto dire altre bugie in America, perché ne ha già dette anche troppe. Ma una bugia tira l'altra, e alla fine non ti raccapezzi più. Rimane nell'atrio, o sulla soglia dell'agenzia, a sorvegliare le biciclette dei visitatori. Molti, uscendo, gli lasciano la mancia. In Italia, lo avrebbe considerato mortificante. Qui lo irrita solo che lo chiamino Spilapippe.

Rocco gli ha spiegato che i dritti hanno tutti un altro nome. Non usano mai fra loro il nome di famiglia. Usano un aggettivo, Fat, Slim, Il Lercio, o un animale, Hog (Porco), Grillo, Pallottelammerda (Scarabeo), Zecca, o un episodio – Otacèro (Capogiro), Agliumino (Fiammifero), Coal. Oppure una versione americana del primo nome, come Rusty, che in realtà si chiama Oreste, o Elmer che in realtà si chiama Adelmo. Alla Bongiorno nessuno sa chi sia Rocco. Lo chiamano Merluzzo. Forse per quella vecchia storia del furto dei barili al mercato del pesce, o perché quando qualcosa non lo riguarda, o deve fingere che non lo riguardi, ha imparato a fare gli occhi da pesce in barile, o solo perché si divertono a storpiargli il cognome. Rocco non se la prende, perché il merluzzo è un pesce grosso. Meglio essere un merluzzo che un'acciuga. Per Diamante è saltato fuori questo nome, Spilapippe, perché s'è fatto filiforme come lo scovolino della pipa. È meglio di Celestina, ma a Diamante non va giù. E poi già Diamante non è il suo vero nome, se lo è guadagnato perché è sopravvissuto a tutti i suoi fratelli maggiori. Gli piace – il diamante è la più dura delle pietre. Non la tagli né col coltello né con la dinamite.

Spilapippe è un ragazzino intelligente e ambizioso, perciò è naturale che qualche tempo dopo Rocco cominci a svegliarlo di notte, e se lo porti dietro quando i ragazzi vanno a bruciare i negozi e i magazzini. Non deve portare le bottiglie di benzina né i fiammiferi. È solo una sentinella. Qui si dice *lighthouse*, che significa faro. Il faro ha il compito di fischiettare una canzone se sente dei passi o vede arrivare qualcuno. Quale canzone? La canzone che canta sempre Lena quando vuol far capire che Agnello è andato al lavoro e che lei si sente sola. *La donna è mobile qual piuma al vento.* È una canzone provocatoria che fa aggricciare i peli sulle braccia, e gli resta in testa tutto il giorno. Con la voce sensuale di Lena e una visione che lo riempie di un desiderio bruciante – la treccia delle sue vertebre, che affiora sotto la giacca del pigiama. *È sempre misero chi a lei s'affida, chi le confida mal cauto il core! Pur mai non sentesi felice appieno chi su quel seno non liba amore!* Quando la notte si tinge di rosso, il riverbero delle fiamme nelle pozzanghere gli illumina la strada, le scintille portate dal vento lambiscono i palazzi, fioccano come neve nella pioggia, e si spengono ricadendo sul selciato. Nell'aria aleggia un odore di legna bruciata e di cenere che gli ricorda l'inverno a Tufo, e delle volte, anche se è contento, perché l'America è meravigliosa e la fortuna l'ha preso per mano, gli viene da piangere.

Poco tempo prima che Diamante partisse per l'America, avevano arrestato il brigante Musolino. Era l'uomo più ricercato d'Italia, dopo una rocambolesca evasione dal carcere degna di un romanzo d'appendice. Nel corso della latitanza, era divenuto protagonista di una fiammeggiante epopea di assassini e vendette, seguita con appassionato interesse dall'opinione pubblica di tutta l'Italia. Colpevole di sette omicidi e numerosi tentati omicidi, inseguito da una taglia sproporzionata di 50.000 lire, che tuttavia non aveva invogliato nessuno a tradirlo, braccato dai carabinieri, dall'esercito e dalla polizia, Musolino aveva via via attirato le simpatie dei molti che vedevano in lui il simbolo della ribellione contro una legge male interpretata e male applicata, delle rivendicazioni dei poveri e degli oppressi. I bambini giocavano nei vicoli al "brigante Musolino", gli organisti di strada cantavano le sue imprese, i gestori dei teatri avevano inserito la sua fra le marionette dei Paladini di Francia, i giornali esaltavano la sua leggenda, le donne – imprigionate dalle rinunce di un asfissiante perbenismo, sognando una trasgressione impossibile – si innamoravano del bandito. Era diventato un nuovo Edmondo Dantès, perseguitato dai potenti e in cerca di giusta vendetta, che si muoveva fra le montagne dell'Aspromonte come l'evaso Jean Valjean nel ventre di Parigi. Un eroe. Ma nell'ottobre del 1901, per un caso fortuito – un filo spinato sul quale fuggendo inciampò – i carabinieri gli avevano messo i ceppi e lo avevano tradotto in prigione. L'eco della notizia fu sensazionale.

La scena della cattura era stata riprodotta su centinaia di fogli volanti, stampe popolari, almanacchi e quotidiani. Diamante la vide con i suoi fratelli. A quel tempo, non aveva ancora dieci anni, Leonardo sette e Amedeo Secondo quattro appena. I ragazzini guardarono a lungo l'immagine del brigante in catene. Giacca scura alla cacciatora, pantaloni marroni, stivaletti neri, era scortato da una squadra di carabinieri a cavallo. I cavalli bianchi, altissimi. Il brigante esile, pallido, *normale*. Ottant'anni dopo, il 12 febbraio 1980, da Sydney, Australia, dove era andato a raggiungere suo figlio, dirigente dell'Alitalia, Leonardo scrisse a mio padre che quel remoto giorno della loro infanzia lui e Diamante decisero di cambiare il loro destino.

"Una sera che papà era più stanco del lavoro e afflitto dalla mancanza del necessario in casa ci disse queste precise parole: *Cari figli, se nel vostro avvenire siete destinati a fare la stessa vita che sto facendo io, preferisco che Iddio vi si prenda come si è preso tutti i vostri fratelli maggiori.* Diamante e io rispondemmo: caro padre, puoi essere certo che noi quando saremo grandi troveremo il modo di non essere braccianti di Tufo come te ma andremo a lavorare lontano – e se sarà possibile a fare l'impiegato o la carriera nelle armi. Io spiegai addirittura che sarei andato a fare il carabiniere a cavallo, perché avevo appena letto un manualetto comprato al mercato di sabato a Minturno con in copertina l'effigie del noto brigante calabrese Musolino ritratto in catene fra due carabinieri montati a cavallo che mi fecero invero grande effetto e covare nell'animo la speranza di esserlo un giorno anch'io un carabiniere a cavallo. Così sia mio fratello che io raggiungemmo tale scopo prefissoci disertando quel rozzo paese che ignorava ogni principio di vivere civile e in cui i più diseredati languivano di fame e di lavoro sotto gli infami, egoistici tiranni che erano i padroni di terreni."

Nel 1980 Leonardo ricordava ancora il pennacchio superbo dei cavalli, le divise rosse e blu dei rappresentanti delle forze dell'ordine, il fascino irresistibile che avevano esercitato sulla sua fantasia. Il senso di sicurezza e implacabile giustizia che gli avevano trasmesso. Realizzò il suo sogno infantile. Leonardo, che aveva solo la quinta elementare, riuscì a far carriera nella Benemerita. Nel 1916 entrò fra i primi in Gorizia liberata, nel 1919 diede la caccia ai criminali di Roma e i suoi successi furono riportati con risalto nelle pagine di cronaca del "Messaggero". Nel 1921 lo mandarono a dare la caccia ai molto più pericolosi ribelli di Libia, inseguendoli nei deserti del Sahara. In sella a un cavallo bianco. Solo allora si rese conto che stava cavalcando nella direzione sbagliata – e qualche tempo dopo, negli anni che segnarono l'apogeo del fascismo, lasciò la divisa.

Ma Diamante, di quella stampa, aveva notato solo Musolino. Quel giovane esile, pallido, *normale*, aveva tenuto in scacco le autorità del Regno, le aveva svergognate e irrise, aveva eluso per anni tutte le trappole, le insidie, gli agguati. Si era ribellato al suo destino di cafone affamato e sfruttato. Non aveva voluto sopravvivere, ma vivere. Quando l'avevano catturato e condannato ingiustamente a ventun anni di prigione, non aveva subito. Era evaso – aprendosi un varco nelle mura della prigione. E anche se nel giugno del 1902 l'avevano condannato all'ergastolo e spedito nel disumano carcere di Portolongone, all'isola d'Elba, le catene che gli stringevano i polsi non significavano niente. Il brigante era un uomo libero.

Moe Rosen sapeva truccare i morti perché sapeva truccare se stesso. Si presentava spesso in agenzia col viso livido, le palpebre abbottate e il naso pesto. Nel camerino, si ritoccava con la cipria e il cerone. Tuttavia, a differenza dei suoi clienti, non aveva bisogno del trattamento per sorridere. Riusciva a ridere di tutto – in primo luogo di se stesso. All'inizio Diamante non capì cosa ci trovasse di divertente nella sua situazione. Poi si rese conto che l'umorismo beffardo di Moe nascondeva la convinzione che se al peggio non c'è mai fine, non c'è nemmeno al meglio. E che il meglio ci sta sempre davanti. Mai dietro le spalle.

Era arrivato nel 1904 con il padre, la madre, due fratelli e tre cugini. Quando era scoppiata la guerra russo-giapponese, i fratelli maggiori erano stati richiamati dallo zar per combattere. Siccome fra tutte le avversità destinate a un ebreo, in Russia, una delle più temibili era quella di finire nell'esercito, dove rischiava di essere ferito oltraggiato e ucciso dai suoi commilitoni prima che dai nemici, i Rosen avevano venduto tutto ed erano fuggiti. Erano gente industriosa. Il padre di Moe aveva già aperto un banco dei pegni a Grand Street, e i cugini se n'erano andati a suonare nei teatri degli ebrei. Diamante prese a considerarli come guide indiane, utili a mostrare ai forestieri la strada per entrare in un paese nemico. I Rosen parlavano yiddish, ma lavorando alla Bongiorno Bros e frequentando la casa di Prince Street Moe imparò rapidamente i più coloriti insulti calabresi, i proverbi siciliani, e sapeva dire in minturnese te puzzi cionga', vavatteme, puzzi passa' 'nu uaio, puzzi fa 'na scura morte. Diamante e Moe Rosen passavano lunghe ore insieme, e mentre lavavano e sbarbavano cadaveri si scrutavano, non senza sospetto.

Moe aveva i capelli tagliati a ciocche, come foglie di carciofo, le orecchie a sventola, la bocca a salvadanaro e lo sguardo limpido di un bambino. Aveva già sedici anni. Era magro come un fiammifero. Il vestito gli cadeva sulle ossa come i cenci su uno spaventapasseri. Ne aveva solo uno, un paio di calzoni neri tenuti su con lo spago e una camicia spertusata che si scuciva a ogni movimento. Fra una salma e l'altra, Moe disegnava. Su carta da pacchi e scatole di cartone, giornali vecchi e biglietti da visita rubati al cesto dell'agenzia. Disegnava, con un'abilità che a Diamante sembrava semplicemente prodigiosa, le facce delle persone distese sul tavolo. Sapeva guardarli come nessun altro, ne coglieva le caratteristiche più segrete. L'ala impertinente di un naso. Il porro autoritario. La fessura del mento, la sporgenza di una mascella, la brevità ottusa di una fronte. Dedicava ore a quei cadaveri che non interessavano a nessuno. Moe era l'unico, in tutta l'agenzia, e in tutta l'America, a provare pietà per i morti.

Teneva le matite in uno dei cassetti. Non portava mai né i disegni né i colori a casa, dopo il lavoro. E restava sempre fino a tardi. Come Diamante, si guadagnava qualche spicciolo preparandosi a mentire ai poliziotti irlandesi a proposito della veglia funebre. Nelle ultime ore del giorno, quando le voci dei parenti nel salone sfumavano in una nenia triste e solenne, se non avevano altri morti da ricomporre, Diamante tirava fuori dalla tasca della giacca il sussidiario di Vita, e si accaniva a leggere e rileggere le stesse pagine – là dove le lezioni si erano interrotte e le parole gli erano state rubate. Erano frasi idiote e insieme insormontabili – ma lui le ripeteva a mezza bocca. Moe colorava, e se entrava qualcuno, entrambi erano sveltissimi a far sparire matite e sussidiario nei cassetti del trucco.

Col passare dei mesi, la compagnia di Moe Rosen divenne per Diamante più gradita di quella dei ragazzi di Prince Street. Forse perché Moe Rosen viveva dall'altra parte della Bowery e dei fuochi, della pistola di Rocco e dei briganti non sapeva niente. Diamante evitava Vita, perché non voleva mentirle, né rubarle baci perché Agnello non le rovinasse la pelle con la fune del bucato. Evitava Rocco e gli amici di Rocco perché non voleva dargli tutto quel che di migliore gli restava di se stesso.

E Geremia se n'era andato. Non gli piaceva più l'atmosfera di Prince Street – i movimenti notturni, le bottiglie piene di petrolio ficcate sotto il letto di Coca-cola, i falò, il tirapugni che Rocco nascondeva nelle scarpe, la pistola coi proiettili in canna, il nuovo bordante Elmer che è stato denunciato per aver ammazzato un pasticciere e poi il processo non si fece perché il testimone fu ripescato a Jamaica Bay. Geremia diceva che quelli una volta che ti adocchiano, non ti lasciano più. Ti sembra che ti stanno aiutando, ma non ti regalano niente – ti ci ritrovi preso in mezzo, e hai chiuso. Aveva accettato l'ingaggio alle miniere di antracite, in Pennsylvania. Che poi, chissà dov'è, la Pennsylvania. Non aveva voglia di partire. Non è che sognava di diventare minatore. Ancora l'anno scorso, se qualcuno glielo avesse proposto avrebbe riso: ma sei matto? non sono mica un topo. Io sono un musicista. Voglio salire, sempre di più, e guardare il passato dall'alto. Geremia non aveva salutato nessuno, perché non sapeva come dire che se ne andava allo zio Agnello che s'ammazzava di fatica per ricomprarsi il negozio e coi movimenti notturni non c'entrava niente. E aveva paura di dirlo a Rocco, che non glielo avrebbe perdonato, perché ha tradito – ne hanno divise tante, e sulla torre del "New York Times" hanno fatto un patto, anche senza proclami e giuramenti. Tutti intorno al fratello americano, tutti uniti – sempre, qualunque cosa accada. E chi nun ce po' vede', schiatta e crepa. Geremia aveva insistito perché Diamante partisse con lui. Forse la prospettiva di ritrovarsi in una miniera sottoterra, tra le facce note della gente che è scappata dal paese prima di lui e non è riuscita a tornarci, gli era sembrata intollerabile. Vieni con me, Diamante, diceva. I cugini devono restare insieme. Andiamo via da New York finché siamo in tempo. Dammi retta, è meglio un cane vivo che un leone morto. Lavoriamo due, tre anni alle miniere, mettiamo da parte qualche migliaio di dollari, e torniamo a casa, non c'è posto per noi in America. Ce l'ho già un lavoro, non me ne serve un altro – gli aveva risposto Diamante. Quel giorno aveva capito la verità. Suo cugino è un fesso.

L'umanità si divide in due categorie, gli uàppi e i tòtari – cioè i tosti e i minchioni, i dritti e i fessi, i duri e i babbei. I tòtari esistono per servire gli altri e pagare per loro. È sempre stato così. In America come in Italia. Ma qui non esistono sfumature – bianco o nero – e il grigio non è stato inventato. Agnello è un tòtaro. Purtroppo anche Geremia si è rivelato un tòtaro. Da quando è andato a rovinarsi la salute in miniera Rocco lo ricorda solo per insultarlo: lo chiama lo zio Tom, perché è come quel negro della storia che è stato costretto a studiare a scuola, qui in America. Il negro buono che dice sempre sì badrone e fa di tutto per rendersi accettabile ai suoi occhi. Ma accettabile non lo sarà mai, perché resta sempre un negro. Invece noi siamo come quegli altri negri che urlano: non moriamo come dei porci. Se ci mettono la corda al collo e ci appendono a un albero, spariamo contro quelli che vogliono impiccarci. Forse è un fesso anche suo padre Antonio. Anzi, lo è senz'altro, altrimenti non si sarebbe fatto cacciare due volte dall'America e non gli sarebbero morti cinque figli di fame. Diamante non è un fesso. E se lo è stato, non vuole esserlo più.

Moe Rosen era diverso. Non era un dritto, ma non era nemmeno un fesso. Sfuggiva alla scelta cui sembravano condannati tutti loro. Non picchiava i negozianti, non li minacciava. Leggeva la Bibbia, con lo stesso diletto con cui Diamante leggeva il giornale o gli almanacchi illustrati. Ma, soprattutto, leggeva i libri alla Lenox Library, un palazzo solenne, dove, a differenza delle chiese, chiunque – anche un ragazzo scalcinato come Moe – poteva entrare. Qualche volta Diamante lo accompagnava fino al portone, e gli sarebbe piaciuto seguirlo in quel palazzo che sembrava una reggia o un parlamento, ma non lo faceva perché non lo cacciassero appena apriva bocca. Moe frequentava una scuola serale per imparare l'americano. Anche lì gli sarebbe piaciuto seguirlo, ma era una scuola che gli ebrei ricchi avevano aperto per gli ebrei poveri. Moe lo invitava ad andarci pure lui, alla scuola. Però gli italiani ricchi non avevano aperto una scuola per gli ultimi arrivati poveri – anzi, se ne vergognavano e dicevano che in realtà l'Italia non è una, ma si compone di due paesi diversi e di due razze diverse – quelli di sopra sono celtici, bravi e affidabili, quelli di sotto latini maramaldi e puzzolenti. Insomma, ci sono due tipi di italiani: i nordici e i sudici. Ma quando aveva cercato di spiegargli il suo disagio e la vergogna che gli suscitava l'insulto dago, Moe non aveva capito. Ci era abituato. Anche nel paese dove viveva prima, la gente che gli stava intorno parlava un'altra lingua e lo insultava. Bisogna andare avanti per la propria strada. Emergere. Venirne fuori.

Moe voleva diventare un grande pittore. Però, siccome non aveva l'ingenuità di confondere il suo desiderio di dipingere con il talento, voleva prima cercare di capire se aveva qualche speranza. Non voleva essere un imbrattatele qualunque. O un grande artista o niente. E se non lo era, allora doveva lasciar perdere – avrebbe preferito diventare chiunque altro. Per confrontarsi con la grande Arte – quella che o c'è o non c'è – Moe andava in giro per la città a vedere i quadri nei musei, e Diamante prese ad accompagnarlo. Aveva sempre creduto che i quadri stessero solo nelle chiese, ma in America le chiese erano spoglie, con le pareti bianche, e i musei, invece, sontuosi come cattedrali. Nei musei pagavi il biglietto e potevi guardare quadri tutto il giorno. A Diamante i quadri in sé non dicevano niente, solo se c'era la Madonna col Bambino si avvicinava. Le Madonne gli piacevano quasi tutte – trasognate, dolci e materne come nessuna donna finora conosciuta. Una donna così sognava di avere accanto, e di lasciarsi cullare fra le sue braccia, per sempre. Allora era capace di incantarsi a fissarle, innamorato, finché il guardiano, insospettito, lo invitava a procedere, temendo che da un momento all'altro quel ragazzetto vestito come un guappetiello da suburbio tirasse fuori il temperino e le guastasse senza rimedio.

Invece Moe i quadri li guardava anche se raffiguravano alberi, fiori o corvi. Suo padre, uno gnomo con la barba da profeta e i boccoli lunghi fino alle spalle perché era molto religioso, era istericamente ostile ai progetti artistici del figlio. Il suo Dio aveva qualche ruggine con le immagini, e se il vecchio trovava i disegni di Moe li bruciava. Era lui a fargli i lividi sulla faccia e a rompergli le dita col martello – e poi, se aveva esagerato, mandava qualcuno all'agenzia a raccontare che il figlio aveva la bronchite. Per questo Moe Rosen preferiva Dagoland. Qui nessuno lo puniva se si metteva a dipingere galline, conigli e bambini sui muri dei cortili e sulle tavole dei depositi di carbone. I dago lo trovavano solo matto. Ridevano delle strane immagini che si lasciava dietro – ma non le cancellavano. Dipingeva gli animali sofferenti, coi becchi socchiusi e gli occhi sbarrati, perfino nei fiori appassuliati e agonizzanti metteva una urlante disperazione. Era attratto dalle cose deboli, ferite – il giovane pollo spennato e assassinato che sgocciolava su un secchio di ferro, il cucciolo più debole della covata, destinato a essere aggredito schiacciato o divorato dagli altri cani. Le mosche, i polli, i topi morti, la sterminata schiera degli offesi: avrebbe voluto salvarli tutti. Non potendo, li dipingeva.

Dipinse i denti marci di Nicola, e Rocco col gatto scorticato in grembo e l'espressione assente di qualcuno che per non farsi trovare si sia nascosto chissà dove, e ormai lui stesso non conosce la strada per tornare indietro. Per Diamante, dipinse la nave Republic sulla tenda che divideva il suo bugigattolo dalle altre stanze della casa di Prince Street. Dipinse un albero sull'unica porta e, quando si rese conto che la cucina in cui Vita e Lena passavano la maggior parte della giornata non aveva finestre, ne dipinse una finta sulla parete. Cosa vorreste vedere quando vi affacciate? chiese. «Il grattacielo del New York Times», disse Vita. «Le montagne», disse Lena. Moe dipinse, di spalle, due ragazze affacciate al davanzale. Sullo sfondo ci mise la torre del grattacielo, e dietro la torre una catena di montagne viola, impennacchiate di neve.

In agenzia, prima del funerale venivano i fotografi per immortalare i defunti. La Vigorito Company – specializzata in ritratti, gruppi, ingrandimenti, processioni, paesaggi, interni, fotografie su bottoni, guanciali di nozze, su porcellana, legno e orologi – aveva lo studio a Mott Street. Sulla vetrina c'era sempre un annuncio che diceva *Cerchiamo giovani non superiori ai 18 anni che desiderano impararsi fotografi. In sei mesi li mettiamo in condizioni da poter dirigere uno studio fotografico.* L'annuncio ingialliva sulla vetrina, perché a quei giovani, per sei mesi, la Vigorito Company non poteva offrire uno stipendio. Quando Vigorito (che in realtà allo studio era solo, e aveva scritto la parola Company per attirare clienti) scoprì la familiarità di Moe Rosen coi cadaveri, gli propose di occuparsi di quel servizio che lui eseguiva malvolentieri. Ci vuole talento, per fotografare un morto – assai più che per fotografare un vivo, cui puoi dire sorridi, voltati di qua, scopri la fronte, inclina la testa. Il morto è come una statua. Ma non è un'opera d'arte, è imperfetto come noi, e per di più definitivamente non perfettibile. Gli offriva un campo redditizio, perché i morti americani avevano sempre parenti oltre oceano che volevano vederli un'ultima volta. Moe Rosen, che non aveva mai visto un apparecchio fotografico, accettò subito il nuovo impiego – anche senza stipendio – e nell'autunno del 1905 si licenziò.

Propose a Diamante di andare con lui da Vigorito. Impariamo il mestiere, fra sei mesi ci compriamo una camera e ci mettiamo in proprio. Fabbrichiamo cartoline. Hai pensato quanti stranieri ci sono a New York oggi? Ne arrivano diecimila al giorno. Se ognuno di loro manda anche una sola cartolina ai suoi parenti non partiti diventiamo milionari. Diamante era tentato. Senza Moe Rosen, l'agenzia, le bare e i funerali avrebbero perso il valore di un rito, sarebbero ridiventati quel che erano. I morti distesi sulla panca avrebbero ostentato i loro volti astratti, atteggiati a suprema indifferenza. Ogni traccia di superficialità, grettezza o malignità sarebbe scomparsa da quei visi, per lasciare posto solo ai tratti più essenziali. I morti avrebbero ripreso l'effimera dignità che la vita gli aveva tolto: ma, senza Moe Rosen, non avrebbero ritrovato il sorriso, né la pace. Diamante non voleva continuare a lavorare alla Bongiorno Bros senza il suo strambo amico. Sapeva che Moe, come una guida indiana, gli mostrava la strada che portava nel cuore del fortino nemico. Sapeva che doveva seguirlo. Ma non poteva permetterselo. Aveva bisogno di guadagnare – anche poco, ma subito. L'arte, insisteva Moe. Vieni con me. Non dar retta ai tuoi parenti. Non fare come tuo cugino che ha scambiato il trombone con il biglietto del treno che lo porta in miniera. L'arte ci darà sempre da mangiare. Un artista non è mai povero.

Per festeggiare il nuovo lavoro di Moe, andarono a Cherry Street, dove battevano le puttane più economiche. Decisero di prenderne una insieme. Ma Diamante non ne trovò neanche una che gli piacesse – gli sembravano tutte volgari, logore e repellenti – e Moe raccolse la più brutta della strada. Le mancavano tre denti e aveva due parentesi vizze attorno alla bocca. Li portò in una soffitta che puzzava di orina e pesce guasto. Era così venale e sbrigativa che a Diamante non gli venne duro. Moe perse la verginità fra le sue braccia, in quattro minuti.

A Moe piacevano le donne vecchie, brutte e sole. Le prostitute sifilitiche, con le piaghe nascoste sotto il cerone, le tisiche. Le matte. Quelle che gli altri uomini ignorano, usano o maltrattano. Quelle di cui avviliscono la bellezza. Mentre tornavano verso Prince Street, dove aveva fretta di completare la finestra della cucina, Moe gli chiese se avesse intenzione di sposare Lena Diamante rispose che a nessuno – nemmeno allo zio Agnello – veniva in mente di sposare Lena solo perché qualche volta con gran gusto ci andava a letto. Lena era stata la sua prima donna. Lo aveva sollevato dal peso della sua inesperienza con un procedimento che all'inizio aveva richiesto meno tempo di quanto ne occorra per bollire l'acqua della pasta, ma che in seguito ne aveva richiesto più di quanto fosse a loro disposizione. Quando andava a raccattare stracci con il cavallo di Tom Orecchio, sentendolo rientrare Lena si alzava e, all'insaputa di Agnello, che li avrebbe sfasciati a vinchiate se lo avesse saputo, gli scaldava un bicchiere di latte, anche se lui non poteva pagarselo. Era stato il loro primo segreto. Di segreto in segreto, erano finiti a letto.

Lena piaceva alla sua rabbia, ma i suoi baci non avevano il sapore di quelli comprati a Vita. Lena sapeva di solitudine – e in realtà era come abbracciare un'onda, nessuno. Lena non aveva consistenza, né ricordi. A volte Diamante temeva di diventare come lei, un giorno. Di dimenticare da dove fosse venuto, chi era stato, quale fosse la sua gente. Per questo forse Lena si era messa con lo zio Agnello, che oltre a essere violento e scontroso come una volpe era brutto, con una scucchia uncinata che il mento quasi gli grattava il naso: Agnello aveva deciso che si chiamava Lena. Era l'unico che le avesse detto – questa è la tua casa, dove sono io, là è il tuo paese. All'inizio, siccome Lena apparteneva ad Agnello, toccarla gli suscitava uno strano sentimento in cui desiderio e ribrezzo, sfida e rivalsa si confondevano. Ma alla fine, le donne con cui ci divertiamo non dobbiamo mica sposarcele. Del resto, anche se fornicava spensieratamente con un minorenne, Lena aveva già ventisei anni e perciò era vecchia. No, lui avrebbe sposato Vita, anche se Agnello voleva trovarle un marito che non fosse del quartiere – un medico, un avvocato, un notaio, un vincente – come il mister Bongiorno. Invece quel vincente sarebbe stato proprio lui.

Moe rispose che la voglia di vincere è roba da perdenti. Si disse contento che Diamante non tenesse a Lena, perché allora, appena si faceva una clientela come fotografo, le avrebbe chiesto di diventare sua moglie. Diamante gli consigliò di lasciarla perdere, perché era completamente pazza. Poi si ricordò che Rocco gli aveva detto la stessa cosa, due anni prima, e capì che Lena era andata a letto anche con Rocco. Fu un duro colpo per il suo orgoglio. Finì per distaccarsene completamente – guarito dall'attrazione che aveva sempre esercitato su di lui. Ma era già troppo tardi.

# La lampada

Sullo sgabello, accanto al letto di Vita, di notte c'è sempre una lampada accesa, perché la luce tiene lontana la janara. La janara è la strega che viene a prendersi i bambini, e in questa casa c'è già venuta, perciò conosce la strada. Naturalmente nessuno sa della janara e Vita si vergognerebbe di ammettere che alla sua età ancora crede alle streghe, anche perché non è più una bambina. Le è venuto il sangue due mesi fa, ma siccome non l'ha detto a nessuno (a chi avrebbe potuto dirlo? i ragazzi non capiscono queste cose), e ha lavato lo straccio di nascosto, probabilmente nemmeno la janara se n'è accorta. Inoltre Vita sa che, come è vero che i morti tornano e vengono a cercarti in forma di fantasma, gatto, fulmine, vespa, per farti del male e vendicarsi dei torti che hanno subito, anche le streghe esistono. Perciò, nonostante le proteste di Coca-cola – che comunque, siccome sono cresciuti tutti e due, ormai dorme in un altro letto e può voltarsi dall'altra parte se gli dà fastidio – di notte tiene la luce accesa. Ma quando si sveglia, la lampada è spenta. Dietro la tenda c'è qualcuno che bisbiglia sottovoce, ride e sospira. Naturalmente Vita sa che quel qualcuno è Diamante che si diverte con Lena, e non ci può fare niente, perciò si limita a riaccendere la lampada e a riaddormentarsi.

Però nel sogno non va così. L'alcol nella lampada è finito, e per questo lo stoppino non brucia più. Allora si alza, afferra la lampada spenta, va in corridoio e cerca la bottiglia dell'alcol. Non la trova perché qualcuno l'ha spostata, la cerca dappertutto e quando finalmente la trova, Diamante se n'è tornato a letto. Tutto è silenzio. La tenda è rimasta socchiusa. Nel letto matrimoniale Lena già s'è addormentata perché il suo respiro è tornato regolare e nel buio sembra il fruscio del vento in una porta. Le viene la curiosità di vedere che faccia ha dopo che Diamante è stato con lei, perciò accende lo stoppino e le avvicina la lampada al viso. Lena sorride. Dorme e sorride. Nella realtà a Vita non verrebbe mai in mente di appoggiare la lampada ad alcol sul comodino, per potersi avvicinare e toccarle i capelli, il braccio nudo, e il seno che spunta dalla giacca sbottonata del pigiama. Non annuserebbe mai l'odore di Lena, che sa di aceto e insieme di mare, ma è proprio quello che accade. Adesso la lampada illumina il cuscino, i capelli color miele, le labbra bagnate di saliva, il sorriso di Lena, e tutt'intorno è buio. Siccome questo sogno ricorre da settimane, Vita sa che tra poco la lampada cadrà sul letto, dalla coperta intrisa di alcol si le veranno delle guizzanti fiamme di un blu intenso e profondo come il cielo prima dell'alba – perciò negli ultimi tempi previene quell'istante di stranito incantesimo svegliandosi. Siccome si sveglia sempre urlando, c'è già Agnello seduto sul suo letto, che le accarezza i capelli e dice che non è successo niente, è stato solo un incubo.

Vita è sudata fradicia, le batte il cuore come una mitraglia, non vuole riaddormentarsi per non vedere di nuovo il sorriso contento di Lena – ma Agnello le assicura che gli incubi non tornano. Dormi figlia mia, dice. Vita chiude gli occhi, poi li riapre all'improvviso per accertarsi che suo padre non abbia spento il lume. Agnello è lì seduto con la coperta sulle spalle. Sembra invecchiato di colpo, e gli sono caduti tutti i capelli. Agnello non lavora più di notte e non si muove dal suo letto finché non sorge il sole. Nessuno glielo ha chiesto, ma lui ha capito di dover fare così. Vita vorrebbe che suo padre le tenesse la mano, ma Agnello non lo farebbe mai, e lei non può chiederglielo. Il tempo non passa. Forse Agnello si addormenta seduto, perché è stanco morto, ma lei no, rimane con gli occhi sgranati, a fissare lo stoppino che galleggia nell'alcol. Tutt'intorno è buio, ma intorno alla fiamma aleggia un chiarore freddo e blu. Se si riaddormenta, solo per un istante, Lena apre gli occhi, batte le palpebre, sobbalza, si irrigidisce perché l'ha sorpresa e spiata nel suo momento più segreto. Che cosa vuoi? dice con voce flautata, la stessa voce con cui attira i ragazzi nel suo letto, tornatene subito a dormire. Ho freddo, posso dormire con te? farfuglia Vita. Lena si rende conto che i suoi occhi non possono più vederla e dice piano, Vita, che cosa stai guardando? Smettila, Vita! La lampada è caduta sulla coperta. Lena si è accesa come una torcia.

# La stella bianca

Il 15 aprile del 1906, Pasqua di Resurrezione, il "New York Times" riferisce che il tempo fu inclemente – piovve fino a mezzogiorno, rimase nuvolo fino alle tre del pomeriggio e si rimise solo in serata. Fece fresco. Alle tre antimeridiane la temperatura fu di 53 gradi Fahrenheit, alle sei del pomeriggio raggiunse appena i 60. Fra l'arrivo del conte Henry de la Vaulx, il ballonista di maggior successo del momento, già trasvolatore della Manica, venuto dalla Francia ad affermare l'arte del volo in America, e la cronaca della Saint Patrick Parade più affollata di tutti i tempi, fra la notizia del linciaggio di tre negri (innocenti) in Missouri e lo scandalo suscitato dallo scrittore Maksim Gorki, cacciato da un albergo di New York perché ha spacciato per sua moglie la sua compagna, all'Italia (e agli italiani) resta poco spazio. Nell'inserto domenicale, tra le fotografie degli uomini illustri, tutti americani, compare quella di Enrico Caruso, ormai sull'orlo dell'obesità, ma assurto al rango di campione della razza italiana, insieme al primo ministro d'Italia Sidney Sonnino, avvantaggiato però dall'essere figlio di un ebreo e di un'inglese protestante. Gli unici altri italiani di cui si parla sono due cadaveri. Uno è l'assassino Giuseppe Marmo, che il 28 settembre 1904 aveva massacrato il cognato Nunzio Marinano e che il 22 marzo 1906 viene impiccato a Newark. L'altro è l'editore Domenico Mollica di Lipari, assassinato il 16 marzo ad opera della società della Mano Nera. Abitava al 415 est della Quattordicesima strada. Gli hanno sparato nel letto, mentre dormiva. Il 16 aprile 1906 avrebbe potuto esserci anche Fernando Sarà detto Profeta. Diamante, però, decise altrimenti.

La mattina di Pasqua del 1906 Diamante va a fischiettare *La donna è mobile* davanti alla casa di un uomo chiamato Profeta. È uno della ghenga delle veglie. Un tipo tarchiato, taurino – un buon amico di Cozza. Almeno, così credeva. Inseparabili, come due amici, Bongiorno e Profeta andavano spesso a prendere un cannolo nella pasticceria di Elizabeth Street. E adesso, mentre le campane suonano a stormo e i passanti corrono a pranzo senza mostrare nessun segno di gioia perché Cristo è risorto dopo tante sofferenze, Diamante è appoggiato all'idrante, sotto uno scroscio stizzoso di pioggia, davanti a casa sua – una casa coi muri di mattoni e le scale antincendio di ghisa. Una casa confortevole dove anche Agnello vorrebbe trasferirsi, ma non può permetterselo, perché lavando i vetri dei grattacieli guadagna troppo poco. Anche se forse presto dovrà farlo comunque, perché si comincia a parlare di ordinanze di demolizione. Lo scandalo dell'edilizia del Mulberry District furoreggia su tutti i giornali. Il quartiere viene definito un "ricettacolo di crimini e di vizi" – "un focolaio di infezione e una vergogna per l'America". I costruttori hanno fiutato l'affare. Diamante spera che lo abbattano davvero quel casamento fatiscente – così saranno costretti a spostarsi e a scoprire un altro spicchio di America. Sul sussidiario di Vita c'è scritto che gli Stati Uniti sono il secondo paese del mondo per estensione, dopo la Russia da cui è spuntato Moe, il primo per risorse naturali, ricchezze minerarie, chilometri di ferrovie e portata d'acqua dei fiumi: ma di questo paese immenso lui non ha visto che una città – e di questa città, un quartiere.

Profeta è andato a messa, e rientrerà a momenti. È preferibile che non tardi perché, se deve aspettare troppo, seduto su quest'idrante, finiranno per notarlo. Che diavolo ci fa quel ragazzo fermo sotto un diluvio inclemente? Diamante si calca il cappello in testa. Da qualche tempo, porta anche lui un cappello a tesa larga, che gli nasconde il viso. Da qualche tempo, i ragazzini siriani gli lustrano le scarpe gratis e gli strilloni gli regalano una copia del "Progresso". Diamante si è fatto crescere un rigo di baffi sul labbro superiore – e porta i capelli con la sfumatura alta e l'onda sulla fronte. I ragazzi di Prince Street riscuotono un crescente successo. Diamante più degli altri. Perfino più di Rocco. Di Rocco, infatti, le ragazze hanno paura. Lui del resto le ricambia schifandole come malattie. E questo, nel mondo dei dritti, è sinonimo di culatteria, impotenza o distinzione. Il caso di Rocco deve essere senz'altro il terzo. Invece Diamante le ragazze del numero 18 lo aspettano sorridenti alla finestra, quando rientra dal lavoro. Le amiche di Coca-cola, che spennano Coca-cola, non vogliono che paghi. È un privilegio raro, perché non pensano ad altro che ai soldi. Non che glielo rimproveri, anche lui non fa che addizioni e calcoli sull'entità dei risparmi che invia a Tufo. Le amiche di Coca-cola sono meno impegnative di Lena. Anche se Lena muoveva i fianchi, lo stringeva fra le gambe come una tenaglia, lo guardava prima durante e dopo e alla fine nei suoi occhi strabici si screziava una tale, verde felicità che lui si rialzava tutto superbo, e pronto a volare fino agli Alberi del sole come Guerrin Meschino. Le canzonettiste del caffè Villa Vittorio Emanuele cantano l'opera – peggio di Lena – ma si siedono meglio sulle ginocchia degli uomini. Spesso non sa nemmeno come si chiamano. Anche loro hanno nomi fasulli – Sherry, Lola, Carmen. Preferisce far finta di ignorare che si chiamano semplicemente Filippa, Carmina, Maddalena.

Dopo qualche minuto, Diamante individua i due uomini ai quali deve segnalare l'identità di Profeta. Sono fermi accanto al carretto di una donna che vende pane. Non sono del quartiere. Vengono da fuori. Appositamente per Profeta. Questo il signor Bongiorno non glielo ha detto. Solo: quando Profeta ti passa davanti, salutalo – pronuncia il suo nome a voce alta, bello chiaro – e vattene fischiettando. Stranamente, Diamante suda. Ma l'aria è fredda, la pioggia gelata. Tutto è grigio, sporco, confuso. Cerca di calmarsi. Per il dodicesimo compleanno di Vita voleva regalarle una catenina d'oro. Con un pendaglio a cuore – un pegno, insomma. L'aveva comprata a rate qualche mese fa dal gioielliere – un ebreo parente di Moe – e ci aveva già fatto incidere il suo nome. Ma dopo l'incidente della lampada Diamante non sapeva più cosa farsene, della catenina. Di regalarla a Vita non ne aveva più voglia. Aveva finito per fonderla da un ricettatore, e per dare i dollari che ne aveva ricavato allo zio Agnello. Ancora non aveva estinto il debito con lui. Rocco dice che è stupido pagare i debiti. I debiti vecchi non si pagano e quelli nuovi si lasciano invecchiare. Comunque, meglio così – era troppo presto per fidanzarsi, lui ha solo quattordici anni e cinque mesi. E poi non è più tanto sicuro di volerla ancora, Vita. Una ragazzina capace di fare quello che ha fatto. Anche se lo ha fatto per lui. O forse nemmeno voleva. O non sapeva di volerlo. C'è una tale violenza, dentro di lei – che ne ha paura. Dalla notte della lampada, Vita non rivolge la parola a nessuno. La mattina esce per andare a far la spesa, ma Diamante sa che se ne va gironzolando per New York – come se potesse incontrare Lena.

Vita spegne il fuoco sotto la pentola. L'acqua già bolle. Assaggia il sugo. È denso, e profuma di buono. Aggiunge una foglia di basilico. In casa c'è un silenzio sconsolato. Da quando i dischi si sono squagliati, la tromba del grammofono s'è impolverata, e adesso serve solo per attaccarci gli asciugamani. Agnello guarda l'orologio e scaccia le mosche col giornale. Ha preso l'abitudine americana di accattarselo anche lui. Ma finché Diamante non rientra non saprà se il conte de la Vaulx è riuscito a volare col suo pallone e se i minatori del carbone continuano lo sciopero. Non vuole farsi leggere le notizie dalla figlia, perché vuole incoraggiarla a dimenticare le male cose che le hanno insegnato alla scuola americana. E Nicola è una cocozza – una testa completamente vuota. E poi non c'è mai. Nemmeno il giorno di Pasqua pranza in famiglia. Dice che fa gli straordinari. Come se non lo sapesse che Nicola un lavoro non ce l'ha e spende i soldi nel retrobottega della lavanderia di Li Poo, a fumare l'oppio finché il mondo gli sembra un paradiso, e giovanissime le cinesi coi piedi così piccoli che potresti metterteli in una mano. Invece sono vecchie, e deformi. Ci ha fatto una croce sopra, a quel figlio. Gli fa malinconia il letto matrimoniale vuoto, con la coperta rabboccata sotto il cuscino. Gli fa pensare a come sarebbe adesso il figlio americano. Avrebbe due anni e mezzo. Saprebbe camminare, e dire il nome di suo padre. Se fosse andata così, l'avrebbe sposata, Lena. Le carte del suo primo matrimonio chi sarebbe andato a cercarle? Tanti lo avevano fatto. Avevano due mogli, e tutte e due erano contente. Lena non sarebbe mai andata in Italia a raccontarlo. A suo figlio gli avrebbe dato un nome americano. Non perché i nomi italiani siano brutti. Pietro, per esempio, quanto suona bene. Ma sarebbe stato meglio per lui, gli avrebbe risparmiato tanti sputi in faccia se sulle carte ci fosse stato scritto Nelson, Jack, o Theodor, come il presidente Roosevelt. O Washington. Un nome importante, per un grand'uomo. Ma si vede che non era destino.

I due uomini fumano sotto gli ombrelli. La pioggia gli scola dal cappello e gli scende giù dal naso. Diamante vuole andarsene. Non ha mai fischiato per indicare a qualcuno l'identità di un altro. Solo per avvertire di un passante, o di un pericolo. Per evitare qualcosa, non per provocarla. Perché Cozza lo ha tirato dentro una storia così? Ieri l'ha chiamato nel suo ufficio. Pensava che volesse proporgli un aumento di stipendio, perché è il suo inserviente più sveglio. A Diamante piacerebbe diventare impiegato. Parlare con le famiglie dei morti, spiegare con discrezione che tutto quello che deve essere fatto sarà fatto. Che si prenderà cura del loro caro – e che possono affidarglielo. Sa di essere educato, sa di conoscere un mucchio di parole – sa di essere discreto. I morti li rispetta. E anche i vivi, perché tante volte ha perso qualcuno che gli era caro. Sarebbe un impiegato modello. Invece Bongiorno non intende promuoverlo in quel modo. Ma perché proprio lui? Perché si fida di te – può rispondersi. E non si fida di Coca-cola. Che nonostante l'abilità con i cerini è leggero e sventato come una farfalla. Che nonostante il sorriso cariato tiene la bocca troppo aperta, si vanta in giro, con le ragazze, e per darsi importanza mostra a tutti la cicatrice della pallottola che si è preso nella chiappa la sera che il proprietario di un bar, inferocito, lo ha rincorso sparandogli addosso tutto il caricatore. Rocco lo ha avvisato, se non mi fossi fratello di latte ti farei bucare.

Bucare, Rocco buca davvero, e Diamante lo sa. Quando gli ha regalato il suo coltello, gli ha spiegato come si fa. La cosa più importante è rigirare la lama nelle budella. Non affondarla e basta. Quando la infili fino al manico, devi tirare verso l'alto. In quel modo la ferita non si rimargina. La cosa che dà più soddisfazione è guardare l'altro negli occhi – sentire il potere nella tua mano mentre quello ti supplica e ti implora di risparmiarlo. Lo spiegava con competenza, ma senza turbamento, come se la cosa non lo riguardasse. Per Merluzzo, niente è importante. Solo che nessuno venga a bucare Cozza. Degli altri non si accorge nemmeno. A eccezione del suo gatto, per il quale non dimentica mai di comprare polmone e frattaglie, e che nutre personalmente – ripetendo quanto sono intelligenti i gatti, che non sono servili come i cani, tanto che perfino Cistro, stufo di dovergli qualcosa, un giorno potrebbe piantarlo per un altro padrone il che dimostrerebbe non la sua ingratitudine ma la sua libertà. E di Diamante, perché si vanta di averlo portato lui all'agenzia, quando nessuno avrebbe scommesso un nichelino su Celestina. Ma di ciò Diamante non è più molto fiero. Perché ha iniziato per qualche spicciolo e per sfida – e perché l'odore degli incendi gli ricordava quello del camino di casa sua. Perché gli sembrava di condividere le idee di Rocco e di riprendersi quello che qualcuno gli aveva tolto. Ma le crepe hanno sbriciolato le fondamenta dei discorsi di Rocco e non ci crede più. E se anche Rocco è il vendicatore delle ingiustizie, ripara le ingiustizie con le ingiustizie o le ripara ai danni delle persone sbagliate. Quando Diamante ha provato a dirgli che non gli va più di uscire di notte, perché sogna solo di diventare impiegato, Rocco ha fatto una smorfia delusa, e ha risposto che questo è un mondo senza porte e senza finestre – da cui nessuno se ne va. Lo ha detto senza alzare la voce, continuando ad accarezzare la coda del gatto, eretta e vibrante di piacere. Senza neanche guardarlo. E Diamante ha capito che non solo Rocco non gli è più amico, ma lo bucherebbe lui stesso – senza emozione e senza rimpianto.

Agnello fuma, tutto incunichito, e Vita gli si avvicina, titubante. Fino a qualche tempo fa, credeva che, essendo rimasto solo, Agnello si sarebbe licenziato, avrebbe comprato i biglietti del piroscafo e l'avrebbe riportata da sua madre. Ma non è andata così. Agnello ha continuato ad arrampicarsi con lo spazzolone sui grattacieli, dove mentre lava le finestre guarda gli impiegati che lavorano negli uffici, e non ha mai parlato di tornare in Italia. Non ha mai più nominato Lena. Ma Vita lo sa che ci pensa. Certe volte lo vede, quando la notte si siede al tavolo e gira la manovella del fonografo. I dischi si sono rovinati quando è bruciato tutto, si sono squagliati e curvati, e non cantano più, perciò dalla scatola di legno non esce alcun suono. Agnello però la musica se la sente lo stesso nella testa – e se ne sta lì per ore, con gli occhi chiusi. Lei vorrebbe dirgli non volevo, non l'ho fatto apposta. Ma non servirebbe, è già successo. E poi Agnello direbbe che Dio vede tutto, Dio ha voluto così. Vita sa che Dio non c'entra niente. Dio non guardava la lampada.

Dopo la disgrazia, nessuno ha mai più nominato Lena. Neanche Diamante. Solo Moe, l'ebreo allampanato, è venuto a cercarla. Passava sempre a Prince Street, prima di correre alla scuola serale. S'inventava qualche scusa – che doveva ritoccare il colore della finestra, che voleva aggiungerci un uccello, o la neve sulle montagne. Saliva sulla panca e colorava, mentre Lena, china sull'acquaio proprio sotto di lui, arreganava i gamberetti. Moe non la guardava mai e nemmeno le rivolgeva la parola: però restava in quella scomoda posizione finché lei non si spostava, e solo allora scendeva. Una volta l'aveva invitata al cinematografo, dove aveva preso a passare i pomeriggi liberi, quando si stancava di star rinchiuso nello studio di Vigorito a sviluppare lastre fotografiche, ma Lena non aveva accettato.

Moe non si era scoraggiato, ed era tornato ancora. Aveva cominciato a dipingere la tinozza in cui tutti facevano il bagno, ogni tanto. Doveva sembrare un prato, con le canne e le ranocchie. Ma la tinozza non voleva finirla mai. Sembrava aspettasse qualcosa, con una pazienza infinita. Poi, quando era venuto l'ultima volta, Lena non c'era più. Moe non ha aperto bocca, ha guardato in giro con l'aria di avere perso qualcosa, si è girato e se ne è andato. La tinozza è rimasta incompiuta. Adesso in casa la donna è Vita, fa tutto lei. Cucinare, lavare, stirare, spazzare, comporre rose. La sera muore di sonno, di stanchezza e di mal di schiena, e non gliene importa niente di essere la padrona di casa. Certe volte pensa che non vuole nemmeno compiere tredici anni. Ne ha già abbastanza.

Da qualche minuto bussano alla porta. Con insistenza, perfino con fretta. Siccome i bordanti hanno le chiavi, deve essere il dottor Lanza. Anche se diceva che è uno 'ntampecone, che non avrebbe curato manco un'influenza, Agnello lo fa venire tutte le domeniche a controllare la salute della figlia. Da quando non dorme più, ha paura che le venga una malattia. Gliu mèteco va tozzelando, rapri, Vita! urla Agnello. Vita i medici non li può vedere. I medici del Bellevue hanno portato via Lena su una barella. Delirava. L'hanno coperta con un lenzuolo. È rimasta fuori solo una mano. Se lo meritava, ché aveva il diavolo in corpo, e ha fatto dimenticare Dionisia a Agnello e Vita a Diamante. Però le sue urla hanno svegliato tutta la casa e le fiamme blu hanno distrutto il materasso, i sacchi di farina e la tenda a fiori. Sono morte anche le galline. I medici sono spariti al terzo piano. Quando sono tornati giù, Vita ne ha preso uno per la manica. Si vede? gli ha chiesto. Si vede sì, ha risposto sgarbatamente il medico, sono ustioni di secondo grado. Bussano ancora. Per Dio, Vita, scètati, che aspetti? Trasite, accomodatevi. Il dottore non è solo. In verità non è affatto il dottore. È un tizio gelido, coi baffi a uncino e gli occhiali di corno. Lo accompagnano due uomini in divisa. Sono poliziotti. Il tizio dice: «Abita qui un certo...».

Profeta se ne viene avanti lentamente – con le guance flaccide che ballonzolano a ogni passo. È un dritto anche lui. Non è un tòtaro né una brava persona. È tarchiato e tatuato. Dieci anni fa, era lui che andava a pestare i negozianti, recuperare affitti, spaccare costole e setti nasali. Vive come un parassita del sangue dei lavoratori. Non ha mai saputo cosa sia la fatica. Non si è mai guadagnato il pane. Diamante non prova la minima simpatia per lui. Ma prova ancora un'ombra di simpatia per se stesso. La testa gli scoppia. Le parole di quella canzone gli sbattono nella mente senza poter uscire. *La donna è mobile qual piuma al vento muta d'accento e di pensiero*. Devi solo fischiettare quel motivo. Dire: Buona Pasqua, Profeta. Poi te ne vai. Volti le spalle. Non è affar tuo – ma di quei due forestieri, venuti apposta da un altro quartiere. Sono armati. Hanno le pistole sotto la giacca. Il bozzo si vede da qui. Sono professionisti. Lo fanno secco con due proiettili. Cozza gli farà un funerale indimenticabile, con l'automobile nera coi vetri affumicati e l'autista in livrea. E fra un mese, fra un anno, Diamante potrà mandare un vaglia ai suoi genitori. Un vaglia vero. Angela la smetterà di lamentarsi. Di infelicitare tutti col suo rancore. Non si legherà più ai piedi con una corda una suola di sughero. Se ne è sempre vergognato, perché le altre donne almeno un paio di paposce lo rimediavano e solo sua madre doveva camminare guardinga, come sui vetri, perché spesso la suola restava impigliata in una crosta di fango o di letame, e se lei strattonava con troppa forza si staccava. Quante volte l'aveva vista dibattersi per liberare il piede senza perdere la suola. Uno spettacolo penoso che gli faceva sanguinare il cuore. Angela la smetterà di chiaitare, di accusare Antonio perché è un incapace e un fallito. Antonio non dovrà più andare sudando sulla terra di un altro. Potrà finalmente comprarsi il pezzo di terra che lo stato e i padroni gli hanno negato. Tuo padre – il tuo amato, vulnerabile padre – la smetterà di pregarti di scendere alla cisterna a riempire le damigiane, perché a lui quell'acqua che di notte è nera e tranquilla gli fa venire voglia di annegarsi. Leonardo e Amedeo non moriranno come tutti i tuoi fratelli. Vivranno. Ieri hai ricevuto la lettera in cui tuo padre ti scrive che Amedeo va finendo la terza elementare ed è bravo a scuola pure più di te. Chiede perché scrivi tanto di rado, la distanza e gli anni non possono sciogliere il sangue, tutti aspettiamo le tue lettere con vivo desiderio. L'ombra di Profeta è tozza, sgraziata. Non gli hai mai parlato. Non lo conosci. Ha pestato, ricattato, bucato senza rimorsi. È un brigante. I briganti muoiono così – quando qualcuno prende il loro posto. Musolino ha bucato sette persone – nessuna delle quali era responsabile delle angherie che aveva subito – e poi l'hanno rinchiuso in prigione fino alla fine dei suoi giorni finché è impazzito e ha dimenticato di chiamarsi Musolino.

Agnello si decide ad alzarsi dalla poltrona quando la figlia inizia a urlare. Il tizio con gli occhiali di corno sbuca dietro una canottiera sgocciolante. Ha un foglio in mano e s'incaponisce a ripetere «Abita qui un certo...». No, no, no, strilla Vita, e Agnello, dubbioso, tace, scrutando gli uomini che si sono piantati come cipressi fra le casse e le bigonce – biondi, sbarbati, inflessibili. Agnello si rilassa. Gli era preso un colpo. Temeva che fossero gli scagnozzi degli strozzini, venuti a togliergli gli ultimi peli che gli restano in testa, gli ultimi denti e le ultime speranze di risollevarsi. Ma Rocco glieli tiene lontani: ha giurato che finché c'è lui, nessuno alzerà un dito su Agnello che per lui è come un padre. Infatti per fortuna sono solo poliziotti. Tengono pure le manette e la pistola. Che vonno 'sti cornuti fràceti? Sono venuti a pigliarsi Rocco? Quel disgraziato di Elmer? O quel bummo di Coca-cola? O magari Diamante, chissà cosa ha combinato quel ragazzino. Non gli è mai piaciuto. Credeva di essere più furbo degli altri. Gli ha sempre portato scalogna. Da quando è arrivato a Prince Street, la sua vita è andata a scatafascio. Ha perso il negozio, ha perso l'onore, ha perso Lena. Che altro gli resta? Che vonno 'sti polismen all'ausa mia? Chissà se i vicini li hanno visti salire. Ne parleranno per mesi. Che scuorno. Non c'è nessuno, solo io e la vagliona, dice, sono tutti abbascio. Vita bianca come una pantàfeca s'affaccia dietro la tenda. Così, con lo stesso sguardo spiritato, l'ha vista quella notte. In piedi dietro al letto in fiamme, immobile – spettrale. Per questo ha perso Lena. Un padre deve stare con la figlia. Anche se una come Lena non la trova più.

Ho l'ordine di leggerle il regolamento, recita in perfetto italiano l'uomo con gli occhiali di corno. LEGGE SULLA ISTRUZIONE OBBLIGATORIA. No! urla Vita, jatevenne, jatevenne, chi ve dicett' 'e veni? *Stato di New York. Penali ai parenti che trascurano di mandare i loro figli a scuola. Non oltre 5 dollari per la prima infrazione. Non più di 50 per ogni infrazione susseguente. In caso di recidiva, multa aggregata a 30 giorni di prigione.* Agnello non capisce che c'entra lui con la legge dello stato di Nevorco, come fa a violare la legge uno che non sa che quella legge esiste? Comunque la multa l'ha già pagata, 5 dollari fu, se lo ricorda bene, non abbasta? Cerca di scrollarsi di dosso la figlia, che urla – perché ha capito molto prima di Agnello che i poliziotti non vengono a casa della gente per riscuotere una multa. Insomma, mi sono spiegato? sbotta l'uomo con gli occhiali di corno. Mi segua senza fare storie, lei è in stato di arresto. Ma qua'

arresto, qua' carabozzo! sbotta Agnello, divincolandosi, no'me
fa ota' le zelle sinnò te zenzulìo da cca pe' mezo! Vita grida che
è lei che deve andare in prigione, la guardava lei la lampada, è
lei che c'ha il male dentro – Agnello è uno zuccone con tante
colpe, ma la colpa sua è grossa veramente, anche se non voleva
bruciare Lena, non era nemmeno più arrabbiata con lei, non
voleva! Tata! urla, aggrappandosi alle divise azzurre dei poliziotti, mentre Agnello impreca e bestemmia, che cazzo vuole la
scola da isso, che a scola non ci andette mai, e pecché mai ci'a
da i' figliama, a fa' ccosa? ci manderà il prossimo figlio, se gliene nasce uno, lo chiamerà Washington, sarà un bravo ammeri-
cano, chissu sì, lo ggiuro, lo ggiuro, lassateme, ssan'ima béccia,
gaddèm! Tata! Papà!

   È tutto uno sbaglio, non è vero, Vita? s'immeschinisce
Agnello, colto da improvviso sospetto, di' quanto t'addora pà-
teto – mentre quelli, infischiandosene di quel rigurgito di amore paterno, gli torcono le braccia dietro la schiena, lo ammanet-
tano e lo spingono verso la porta – tata! papà, papà! L'uomo
con gli occhiali di corno allontana Vita, dicendo qualcosa ai poliziotti a proposito del fatto che quelli della Children's Society
sono in ritardo, e che devono farne della ragazzina? Vita si slan-
cia verso i poliziotti, come una tarantata. Vitarella anema mia,
supplica Agnello, chetate non fa' dammaggio, ma Vita sfugge
alla presa dei poliziotti, lo abbranca, gli si struscia contro che
quasi gli si piegano le ginocchia per quest'esplosione di affetto
– che in tre anni, da quando l'ha fatto andare a vuoto a Ellis
Island, manco una volta l'ha chiamato pàteme, andava dicendo
a tutti quella storia di Enrico Caruso, che gli ha spuuato il cuo
re. Vita lo bacia, gli carezza la guancia ispida, Agnello non reagisce, si lascia tramortire, subisce tutto perché le cose sue sempre al contrario vanno – mette la paglia a mare e 'nce va a fon-
no – quant'è sfortunato 'sso por'omme che travaglia pe' tutti e
non lo lassano manco fare la Pasqua di resurrezione colla figlia.
Vita tempesta di baci Agnello, come se potesse rimediare al fatto che Lena è andata a letto con Diamante, che la lampada è caduta sul letto di Lena, che Lena è finita al Bellevue imbozzolata
nelle garze come una pupa nella seta, e lei non ci ha più nessuno con cui parlare perché i ragazzi sono un'altra cosa – ma ormai Lena a Prince Street non ci torna più.

   Vita si agita, schiaffeggia, maledice, forse vuole farsi arrestare pure lei, fatto sta che i poliziotti la spingono contro il tavolo
in malo modo ed escono sul pianerottolo, indecisi se aspettare

quelli della Children's Society, prendersi loro la ragazzina o portar via soltanto il dago stordito, pieno di vergogna e con la scucchia tremante. Le porte si aprono una dopo l'altra, sulle scale si affacciano le vecchie che chiacchierano di mascalzoni, delinquenti, mazzicando in bocca le parole Mano Nera come un grumo di catarro, le vicine che non fanno giocare Vita coi loro figli, i vicini che fischiavano Lena e si infilavano un dito in bocca quando passava ed emettevano dei gorgoglii ributtanti, i marmocchi che ficcavano il dito medio nel buco formato dall'indice e dal pollice, e tutte le facce dicono solo una cosa: ve lo meritate, peccatori che non siete altro.

Profeta estrae la chiave di casa. Quarant'anni – e nemmeno. Le spalle larghe e cascanti, la faccia ottusa. Ecco, è a pochi passi. Lo sfiora. Diamante lo guarda. Anche Profeta lo guarda. Forse si chiede dove ha già visto questo ragazzo con gli occhi d'un azzurro artico – implacabile. Sono occhi da sicario. Un ragazzo così può spararti in faccia senza neanche pensarci. Gli passa davanti e lo supera, con un brivido di sollievo. Ti vogliono ammazzare, devi partire subito – bisbiglia Diamante. Profeta non si volta nemmeno. Ma Diamante lo sa che lo ha sentito. Entra in casa. Diamante si morde le labbra. I due sconosciuti con la pistola si voltano e prendono a fissare un uomo che se ne torna dalla messa a braccetto con la moglie. Diamante fa segno di no con la testa. Rimane fermo sotto la pioggia, con l'acqua che gli gocciola nel collo. Fingendo che sia tutto a posto – naturale che le finestre si chiudano, che qualcuno sia entrato in casa di Profeta – ma non lui. Che devo fare? Mostrarmi tranquillo, sicuro. Ignaro. Sorridi, aspetta.

All'una, non reggendo più la tensione, lascia il suo idrante. Quando passa davanti ai due forestieri dice: deve essersi fermato in qualche barro. Si sforza di camminare locco locco verso Prince Street. Entro mezz'ora, Cozza saprà che l'affare è saltato. Che Diamante, il pupillo di Rocco, ha tradito. Entro un'ora, verranno a prenderlo. Gli taglieranno la lingua? Il pistoccio – per castrarlo come un cappone? Lo bucheranno, rigirando la lama nelle budella, dal basso in alto, perché la ferita non si rimargini? Guardandolo negli occhi mentre li implora di risparmiarlo? Lo taglieranno a pezzi e lo infileranno in un bidone? Ordineranno a Rocco di farlo, perché possa riscattarsi? E Rocco, lo farà? Eppure i comandamenti della Bongiorno Bros li aveva capiti. Onora i maestri e i compagni. Non nominare i maestri e i compagni invano. Obbedisci al Padre. Non ha molto tempo. Quando svolta l'angolo comincia a correre.

Trovò Vita seduta sulle scale, col gatto in grembo. La porta di casa spalancata, cajazze isteriche accroccate sui pianerottoli, sulle scale scivolose, nel cortile. I bordanti mangiavano pane e sugo, delusi che tutta questa confusione avesse guastato il loro pranzo di Pasqua. E dire che la piccola aveva promesso l'abbacchio col timo. Chi l'avrebbe mai detto, quella selvaggia di Vita era diventata la migliore cuoca di Prince Street. Usarono meno parole possibile. La polizia ha portato in prigione lo zio Agnello. Nessuno ha capito perché. Ma se non lo tiriamo fuori, il padrone di casa ci butta in mezzo alla strada tutti quanti. Dobbiamo andare alla stecinosa a dargli una mano. Alla che? Alla stazione di polizia. Ci vieni? Dopo, disse Diamante. L'appartamento pullulava di estranei, ma lui temeva solo di imbattersi nella melliflua dolcezza di Rocco. Afferrò il barattolo del borotalco in cui custodiva i suoi risparmi, s'infilò in tasca l'unico ricambio di biancheria che avesse, e l'unica camicia sopra quella che già indossava. Si accorse di Vita, ma non alzò lo sguardo. Aveva un fiocco color ciliegia sciolto fra i capelli e gli sorrideva – sì, decisamente il suo era proprio un sorriso.
Non t'affliggere se hanno portato via mio padre, mormorò, tirandogli la giacca. Sono andata io dagli ispettori a dirgli che non posso andare a scuola perché lui mi costringe a fare le rose di carta e le fettuccine. Io a scuola ci voglio tornare perché ti voglio bene e rivoglio le parole nostre. Finalmente siamo liberi. Adesso nessuno ci può separare più. Diamante era così agitato che non riusciva ad afferrare il senso del discorso di Vita. Si rendeva conto che c'era qualcosa di assurdo, sbagliato, tremendo – ma non poteva perdere tempo. Ti ho perdonato, Diamà – disse Vita. Anche a Lena l'ho perdonata, la lampada non l'ho spostata io, non lo farò più – mai più.
Diamante non si voltò. Si cacciò in tasca, alla rinfusa, tutto il suo bagaglio: un pettine, un rasoio, il passaporto. Solo allora Vita realizzò che Diamante stava partendo. Dove vai? gli chiese, frapponendosi fra lui e la tenda per impedirgli di uscire. Non posso dirtelo, Vita. Fece per scansarla, ma lei gli si aggrappò alla giacca, lo abbracciò e gli strinse la mano così forte che le sue unghie gli ferirono il palmo. Le sue mani erano calde e appiccicose. Ma quanto era cambiata, Vita. Le sue forme si erano arrotondate, il suo corpo nascondeva cedevoli insenature

in cui gli sarebbe piaciuto intrufolarsi. Sono proprio impazzito, che vado pensando. Non lasciarmi, gli disse Vita. C'era una tale intensità nella sua voce che per un attimo pensò di portarla con sé. Non era quello che aveva sempre voluto? Portarla via da tutto questo. Ma come poteva cavarsela con una ragazzina di dodici anni? Avrebbero finito per arrestarlo e mettere lei al riformatorio. Vita, le disse, sfiorandole il viso con le mani, ti voglio bene anch'io. Sei la mia ragazza. Ti giuro che torno. Lei fissò con le labbra tremanti il lembo della mutanda che gli spuntava dalla tasca della giacca. Stava andando via. Con tutto quello che aveva. E senza di lei. Le scoppiava il cuore. Diamante si precipitò verso le scale. Un minuto di più, e non sarebbe mai partito. Mentre scendeva, si ricordò di aver dimenticato il sussidiario. La sua unica arma, per venirne fuori senza scorciatoie. Ma non c'era tempo per tornare indietro.

La porta dell'elevated si richiuse e il treno sferragliando sfrecciò davanti alle finestre aperte all'altezza del secondo piano dei palazzi affacciati sulla Second Avenue. Per un attimo lancinante, vide le tavole apparecchiate per il pranzo di Pasqua, e le famiglie riunite, l'abbacchio, le patate, la solitudine degli strilloni nelle strade deserte, e le puttane sfaccendate, in vana attesa contro i muri delle case, i cani randagi e i magazzini sbarrati, e gli argani fermi e l'acqua metallica del fiume, e la corrente grigia sulla quale galleggiavano bottiglie vuote, torsoli e copertoni. Solo allora si accorse che nella fretta della fuga aveva preso il treno per la direzione sbagliata. Stava andando a Brooklyn, e non nel centro della città, verso la stazione ferroviaria. Sul sedile di fronte a lui, nel vagone, vuoto a quell'ora del giorno di festa, c'era una ragazzina con un vestito azzurro e un nastro color ciliegia fra i capelli scuri. Era Vita.

A Coney Island Diamante si aspettava una folla compatta, cinquecentomila persone, forse un milione, un brulicame ronzante, vociante, ridente – così che in mezzo a quelle centinaia di migliaia di facce, corpi e sorrisi nessuno avrebbe notato la sua faccia, il suo corpo. Era nessuno e nessuno avrebbe potuto trovarlo. Invece c'era poca gente, famiglie spaesate vagavano davanti ai giochi disertati del Luna Park – sulla passeggiata di Brighton Beach nemmeno duecento anime in pena. Aveva piovuto tutta la mattina, e non era venuto nessuno. Non aveva l'energia nemmeno per andarsene. Diamante finì per abbandonarsi a una sbalordita meraviglia, come se fosse solo per lui un giorno di festa – mentre gli altri espiavano una colpa di cui lui solo era innocente. Ai piedi delle montagne russe, mentre i vagoncini vuoti arrancavano sferragliando verso l'apice della salita, si frugò la tasca interna della giacca per accertarsi di poter comprare a Vita una domenica di gioia – nonostante tutto, contro tutto. Fra i baracconi, gli ambulanti vendevano granoturco abbrustolito, frittelle, noccioline, gelati, zucchero filato che una vecchia tutta gengive avvolgeva attorno a un bastoncino. Il granoturco soffiato sembrava un mare di nuvole, ma quando affondò la bocca, gli scrocchiò sotto i denti. Il popcorn aveva un sapore di gomma e di sale, s'attaccava alla lingua. Si chiese se fosse quello, il sapore della saliva di Vita.

Vita era frastornata. Aveva omesso di chiedergli dove andiamo, perché sei scappato, cosa hai combinato – non parlavano, scivolavano, quasi senza vederli, davanti all'incantatore di serpenti a sonagli e alla finta nave rollante sulla quale si poteva salire a prezzo modico per provare i piaceri del mal di mare. Vita indugiò soltanto davanti alle incubatrici di vetro, dove respiravano bambini prematuri. I neonati erano minuscoli come Bambino, ed erano vivi. Fu contenta di rivedere Bambino, perché era il suo angelo custode, e oggi aveva bisogno di lui. Ignorò il ruggito di una tigre e cacciò uno strillo divertito quando una ventata, al passaggio su una passerella, le sollevò la sottana, scoprendo per un istante, in un'eco di fischi, l'orlo irregolare delle calze. Diamante la trascinò al sicuro, augurandosi che nessuno avesse notato lo spensierato biancheggiare delle sue cosce tornite. Lui però l'aveva notato. E già galleggiava sopra la folla rada, l'odore di fritto, i cavalli meccanici, la musica furibonda di decine di orchestre, che sembravano suonare per sopraffarsi a vicenda. Gli sembrava di aver tagliato l'ancora che lo zavorrava al porto, e di essere finalmente, per la prima volta in tutta la sua esistenza soffocata di ordini e doveri, libero.

Davanti al padiglione buio si spintonava una fila di coppiette che speravano di conquistare una zona franca d'intimità e di carezze, ma l'uomo alla porta urlava per convincere i riottosi con la voce rauca di una jena con le doglie, e lo dissuase. C'era un clown che ancheggiava sui trampoli e un baracchino con la lotteria: acquistando un biglietto da dieci centesimi si poteva vincere una bicicletta. Vita rifiutò il biglietto perché non avrebbe saputo cosa farsene, di una bicicletta – anche se era bella, con le ruote raggiate e il sellino di legno. Diamante invece una bicicletta l'avrebbe voluta. Avrebbe pedalato per tutta l'America, e si sarebbe fermato solo quando fosse stato abbastanza lontano da non poter più tornare indietro. Sfilarono davanti a baracconi dove la gente quasi si scazzottava per godere della vista di bellezze esotiche discinte. Le banconote gli pesavano nella tasca. Le spenderò tutte oggi – e quando verranno a prendermi non troveranno niente da rubarmi. Cosa vuoi che ti compro, Vita? Caramelle o l'esibizione del lanciatore di coltelli? Una fotografia nell'apparecchio automatico o le danze delle tribù africane? Un piccio, Diamà, non ne teniamo manco uno.

Diamante infilò un quarto di dollaro nella macchinetta, e si misero in posa davanti all'apparecchio a fisarmonica. Impettiti, con un sorriso forzato sulle labbra. Lui con la cravattina di pelle e la bombetta, vestito di nero come un pipistrello, lei col nastro ciliegia che le tira indietro i capelli e le lascia scoperti gli orecchini d'oro. Lui con l'espressione tesa di un giocatore dopo una puntata troppo alta, lei con la smorfia scugnizza di chi ha violato le regole ed è certo di scamparla, in qualche modo. Dieci minuti dopo ricevettero un cartoncino color seppia. I loro visi erano un alone indeciso, sfocato – come se all'ultimo momento avessero preferito non lasciarsi catturare, non consegnare a un ricordo morto l'attimo irripetibile che stavano vivendo. Diamante era un lampo nero, Vita una macchia chiara. I loro lineamenti sovrapposti e indistinguibili, come appartenessero a una persona sola.

L'orchestra aveva aperto le danze e adesso la rotonda della birreria era percorsa da un movimento ondulatorio. Dozzine di persone si occhieggiavano, si sceglievano, si stringevano, abbandonandosi alla musica allegra del pianoforte e del violino. Sei buono a abballa', Diamante? gli chiese Vita, succhiando l'ultimo popcorn della nuvola ormai sgonfia nel bicchiere di cartone. Sì – disse Diamante. In realtà non aveva mai ballato con una femmina – solo guardato, alle fiere di luglio, le coppie che si lanciavano nella taranta. Ma questa musica non somigliava alla taranta – e nemmeno al can can che le amiche di Cocacola imitavano nei caffè – e le note non gli dicevano niente. E allora abballiamo, me ne speriscio d'abballa', disse Vita, sputando il popcorn e tirandolo per la manica della giacca. Diamante esitava, timoroso di sfigurare, Vita lo trascinò fra le coppie, al centro della rotonda, s'appoggiò la sua mano sul fianco e già la musica era tutt'uno con le sue gambe, e volavano da una parte all'altra del cerchio, Diamante si faceva sballottare di qua e di là da lei, con l'illusione di guidarla: andavano bene insieme, Vita disinvolta, leggera – e non c'erano più i calci degli altri, il puzzo di fritto, le scarpe di Cesare che ancora, tanti mesi dopo, esalavano un vago odore di defunto, e il timore di essere scoperto, raggiunto, bucato.

Alla sette di sera morivano di sete, e si accasciarono ai tavolini della birreria, dove Diamante dilapidò una cospicua porzione del suo tesoro offrendo a entrambi un hot dog e una coca-cola. Non vollero servir loro alcolici perché la domenica è proibito. Gli americani infatti sentivano un ribrezzo immediato e definitivo non solo per la morte, la miseria e la malattia, ma anche per l'alcol – come se l'alcol fosse una causa dell'abbrutimento della gente, e non la sua ovvia conseguenza. Mentre sorseggiava la bevanda, sbriciolando fra i denti i cubetti del ghiaccio, a Vita sembrò di intravedere tra i passanti la scucchia uncinata di Agnello, e per un attimo si chiese se non fosse un delitto essere qui a ballare con Diamante mentre suo padre subiva, per causa sua, l'onta irreparabile della prigione. Ma già la scucchia era svanita e Agnello le passò di mente, con Prince Street, la lampada ad alcol, il viso distante di Lena nel letto del Bellevue, i tradimenti imperdonabili eppure perdonati, e tutto il resto. Un diafano spicchio di luna sorgeva sull'acqua. I lampioni alonavano una luce rossastra. Diamante sorseggiava la coca-cola e lei continuava a muovere i piedi sotto al tavolo – lo sentiva ancora fra le braccia, due ballerini e un movimento solo. Diamante, sei scappato perché hai ammazzato qualcuno? cominciò a dirgli e lui la interruppe. Ssshhh, parliamo americano. Perché, che ti passa per la testa? Facciamo finta che siamo americani, Vita – bisbigliava Diamante, giocherellando con la falda del cappello. Diventiamo come tutti. Divertiamoci, per stanotte. I feel so happy, cominciò. Lei lo guardò, senza capire. Me lo hai insegnato tu, ti ricordi? Sono contento. Sono contenta anch'io. Happy – insisteva Diamante. Come vuoi, Diamante, happy.

Il venditore stava chiamando i numeri della lotteria, mentre una ragazza con le giarrettiere in vista li scriveva su una lavagna. Hai vinto? gli chiese, sbirciando il biglietto. Diamante s'alzò, di malavoglia, e s'intrufolò nel capannello. Seduta alla birreria di Coney Island, scartavetrandosi il nero delle unghie con l'angolo smussato del tavolo, in un drammatico tramonto di aprile, Vita si sorprese a pensare che le cose non sono piatte e dipinte, ma hanno tante dimensioni come la Signora verde sull'isola: giri attorno, giri e come ti muovi anche la statua cambia, ti mostra la schiena o la fiaccola, la corona o il culo incrostato di salsedine. Oggi la Statua della Libertà le mostrava la parte più nobile – la fiaccola – perché la verità non si trova da nessuna parte se non nel tuo stesso movimento: le cose non sono né bene né male, sono quello che sono, ciò che accade. Aveva pianto lasciando Tufo e salendo sul treno con Diamante e il padre di lui, perché non voleva partire né attraversare il mare, voleva restare dov'era sempre stata, e vedere mille volte ancora dalla finestra di casa sua il sole che tramontava nel Tirreno, sentir cantare il canarino nella gabbia appena l'alba schiariva il vico, raccogliere i limoni nella campagna di suo nonno, e invece forse niente di tutto questo avrebbe visto più: ma chissà che non era stato invece un bene. È inutile piangere una disgrazia. Chi ti dice che non sia una fortuna? È inutile rallegrarsi per una gioia: chi ti dice che non sia una disgrazia? Il destino è ciò che non ti è ancora accaduto. Diamante tornò a sedersi e le riferì di non aver vinto la bicicletta. Tanto, a che mi serve? Quando mi avranno gettato nell'East River con una pietra in bocca e i piedi murati in un mattone, non potrò pedalare da nessuna parte.

I balli liberi erano finiti. Un marcantonio che portava una giacca di raso a stelle e strisce e in testa uno svettante cilindro rosso cominciò a strillare nel megafono di sgombrare la rotonda, perché iniziava l'attesa maratona di ballo. Bisognava iscriversi nel registro, solo un dime, ricchi premi e cotillon per tutti. Diamante s'avviò al banco delle iscrizioni. Se fossi americano, se fossi nato in una casa con le colonne, di fronte al Central Park, mi chiamerei Diamond Vattelappesca, e nessuno verrebbe a cercarmi per strapparmi il cuore. Diamond – scrisse perciò sul foglio, senza esitare. Poi, siccome non gli veniva in mente nessun cognome americano in quanto non conosceva nessun indigeno, all'infuori del presidente degli Stati Uniti d'America, aggiunse proprio: Roosevelt. Se mi chiamassi Diamond Roosevelt conquisterei il mondo. Quando le porse il lapis, Vita lo prese come fosse incandescente – un nemico. Stentò a credere che Diamante avesse firmato a quel modo. Giudicò offensivo e imperdonabile quel Roosevelt. Era orgogliosa di chiamarsi come lui. Non gli avrebbe permesso di rinnegare il loro nome. Scarabocchiò Roosevelt con rabbia, sfregando fino a bucare la carta, e vergò uno sgorbio illeggibile.

Gli assegnarono il numero 9. Ci porta fortuna, pensò Vita, perché è il giorno che siamo stati salvati. La maratona di ballo prevedeva una gara a esaurimento. I concorrenti (giudicati da una giuria di "esperti") venivano eliminati una coppia alla volta fino alla proclamazione dei vincitori, ai quali sarebbe stato assegnato il premio: un trofeo di metallo con su scritto CONEY ISLAND 1906, trenta dollari e un cagnetto di venti giorni che, bianco e lanoso, faceva capolino da un cesto di vimini. Speriamo che non vinciamo – pensò Diamante – altrimenti quel cucciolo finirò per venderlo e farlo sopprimere come tutti gli altri che a pensarci è proprio un assassinio, e avrei preferito far sopprimere un criminale come Profeta piuttosto che dei cuccioli di cane.

Gli esclusi, i disincantati beffardi, i curiosi, i solitari senza amica e quelli che non avevano potuto rimediare neanche una ballerina a pagamento si assiepavano ai margini della rotonda, vociando, pronti a sposare ora l'una ora l'altra coppia. Partecipavano tutti, senza pudore, senza ritegno: giovani, meno giovani, addirittura bacucchi, un operaio fornito di una monumentale pappagorgia con una ragazzotta puntinata di lentiggini, una bagascia avariata con un accompagnatore minorenne, coppie di innamorati che ballavano guardandosi teneramente negli occhi e pensando al buio che li aspettava sulla spiaggia, mariti e mogli che non si piacevano più e mettevano nella danza una consuetudine stanca e svogliata, due anziani venditori di stringhe della Bowery che invece si volevano ancora bene e si stringevano forte, muratori con le loro amanti, conducenti di treni con sconosciute incontrate mezz'ora fa e alle quali hanno dimenticato di chiedere il nome, gangster in giacca e cravatta dei più malfamati quartieri della città che tutte le donne guardano perché i loro abiti sono dei colori più pacchiani – verde pisello, giallo girasole, rosso lampone. E perché sotto l'ascella portano tranquillamente la pistola.

Vita si inginocchiò col bel vestito azzurro nella polvere, e laccio dopo laccio sganciò gli stivaletti, li affidò a un'equivoca signora seduta al tavolino in sospirosa attesa di ammiratori, la pregò di custodirglieli – quindi, sollevata, prese posto di fronte a Diamante, e s'appoggiò la mano di lui sulla vita. Non puoi, le altre hanno tutte le scarpe, ci buttano fuori – le disse Diamante. O così o niente. Ballava scalza, Vita, ed era un piacere pestare i piedi sul legno della rotonda, freddo perché il sole era tramontato da un pezzo e adesso la luce era artificiale come la gioia di tutti, una luce impossibile, uno sfolgorio irreale di lampadine elettriche. Ci eliminano subito perché siamo troppo giovani – pensava Vita tenendosi stretto il suo Diamante vestito di nero, come un'ombra. Ci eliminano subito – e voleva tapparsi le orecchie per non sentir chiamare il loro numero: NOVE. Anzi, nine.

TWELVE, THIRTYTHREE, FORTYFIVE, EIGHT, il numero nove non veniva chiamato – le coppie si fermavano scontente, rifluivano nel rado pubblico che adesso fischiava e si divideva fra chi parteggiava per il gangster color lampone e chi per i due matusalemme innamorati. NINETEEN, THIRTYSIX, TWENTYTWO, il pianista era tutto sudato, la camicia chiazzata di scuro sotto le ascelle, si dava il cambio con un altro, e quello tirava per venti minuti, cambiando ritmo, dando fondo a tutto il repertorio di musiche da piazza, lo pagavano apposta, e male, ma il pane se lo guadagnava, ELEVEN, THIRTYFIVE, THIRTEEN, gli occhi di Diamante schiarivano, perché le ombre l'avevano lasciato, ed era contento di restare in gara, perché finché ballava nessuno sarebbe venuto a cercarlo, e lui non avrebbe dovuto pensare a stanotte, a domani, al viso di Profeta e alla delusione del grande Rocco che aveva scommesso su di lui e che invece lui aveva tradito, perché continuava a tenere abbracciata Vita, che sembrava non toccare terra coi piedi, lieve, per nulla stremata dalla maratona, talmente assorbita dalla musica da non accorgersi che non la guardava più come la piccola Vita che doveva vendergli baci per farlo arrossire. TWENTY, il gangster girasole eliminato dalla giuria di esperti in un boato di disapprovazione, qualche minaccia e uno sparo dimostrativo al cielo, tanto per far rumore, «Keep it up, kids», gli bisbigliò l'accompagnatrice del gangster, il cui sudore aveva un retrogusto eccitante, contenta della sconfitta perché ora quel torsolo di irlandese l'avrebbe portata in uno degli alberghi lussuosissimi affacciati sull'oceano. E ora l'ha finalmente pagata per il fastidio di tenergli compagnia. FIFTEEN, i miei anni, pensò Diamante, accarezzando con la punta delle dita la rosa di seta che portava da mesi nell'asola della giacca e che oggi gli sembrò appena sbocciata, perfino intrisa di un tenue profumo, che ne faccio di Vita? dove posso andare con lei? Pino Fucile è stato denunciato dalla madre di Guglielmina ed è finito in prigione per ratto e lei in riformatorio in quanto colpevole di "delinquenza minorile", perché le marchiano così le minorenni che fanno l'amore. THIRTYSEVEN, TWENTYFOUR, il pubblico scandiva il ritmo con le mani, qualcuno ballava anche fuori dalla rotonda – fregandosene della tassa d'iscrizione, dei dollari, del cane e del trofeo di metallo – ora dice NINE, un brivido salì sulla schiena di Vita, FIVE, FORTYTWO, THIRTYEIGHT, Diamante era così bello, lo guardavano tutti, anche le ballerine professioniste che bevevano gazzosa senza compagnia e quelle che la compagnia ce l'avevano, anche le donne alte come una réclame, ma Diamante ballava con lei, scalza, la più piccola di tutte – che non avrebbe potuto ballare con nessun altro, perché avrebbe dovuto poggiargli il naso sull'ombelico e sai che affiatamento. FOURTEEN, TWENTY-SEVEN, ONE, le teste cadevano in fretta adesso, i giurati si guardavano negli occhi e si additavano ora gli uni ora gli altri, inesorabili, il cagnolino guaiva nella cesta, sperava in un padrone che non lo vendesse all'accalappiacani o alle bande degli scommettitori che facevano sbranare i cuccioli dai ratti. TWO, THIRTYFOUR, TEN, i piedi scalzi di Vita lasciavano sul legno un alone scuro, THIRTYONE, SIX, e se dicessi che è mia sorella? non abbiamo lo stesso nome? è mia sorella, stiamo andando a raggiungere dei parenti che si prenderanno cura di noi – ma se tu le volessi bene davvero, la riporteresti a casa, stanotte – TWENTYNINE, THIRTY, Diamante si guardò attorno, la pista era più praticabile adesso, ogni coppia disponeva di ampio spazio per le evoluzioni e lui trascinava Vita al centro, ai lati, davanti al pianista sudato, sotto gli occhi della giuria perché non temeva più di sentir chiamare il numero nove, SEVENTEEN, davanti agli spettatori perché guardassero come stavano bene insieme Vita scalza con gli orecchini d'oro e Diamante senza niente, FORTYTHREE, e provò un maligno piacere all'idea che Agnello marcisse in prigione, perché se non fosse stato in prigione, niente alleccammussi stavolta o gabbie di conigli, a fucilate e pallettoni fino al molo di South Street, tornatene dove sei venuto, zelofreco perocchioso – tarantola t'entri in culo, che ssi' cacato, Vita è mia, me la porto all'Ovest, ce ne andiamo via, non ci vedete più SIXTEEN, THIRTYTWO, FORTYONE, Vita pensava alle fiere di Minturno, ma quei ricordi sbiadivano, li afferrava appena, però anche la piazza di Minturno era bella, all'ombra del castello, con le pacchiane intovagliate di merletto e l'odore delle impostarelle con lo stoccafisso. TWENTYTHREE, non sentiva chiamare i numeri, nelle sue orecchie la musica entrava appena, EIGHTEEN, THREE, adesso gli spettatori avevano sposato la causa impossibile del becchino vestito di nero e della zingara scalza, coi piedi maliziosi e sporchi, e li incitavano, un po' per scherno, un po' per dispetto agli altri, look at the kids go, go kids, ma loro non se n'erano accorti, di tanto in tanto si sorridevano, ripetendosi happy come una formula magica, incitandosi a tener duro anche se le gambe cominciavano a intorpidirsi, la stanchezza di una giornata eterna schiantava la schiena, e i piedi di Diamante navigavano nelle scarpe di vernice di un morto, e sbattendo crudamente contro la tomaia rigida rinnovavano la piaga. TWENTYSIX, FOUR, ehi, dago, di' buongiorno a Bongiorno, disse lasciando la pista il gangster verde pisello, Bongiorno? chi è? non ho mai conosciuto quella malarazza, ho solo sognato la camera del trucco, le bare, il disinfettante, i cadaveri, i briganti, non l'ho mai incontrato, non ho mai rubato le scarpe di Cesare – mai. THIRTYNINE, FORTY, nel campo visivo di Vita caddero i due stringaroli innamorati che ballavano stretti e la ballerina mencia aveva le verdi vene varicose sul punto di scoppiare, s'ammazzava pur di tenersi stretto il marito rugoso – che strano, Agnello era rimasto in America anche se la moglie aveva gli occhi malati e Angela baccagliava tutto il giorno contro il marito che in America non c'era andato, com'era diverso questo paese, forse qui era possibile invecchiare insieme, senza lasciarsi sopraffare dalle amarezze. TWENTYFIVE, quanto tempo era passato dalle fiere di luglio a Minturno? tre anni? sembrava un'altra vita, non ci tornerò, e, che strano, non lo voglio più, SEVEN, il tallone di Diamante cedeva il posto a un'unica vescica sanguinante, e qual era la parola più importante che aveva comprato a Vita – la parola tempo l'aveva scambiata con la sua gola, passato con il neo che aveva sulla guancia, futuro con le sue labbra, sigillate, umide e rosse. TWENTYEIGHT, qualcuno rompeva le file dell'assembramento e si ritirava alla spicciolata, si stava facendo tardi, e i traghetti per Manhattan erano già pieni e ci si saliva solo a spintoni e gomitate, la festa finiva sulle note del violino, com'era cominciata, e in terra restavano solo cartacce, bottiglie rotte, giornali strappati, semi di zucca, zeppi di zucchero filato, torsoli di pannocchie, immondizie, la triste eredità che gli uomini allegri lasciano all'indomani. TWENTYONE, i due vecchi innamorati s'arrendevano alla gioventù, tanto gli avevano dato una bella lezione, adesso l'annunciatore vestito a stelle e strisce urlava e incitava la folla superstite a partecipare all'ultima dolorosa selezione: Diamante e Vita alzarono gli occhi e s'accorsero di essere rimasti soli a vedersela con un cameriere di Ocean Avenue e sua moglie, una creola zezzuta, le cui tette flosce come caracuzzi cercavano con successo di raggiungere l'ombelico, poi l'orchestrina attaccò l'ultimo valzer, Vita lo guardò negli occhi e un attimo prima dell'annuncio gli disse, sicura, abbiamo vinto, Diamà – FORTYFOUR, gridò l'uomo a stelle e strisce, and the winners are, the winners are... s'interruppe, perplesso, consultando il registro delle iscrizioni... «Mr. Diamond and Miss Em...», applausi, pochi e stanchi, la musica s'interruppe di colpo, gli ultimi spettatori gridavano bravo kids, venite a prendere il trofeo e il cane, strillava l'annunciatore, distrutto, stremato sotto al palco della giuria. Diamante la strinse forte, brava Vita, lei lo allontanò, rideva, lo guardava – bravo Diamà, disse, questo te lo regalo, e poi lo baciò sulla bocca, lasciandolo senza fiato.

Il cucciolo uggiolava sulle spalle di Diamante che marciava spedito dietro a Vita, seguendo il chiarore del suo vestito azzurro. Una spiaggia sterminata lambiva l'oceano: solo a grande distanza, sforzando gli occhi, si distinguevano le luci di qualche bastimento. Costeggiavano stabilimenti interminabili, delineati da capanni e recinti, costeggiavano chioschi sbarrati, rimesse di barche, magazzini. Le onde rifluivano sulla sabbia, con un sonnolento fruscio. Le scarpe dondolavano al collo di Vita, che camminava spedita sui piedi neri dalla pianta coriacea e insensibile. Diamante avrebbe voluto imitarla, ma aveva perso l'abitudine, i suoi piedi da fattorino ormai non l'avrebbero sopportato. Fino a pochi minuti prima incrociavano sagome e voci: altri reduci dal parco dei divertimenti, altri ritardatari che s'affrettavano all'imbarcadero per l'ultimo traghetto e si disperdevano sulla spiaggia – ma ormai erano soli nel buio. Fermiamoci un attimo, disse Diamante.

La notte era fredda, il cielo brulicava di stelle. Diamante si lasciò cadere sulla sabbia umida. Giusto dieci minuti. Vita lo guardava, comprensiva ma preoccupata perché dovevano assolutamente prendere l'ultimo traghetto. Era pericoloso passare la notte a Coney Island. Inoltre di notte partivano molti treni merci, dal deposito sull'Hudson. Di notte, era facile eludere la sorveglianza dei guardiani, sgattaiolare al di là delle reti. L'alba doveva sorprenderli nascosti in qualche vagone, diretti chissà dove – verso un'America migliore, senza Agnello, senza Cozza, senza Rocco, senza gli sbagli e le tentazioni. Con galanteria, Diamante distese sulla sabbia a mo' di coperta la sua nera giacca da becchino e la invitò a stendersi accanto a lui. Vita lo scrutò attentamente: Diamante sorrideva, slentandosi il colletto della camicia. Era così familiare, il viso di Diamante – affilato, liscio, con l'ombra scura dei baffetti sulle labbra. Obbedì, adagiando la schiena sul materasso duro della spiaggia. Non bisogna dormire. Troppo stanco per far progetti – constatava Diamante, che pure avrebbe voluto dirle tante cose. Il cielo era nero, le stelle troppe, e a contarle si perdeva. Vita premeva contro il petto il trofeo di metallo con su scritto CONEY ISLAND 1906 – era finto, a colpirlo con le nocche mandava un suono sordo. Possiamo tenerlo, il cane? Possiamo portarlo con noi? Diamante rispose che dovevano dargli un nome. Così avrebbero sempre potuto ritrovarlo.

Chiamiamolo Prince, si lanciò Diamante, che voleva immortalare in modo adeguato il giorno del suo addio a New York. Prince, Prince – sì, disse Vita. I gabbiani stridevano sulla battigia, e uno venne a disegnare un cerchio sopra di loro. Diamante, insolitamente lirico, ebbe l'impressione che cantasse per loro. Posso? Cosa? Prenderti la mano. Sì. Appoggiò la mano sul cuore che batteva all'impazzata, strano perché si stava riposando e la stanchezza, la paura e l'ansia che l'avevano tormentato tutto il giorno rifluivano da lui come la marea sulla sabbia. S'impadroniva di loro un piacevole sfinimento. Non avevano fretta. Tutto il tempo davanti a loro. Notti, giorni, anni. Si tenevano per mano, guardavano scie di nuvole chiare appannare per un attimo le stelle, e poi correre verso est, dove un riverbero chiaro illuminava la notte. Da quella parte c'è l'Italia – com'è lontana, stanotte. Non ci sono stelle cadenti in aprile, peccato, avrebbe voluto esprimere un desiderio. Ce l'aveva già – pronto. Guardavano, gli occhi fissi, sperando in un'impossibile stella cadente di aprile, ma il cielo era un tappeto indistinto, una coperta senza calore. La pressione della mano di Vita lo distrasse: era una mano forte, ruvida, sforacchiata dai buchi dell'ago – una mano che lo fece per un attimo vergognare. Ma un giorno, quando ci saremo sposati e sarò diventato impiegato, non le cucirà più le rose artificiali.

Adesso ci alziamo, prendiamo il traghetto, andiamo al deposito sull'Hudson, ci nascondiamo in un treno merci, ce ne andiamo a Ovest. Ci troviamo un lavoro in campagna – ci sarà la campagna, da qualche parte. Diciamo di essere fratello e sorella, mettiamo da parte un po' di risparmi e quando incontriamo un prete degno di fiducia ci facciamo sposare. In chiesa, però, perché altrimenti non ci credo. Voglio Dio come testimone, nessun altro meno importante. Allora, solo allora, prenderò Vita – perché così è giusto. E dopo? Che facciamo dopo? Restiamo. Non ci torniamo più, in Italia. Non abbiamo niente da cercare, laggiù. È tutto qui – da qualche parte, vicino.

Diamante! gridò Vita d'un tratto, e la sua voce lo fece sussultare, strappandolo al torpore che l'inchiodava sulla spiaggia, coi piedi al vento e la testa affondata sulla sabbia umida. L'aggio viduta, l'aggio viduta! Che hai visto? sussurrò, confuso. La stella bianca, la stella con la coda. C'era una nota esaltata nella voce di Vita – quant'era diversa, tutto la entusiasma, tutto – un seme di limone, la chela di un gambero – anche un filo d'erba la appassiona. Non poteva spiegarglielo, ma d'un tratto, nel cielo fisso dove le stelle sembravano appese a stampelle invisibili, dipinte sulla volta come nelle absidi delle chiese, qualcosa s'era mosso: una luce bianca, un bagliore, un lampo che attraversava il buio e tramontava nel nulla. Aveva una coda di luce – sì, una coda, una stella con la coda. Lui pensò che fosse un pallone. O un dirigibile. Li lanciavano dal campo di volo, fuori città. Con gli aeroplani, le mongolfiere e i razzi colorati. Ma Vita non avrebbe accettato che quel bagliore fosse solo il riflesso di un pezzo di metallo. Esprimi un desiderio, ora, disse Diamante, ma non dirmelo. Poi le bacio le palpebre e la guardò negli occhi. Se un dirigibile poteva essere una stella cometa, allora anche la spiaggia di Coney Island poteva essere una cattedrale. Dio lo stava guardando anche stanotte. Dio gli era testimone – qui, ora.

Un desiderio, un desiderio, cos'è che voleva Vita quella notte? Perdonare Agnello e accettarlo così com'era? Comprargli il negozio, pesare tutto il giorno patate e pomodori? Che Lena tornasse a casa? Scoprire i segreti del corpo, che intuisci ma non sai trovare. Diventare la moglie di Diamante, cucinargli le squisitezze e aspettarlo tutto il giorno mentre lui lavora in un grattacielo? Fargli dei figli, e volergli bene tutta la vita? Eppure nella notte della stella con la coda niente di tutto questo le pareva importante, veramente importante, decisivo. Non riusciva a scegliere e doveva sbrigarsi perché i desideri bisogna coprirli subito e già la stella bianca era svanita nel cielo fisso: aveva freddo e sotto il vestito, là dove la giacca di Diamante cedeva il campo alla sabbia, i granelli la pungevano. Cercò un desiderio grande quanto il cielo, perché sentiva di avere visto qualcosa di immenso, impossibile – una stella cadente ad aprile, una stella con la coda bianca – una cometa.

Mise al collo di Diamante la catenina d'oro con la croce che secondo sua madre teneva lontano il male. Chiuse gli occhi, lo spettro dell'ispettore con gli occhiali di corno dileguava dalla giornata convulsa appena finita, con le bestemmie di Agnello e il dolore alle mani là dove l'ago aveva trafitto la pelle, e sentiva già lo sferragliare del treno sulle rotaie... Mentre i pensieri svanivano e Diamante si avvicinava alla sua bocca per scoprire stanotte che sapore hanno i suoi baci, cercava e cercava un desiderio che comprendesse tutto. Happy. Essere sempre happy come stanotte.

Vita, disse a un tratto Diamante, dormi? Lei non gli rispose. La coprì con la giacca, e pensò che il sonno di lei lo salvava dal commettere un gravissimo sbaglio. Dio non c'era, stanotte. Si era nascosto per impedirgli di rovinare la loro vita. Rimase sveglio, troppo eccitato per calmarsi. Si sentiva pronto ad affrontare qualunque cosa, a superare ogni ostacolo. Con lei, piegata su un fianco, che dormiva. Sarebbe stata sua moglie, presto. Lo aveva scelto. Gli aveva messo la catena magica al collo. Sarebbe andato tutto diversamente, d'ora in poi. La vita si stendeva davanti a lui come un continente inesplorato. La vita iniziava soltanto adesso, e finalmente tutto aveva una direzione, uno scopo. Sorrise fra sé. Succhiò l'oro della catenina, premendo la croce contro il palato. Faceva castelli in aria guardando le gambe di Vita che spuntavano sotto la giacca da becchino. Il mondo gli stava davanti, da conquistare come il corpo bruno di lei. Non sarò un fattorino, né il portiere di un grande albergo, né un impiegato, sarò qualcuno, un giorno diventerò un industriale, costruirò grattacieli, ferrovie, locomotive, dirigibili, razzi – oppure no, sarò un artista, come dice Moe, un pittore grande come Michelangelo, e mi metteranno nei musei di fronte al Central Park dove per entrare devi pagare il biglietto – o qualcosa di più grande ancora, imparerò tutte le parole, sarò un poeta famoso, Vita, come Dante – i miei libri staranno nella Biblioteca Lenox che sembra una reggia, dove chiunque può entrare senza pagare il biglietto, anche quelli come te e me – la gente saprà chi è Diamante, e conoscerà il mio nome, ce ne andremo via, ti porterò con me, avrò una casa tutta mia, e ti scriverò mille poesie, e scriverò di te mentre dormi, mentre balli, mentre ti svegli, mentre pensi a chissà cosa, ti sposerò nella chiesa di Saint Paul, la prima che abbiamo trovato qui, anche se non è una vera chiesa e sul tetto non ha la croce, e avremo una casa a Washington Square, e tu sarai la mia signora, e d'estate andremo a Tufo, in prima classe, a guardare il mare e a ricordarci della notte in cui un dirigibile è diventato una stella cometa, in cui ci siamo legati per sempre, e non ti pentirai mai di avermi messo la catena al collo, e avremo dei figli, e i nostri figli saranno piccoli come me, perché i diamanti non sono grandi come mattoni, e avranno il tuo dono e la tua fantasia, e io ti sarò fedele, tu mi sarai fedele – Vita.

# SECONDA PARTE

# La strada di casa

# I miei luoghi deserti

Il capitano Dy si ricongiunse alla 5ª armata del generale Mark Clark nell'ottobre del 1943. Laureato in ingegneria a Princeton col massimo dei voti, si arruolò volontario il giorno dell'ingresso in guerra degli Stati Uniti. Benché suo padre fosse un cittadino di paese nemico, sospettato di attività antipatriottica e posto perfino, per breve tempo, agli arresti domiciliari, Dy fu richiesto dal cosiddetto Esercito degli Ingegneri, il corpo scelto destinato a combattere in Germania. Desideroso di riscattare l'infamia di suo padre (o perpetrata su suo padre, in seguito la sua opinione sarebbe divenuta più incerta), per quasi due anni costruì basi aeree, depositi di munizioni, ospedali, hangar, alloggi e ogni genere di edificio, pista, ponte o porto necessario alla vittoria quanto la fanteria e le bombe. La sua guerra, fra uffici e cantieri, era stata una mera astrazione. Metafisica della matematica. Grande onore, nessun rischio. Ma quando Dy seppe che la 5ª armata si apprestava ad attaccare gli attraversamenti del Volturno, chiese di essere trasferito sul Fronte sud. Gli spiegarono che commetteva un grave errore, che avrebbe pregiudicato la sua carriera. La guerra in Italia era solo un diversivo, in vista di Overlord. Un teatro apparente, per attirare quanti più tedeschi possibile nella penisola e tenerli lontani dalla costa della Manica, il teatro in cui la guerra si sarebbe decisa davvero. Sul Fronte sud non c'erano medaglie da prendere. Era una ingloriosa guerra di montagna – sprofondare in torrenti turbolenti, guazzare nella neve, sotto il tiro dell'artiglieria tedesca. Non una guerra di numeri: una guerra di terra, acqua, fuoco e fango.

Dy insisté. Aveva un carattere cocciuto e gli innumerevoli rifiuti che gli era capitato di affrontare raramente l'avevano scoraggiato. Nell'autunno del 1943 aveva ventitré anni, una limitata paura della morte e una sola certezza: voleva essere tra i primi a entrare come liberatore nel paese da cui i suoi genitori erano fuggiti, e dove abitavano ancora i suoi nonni. Il paese di cui aveva sempre sentito parlare, di cui conosceva i sapori e i profumi, il paradiso perduto e l'inferno della memoria di cui aveva visto solo una cartolina in bianco e nero – che la madre teneva infissa nel vetro della toilette. Un luogo remoto, un nome straniero – che odiava, perché gli ricordava ciò che non era, che desiderava distruggere – per liberarsene definitivamente.

Lo desiderava dal giorno della sommossa di Harlem. Quel giorno, per la prima volta, aveva capito di non essere un americano vero. Di essere italiano per sempre agli occhi degli altri – anche se ai propri non lo era né lo sarebbe stato mai. Fu il 19 marzo del 1935. Dy non aveva ancora quindici anni. Era il primo della classe, il che gli aveva impedito di farsi degli amici fra i compagni di scuola, invidiosi della sua capacità di calcolare a memoria la radice quadrata dei numeri a tre cifre e soprattutto di fare incetta dei premi in dollari destinati alle migliori pagelle. Doveva accontentarsi delle due sorelle più piccole, che del resto viziava scandalosamente. Benché suo padre fosse stato rovinato dalla depressione, la madre col suo lavoro era riuscita a mantenere alla famiglia una casa confortevole di mattoni scuri, affacciata sulla via più animata di Harlem. Era il figlio prediletto della madre. Poteva essere considerato un ragazzino sostanzialmente felice. Ma in seguito la paura, e il sentimento della propria indegnità, gli erano rimasti tatuati nella mente – come il marchio della sua diversità. Non sapeva come fosse cominciato. A un certo punto si ritrovò carponi dietro la scrivania dell'ufficio del padre: fuori, sul marciapiede, c'erano centinaia di scalmanati con spranghe e mazze da baseball, che sfasciavano tutto e mentre fracassavano la vetrina urlavano *Hang them, burn them*. Erano gli slogan preferiti durante i linciaggi o le esecuzioni capitali. Ma stavolta *them* erano loro: suo padre e lui. Fra i manifestanti Dy riconobbe un suo compagno di classe. E più della paura di morire aveva potuto l'incredulità, e la vergogna. La madre non aveva saputo spiegargli il senso della sommossa che aveva devastato il quartiere e che li aveva spinti a un frettoloso trasloco. Gli aveva parlato di Mussolini, del fatto che si era messo in testa di conquistare l'Etiopia, e che ciò aveva ferito i sentimenti della comunità nera. Ma Dick era il suo compagno di banco, e di Mussolini Dy, che era piuttosto taciturno, ammirava solo la incontenibile logorrea, perché per il resto gli pareva flaccido rumoroso e cafone come i connazionali dei suoi genitori – dei quali tra parentesi si vergognava e che durante le cerimonie scolastiche fingeva di non conoscere. *Burn them – hang them.* L'ufficio era stato saccheggiato e sarebbe stato anche bruciato se la donna delle pulizie, che era nera come gli assalitori, non li avesse fermati. Mentre Dy si nascondeva sotto la poltrona girevole del padre, i manifestanti imbrattavano le pareti con la vernice rossa. Quando tutto fu finito, le parole FASCIST. MOBFIA. FASCISTS. MAFIA. FASCISTI. MAFIA sgocciolavano nel bianco – come una ferita aperta nella sua carne.

La cicatrice non si rimarginò. Quella insultante scritta sul muro ossessionò Dy per anni. Come un messaggio. O un ordine, che gli indicava la strada per salvarsi. La distruzione convinse il padre a chiudere l'agenzia immobiliare, che da anni era in perdita, ma ebbe una conseguenza imprevista e molto più devastante. Quel giorno, 19 marzo 1935, Dy smise di parlare italiano. Rifiutò di rispondere al suo nome di battesimo, scambiandolo col nomignolo americano che gli avevano affibbiato a scuola. E cominciò a odiare, senza nemmeno rendersene conto, suo padre, sua madre – se stesso. Nell'autunno del 1943 chiese ostinatamente la possibilità di cancellare quell'indelebile scritta sul muro.

Fu accontentato. Lo inquadrarono nelle unità ausiliarie. L'ingegnere di Princeton finì nella suburra di un battaglione del Genio – a montare ponti mobili in una stremata divisione di fanteria americana.

Il tempo era abominevole. Piovve per settimane. L'aviazione nemmeno tentava di levarsi in volo. Per giorni e giorni su tutto il fronte disseminato fra colline e montagne brulle, nude e senza riparo ricadde un'acquerugiola fine e insistente, una vischiosa foschia bagnata che finì per mutarsi in vento freddo, tagliente, e poi in tempesta, ghiaccio, bufera. Le strade, poche, impraticabili, ostruite da macerie e vallonate da crateri, se non erano coperte di neve, diventavano torrenti di fango. I soldati intorpiditi lottavano con armi rese quasi inutilizzabili da una tenacissima lordura, che dovevano pulire continuamente ma che non funzionavano mai. Costava una fatica immane risalire poche centinaia di metri di piste e strade ferrate. La tattica adottata dai tedeschi durante la ritirata era stata la demolizione sistematica di ponti e costruzioni sulle strade – di edifici e case nei borghi e nei villaggi. I nodi stradali, i cigli e le scarpate dei torrenti pullulavano di mine, le zone adatte per il bivacco delle truppe erano cosparse di trappole esplosive. Non c'era tregua: fu un continuo susseguirsi di scaramucce tra pattuglie, assurde quanto feroci perché, in una zona simile, chi controllava una collina, una cresta, un casolare diroccato, aveva più possibilità di restare vivo. Anche prendere prigionieri e identificarne le formazioni era importante. I tedeschi speravano di trovare indizi dell'offensiva alleata, gli alleati di trovare indizi della ritirata. Ma l'offensiva ristagnava, e la ritirata non c'era. Entrambe le parti si vomitavano addosso giorno e notte tutto il fuoco permesso dalla condivisa penuria di artiglieria e munizioni. Dy pensò che questa guerra di trincea somigliava sinistramente a quella del 1914, e cominciò a sospettare che gli sarebbe toccato di morire come Coca-cola.

Quella morte l'aveva sentita raccontare tante volte – con un misto di incredulità e rispetto. Nessuno infatti se lo aspettava, ma nel 1917 Coca-cola s'era arruolato volontario. Con gli americani, perché hanno l'esercito più forte, e con loro sei sicuro di vincere. Gli americani non hanno mai perso una guerra. Italia e Stati Uniti sono alleati, anche l'Italia vince la guerra – gli avevano obiettato. Ma la vince di meno – aveva risposto testardo Coca-cola. E così era entrato nell'Army e non nel Regio Esercito. L'avevano mandato a Verdun, e poi in chissà quale pianura del Belgio. Di lui restava un'unica lettera, accompagnata da una fotografia, nella quale non sorrideva, per non mostrare i denti cariati. Aveva scritto, in due righe pedestri, di essere soddisfatto del rancio. Il resto della lettera arrivò coperto dalle strisce nere della censura. Nel 1919 tornarono i suoi resti, in una cassetta di legno avvolta nella bandiera a stelle e strisce. L'ambulanza, della quale era diventato l'autista – perché, sosteneva, dopo la guerra tutti avranno l'automobile e questo è un mestiere che potrò continuare anche in tempo di pace – era caduta sotto il tiro dei mortai nemici. Nicola Mazzucco aveva portato al riparo i feriti, a uno a uno, a rischio della sua vita, e poi respirando il fumo verde dell'yprite aveva aggiustato il guasto al motore e nella densa nebbia ricamata di gas asfissianti aveva guidato la traballante ambulanza fin dietro la linea. Si era bruciato i polmoni, ed era morto in ospedale poco dopo, fra sofferenze atroci. Gli avevano attribuito la croce di guerra per meriti speciali – "for exceptional courage and devotion to duty while acting under heavy enemy fire". Quel soldato improbabile era diventato un eroe, anche se purtroppo non lo avrebbe mai saputo. Era morto prima della sua nascita, e Dy non lo aveva mai conosciuto, ma lo sentiva vicino – più di suo padre. Coca-cola aveva saputo scegliere da che parte stare. Ma non avrebbe voluto morire come lui, inerme, disarmato bersaglio in una landa brulla grigia di fango. Preferiva cadere mentre impugnava la *machine gun*. O stringendo l'anello di una bomba a mano.

Nel novembre del 1943 i tedeschi costruirono una cintura di difesa che tagliava in due l'Italia, dal Tirreno all'Adriatico. Era conosciuta come Linea Gustav. Poggiava sull'unica cosa che l'Italia offrisse in abbondanza: i rilievi. La parte più occidentale della linea includeva Minturno e un sistema di fiumi privi di guadi e dalla corrente tumultuosa – il Rapido, il Gari, il Liri che, una volta uniti, prendono il nome di Garigliano. Sul fianco sud della valle del Liri si ergeva il baluardo dei monti Aurunci, una massa di dorsali frastagliate, dentellate e scoscese. In pratica, concludeva Dy nel suo diario, l'intera linea è costituita da una cintura di difese prive di un punto chiave. Non c'è possibilità di sferrare un colpo decisivo che ne determini il crollo: ogni montagna dovrà essere presa separatamente, ogni valle rastrellata, e poi ci si troverà di fronte a sempre nuove montagne e a un'altra linea che dovrà a sua volta essere spezzata dagli attacchi della fanteria. Comunque, innanzitutto si dovrà a ogni prezzo prendere Minturno. Molti fanti americani, molti tedeschi periranno, ma il capitano Dy entrerà per primo a Tufo. Libererà i suoi abitanti schiavi da millenni e dimostrerà a suo padre, o a quelli che lo hanno sospettato, quanto si sbagliano sul loro conto: la gente come lui sta sempre dalla parte giusta della storia. Alla madre scrisse di non aspettarsi a breve il suo ritorno. Era cosa lunga e difficile. Forse sarebbe caduto. Ma non voleva essere pianto. Era suo dovere morire per l'America, e per l'Italia. Solo così la loro storia avrebbe avuto un senso, e si sarebbe compiuta.

Il 19 dicembre 1943 Mr. Churchill, che giace a Cartagena ammalato di polmonite, rimprovera i capi dello staff inglese: «Non c'è dubbio che la stagnazione dell'intera campagna sul fronte italiano stia diventando scandalosa». I capi gli rispondono di essere completamente d'accordo, la stagnazione non può continuare. È essenziale fare qualcosa. A gennaio, o al massimo febbraio del 1944 dobbiamo entrare a Roma. Si decide lo sbarco a nord delle foci del Garigliano – nella baia di Minturno. È un diversivo per attaccare da ovest i tedeschi attestati sulla Linea Gustav. Se gli alleati riescono a sfondare dal mare, penetrando simultaneamente al centro da Venafro, i tedeschi si ritroveranno chiusi in una tenaglia. Ma se anche l'impresa dovesse fallire, l'essenziale è trattenere i tedeschi sulle rive del Garigliano perché intanto il VI corpo d'armata sbarcherà ad Anzio per aggirare la Linea Gustav, attuando l'operazione che ha il nome in codice Shingle. Il 17 gennaio il X corpo d'armata si aprirà con la forza un passaggio sul basso Garigliano vicino Minturno, stabilirà una testa di ponte sul terreno dominante tra Minturno e Castelforte, e poi manderà una divisione sulla via Minturno-Ausonia per attaccare in direzione nord verso San Giorgio, entrando così nella valle del Liri. Ciò che il linguaggio arido dei comandi chiama "terreno dominante", per Dy ha un altro nome. Si chiama Tufo. Quando gli alleati forzeranno il Garigliano, il punto d'origine, là dove tutto lo chiama, Tufo – due chilometri a sud-est di Minturno – sarà il primo villaggio sulla linea del fuoco.

Panorama Tufo di Minturno

L'attacco viene fissato per le 21 del 17 gennaio 1944. Ma Dy non ci sarà. La 5ª armata ha sospeso gli attacchi. Deve riorganizzarsi e attendere rinforzi in vista dell'impresa che le si chiederà fra qualche tempo. Saranno gli inglesi, gli irlandesi e gli scozzesi di Sua Maestà ad avere l'onore di liberare Tufo. La sera del 17 gennaio, mentre la fanteria della 5ª divisione approda in silenzio sulla spiaggia che crede deserta, l'ingegner Dy è in un ufficio dei comandi a contemplare malinconicamente la Linea Gustav che serpeggia sulla cartina militare. Tufo è un punto nero nel bianco disperante dell'Italia. Ma se l'attacco riesce, se la sorpresa funziona, domattina sarà tutto finito.

Silenzio assoluto, condizioni atmosferiche pessime, spine di pioggia e una nebbia viscida che imputridisce sull'acqua. La piana del Garigliano liquefatta nell'acquerugiola. Un'intera divisione ammutolita nel silenzio più assoluto, pronta a muoversi senza copertura d'artiglieria, perché l'effetto sorpresa non venga rovinato. Migliaia di uomini pressati in 45 navi d'assalto, cariche di passerelle kapok, zattere, pontoni e materiale per lanciare un ponte Bailey sul fiume. La riva una riga piatta, buia. I Royal Scots Fusiliers sbarcheranno due chilometri al di là delle linee tedesche, a monte della foce del Garigliano. Hanno il compito di prendere la collinetta nota col nome, romantico, di monte d'Argento. Ma i piccoli contingenti incaricati di guidare con luci di atterraggio lo sbarco degli autocarri anfibi DUKW sono stati inghiottiti dalla nebbia. Nell'oscurità molti DUKW hanno perso la direzione, e le munizioni e i cannoni anticarro che trasportavano – fondamentali, essenziali, indispensabili – vengono sbarcati di nuovo sulla riva da cui sono partiti. Lo sbarco avviene nel caos. Ci si spinge, ci si intralcia, ci si accalca gli uni sugli altri. Gli anfibi vomitano sulla riva centinaia di fanti sfiniti ed esasperati – sono in Italia da 122 giorni, e 115 li hanno spesi a combattere. Molti dei loro compagni sono già morti, vogliono solo riposarsi, dormire. I comandi avevano richiesto 4686 fanti freschi per riempire i vuoti che si sono aperti nei ranghi in questi quattro mesi: ne hanno ricevuti 219. Questo è un teatro illusorio – non si può stornare un solo uomo da Overlord.

Il servizio d'avvistamento tedesco segnala subito otto mezzi da sbarco. La fosforescenza del mare li ha traditi. La prima ondata di fanteria s'avventura sulla spiaggia senza sapere di essere già nel mirino dell'artiglieria annidata nei bunker. Le colonne si mettono in marcia in un silenzio irreale. Gli Hurricane, gli Spitfire, non bombardano le postazioni tedesche, gli Junker 88 non colpiscono le navi d'appoggio americane. La 17ª brigata è già a duecento metri dalla riva. Poi, all'improvviso, una scia di fuoco, un minuscolo arazzo ricamato sull'abisso della notte. Uno dopo l'altro, cento, duecento metri sopra di loro, si accendono girandole di luce. I soldati alzano gli occhi al cielo. Meduse fosforescenti scendono verso il basso flottando nel buio come nel mare. Hanno cappelli bianchi e tentacoli del colore delle rose. Al riparo! grida a un tratto il tenente. Quelle non sono meduse

– sono segnali luminosi attaccati ai paracadute. Non sono lì per confortarli, ma per illuminarli. Un attimo dopo, i cannoni tedeschi cominciano a spargargli addosso.

Corrono verso la pineta. Le mine sono ben nascoste sotto la sabbia: quando vengono calpestate la prima volta, non esplodono. Ma quando il peso di due, tre, venti soldati, fa ruotare i denti degli ingranaggi, si attivano: e allora i soldati saltano tutti insieme. Il plotone perde subito il suo ufficiale. I gemiti dei feriti risuonano angoscianti nell'oscurità. I soccorsi non riescono a identificarli. La spiaggia è minata, minato il sentiero che serpeggia fra le dune color terra, minata la fascia costiera. Sono intrappolati fra i cannoni e il mare, fra le mine invisibili e i paracadute luminosi, fra il dovere di avanzare e la paura di farlo. Senza ufficiale, senza ordini, disorientato, sorpreso dalla inattesa tempesta di fuoco, di cui non indovina l'origine, terrorizzato dalle mine che non può individuare, il battaglione sbanda. La compagnia A parte all'assalto alla baionetta del monte d'Argento, offrendosi al fuoco delle armi leggere nascoste sulla sommità della collina. Forse deve il nome agli olivi che lo avviluppano. Ma in guerra l'unico argento che brilla è quello del filo spinato. Le spine di metallo avvinghiano le caviglie, mordono i polpacci, resistono alle cesoie. Il plotone 9 riferisce che la base della collina è circondata da una barriera di filo spinato alta più di due metri, spessa almeno quattro – impenetrabile. I superstiti si mettono al riparo di una siepe d'arbusti. Mandano una pattuglia ad aggirare la collina – forse dall'altra parte il filo spinato s'interrompe. La pattuglia non ritorna. Dopo tre ore, un fumo denso si leva da casolari sventrati e dalla pineta in fiamme. Le colonne sono inchiodate sulla spiaggia, fra i cespugli. Il filo spinato brilla alla luce dei fuochi.

I tedeschi, che da mesi sono stati informati dell'intenzione alleata di sbarcare nel basso Lazio per aggirare la linea di resistenza sugli Appennini, hanno avuto tutto il tempo di fortificare la zona costiera. Hanno piazzato l'artiglieria sulle colline, minato ogni zolla di quella pianura brulla e senza difese naturali, disteso chilometri di filo spinato, presidiato e sbarrato canali e corsi d'acqua, interrotto ogni strada, mulattiera o sentiero che sale ai villaggi. La retroguardia è schierata tutt'intorno a Minturno. Su ogni cima c'è un obice, nelle fosse i nidi delle mitragliatrici. In sette mesi di campagna d'Italia il comando alleato ha già capito che i tedeschi difenderanno il Fronte sud fino all'ultimo uomo. Il generale Kesselring, cui è stato affidato il comando delle truppe tedesche, ha spiegato ai suoi uomini che ogni giorno in cui gli alleati saranno fermati sul Fronte sud è un giorno guadagnato per la Germania. Questa battaglia, apparentemente diversiva, eccentrica rispetto al cuore della guerra, è invece capitale. Ogni bomba lanciata dai nemici sulla Linea Gustav è una bomba che non cadrà su Hannover, Dresda, Berlino: le vostre case. Dobbiamo attirarli in Italia, impegnarli, costringerli a rifornire l'armata di truppe, rinforzare le loro linee, sguarnire il Fronte est, il Fronte nord, il Fronte ovest, tenerli qui. Avvilupparli nel filo spinato. Costringerli a combattere casa per casa. Fermarli – dovessimo morire tutti.

Ma ora anche l'artiglieria alleata ha rotto la consegna del silenzio, e appoggia la fanteria disorientata: all'alba il battaglione è riuscito a spingersi avanti per quasi un chilometro. Mentre a poco a poco le tenebre si diradano, la luce li spoglia. I soldati sembrano attori sul palcoscenico della loro morte. Più il giorno si illumina, più il fuoco di artiglieria – ridotto unicamente dalla penuria di munizioni che affligge gli artiglieri tedeschi – diventa preciso e perfeziona la mira sull'esigua testa di ponte. L'ordine tassativo dei comandi è: tenere la testa di ponte a tutti i costi. I fanti sospettano che moriranno tutti. Già centoquaranta uomini sono perduti. Non c'è più un ufficiale ancora vivo. I feriti sono stati abbandonati. Gli sbandati vagano fra le dune, terrorizzati. Il mare è calmo, color perla. Lo sciabordio sulla spiaggia pacifico, irreale. Ma la radio ticchetta la lieta notizia che più a destra, secondo i piani, il Secondo Wiltshires della 13ª brigata d'assalto di fanteria è riuscito ad attraversare il Garigliano due miglia a monte del demolito ponte della ferrovia. In quel settore la sorpresa è stata totale. È il 18 gennaio 1944. Alle 8 del mattino i Wiltshires entrano a Tufo.

Quando Dy era arrivato sulla piana del Garigliano, il cielo era grigio, ingorgato di nuvole, la terra bruna – appena seminata. Aveva cercato di individuare i tetti di Tufo sul crinale della collina. Vide solo il riverbero argentato degli ulivi e una siepe aguzza di fichi d'India. Chiome verdi di pini, una palma scapigliata dal vento. Lassù, da qualche parte, c'era l'albero di limoni di Vita, c'era il pozzo di Diamante, la cisterna di Antonio, la calzoleria di Ciappitto, la proprietà abbandonata di Agnello. C'era il vecchio ciabattino zoppo – il padre di Geremia – che sperava che i tedeschi riuscissero a ributtarli a mare. Lassù, da qualche parte, c'era Dionisia, la scrivana cieca – che lo aspettava. La sua ultima lettera risaliva ormai a prima dell'ingresso in guerra degli Stati Uniti. "Figlia mia, dovevo vedere pure questo. Ormai per riabbracciarti devo aspettare che vinciamo la guerra e, te lo dico francamente, spero proprio di no." Dy guardava quel miserabile borgo di pietra aggruppato sul costone – quasi sospeso nel vuoto. Circondato da un'efflorescenza di rose rosse. Era così vicino. Un borgo miserabile in un paesaggio opulento – montagna, colline, mare – una ricchezza naturale che pure aveva sempre ignorato gli uomini. La sua bellezza era sempre stata illusoria, e indifferente. Quell'autunno la terra era stata seminata di mine. Ogni zolla poteva rivelarsi una trappola. La bellezza di questo luogo si rivelava infida – e mortale. Dopo il 18 gennaio, nemmeno l'illusoria bellezza sarebbe rimasta.

Alle dieci, i tanks del Reggimento Panzer Hermann Göring cominciano a scendere lungo l'Appia. La bruma del mattino non s'è dissipata ancora. La pianura è nascosta dal vapore. I Wiltshires avanzano nel fumo e nella nebbia. Non sono sicuri di muoversi nella direzione giusta. Per loro Tufo è un nome sulla mappa. E la mappa non è precisa. La topografia del villaggio è confusa. Queste frazioni sono mucchi scriteriati di case aggrappate le une alle altre, come se avessero freddo. Li guidano proprio i calibri tedeschi annidati da qualche parte, sulle alture, che cannoneggiano Tufo da ore. Alle dieci e mezzo i primi Wiltshires che stanno bonificando il villaggio casa per casa cadono colpiti dai cecchini appostati sui tetti. I fanti della 13ª brigata cercano riparo fra le macerie. I carri armati che dovrebbero rendere meno precaria l'occupazione non arrivano. Come potrebbero? I genieri stanno cercando di completare il primo ponte sul Garigliano, ma ci vorranno ore, forse tutto il giorno, e comunque i tedeschi lo martellano furiosamente e non potrà restare aperto a lungo. E il ponte sull'Appia che i Royal Engineers s'apprestano a rendere operativo non sarà pronto prima del 20 gennaio, e comunque sarà troppo scoperto e potrà essere utilizzato solo di notte. La verità è che tutti i carri armati – i Churchill e gli Sherman da 30 e 32 tonnellate – sono impantanati sulla riva meridionale del fiume. Alle undici, i tedeschi sbucano dalle cantine, sparando contro tutto ciò che si muove. I Wiltshires si raggruppano dietro i muri crollati, si consultano, poi si ritirano – più ordinatamente che possono – sul terreno soprelevato a est del villaggio.

L'appoggio dell'artiglieria per l'attacco della brigata ha tardato novanta minuti di troppo, ma i Royal Inniskilling Fusiliers, che avanzano immediatamente dietro il fuoco di sbarramento, spazzano le posizioni tedesche con assalti alla baionetta. Quando il fumo si dirada, all'improvviso si trovano davanti i tedeschi: si nascondono, si proteggono o aspettano la sorte in trincee profonde più di tre metri. Molti si arrendono. Vogliono essere presi prigionieri. Vogliono salvarsi. Gli inglesi riescono finalmente a impadronirsi dell'altura a est di Tufo che la carta militare chiama Pt.156. Tutto sembra tranquillo.

La sera del 19 gennaio un segnale luminoso comunica che il nemico ha abbandonato la collina. Monte d'Argento è caduto. La divisione tiene una linea che corre da Quota 413 a Ventosa e Castelforte e il terreno elevato verso est. Contemporaneamente la 5ª ha rioccupato Tufo e preso Minturno. Ora dieci battaglioni sono passati al di là del Garigliano e possono spingersi a nord verso la valle dell'Ausente. Nonostante le gravi perdite e la sorpresa parzialmente fallita, il piano è riuscito. La Linea Gustav è stata perforata. Ma a questo punto i tedeschi contrattaccano.

Dal quartier generale di combattimento del generale Steinmetz, von Senger ha telefonato direttamente a Kesselring richiedendo l'appoggio immediato di due divisioni Panzer Grenadieren tenute di riserva. Kesselring ha acconsentito. La 29ª divisione punta, attraverso Ausonia, su Castelforte, mentre la 90ª accorre a sud per attaccare sull'Appia in modo da ripristinare la situazione nella zona costiera, dove la 5ª divisione alleata minaccia di aggirare il fianco tedesco. L'avanzata vicino alla costa viene bloccata, i carri armati rioccupano un po' di terreno a nord di Minturno, e la collina di Tufo cambia ancora di mano.

Il 21 gennaio, quarantotto irriducibili soldati delle truppe di sicurezza, le famigerate Schutzstaffel, sbaragliati ventiquattr'ore prima e costretti a sgomberare, si rendono conto che gli occupanti di Tufo sono completamente scoperti, e troppo avanzati rispetto al resto dell'armata. Si scagliano contro di loro. La 13ª brigata vacilla – arretra, viene respinta. Tra le vie del paese, le SS uccidono quattrocento soldati e catturano duecento prigionieri.

Che succede? chiede Dy, convocato d'urgenza alla base operativa del XII Us Air Support Command perché se non si levano in volo i Boston Light Bombers e i Kittyhawks l'intera operazione rischia di fallire. Bombe su bombe, lassù è l'inferno. Ci sono tedeschi dappertutto. E i civili? Sono sfollati? Hanno abbandonato le case? No, gli dice Joe Parodi, un suo amico anglo-genovese, che sognava di risalire la penisola fino a Genova e invece a Tufo ha rischiato di prendersi una palla in testa, dove potevano andare? È la loro terra. Ci hanno aspettato, ci hanno accolto piangendo, e piangendo ci hanno implorato di non abbandonarli alle ss – di non andarcene. E ve ne siete andati? urla Dy. Tufo è indifendibile. Ci tiravano addosso dalla montagna.

Si combatte quattro giorni di seguito – casa per casa, collina per collina, pietra per pietra. Ogni postazione deve essere presa con lancio di bombe a mano o alla baionetta. I carri armati non possono ancora entrare in azione per via degli ostacoli prodotti dai crateri o dalle macerie. E le camionette sono bloccate: già troppe sono saltate su una mina. I nemici si annidano dietro l'angolo di ogni edificio demolito – in ogni cantina, cisterna, pozzo – si battono per ogni catasta di detriti. C'è nebbia, fumo, polvere. Due intere compagnie di fucilieri scozzesi vagano smarrite sulle colline. *Tufo road* – urlano. Cercano inutilmente la strada del villaggio. «You're on the wrong hill – on the wrong hill! You're out of the battle» scricchiola una voce nella radio, poi la comunicazione cade. Finiscono in un burrone. Finiscono per tornare al campo da cui sono partiti, urlando alle loro sentinelle di non sparargli addosso. Dall'alto delle colline, l'artiglieria tedesca bombarda Minturno, un'intera strada si sbriciola al passaggio di un plotone di scozzesi – che evitano a malapena di essere sepolti da una valanga di macerie. La nebbia ostacola il volo degli infallibili bombardieri americani, rende imprecisi i lanci. Le bombe da millecinquecento libbre sganciate dai Boston e quelle da millesei sganciate dai Kittyhawks cadono come la grandine sulla vigna: danneggiando alla cieca. La 46ª divisione di fanteria britannica viene annientata nel tentativo di passare il Garigliano a Sant'Ambrogio. È un massacro. 329 morti e 509 prigionieri. Gli studenti di Oxford, che sono venuti sul Fronte sud come a una scampagnata, irritati di essere stati confinati nella Spaghetti League, hanno già lasciato sul campo centinaia di morti. Il caporale Fisher – colpito da un proiettile in bocca – striscia eroicamente sui gomiti giù dalla collina di monte Natale, e vomitando denti e sangue supplica il suo superiore di ritirare le truppe, di dare l'ordine di ripiegare su Minturno. Tufo Road – la romantica strada solitaria che porta a Tufo serpeggiando fra due siepi di rose – è il bersaglio preferito dell'artiglieria tedesca: lasciano avanzare la compagnia finché tutti gli uomini sono perfettamente a tiro. Poi, li centrano con un colpo solo. Chi sfugge alla granata, muore per le schegge. Gli scozzesi contano i feriti e i dispersi. I vivi intrappolati sulla riva del fiume hanno il terrore di essere punti da una zanzara e di morire ingloriosamente di malaria. Le infermerie rigurgitano di atabrina e chinino. Ma a gennaio le anofele non hanno ancora deposto le uova. E a primavera, quando lo faranno, per nessuna ragione al mondo dobbiamo essere ancora impantanati in questa terra.

Il 22 gennaio Dy straccia la cartina e maledice la sua laurea. Se fosse un pilota, guiderebbe il suo bimotore sulle torrette dei carri armati celati sotto le macerie, e si schianterebbe sui Panther. Li farebbe esplodere, e almeno il carico servirebbe a qualcosa. Ma è un ingegnere americano. Gli si chiede di calcolare la percentuale d'errore dei lanci e quante libbre di bombe può sopportare un Boston A20. Ai suoi colleghi, ingegneri di Sua Maestà, di escogitare un sistema per traghettare i carri armati al di là del fiume. Se non si riesce a portare il maggior numero possibile di uomini sulla riva nord, i fanti insediati sulle colline sono destinati all'annientamento, e le perdite sono state finora notevoli. I comandi sono indignati che in quattro giorni non si sia avanzati di un metro su questo fronte maledetto. Bisogna rompere la linea. Adesso.

Nella notte del 22 gennaio la 5ª armata sbarca a Nettuno, ma sul Garigliano le artiglierie tedesche continuano a martellare la fanteria e a inchiodarla sul dirupo della collina. I villaggi sono una ininterrotta linea di fumo. Fumano le macerie del castello di Minturno, della cattedrale di San Pietro, fumano i cimiteri – le case, i pollai, le cave di pietra, i depositi di munizioni, le pompe di benzina, gli autocarri, le cantoniere, le stazioni, i vagoni, le locomotive. Tutto è divelto. I binari ferroviari, i tetti, i carri armati senza più cingoli, le siepi di fichi d'India, perfino le rovine romane, sulla riva del Garigliano. Quando sono passati sulla riva nord, i fucilieri scozzesi si sono aggirati come in sogno, ad armi spianate, tra i gradini dell'anfiteatro e le colonne graffite di iscrizioni latine – sparando all'impazzata contro cippi rovesciati e capitelli ionici, temendo di veder spuntare tra quelle rovine i disperati fantasmi in divisa nera. Ma non c'era nessuno – solo l'irreale silenzio di una città abbandonata da duemila anni.

Che sta succedendo nei villaggi? Si spara. Ci si nasconde nelle grotte, nelle cisterne, nei pozzi. Ci sono cadaveri in strada e perfino nelle chiese. Non c'è niente da mangiare, perché chi si avventura nei campi a raccogliere erba e radici o salta su una mina o viene centrato da un cecchino. Mentre salgono sulla strada per Minturno, quattro Churchill vengono colpiti da una granata, e inceneriscono con un boato che fa tremare la terra. Bruciano fra i ciuffi di canne e un rigoglio intempestivo di glicini. Ricomincia a piovere. A rovesci, fra tempeste di tuoni, fulmini e raffiche gelide di vento. Cicatrici di elettricità intarsiano le pareti della notte. L'inverno che sembrava attendere, per non compromettere la vittoria, si scatena all'improvviso. Il diluvio flagella la terra, fa maturare le mine, penetra dai tetti sfondati dei casolari in cui sono accampati i comandi. Si aspetta nel fango, si sprofonda in una mota lutulenta che imprigiona gli scarponi, appesantisce gli zaini, annebbia la mente. Una caligine spessa aleggia sull'orizzonte, ingoiando bersagli e confini. Si combatte all'arma bianca fra spettri di case. Avanguardia e retroguardia si scontrano con la stessa determinazione – gli uni per potersi riposare dopo settimane di battaglia, gli altri per non soccombere. La guerra non è più un calcolo astratto. Ci si assassina guardandosi in faccia, scaricandosi in corpo interi caricatori, cacciandosi proiettili e coltelli nelle carni, strappandosi facce, gambe, occhi, piastrine. La notte del 22 gennaio i tedeschi ricevono l'ordine di alleggerire la controffensiva. Gli americani sono sbarcati ad Anzio. Avranno l'onore di liberare Roma. Ma l'ingegner Dy sogna di combattere sulla prima linea del Fronte sud. Invece ci sono gli inglesi, laggiù. E non esistono motivi personali in guerra. Eppure non c'è niente di personale, non sono mai stato qui. Sono americano.

Fronte sud. Non è possibile finire gennaio inchiodati sulle balze di queste colline. Ci gettiamo di nuovo contro le linee. Ci sparano addosso dalla collina di Scauri, dalle trincee, dalla montagna. Ci seppelliscono sotto tonnellate di bombe. Vedo morire Joe Parodi, lo investe una scheggia, scivola sul dirupo della collina – cerca di aggrapparsi alle rocce, il bazooka gli sfugge di mano, lo perdo di vista – avanziamo – vedo esplodere il carro armato di John Zicarelli, ci teniamo compatti, l'aviazione perché non ci copre? c'è una tale polvere che tossiamo tutti quanti come fossimo in una trincea coi gas. Avanziamo per dieci chilometri quasi alla cieca – c'è fumo, disordine, ci siamo spinti troppo avanti. Un altoparlante tedesco ci investe con urla tremende, in inglese approssimativo. La sua voce disincarnata sembra venire dal cielo. Vigliacchi, codardi, che aspettate, venite avanti!

Veniamo, veniamo! Sento la vicinanza. La meta. Vedo le case di Tufo. No, non sono case, sono monconi di case, muri pericolanti, tetti sfondati, vedo cadaveri sulla strada, vedo voragini – ci rigettano verso la ferrovia.

Si combatte per centinaia di chilometri in ogni lembo di terra fra il Tirreno e l'Adriatico. Bisogna sfondare in un punto qualunque del Fronte, ma subiamo perdite notevoli. I tedeschi non vogliono perdere Roma. Il simbolo è più forte della strategia e della logica. Ma l'hanno già persa. Questa è la grande battaglia d'Italia e io sono qui. *Fronte sud, 23 gennaio, sera Mamma, sto bene, non posso dirti dove sono. Se ti dico: dove vorresti essere tu, mi capisci? Bacia le ragazze per me. Ti penso ogni momento e mi faccio coraggio. Dy.*

Il 24 gennaio il brigadiere dei Carabinieri Liberato Saltarelli, accusato di spionaggio a favore degli alleati, viene fucilato a Tufo. Quello stesso giorno i tedeschi sospendono i contrattacchi. La guerra si sposta a nord – a Cassino, sulla spiaggia di Anzio, sulla strada per Roma. La penetrazione del X corpo d'armata al di là del Garigliano si stabilizza. La linea tedesca adesso è instabile, s'incunea, retrocede, si contorce, si arrocca sulle cime più alte. Il Fronte sud si muove come un serpente – una torpedine velenosa.

Il 12 maggio il fronte Minturno-Scauri è ormai elastico. Un setaccio, o un colabrodo. Le tenaglie si aprono e si chiudono, le rovine vengono occupate e abbandonate. Da settimane non vediamo più civili, in giro. Ma devono essere da qualche parte. Prima della guerra, a Minturno abitavano almeno diecimila persone. Un migliaio a Tufo. Se guardo Tufo col binocolo vedo solo fumo. C'è ancora qualcuno, lassù? Finalmente un incrociatore americano si porta vicino alla spiaggia di Minturno per bombardare le posizioni delle batterie tedesche troppo lontane per l'artiglieria della 5ª armata. Alcuni JU 88 tedeschi cercano di intervenire a Minturno, per soccorrere le truppe di terra ormai esauste. I bimotori monoposto bombardano in picchiata, si abbassano per colpirci fin quasi a sfiorarci, vedo i piloti nelle cabine, li vedo precipitare al di là delle nostre postazioni. Gli inglesi sono partiti per la Manica fin dalla metà di febbraio. Alla fine è venuto il nostro momento. Finalmente tocca alle divisioni americane. Ormai il nostro esercito è tutto al di là del Garigliano. È tornato un grande silenzio. Ho immerso le mani nell'acqua del fiume. C'erano le canne coi pennacchi di piume, le idre galleggiavano sulla corrente, c'era una maestosa ninfea bianca, libellule dalle ali trasparenti e un uccello misterioso, che non avevo mai visto, con la cresta ritta e una lunga coda nera. Era bellissimo e ho avuto una strana paura. Ho saputo che vivrò.

Ai primi di giugno gli JU 88 vengono ritirati in Francia. Quel che resta delle divisioni tedesche fugge. Finalmente ci infiltriamo per chilometri e chilometri, apriamo una falla profonda come una ferita nel Fronte sud. La stampa fascista ammette l'infiltrazione – la giustifica dicendo che hanno creato una "fascia fluida". Io piango perché adesso so che la Linea Gustav non esiste più. La 5ª è alle porte di Roma. Anch'io sono alle porte di casa. Sto arrivando – e forse è tardi. Non c'è più niente. I miei luoghi deserti. Dove siete? FRONTE SUD. Abbiamo sfondato.

# Il figlio della Donna albero

E dài e dài, forgiate che ebbe le lance, le tenaglie, gli zoccoli e tutti gli strumenti di cui i Nart avevano bisogno, il dio Lhepsch cominciò ad annoiarsi. Allora andò a chiedere consiglio alla donna che tutto sa. E Satanay disse: Adesso va' e cammina per la terra. Vedi come vivono gli altri popoli e riporta indietro nuove conoscenze e nuovi saperi. Se Dio non ti abbandona, potrai trovare cose interessanti e qualche storia. E il dio dei fabbri domandò: Cosa mi serve per questo viaggio? La profetessa rispose: Non ti serve molto. Prepara abiti comodi, e poi parti per la tua ricerca. Lhepsch fabbricò un paio di stivali del più resistente acciaio, li calzò e partì. Era così veloce che percorse in un'ora la distanza che gli uomini percorrono in un giorno, in un mese quella che avrebbe richiesto un anno. Con un solo passo valicava la montagna più alta, con un salto attraversava il fiume più largo. Camminando e saltando, balzando e volando, attraversò i sette mari e arrivò sulla costa. Sradicò centinaia di alberi, ne strappò i rami e legò i tronchi per fabbricarsi una zattera, poi la mise in acqua e salpò. Il mare era infinito, e Lhepsch navigò per settimane. Quando giunse a riva, vide un gruppo di ragazze che giocavano. Erano così belle che se ne innamorò all'istante. Cercò di afferrarle, ma non riuscì a prenderne neanche una, perché gli scivolavano fra le dita. Le inseguì e le inseguì, ma non gli riuscì di trattenerle. Allora le supplicò: «Per amor di Dio, ditemi chi siete. Non ho mai visto nessuno come voi in tutta la mia vita. Nessuno mi ha mai respinto». «Siamo le ancelle della Donna albero», dissero le fanciulle. «La nostra signora ti riceverà e ascolterà le tue richieste.»

Le seguì. Lo condussero dall'essere più strano che avesse mai visto. Non era un albero, né aveva forma umana. Le sue radici sprofondavano nella terra, i suoi capelli flottavano nel cielo come una nuvola. Aveva mani umane. Il suo viso era meraviglioso. Era d'oro e d'argento. La Donna albero sorrise a Lhepsch e gli augurò il benvenuto. Lo ospitò con magnificenza e poi lo spedì a letto. Lhepsch si svegliò nel cuore della notte. Trovò la Donna albero, l'afferrò e cercò di stuprarla.

«Questo è molto scortese», protestò la Donna albero. «Nessun uomo ha mai posato le sue mani su di me prima d'ora.»

«Ma io sono un dio», rispose Lhepsch. Si levò in piedi e le fece l'amore.

Le piacque così tanto che si innamorò di Lhepsch. Gli chiese di restare con lei. Lhepsch declinò la sua offerta. «Non è possibile», rispose, «devo andare per la mia strada. Devo trovare i confini del mondo e riportare le mie conoscenze ai Nart.»

«Lhepsch», disse la Donna albero, «se mi lasci commetti un grande sbaglio. Io posso darti tutte le conoscenze di cui i Nart avranno mai bisogno. Le mie radici affondano nelle profondità della terra. Posso confidarti tutti i segreti racchiusi nel suo grembo. I miei capelli raggiungono la cruna del cielo. Io potrei dirti tutto sui pianeti e sui mille soli. Non hai bisogno di vagabondare per il mondo.»

Lhepsch non si lasciava convincere.

«C'è una fine per tutto, ma non per la terra. Rimani con me. Io ti mostrerò tutte le stelle del cielo. Io ti offrirò tutti i tesori della terra.»

Ma le sue preghiere caddero in orecchie sorde. Lhepsch scelse di non credere alla Donna albero, e partì. I suoi stivali d'acciaio si sfondarono, il suo bastone da viandante divenne più piccolo del mignolo della sua mano. Il suo cappello consumato gli ricadde come un anello attorno al collo. Viaggiò e viaggiò, ma non poté trovare la fine della terra.

Allora ritornò dalla Donna albero.

«Hai trovato il confine del mondo?» chiese la Donna albero.

«No.»

«Cosa hai trovato?»

«Niente.»

«Cosa hai imparato, allora?»

«Ora so che la terra non ha confini.»

«E che altro?»

«Che il corpo umano è più duro dell'acciaio.»

«E poi?»

«Che non c'è niente di più faticoso e desolante che viaggiare da solo.»

«Tutto questo è vero», disse la Donna albero. «Ma hai scoperto qualcosa per far vivere meglio i Nart? Quali nuove conoscenze e quali nuovi saperi gli porterai al tuo ritorno?»

«Non ho niente da portargli.»

«Allora la tua ricerca è stata vana», disse la Donna albero. «Se tu mi avessi ascoltato, avrei dato alla tua gente un sapere che l'avrebbe sempre aiutata. Voi Nart siete una razza arrogante e testarda. Questo carattere alla fine vi porterà all'annientamento. Ma lascia che sia. Ti dò questo», disse, e offrì a Lhepsch un bambino bellissimo. «Prendi mio figlio. Gli ho insegnato tutto ciò che so.»

Lhepsch tornò a casa col bambino.

Un giorno il bambino chiese ai Nart:
«Vedete nel cielo la strada bianca – la Via Lattea?»

«La vediamo.»

«Quando sarete lontani, guardatela sempre, e non perderete mai la strada di casa», disse.

«Perdio com'è saggio», commentarono i Nart. «Quando sarà grande, ci darà delle idee fantastiche. Dobbiamo crescerlo con cura.» Sette donne gli assegnarono perché badassero a lui e non lo lasciassero mai solo.

Ma un giorno mentre giocava con le donne il bambino si perse, e scomparve.

Le donne lo cercarono ovunque, ma non fu più trovato.

Quando i Nart furono informati di ciò che era accaduto, montarono sui loro cavalli e cominciarono a cercare il bambino. Trovarono gente che lo aveva visto, trovarono gente che lo aveva incontrato, ma non poterono trovare lui.

La gente diceva: «Forse è tornato dalla madre».

Allora i Nart mandarono Lhepsch dalla Donna albero. Ma il bambino non era tornato da lei.

«Cosa dobbiamo fare? Che speranze abbiamo di ritrovarlo?» chiese Lhepsch alla Donna albero.

«Non c'è speranza per voi», rispose lei. «Quando sarà il momento, ritornerà da sé. Ma solo Dio sa quando ciò accadrà. Se sarai vivo quando ritornerà, allora la fortuna vi sorriderà di nuovo. Ma se egli non torna, allora il pianto sia con te, perché questo significherà la vostra rovina.»

Lhepsch ritornò a casa avvolto nella malinconia.

Dopo tanti anni, mentre il camion sobbalzava sulle buche strappandolo a una smemorata sonnolenza, il capitano Dy ripensò a questa storia. L'ultima volta che sua madre gliela aveva raccontata, lui aveva sette, forse otto anni, e lei gli parlava in italiano. Alla fine, le chiedeva sempre: «E il bambino tornò?». Sua madre alzava le spalle. Non se lo ricordava. Questa favola circassa gliel'aveva raccontata la donna di suo padre – tanti anni prima – e aveva dimenticato di chiederle quel dettaglio. Non le sembrava importante. Dy aveva immaginato due finali. Nel primo, Lhepsch forgiava uno zoccolo fatato per il cavallo di un giovane straniero, e solo quando il giovane si allontanava, cavalcando verso le colline, si rendeva conto che era il bambino che stava aspettando. Nel secondo, la terra dei Nart era devastata dalla carestia. Il grano non cresceva, i fiumi si inaridivano, i frutti non maturavano. Gli dei li avevano abbandonati. Ma proprio nel momento più triste della loro storia, il bambino tornava, staccava la falce della luna dal cielo e gli insegnava a falciare il grano, così che i Nart non avrebbero mai più avuto fame.

«Scendi», gli dissero. Il camion era fermo davanti a un deposito. Una fila indisciplinata di ragazzini, donne malvestite e uomini non rasati, aspettava il suo turno per la distribuzione gratuita del pane. Dy afferrò lo zaino, e controllò che nella tasca della giacca ci fossero ancora i documenti che gli servivano. La licenza di dieci giorni con tutti i timbri dei superiori, e il foglio scarabocchiato dal postino di Minturno. Dopo trenta mesi di guerra, dopo milleduecento chilometri, una ferita alla gamba, la promozione, il funerale di molti suoi compagni e di tutte le sue illusioni, era arrivato a Roma.

Il capitano s'avvicinò per decifrare il numero civico, completamente sbiadito, e controllò il foglietto scarabocchiato che portava in tasca. Era già buio, e lungo la strada non c'era neanche un'insegna accesa. Inoltre il foglietto era rimasto nella sua tasca troppo a lungo, e lo sgorbio vergato dalla mano artritica del postino di Minturno quasi non si leggeva più. Fece scattare l'accendino: l'esercito forniva ai soldati un modello infallibile, con una fiamma che né il vento né la pioggia potevano spegnere. Dy ne aveva regalati a dozzine, e venduto qualcuno. Sì, l'indirizzo corrispondeva: via Ferruccio 30.

Il palazzo aveva sei piani, centinaia di finestre e neanche un balcone. L'intonaco gli sembrò di un tetro color patata. Dy avrebbe voluto chiedere notizie a un portinaio, farsi annunciare, perché voleva che il momento fosse solenne, ma non trovò nessuno. S'infilò in un androne tenebroso, col soffitto basso, rischiarato a malapena da una lucina fioca, simile a quelle dei cimiteri. La lampada perpetua ardeva sotto una madonnina di cera azzurra. In fondo, c'era un magazzino di stoffe all'ingrosso, con la serranda chiazzata di ruggine. Era chiuso da tempo. Probabilmente fallito durante la guerra. Una scala ripidissima s'inerpicava verso il primo piano – ma i gradini, su cui aleggiavano riccioli di polvere, scomparivano nel buio. Sentì sbattere una porta e inseguirsi decine di voci. C'era una radio accesa, da qualche parte. Suonava una musica sincopata che gli sembrò di conoscere.

S'affacciò nel cortile. Contro il muro c'era una fontana, con una rossa maschera di terracotta. La vasca era ricoperta di muschio. Gli gocciolò acqua sul colletto. Ma non pioveva. Alzando la testa s'accorse che il cortile sembrava un porto di mare, infestato da vele bianche. Dozzine di lenzuoli gonfiati dal vento pendevano da ragnatele di fili di ferro sospesi nel vuoto. Mutande, federe, calzini, grembiuli: il palazzo era sovraffollato. Gli appartamenti erano piccoli, accalcati a otto per piano. L'unico spazio che i costruttori avevano lasciato vuoto era il ballatoio. A ogni pianerottolo, infatti, si apriva un vasto loggiato, guarnito da due tozzi pilastri quadrati e da una balaustra di legno verniciata di bianco. Ma la vernice sembrava già scrostata. Questo palazzo somigliava all'Italia – aveva avuto una sua dignità e l'aveva persa.

Al primo piano, dietro alla balaustra, c'era una selva di piante. Basilico, salvia, rosmarino, gerani. Al secondo piano un nugolo di bambini accovacciati attorno a un campo di calcio disegnato col gesso sulle mattonelle. Nella penombra, Dy riuscì a intravedere che utilizzavano come giocatori tappi di sughero, e come palla un tappo di coca-cola. Calciavano con una schicchera delle dita. I tappi di una squadra erano colorati di rosso, quelli dell'altra di blu. I bambini avevano smesso di giocare, e lo fissavano. I loro occhi luccicavano. Non gli chiesero niente, ma Dy si frugò nelle tasche in cerca di gomme da masticare e tavolette di cioccolato. Non le trovò, perché era già sera, e c'erano tanti bambini affamati, a Roma. Al terzo piano, un uomo in canottiera fumava, seduto davanti alla porta di casa. Lo degnò di uno sguardo indifferente, forse ostile. Dy s'affacciò dal loggiato e guardò in basso. I lenzuoli stesi sui fili non gli sembravano più vele – il cortile solo un pozzo privo di luce.

Al quarto piano, appoggiata al legno scrostato della balaustra, una donna lo squadrava. Valutò con competente avidità la sua divisa, sembrò contare le stellette sulle spalline e gli indirizzò un sorriso. Dy conosceva quel sorriso, perché tutte le italiane erano in vendita. Neanche in vendita – in saldo. Finse di non averla vista. Sulle quattro targhette alla destra delle scale non c'era il nome che cercava. Per leggere le altre dovette passarle davanti, e la donna si accarezzò ostentatamente i capelli con la mano. Era giovane, vent'anni forse. Magra, con le mani screpolate e la pelle opaca – spenta. Dalle porte chiuse filtrava un odore pungente di broccoli. Dy le voltava ostinatamente le spalle, ma sapeva che la ragazza continuava a fissarlo. Era truccata e dipinta, ma non era una puttana. In un certo senso, a Roma non c'erano più puttane. Cerchi qualcuno, Joe? gli chiese. Aveva una voce dolce e allettante. Ma Dy rabbrividì, perché ebbe paura che la ragazza fosse la figlia di quell'uomo. I nomi sulle targhette dicevano: Moriconi, Di Cola, Feliciani, Scarabozzi. Un uomo, rispose Dy, che abita qui. Al quarto piano.

Quando già stava per lasciare Tufo con i suoi soldati, gli si era avvicinato un vecchio senza denti, il viso abbrustolito come una cotica. Era stato il postino di Minturno, trent'anni prima. L'indirizzo se lo ricordava ancora perché durante la guerra – la Prima guerra, capitano, quella contro Cecco Peppe, l'Imperatore Guglielmo e il Gran Turco – per quell'indirizzo di Roma da Tufo partiva una lettera al giorno. Ci abitava una "gentile signorina", si chiamava Emma. Forse era una poetessa: anche lei scriveva una lettera al giorno. Il postino non sapeva dove fosse, via Ferruccio – era una strada dietro la stazione Termini, nel quartiere dei treni. L'avevano costruita i piemontesi e perciò doveva essere elegante, signorile.

La ragazza scosse la testa e disse con noncuranza che in quella casa non c'era nessun uomo, e nessuna "signorina Emma", perché adesso ci stava lei – che si chiamava Margherita. Dy appoggiò la sacca alla balaustra, sconfortato. Non ricordava nemmeno da quanto tempo lo stesse cercando. Da quando era sbarcato. O da prima ancora. Era l'uomo misterioso, un fantasma ricorrente nelle chiacchiere dei genitori, che abbassavano la voce quando si accorgevano che li stava ascoltando. Era una figura reale e insieme favolosa, come il Guerrin Meschino, che si innamorava perdutamente della principessa di Persepoli, ma la abbandonava promettendole di tornare entro dieci anni – come il dio Lhepsch. Non voleva e non doveva partire senza averlo trovato. Sarebbe stato tutto inutile – le bombe, le macerie. La distruzione. La guerra stessa. Il sole tramontava. Al di sopra del loggiato, dei vasi di geranio e dei lenzuoli stesi sui fili di ferro, i tetti dorati dell'Esquilino si incendiavano in una fuga infinita, fino a confondersi con l'azzurro di colline lontane.

Capì che doveva pagarla. Capì che niente gli sarebbe stato regalato e che era giusto così. Aprì la sacca. In vista dell'incontro, aveva portato lamette e rasoi, calze e sapone, cosmetici e un montgomery. Forse non erano utili come la falce della luna, ma non aveva trovato di meglio. Porse alla ragazza le calze e la crema emolliente per le mani. Al mercato nero, valevano parecchio. Margherita non faticò a ricordarsi che gli abitanti dell'appartamento se n'erano andati nel '31. Li avevano sfrattati. Dy dovette mostrarsi preoccupato perché la ragazza rise. Non è una disgrazia essere sfrattati da questo palazzo che casca a pezzi, Joe. Anzi, ti dirò che è una fortuna. Non mi chiamo Joe, protestò Dy, ma la ragazza disse che tutti gli americani si chiamano Joe. Non lo sapeva dove si erano trasferiti – forse alle case popolari. Quali case popolari? Che ne so? Le case popolari sono tutte uguali. Perché li stai cercando, Joe? Dy non aveva voglia di risponderle. Non avrebbe saputo dirglielo, del resto. Doveva trovarlo, e questo era tutto. Non è un segno del destino che invece di quel tizio hai trovato me? Perché non entri dentro e mi racconti da dove vieni? Te l'hanno già detto che pari quell'attore – come si chiama, Dana Andrews? Quanto sei bello. Perché non resti, Joe? Dy assestò la sacca sulla spalla e rispose che il suo nome non era Joe.

Al villaggio, i vecchi si ricordavano appena di lui. Seduti fra le macerie, fumavano le sue cicche aromatiche americane e cercavano di capire cosa volesse da loro. Non ci credevano che questo capitano dell'esercito degli Stati Uniti era venuto fino a Tufo perché voleva trovare un vecchio scarparo e una scrivana cieca morti e sepolti – e il figlio dell'uomo più sfortunato del paese, Mantu. Il ragazzino che morì per la puntura di una zanzara? Il carabiniere? Ma no, l'altro – quello che se ne andò in America. I vecchi guardavano la pianura, indicando nella campagna sottostante un groviglio luccicante di metallo, che ricordava l'esistenza, un tempo neanche tanto lontano, di binari, traversine, treni. Gli dissero qualcosa che lo sorprese. Salvo durante la convalescenza, non era mai tornato a Tufo. Se n'era andato a Roma.

A Dy fece una strana impressione sentirli parlare di Roma come di un luogo remoto, perfino più remoto dell'America, nella quale molti erano stati – o dove erano stati i loro fratelli, padri o figli. Roma invece sembrava a quei vecchi qualcosa di estraneo, sconosciuto e potente. Chi stava a Roma doveva essere importante per forza. E così era adesso per il figlio di Mantu. Importante, estraneo – sconosciuto. Finché erano stati vivi il padre e la madre, d'estate a Tufo ci tornava. Sempre ben vestito, profumato e col garofano rosso all'occhiello della giacca – un vero signore. Era diventato capufficio. La gente del paese schiattava d'invidia. Si era preso la moglie romana, della quale i vecchi non ricordavano altro che i capelli – quanti capelli che aveva, quella donna – e il fatto, per loro offensivo, che camminava in campagna con gli scarpini da città. Dy non seppe spiegarsi perché, ma gli spiacque sapere che avesse una moglie. Sarebbe voluto tornare in America e dire alla madre che non si era mai sposato. Poi Mantu era morto, e lui a Tufo non c'era venuto più. Come faccio a trovarlo? chiedeva Dy. Eh, come lo vuoi trovare, paisà, Roma è grande.

Perse tempo a setacciare le "case popolari". Negli anni Trenta, molti romani erano stati espulsi dalle loro vecchie case – dalle autorità o dai proprietari – e dispersi in mille direzioni – trasferiti, deportati, o semplicemente "spostati". La maggior parte era finita in borgate di periferia, se non addirittura in campagna. Ma risultò che Dy stava sbagliando strada. Al figlio di Mantu era stata assegnata una casa popolare, è vero, ma l'aveva rifiutata. Era un tipo ostinato, collerico e dannatamente orgoglioso. Pare che i fascisti gli fossero graditi come una spina di pesce in gola, e perciò rifiutò di ricevere alcunché dal Duce. Purghe e bastonate erano tutto ciò che poteva accettare da lui. Dy cercò di rievocare la vivida scritta rosso sangue sulle pareti dell'ufficio di suo padre – FASCISTS. MOBFIA. FASCISTI. MAFIA. – e non riuscì a ricordare le pareti bianche, né la vernice, né le parole esatte. La scritta aveva perso colore e non lo offendeva più. Dy aveva sempre saputo che lui si sarebbe comportato così, e ne fu contento. Da piccolo, mentre osservava il corpo selvaggiamente peloso di suo padre, il suo orecchio mozzicato dal fuoco e il braccio morto appeso al collo come il cadavere del suo passato, si immaginava di essergli stato soltanto prestato – perché in realtà aveva un altro padre. Un eroe seducente e invincibile, un viaggiatore – un dio. L'uomo misterioso che un giorno sarebbe venuto a prenderlo.

Lo cercò ai circoli socialisti, nelle sezioni di partito. Gli dissero che sì, si ricordavano di lui, ma non frequentava, non aveva mai preso la tessera – né negli anni della clandestinità, né dopo la liberazione. Era un solitario. Qualcuno si ricordava di averlo visto chiedere informazioni per i processi. I processi? chiese Dy. Forse il capitano, che era americano, non sapeva niente dei processi, e non sapeva nemmeno cosa volesse dire la parola epurazione, ma per gli italiani era una faccenda importante. Le vittime si siedono davanti ai persecutori, gli oppressi davanti agli oppressori. Dei loro comportamenti, gli uomini sono responsabili, e devono assumersene il peso. Capisce, capitano? Temo di no – sorrise Dy. Non so cosa è successo in Italia in tutti questi anni. So cosa succede adesso. Le macerie. La polvere. La miseria. La musica. Le ragazze. Non può finire tutto con un'amnistia, capisci, Joe? Non c'è perdono senza giustizia. Altrimenti è come se qualunque cosa – qualunque comportamento, viltà, violenza, orrore – fosse lecita. Dopo che sarà fatta giustizia questo paese potrà ricominciare. E rinascerà. Se ciò non dovesse accadere, avrà venduto l'anima – e sarà perduto per sempre.

Magari, concluse il vecchio, il suo uomo è stato chiamato a deporre contro il suo superiore alla Commissione delle Epurazioni. Potrebbe avere il diritto di chiedere il risarcimento per le angherie subite. Per gli stipendi arretrati, le promozioni mancate, le ferie negate, la degradazione ai lavori più squalificati e peggio retribuiti. Potrà ottenere sicuramente dei soldi. Ma se testimonia, non sarà per questo. Vede, si tratta di ottenere una specie di risarcimento soprattutto per le persecuzioni morali. Qualcosa – anche di simbolico – che possa sanare il risentimento. Cicatrizzare le ferite, le offese. Le ingiustizie. Le umiliazioni. Era il capufficio, obiettò Dy, perplesso. Di quali umiliazioni dovrebbe essere risarcito?

Il suo soggiorno romano durò troppo poco. Ormai gli avevano già comunicato la data della partenza. Doveva lasciare la divisa, alla quale aveva regalato quattro anni di vita e i suoi sogni di una carriera folgorante, e tornare a casa. Al lavoro d'ingegnere per il quale aveva studiato duramente e che non aveva potuto nemmeno cercarsi, alla sua famiglia. Eppure, quando arrivò la notizia, ne fu rattristato. Doveva lasciare l'Italia, Roma, e tutto ciò che non aveva potuto – o saputo – trovare. Quell'uomo era sparito. Per quel che ne sapeva, non aveva mai scritto, nemmeno una cartolina. Era passato talmente tanto tempo. Probabilmente non si ricordava nemmeno di sua madre. Ormai il capitano Dy sapeva che poche cose resistono all'usura della vita. Le cose sembrano dover durare per sempre, e invece il tempo le sgretola a poco a poco, finché, se uno si volta indietro, si rende conto che del passato non è rimasto niente. Ma nonostante tutto, l'ultimo giorno volle andare nel quartiere Prati delle Vittorie e verificare l'informazione. Un carabiniere, che era stato collega del fratello, gli aveva consigliato di fare un giro dalle parti di via della Giuliana.

Il carabiniere l'aveva conosciuto in gioventù, poi lo aveva perso di vista. Si ricordava però del funerale al Verano. Lui non c'era. Non gli avevano dato neanche un giorno di ferie per accompagnare al cimitero la moglie. La moglie? lo interruppe Dy. La romana, la "poetessa" – la "signorina" Emma? Morta giovane, poveretta, disse il carabiniere. Il male se l'era portata via in una settimana. Era successo parecchio tempo prima, forse nel 1936, o nel 1937. Dy strinse i pugni e si morse le labbra. Un confuso sollievo esitava a farsi strada dentro di lui. Il carabiniere disse che era stata una storia squallida e triste. Il suo capo lo aveva accusato di speculare sulla morte della moglie, perché i colleghi avevano raccolto una colletta per comprarle il funerale. Avevano dovuto tenerlo fermo in quattro, perché lui, un uomo di più di quarant'anni, lo aveva preso a pugni, come un ragazzo. Gli aveva rotto il naso e strappato il pizzetto luciferino coi denti, ma il giorno di ferie non l'aveva ottenuto, ed era stato sospeso dal lavoro per sei mesi. La colletta? lo interruppe Dy. Perché mai un uomo importante come lui avrebbe avuto bisogno di una colletta? Capì che il carabiniere si sbagliava. Lo confondeva con qualcun altro.

A via della Giuliana volle andarci comunque. Attraversò il Tevere, si inoltrò in un quartiere di platani e viali spaziosi e deserti, in mezzo ai quali i ragazzini rincorrevano palloni di stracci, usando i tronchi come porte, i passanti come arbitri e le ragazze come bersagli. Sulla facciata di un condominio costruito nel 1930 qualcuno aveva inciso il motto DULCE POST LABOREM DOMI MANERE. Si fermò davanti a un altissimo palazzo. Sette, forse otto piani incastrati in una parete color giallo canarino. Eppure l'informazione del carabiniere si rivelò esatta. Il vinaio gli confermò che effettivamente abitava lì. Dy si sfilò gli occhiali scuri e guardò le finestre del secondo piano. Ti ho trovato, pensò. E tu non sai nemmeno che esisto.

Ma le serrande erano abbassate, e in casa non c'era nessuno. Erano le nove del mattino: doveva immaginare che a quest'ora la gente lavora. Ma non poteva tornare stasera. Doveva presentarsi in caserma prima del tramonto per la cerimonia dell'addio. Tre ragazzini gli indicarono una figuretta minuta che s'allontanava svelta in direzione di viale delle Milizie, e gli dissero che lei poteva aiutarlo. La rincorsero. Formavano un corteo curioso: Dy alto, strizzato nella divisa impeccabilmente stirata, coi capelli rasati da poco e gli scarponi lustri, i ragazzini scalzi, coi piedi lerci e i capelli impolverati. Dy non si voltò a guardarli perché altrimenti i loro occhi speranzosi e le loro stridule richieste – penna, quaderno, dollari, portami-via, portami con te in America, Joe – lo avrebbero ossessionato per giorni. Ormai era in Italia da due anni e mezzo, e si era abituato a dimenticarsi di tutto ciò cui non poteva rimediare.

La ragazza era bruna, minuta e indaffarata. Quando la raggiunse non si fermò. Lo squadrò con divertimento, come fosse una figurina – o un attore in divisa. Era proprio un ufficiale dell'US Army? Non ne aveva visto da vicino neanche uno. Il padre non la lasciava uscire: per le ragazze gli americani risultano più pericolosi della rosolia. Si scusò di non potersi fermare, ma aveva una fretta dannata perché alle nove doveva infilare il suo cartellino nella rastrelliera dell'ufficio. In ufficio? esclamò Dy, sorpreso. A quattordici anni? A scuola, dovresti essere. La ragazza rise. Ahimè, di anni ne aveva già ventuno. Se ne dimostrava meno era perché il tempo si era dimenticato di lei. Aveva bussato alla sua porta, e lei non gli aveva aperto. Dy sorrise. Avrebbe voluto aggiungere qualcosa, ma il suo italiano rudimentale non glielo permetteva. Per la prima volta, gli dispiacque aver dimenticato. La ragazza camminava a passi rapidi, quasi marciando. Quando le chiese dove poteva trovarlo, volle sapere perché lo cercava – e Dy rispose che doveva consegnargli una lettera che gli avevano affidato in America. Mentiva. Non c'era nessuna lettera. E nessuno sapeva che lo stava cercando. La ragazza disse che poteva trovarlo alla Cassa Nazionale degli Infortuni, piazza Cavour numero 3. Dy si sfilò la giacca, ma la ragazza marciava come un soldato e non si fermò ad aspettarlo. Dy fece per chiamarla, ma non sapeva chi fosse, non le aveva nemmeno chiesto il suo nome.

Allungò il passo. La ragazza si fermò bruscamente. Se voleva andare a piazza Cavour, gli conveniva scendere per via Lepanto. Lei invece tirava dritto. Buona fortuna, capitano, gli disse. Se per caso lo incontri, non dirgli che ci siamo parlati. È un tipo all'antica. Portandosi le dita alle labbra, Dy promise di mantenere il segreto. Ma poi l'afferrò per il polso e disse: il segreto di chi? Chi sei? Come ti chiami?

Rimase immobile in mezzo al viale. Imbambolato, col sudore

che gli colava sulle tempie e il cuore che aveva perso il tempo – e martellava rumorosamente contro le costole. La ragazza s'allontanava a passi rapidi. Aveva le spalle strette e la testa piccola. Indossava una gonna grigia e una camicetta bianca, come una studentessa. Senza un filo di trucco. Probabilmente non era mai stata dal parrucchiere e non aveva mai avuto un fidanzato. Per un istante Dy pensò che avrebbe potuto innamorarsi di lei. Molti suoi amici tornavano in America con una ragazza italiana. Lui sarebbe tornato con lei. Come se avesse combattuto nel fango della pianura, fra le macerie di Tufo, nelle campagne d'Italia, come se avesse perlustrato le strade di Roma per lei – per ritrovarla.

Quella mattina di primavera, seduto dietro un brutto banco tutto sgraffiato, l'usciere piantonava l'ingresso della Cassa Nazionale degli Infortuni. Alle dieci del mattino, gli impiegati avevano preso posto alle loro scrivanie, le segretarie ticchettavano sulle macchine da scrivere, i visitatori rifluivano da lui, ognuno col suo smarrimento, col suo problema. Di pratiche di infortunio, in un anno come il 1946, l'ufficio doveva smaltirne migliaia. Nel riquadro del portone, poteva appena intravedere le palme di piazza Cavour che flottavano al vento. Intuire il giovanissimo inserviente che spazzava l'ingresso del Teatro Adriano, e la cameriera assonnata che sollevava la saracinesca della trattoria. Smistò distrattamente un mutilato al terzo piano e una vedova al secondo. Poi si trovò davanti una divisa. Una divisa dell'US Army, con le stellette e i gradi di capitano. Uno dei molti ufficiali della 5ª armata che, dopo la fine della guerra, sembravano essersi arenati a Roma, e incapaci di lasciarlo. Si aggiravano fra le macerie morali di un paese sconfitto con l'allegria e la prepotenza di chi ha sempre avuto ragione. L'usciere li ammirava – ma anche, senza riuscire a capire perché, li odiava. «È questa la Cassa Nazionale degli Infortuni?» aveva chiesto lo sconosciuto, con forte cadenza straniera e tutti gli accenti al posto sbagliato. L'usciere alzò lo sguardo e impattò in un paio di impenetrabili occhiali scuri – del modello Ray-ban in dotazione agli ufficiali americani. Rispose svogliatamente di sì. Cosa desiderava, aveva un appuntamento?

Dy lo guardò appena. Scrutava, nervoso, verso le scale. La folla che vagava disorientata fra gli uffici lo intimoriva. Ancora una volta, si sentì sperso. Si chiese cosa avrebbe detto. In quale modo, con quali parole, gli avrebbe spiegato. «Sto cercando una persona», scandì, sforzandosi di farsi capire dall'ometto nascosto nella penombra dell'ingresso. Un piccolo italiano coi baffi spruzzati di grigio e un paio di formidabili occhi celesti. «Prego, mi dica chi cerca, vedrò se posso aiutarla.» L'usciere parlava automaticamente, perché mille volte al giorno da migliaia di giorni gli capitava di rispondere a richieste simili. Le sue giornate, per ventisei anni, se n'erano andate così. Piantonare l'edificio per otto ore consecutive, ripetere cento volte al giorno frasi insensate – buongiorno dottore, ha un appuntamento? terzo piano, c'è l'ascensore in fondo a destra, quarta stanza, grazie, prego, dove va? ha un appuntamento? – orientare i visitatori, lucidare le scrivanie, svuotare i cestini dalle cartacce, raccogliere le cicche nei posacenere – e poi, quando tutti erano già a casa da tempo, fare l'ultimo giro per gli uffici sinistramente vuoti, e mentre i suoi passi risuonavano nell'edificio deserto spegnere tutte le luci e camminare nel buio fino al contatore. L'ultimo gesto cosciente della sua giornata era così insignificante – eppure lo riempiva immancabilmente di angoscia: staccare la luce. «Può ripetere la domanda?» chiese, perché gli sembrava di non aver capito. L'ufficiale americano ripeté, scandendo bene le parole: «Sto cercando Diamante Mazzucco».

L'usciere gli piantò in viso i suoi occhi chiari. L'americano era alto, bruno, abbronzato. Doveva avere venticinque anni. Perché cercava Diamante? Che accidenti voleva da lui? La visita di uno sconosciuto – uno che ti piomba addosso senza preavviso, senza presentazione – non è mai buon segno. La prudente diffidenza coltivata negli anni sordidi della dittatura lo spinse a tutelarlo. «È in ferie», spiegò. «Quando torna?» s'affrettò a chiedere Dy. Incalzante. Inquisitorio. «Eh, per ora non torna», svicolò l'usciere, con noncuranza. L'americano emise un gemito, s'appoggiò con tutto il suo peso alla scrivania e si sfilò i Ray-ban. Aveva gli occhi nerissimi, le ciglia lunghe e il naso dritto e perentorio. Un viso regolare, squadrato – refrattario alla malinconia e all'introspezione. Eppure, su quel viso non passava né disappunto né stizza, ma qualcosa di più profondo – perfino violento. Una sconfinata delusione. «Lei non sa quanto l'ho cercato! L'ho inseguito in tutte le case in cui ha abitato... ma Roma è grande. Ho trovato qualcuno che l'ha visto, che ci ha parlato, ma lui non sono riuscito a trovarlo. E ormai devo tornare in America...» Un giovane americano di venticinque anni. L'usciere si chiese se l'avesse visto da qualche parte. Macché. Il suo viso non gli diceva niente. «Lei lo conosce, il signor Diamante?», gli chiese Dy, angosciato. «Di vista», rispose l'usciere, che adesso avrebbe voluto buttare fuori l'americano, anche perché dietro di lui s'era formata una fila di sciancati in cerca di informazioni. «Peccato, è un uomo straordinario, sa? Un eroe. Non ce n'è molti come lui.» Incuriosito, e anche allarmato, l'usciere rise. «Ma davvero!» esclamò. «Non me ne sono mai accorto.»

«Pensi che venne in America da solo», disse Dy, cui sembrava di raccontare qualcosa di inconcepibile – una leggenda. Come Ercole che strangola le serpi in culla, o Billy the Kid che commette il primo omicidio a dodici anni. «A dodici anni. Per mantenere i genitori, così poveri che vestivano i figli a turno perché avevano un solo paio di calzoni. Pensi che ebbe il coraggio di mettersi contro i briganti della Mano Nera, da solo, un ragazzino, quando tutto il quartiere taceva, terrorizzato, e ubbidiva. Aveva tanto coraggio che rubò le scarpe a un morto, entrandogli nella tomba, ha sfidato i boss delle ferrovie, ha attraversato l'America senza un dollaro in tasca, ha pagato la casa dei genitori a prezzo dei suoi reni, e malato com'era è anche andato in guerra volontario.» L'usciere pensò che non aveva mai considerato Diamante in quella luce. Il Diamante che conosceva lui era un ometto testardo e orgoglioso, violento e bugiardo. Una persona qualunque, di cui nessuno andava fiero – e che, di certo, non andava fiero di se stesso. «È un vero pity che sia in ferie», proseguì Dy. «Volevo davvero conoscerlo. Era importante, per me. Se lo vede, può riferirgli per favore che l'ho cercato?» Dy si infilò i Ray-ban e s'avviò verso l'uscita. La sua figura snella, atletica, proiettò sull'usciere un'ombra buia. «Se mi lascia il suo nome» farfugliò, confuso, «farò il possibile per rintracciarlo. Aspetti che scrivo.» «Non ha bisogno di scriverlo», sorrise il giovane, alzando le spalle. «Mi chiamo come lui. Il mio nome è Diamante Mazzucco.»

L'usciere avrebbe voluto dire qualcosa, ma la sorpresa gli aveva asciugato la gola. Quell'ufficiale, che non era nemmeno più un ragazzo, parlava di lui, un assoluto estraneo, con familiarità, ammirazione, affetto, come se lo conoscesse da sempre, e sapeva cose, fatti, episodi che non aveva mai raccontato, e di cui lui stesso non si ricordava più. Quando si riscosse, l'altro Diamante attraversava già a gran passi l'androne. Si alzò in piedi e fece per inseguirlo, ma poi si rimise seduto. Il capitano era venuto a cercare un eroe, non un usciere. Mentre l'americano che portava il suo nome si allontanava nella piazza abbagliata dal sole e svaniva nella folla che assediava i tribunali, Diamante capì che era il figlio di Vita.

# Good for father

Dopo la morte di mio padre, quando abbiamo riordinato la sua corrispondenza, mi è capitato fra le mani un plico di lettere spedite per posta aerea da New York. Siccome il mittente era la ditta THE ELECTREX CO. – MANIFACTURERS' EXPORT MANAGERS. 114 Liberty Street. New York 6, N.Y. – non mi sembravano significative, e le ho messe da parte. Ignoravo cosa spingesse una ditta che commerciava materiale elettrico a contattare mio padre. Quando ho cominciato a scrivere questa storia, però, mi sono ricordata che le lettere erano state spedite in un arco di tempo compreso fra l'ottobre del 1947 e la primavera del 1951. Siccome quel periodo – l'archeologia di un padre da giovane – mi era completamente sconosciuto, le ho disseppellite dal mare di carte in cui era intanto naufragato il tentativo di costruire un archivio a suo nome, e le ho aperte. Il titolare della Electrex scriveva un italiano incerto, volenteroso. Si chiamava Diamante Mazzucco – ma si firmava Dy. Il suo nome mi ha sorpreso, riattivando domande e interrogativi cui ormai nessuno avrebbe potuto dare risposta. Chi era? Cosa aveva a che fare col *mio* Diamante? C'entrava qualcosa con la ricca "americana" che ci aveva colmato di pacchi dono? Quella signora era la ragazzina del piroscafo? Ho aperto le lettere spedite da Liberty Street. Adesso so che, sull'altro binario della storia, il capitano Dy – Diamante II – avrebbe potuto essere mio padre.

I miei due padri non si incontrarono, nemmeno fuggevolmente, quando Dy perlustrò Roma in cerca dell'uomo di cui portava il nome. Nell'ottobre del '47 Diamante II aveva ventisette anni, Roberto venti. Diamante II era un ingegnere, un capitano dell'esercito degli Stati Uniti, che aveva fatto la campagna di Germania e combattuto sul Fronte sud con la 5ª armata; Roberto aveva vissuto la guerra come studente del liceo Mamiani, da spettatore e vittima – della borsa nera e delle restrizioni che avevano svalutato il già misero stipendio di suo padre. Era nato a

Roma – si sentiva romano. Come sua madre, i suoi nonni materni, i suoi bisnonni e così via. Di ciò che era accaduto al paese di suo padre aveva potuto leggere solo qualche articolo suggestivo sulla stampa dell'epoca. Il "Messaggero" aveva aperto il 1944 con l'articolo: *Fallito sbarco americano a Minturno*. Il 20 gennaio il titolo diceva: *Sanguinosi combattimenti a Tufo*. Per la prima e unica volta il villaggio senza passato, neanche menzionato sulle carte geografiche, finiva in prima pagina. Ci finiva morendo assassinato – come capita a tutti gli uomini e le donne senza storia. Il 3 marzo, il "Popolo di Roma" pubblicò un epicedio per la fine di Minturno firmato dalla penna arcadica di Americo Caravacci. Cantico su un paese distrutto, l'elzeviro non alludeva neanche per caso alla guerra, ma piangeva il poggio "fasciato da un'aria luminosa" e la patria perduta della ninfa Marica – "dea marina e terrestre, mediatrice tra l'onda e le nostre montagne". Nel 1947, Roberto era già iscritto al terzo anno di università, alla facoltà di Storia. Si sentiva obbligato a laurearsi prima degli altri, e meglio degli altri. In famiglia, nulla era meno gradito della mediocrità – nulla più atteso della perfezione. Gli sarebbe piaciuto diventare professore. Cominciava a collaborare a qualche giornale – il primo fu "Il Minuto" – e cercava un lavoro per guadagnarsi da vivere e pagarsi gli studi.

Roberto e Diamante II sembravano diversi – antitetici. Eppure condivisero un sogno. Diventare ricchi. Ma ricchi davvero, approfittando del sovvertimento mondiale seguito alla fine della guerra. Come? Cos'hanno in comune un ingegnere americano e uno studente romano? Proprio quello che sono. Venderanno l'Italia agli Americani e l'America agli Italiani. Con la matematica semplicità che lo contraddistingue, Diamante-Dy chiarisce nel punto 3 del promemoria datato gennaio 1949: "Tu offri merce americane sul mercato italiano ed io merce italiane sul mercato americano".

"Egregio Signor Diamante, chi le scrive è Roberto figlio di Diamante, in merito alla sua proposta. Papà è molto indaffarato e non può dedicarsi con libertà a un altro lavoro, però se lei non ha nulla in contrario, io sarei ben disposto a darle un aiuto. Naturalmente è necessario un maggior chiarimento di tutta quella che sarebbe la mia attività. Non ho capito infatti se le occorre una lista di società e fabbriche oppure un elenco di negozi. Lei cerca in sostanza produttori che si debbano fornire da lei oppure commercianti che debbono vendere prodotti già confezionati? Appena mi farà conoscere la proposta la saprò soddisfare. Sarebbero necessari ulteriori dettagli, articolo per articolo, possibilmente un qualche album con annesse spiegazioni per funzionamenti, prezzi ecc. E sarà pure al corrente, spero, di tutte le formalità occorrenti in Italia per l'importazione e la dogana, formalità che non sono sempre facili. Sono ben lieto di collaborare con lei. In attesa di una risposta saluti e ossequi. Roberto Mazzucco."

Metteranno in piedi una società, di cui Dy sarà il titolare e Roberto l'unico rappresentante. Importeranno, esporteranno. Cosa? Quello di cui gli uni hanno eccesso e gli altri penuria. Materiali elettrici, spaghetti, rasoi di plastica, cemento, frullatori, tondini, ombrelli. Ma anche parole. Dy, sicuro che "in tutte le mie lettere errori di grammatica sono apparenti perciò non credi che m'offendo se hai la cortesia di correggermi al contrario me fara molto piacere", si dispone umilmente ad apprendere l'italiano; Roberto insegna. Curiosamente, la storia dei loro genitori si ripete – rovesciata. Comunque, al di là della grammatica e dell'anagrafe, i ruoli sono paritari. Purtroppo, ognuno è destinato a smontare i sogni dell'altro. Diamante II offre materiale elettrico? Roberto spiega che il materiale elettrico non si può esportare perché il governo lo vieta. Roberto scopre che in Italia sono molto ricercati i medicinali, come penicillina, streptomicina, cloromicetina, aureomicina? Diamante II verifica che non è permessa la loro libera entrata in Italia. Diamante II propone rasoi di plastica. In America sono un articolo molto popolare. Propone l'intero catalogo:

PREZZI REF.

| STILO O MODELLO | DESCRIZIONE | PREZZO |
|---|---|---|
| B-2 | Plastico nero | 12 $ |
| S-2 | Plastico nero Manico a colore | 12 $ |
| AA1 | Plastico bruno | 9 |
| D-2 | Plastico nero Manico metallo | 13 |
| D-3 | Plastico ivorio Manico metallo | 13.50 |
| C*5 | Nichello Manico metallo | 19 |
| CARTA MONTATA | Plastico con pachetto di 5 lamette | 14.50 |

Urea e un plastico speciale più duro del ordinario metallo impiegato nel manico e un miscela di alluminio che non puo rugginire.
Il PREZZO è per la GROSSA consiste di 144 pezzi completi.

Roberto risponde il 27 luglio 1950 alla speranzosa precisione di Diamante II che "i rasoi di bakelite hanno avuto grande sviluppo in tempo di guerra ma oggi non sono più venduti e i commercianti non li accettano più. In quanto al rasoio di nichelio metallico C5 esso ti è stato offerto a circa lire 80 a pezzo. Aggiungi il dazio doganale che è forte e il trasporto e vedi tu stesso come il prezzo è molto superiore alle 120 lire al pezzo che è il prezzo medio che le fabbriche italiane vendono ai commercianti. Senza contare che le fabbricazioni italiane sono più buone. Ho veduto rasoi metallici bellissimi a lire 300 e 350 in vendita al pubblico, un prezzo che non sarebbe possibile raggiungere con le proposte dell'ultimo tuo memo. E non ho ancora detto tutto. Giacché per le *lamette e per quasi tutti i rasoi* c'è la proibizione dell'importazione essendo prodotti manifatturati. Quindi se non è possibile ulteriore proposta l'affare è destinato a cadere. Il pacchetto lo consegnerò a tua madre quando ripartirà".

Intanto, mentre il progetto – fra una lungaggine burocratica e l'altra – non decolla, è scoppiata la guerra di Corea. Roberto s'infiamma di politica, come è tradizione della famiglia di sua madre, scende in piazza a manifestare contro Eisenhower, contro l'imperialismo degli Stati Uniti, prende manganellate in testa e viene portato in questura come molti suoi coetanei: scopre di non amare ciò che l'America rappresenta proprio negli stessi giorni in cui l'America bussa alle sue porte – proponendogli il sogno intramontabile di una felicità terrena, materiale, possibile. Tuttavia, benché fiaccata dalla crisi ideologica di Roberto, la corrispondenza prosegue. Dy chiede acciaio, di cui c'è scarsità. Roberto propone cemento. A costo di perder tempo, si sbatte, si informa: "Ecco le notizie. La fabbrica BPD con stabilimenti vicino Roma produce cementi speciali di questo tipo:

a) cemento superbianco 36 dollari la tonnellata; resistenza 680 kg.
b) cemento bianco 30 $ xt; res. 500 kg.
c) cemento Ari 36 $ xt; res. tipo speciale resistentissimo".

Aggiunge. "Punto 5. Ho saputo che in America cercate ombrelli di seta da uomo e fazzoletti di seta. Se mi dici che si potrebbe far qualcosa ti farò sapere subito i prezzi." Purtroppo, abbagliato dalla fragilità immateriale della seta, lascia cadere la proposta – lucrosa – di esportare tondini e lamiere. E quando finalmente, alla fine del 1950, Diamante II annuncia di essersi procurato la licenza per esportare la penicillina, in Italia la penicillina la commerciano già le principali case farmaceutiche.

Per qualche tempo Dy sparisce. Riemerge nel febbraio del 1951. Si intuisce che nella sua vita sono sopravvenuti cambiamenti. "Manco da casa dall'ultimo di agosto, per un po' non ho scritto a nessuno. Ecco mio silenzio." Non fornisce il suo nuovo indirizzo. Raccomanda a Roberto di spedire le lettere a una ditta di Sanborn, N.Y., "perché non posso dire che tipo di lavoro faccio – posso solo dire che sono capo di costruzione per la ditta accennata sulla busta che fabbrica per il governo". Cosa fabbrica in tanta segretezza una ditta di costruzioni per il governo degli Stati Uniti d'America? Una prigione? Bunker antiatomici? Arsenali? Bombe? Quel che è certo è che, come nulla fosse, Diamante II riprende il filo del loro sogno, per chiedere a Roberto, di nuovo: "qual è la merce che oggi potrebbe interessare in Italia?"

Mio padre, col primo e unico colpo di genio commerciale della sua vita, risponde: TELEVISORI. "*Fra non molti mesi in Italia si comincerà ad usare la televisione. Perché non cerchi di avere l'esclusiva d'esportazione per l'Italia dei migliori apparecchi? Sarebbe, a suo tempo, un grande* business." Purtroppo, come sempre, i visionari sono in anticipo. E fanno di tutto per non realizzare mai ciò che intuiscono. Perché non c'è niente di più disperante di un sogno esaudito. Qualche mese dopo aggiunge: "Per la televisione tutto è ancora prematuro. I primi esperimenti si stanno facendo solo ora. Io seguo la questione e appena si deciderà qualcosa te lo farò sapere".

Ma non gli farà sapere niente. Diamante II e Roberto non arricchirono insieme. E nemmeno separati. Roberto, che nel frattempo si è laureato in Storia, ha rinunciato al suo sogno di diventare professore: ha vinto un concorso alle Ferrovie dello Stato, dove scoprirà l'abominio novecentesco della vita impiegatizia. Diamante II ha chiuso la Electrex, e si è lasciato inghiottire dalle misteriose attività della ditta Venneri. Sparisce, si volatilizza. Perché? Cosa gli è accaduto? Cosa vuol dire per un ingegnere – ex-capitano della 5ª armata – costruire per il governo? Ha ricevuto un'offerta irresistibile? È entrato nella CIA? Quando smisero di scriversi, alla fine del 1951, in ogni caso, le loro strade si erano già divise. Dy lavorava a qualche progetto segreto per il governo degli Stati Uniti. Roberto inventariava locomotive in un ufficio pensile affacciato sullo scalo ferroviario della Stazione Termini. Guardava – come suo padre prima di lui – passare i treni. Sospeso sopra un dedalo di rotaie. Di scambi, semafori e traversine. Le ferrovie che avevano ingoiato il futuro di suo padre, avevano ghermito anche lui. E come a Diamante I, il sogno americano di cercare la felicità terrena gli era già diventato odioso. Roberto non proverà mai più a far soldi. Avrà un'idea ancora peggiore che distribuire rasoi in bakelite nel 1950. Si metterà a scrivere.

La storia della Electrex era stata – come per suo padre l'America cinquant'anni prima – l'apprendistato di una vocazione all'insuccesso. Ormai, per i successivi trentanove anni che gli restano da vivere, lo interesserà solo ciò che non funziona, che è destinato a perire. Ciò che si rivela obsoleto, inattuale, perdente. Le nazioni condannate alla sconfitta, I popoli rinchiusi nelle riserve della storia. Le razze in estinzione come la sua. Le voci di genti ammutolite. Le cause perse, le imprese mancate, i sogni non realizzati. In ufficio, rottama locomotive – archivia i modelli superati. A casa, scrive testi teatrali in un paese che crede avanguardia il proclamare la morte della drammaturgia (e del drammaturgo). I giornali da cui finisce per essere accettato come corrispondente non raggiungono una diffusione tale da consentirgli di sopravvivere al pionierismo del dopoguerra e vengono annientati dalla concorrenza; l'asportazione della milza e l'enfisema polmonare causatigli da un autista scellerato, invece di procurargli un indennizzo con cui compensare l'invalidità subita, gli costano un risarcimento cospicuo all'investitore a causa della corruzione del suo avvocato. La cooperativa cui si iscrive negli anni Sessanta non costruirà mai la casa in cui sogna di stabilirsi perché fallisce ingoiandosi l'anticipo, il cabaret politico che apre all'inizio degli anni Settanta in una cantina di Trastevere, di fronte a San Francesco a Ripa, e che sembra finalmente avviarlo alla fama grazie a un lavoro oltraggioso intitolato *Vilipendio e altre ridicole ingiurie*, perderà la licenza per mancanza di un'uscita di sicurezza; la collina gibbosa infestata di vipere e cinghiali che acquista in Toscana non verrà mai dichiarata edificabile; la terra di Tufo che suo nonno e suo padre hanno sognato appartiene a una donna che preferisce tenerla incolta piuttosto che cederla al figlio di uno che se ne è andato; i romanzi che scrive negli anni Ottanta s'impigliano contro la sua età non idonea a un esordiente (si cercano giovani).

Anche il vagone merci che scegliamo in un deposito dello scalo San Lorenzo, eccitati dall'audacia del progetto, non verrà mai trasportato sulla cima della nostra inedificabile collina.

Ogni tanto parliamo di come lo attrezzeremo, di come sposteremo i listelli per farne delle finestre, di come campeggeremo sulla nostra gibbosa collina – conquistandoci la nostra selvaggia solitudine. La nostra terra, noi che non ne abbiamo mai avuta una e ci sentiamo legati solo all'asfalto di Roma e al verso stridulo dei gabbiani che aleggiano sul Tevere come avvoltoi. Avremo una casa con le ruote, l'unica che sentiamo adatta a noi, tu e io. A sessant'anni mi dirà, serenamente: «La cosa migliore nella vita è un moderato insuccesso». Io mi chiederò se ha ragione. Forse sì. È amato – circondato da amici e rispettato dai nemici. Forse perché nel moderato insuccesso chiunque può riconoscere il risultato delle proprie illusioni e il tradimento che ha subìto dalla vita. Tuttavia il suo moderato insuccesso lo uccide poco dopo. In un suo racconto, *Il vero motivo delle dimissioni del commissario Sperio De Baldi*, pubblicato postumo nel 1991, aveva scritto: "Ignoravo la psicologia del vinto. Sembra di diventare estranei a se stessi".

Nel 1978, quando Roberto andò, per la prima volta e quasi controvoglia, a New York, sul giornale Diamante II lesse il suo nome fra gli "uomini di teatro italiani" invitati a un convegno, e lo cercò in albergo. Siccome all'epoca non sapevo chi fosse, quel Diamante nostro omonimo che viveva a New York, non mi preoccupai di chiedere a Roberto se trovò il tempo di incontrare suo "fratello" – il suo gemello o l'uomo che lui non fu. Potevo riparare al mio errore solo in un modo. Quando sono tornata a New York, nel 2000, ho cercato sull'elenco del telefono. C'era Daniel, Diana, Donato – la solita plebea abbondanza di Mazzucco. Non c'era però Diamante. Quella primavera avrebbe avuto ottant'anni. Lo immaginai – sereno, felice – in una villa suburbana del New Jersey con garage e prato all'inglese. Non mi sbagliavo. Poco tempo fa ho scoperto che abitava davvero nel New Jersey, a Clarksburg, Monmouth. Ma non avrei potuto incontrarlo. Diamante II è morto nell'ottobre del 1996. Sono certa che non ha mai rimpianto di non aver venduto televisori.

Delle sue lettere, appassionatamente burocratiche, pragmaticamente vincenti, ingenuamente ottimiste, m'è rimasta in mente la frase con cui coinvolge mio padre nel sogno americano. Era questa, immagino, la lezione che mi avrebbe trasmesso. *"Io credo"* afferma Dy *"che noi due imbarcamo su una impresa che ne profitterà molto, sempre con l'aiuto di Dio e con* LE FORZE E ENERGIE PROPRIE. *Perché chi vuole cerca."*

Con questa frase in mente, scartabello nuovamente la corrispondenza. 1948. 1949. 1950. Roberto vuole restituire i rasoi in bakelite alla madre di Dy. Che significa? Dov'è, in quell'estate del 1950, Vita? E allora mi cade lo sguardo sulla postilla del 30 maggio. Quelle parole – poche, ma intime e affettuose – sono il segno che cercavo. Sapevo che Vita avrebbe mantenuto la promessa. Poiché voleva, avrebbe continuato a cercare. Trentotto anni dopo essersi salutati pensando di vedersi dopo trentasei mesi, Vita l'oceano l'ha attraversato e da Diamante c'è venuta. Scrive Roberto: "Tua madre è stata da noi un giorno solo ma speriamo che torni presto da Tufo e stia a Roma parecchio tempo".

RAGAZZA ITALIANA SPARITA

# Ragazza italiana sparita

Una paziente fila di pellegrini aspetta di varcare la Porta Santa. Il sole spiomba, assottigliando l'ombra del colonnato e trasformando la piazza in una abbacinante piscina di luce. Ci sono suore sudate nelle tuniche bianche e un gruppo di giovani frati domenicani che ammirano l'obelisco egiziano qui trasportato da Caligola, chiedendosi se sia lecito trasformare i simboli pagani in simboli cattolici. Concludono che sì – gli dei se muoiono rinascono, e questo è il senso della loro eternità. La cipolla della cupola scintilla al sole, e s'accalcano sulla terrazza turisti brulicanti piccoli e animosi come formiche. Molti approfittano dell'anno santo per farsi un viaggio a basso costo, e in buona compagnia. Sono venuti il principe Schwarzenberg e Jennifer Jones, Eleonora Roosevelt e re Leopoldo, il principe Pierre di Monaco e David O' Selznick, il re negro della Nigeria e il ministro degli Esteri del Libano, il principe Baldovino, il poeta Paul Claudel e la principessa Henvianne de Champonny discendente della regina Giovanna di Francia, e chissà quanti altri verranno. È un omaggio che non scontenta nessuno e soddisfa tutti, i credenti, i negozianti, gli albergatori, i venditori di ricordini, rosari di plastica e d'osso, corone e cartoline, i parrocchiani di cinque continenti, i religiosi di ogni ordine e certamente anche Nostro Signore. Il papa con gli occhiali comincerà l'udienza alle undici, ma nella basilica non c'è più posto – ed è ammesso solo chi si è prenotato.

Un vistoso gruppo di americane di mezza età spicca fra i bianchi domenicani come una manciata di confetti su una tovaglia. Le pellegrine sono tutte donne. Alcune aspettano da anni questo momento – la visione del Santo Padre, la visione di San Pietro, la visione della cara Italia lontana e via dicendo – e non trattengono le lacrime. Altre, meno sentimentali, si arieggiano con fruscianti ventagli sintetici, e cicalano animatamente, immortalandosi a vicenda con le macchinette automatiche. Indossano cappelli a forma di disco, bomba, zucchina, guanti di merletto, raso o daino scamosciato, abiti rosa caramella, color cocomero, cedro, prato. Solo l'ultima della fila, una piccola donna che porta un paio di arditi occhiali scuri a forma di farfalla e una veletta di pizzo che punisce senza pietà la sua ridondante messa in piega, è vestita di nero. La donna si guarda intorno, si solleva sulla punta dei piedi per scrutare la marea di teste che punteggiano la piazza – come se aspettasse qualcuno. Ma anche come se cercasse un ago in un pagliaio e sapesse di non poterlo trovare. È l'unica che volga le spalle alla Porta Santa.

Mezz'ora dopo, quando le americane varcano soggiogate e compunte la Porta Santa e si siedono nei posti loro assegnati al centro della navata, si accorgono che la Presidente dell'Associazione delle donne italiane di New York non è più con loro. Nessuno l'ha vista andar via, perciò serpeggia una certa agitazione. Si consultano. Era qui, mi sono voltata, non c'era più. Che l'abbiano rubata? Durante l'udienza, le parole di Pio XII volano via nel brusio allarmato. Qualcuna dice di non preoccuparsi, sarà andata a farsi un giro, avrà avuto caldo, poveretta, vestita di nero com'era, sotto quel sole, sarà andata a prendersi un gelato. Ma all'udienza ci teneva tanto. Anzi, lo scorso anno è stata proprio lei, che certo non era un'assidua, e chi l'ha mai vista a catechismo, a contattare la parrocchia per organizzare il viaggio. Era un voto, certo, i voti si debbono mantenere. Macché voto, la signora Vita voleva tornare in Italia, e ha colto l'occasione. Non è mica facile per una donna della sua età prendere e dire: me ne vado in Italia. Cosa dirà la gente? Cosa diranno i figli? La signora Vita se ne infischia completamente di quello che dice la gente. È sempre stato questo il suo problema. A ogni modo, non stiamo a preoccuparci per lei. Sa come cavarsela. Preghiamo, e godiamoci questa giornata, che il sole è troppo caldo e durerà poco, verrà a piovere. Vedrete che ci aspetta in albergo.

Invece, quando tornano in albergo, le chiavi della sua camera pendono nel quadro di legno. Il portiere riferisce il messaggio in inglese abborracciato. Mrs Mazzucco si scusa, ma ha avuto un impegno urgente. Dice di non aspettarla.

Il ragazzo aveva i capelli crespi, scurissimi, e l'aria di un saraceno. Era alto, magro, strizzato in un abituccio troppo stretto come l'alberello del vivaio quando diventa più grosso del collarino col suo nome. La giacchetta di panno aveva le toppe sui gomiti, e i calzoni l'aria sfibrata e ostile degli indumenti che temono di finire nel cesto degli stracci. Il moro la fissava con insistenza, e lei pensò che volesse scipparle la borsetta – le signore americane di mezza età sono le vittime ideali dei malfattori romani. Da quando era arrivata nella città eterna, già tre volte avevano tentato di sfilarle il portafogli, approfittando del suo disorientamento e del suo accento straniero. Aveva imparato a tacere, e sorridere svagatamente, tenendo la borsetta stretta contro il seno. Comunque aveva lasciato i suoi gioielli nella cassaforte dell'albergo. Perciò sorrise svagatamente anche al ragazzo moro, e continuò a tener d'occhio il colonnato, aspettandosi di essere trafitta, all'improvviso, dall'artico sguardo azzurro di Diamante. Si riparava dietro gli occhiali scuri perché temeva di restare incenerita. Ma Diamante era decisamente in ritardo. Cominciò a temere che non sarebbe venuto. Forse le sette basiliche, le preghiere sussurrate tra le labbra, gli ansiosi controlli dell'orologio, il Dio nuovissimo cui si era convertita – tutto ciò non sarebbe servito. Diamante era morto come i martiri cristiani, remoto, pietrificato e irraggiungibile come gli angeli di ponte castello – guardiani, spettrali sentinelle di un passato caduto in cenere. Quando il ragazzo aggrottò il sopracciglio, inarcandolo per segnalare il suo scontento, lei arrossì – e per un istante le mancò il respiro. Scivolò via dalla fila, s'insinuò fra le tonache delle suore, lo raggiunse e gli tirò la manica. Non gli assomigliava affatto. Eppure aveva lo stesso sguardo fuggitivo, lo stesso naso indipendente, le stesse labbra troppo belle – la stessa timidezza che chiunque avrebbe scambiato per arroganza. Doveva avere l'età che aveva lui quando si sono dati appuntamento. Allora si rese conto che, assurdamente, stava aspettando proprio questo ragazzo sdrucito e orgoglioso, non un signore di mezza età avvilito dagli acciacchi, che magari cammina col bastone.

Mio padre si scusa – le stava dicendo il ragazzo, impacciato – ma essendo molto impegnato non è potuto venire. La saluta tanto e la ringrazia per tutto il disturbo che si è presa per noi, abbiamo ricevuto i pacchi e le siamo molto riconoscenti. Riconoscenti? pensò lei. Che me ne faccio della riconoscenza? Ti coprirei d'oro, ti comprerei la luna se solo potessi restituirmi il mio Diamante. Il ragazzo tacque, esausto, come se avesse concluso il suo compito. Ma Vita lo aveva preso sottobraccio, e facendosi largo tra la folla che premeva verso la Porta lo stava già trascinando sotto il sole.

Se tuo padre non può venire da me – disse al ragazzo, con noncuranza – andrò io da lui. Roberto si chiese cosa volesse questa piccola donna con gli occhiali a farfalla. C'erano fin troppe donne che aleggiavano intorno a Diamante, e la cosa non gli faceva piacere. Un padre è un padre, non un uomo. Invece Diamante per incontrarle orchestrava dissonanti partiture di bugie. Un figlio non dovrebbe saperlo, ma lo sa. Quando in una famiglia l'amore l'ha consumato tutto il padre, per i figli non ne è rimasto molto. Il maggiore s'è sposato giovanissimo con la prima ragazza che gli ha sorriso, la seconda non vuole sposarsi e lui, a ventitré anni, non si è ancora innamorato. Questa piccola donna tuttavia non assomigliava alle altre. Intanto, non era giovane come quelle, che potrebbero tutte essere sue figlie. Non era povera, requisito che sembrava indispensabile alle senili avventure di Diamante. Era addirittura americana. A quest'ora mio padre è in ufficio, cercò di spiegarle. Vita lo scrutò con diffidenza. Pensavo fosse andato in pensione, affermò, con un malizioso sorriso infantile in sorprendente contrasto con le collane di rughe che le adornavano il collo. Sì, confessò Roberto – e poi aggiunse, come per giustificarlo, ma da poco.

Circolavano torpedoni con targhe straniere, greggi di pellegrini appiedati, mendicanti storpi e macchine ammaccate dagli anni. Troppe biciclette e qualche autobus scandalosamente affollato, con i passeggeri accalcati sui predellini. Tram dall'aria indolente si crogiolavano al sole tra le palme di piazza Risorgimento. La faccia semilunare di Totò stinta dalle intemperie pendeva da un cartellone strappato. L'occhio miope di Anna Magnani incalzata da un vulcano affiorava dai resti del cartellone precedente. Maschi che indossavano camicie fuori moda fischiavano generosamente a qualunque essere di sesso femminile d'età inferiore ai novant'anni cadesse nel loro campo visivo. Tutta la città aveva l'aria di rimpiangere fasti svaniti, e di attendersi tempi migliori. Il ragazzo non faceva eccezione. Le aveva già rivelato di voler diventare scrittore, ma di essersi cercato un impiego alle ferrovie perché in casa imperava questo calvinismo del lavoro (disse proprio così, e Vita si chiese cosa intendesse dire), e ognuno, non appena avesse potuto, doveva guadagnarsi da solo l'indipendenza, o la sopravvivenza, o la libertà.

Alle ferrovie? sussultò Vita, proprio alle ferrovie? Il ragazzo rispose di aver sempre amato i treni. Vita gli chiese cosa avesse detto Diamante al proposito, e Roberto rispose che era stato proprio lui a spingerlo a fare quel concorso. Vita si calcò gli occhiali a farfalla sul naso, perché non voleva nemmeno immaginare che Diamante fosse diventato come quei padri che infliggono ai figli le stesse sconfitte, perché non riescono a liberarsi delle proprie. Il ragazzo disse che, da quando era in pensione, suo padre eruttava progetti. Aveva perfino riesumato il sogno di comprarsi la casa in campagna, a Tufo, perché sosteneva di volere soltanto questo, ormai, passare il resto della sua vita a guardare il mare e a coltivare limoni. Il limone è provvisto di spine che possono causare punture molto dolorose, ma è l'unico agrume che può dare frutti durante l'intero arco dell'anno. Sulla stessa pianta, contemporaneamente, possono convivere fiori, limoni acerbi e frutti maturi. Praticamente, il limone è l'unica pianta che non conosce l'inverno né la vecchiaia.

Il resto della sua vita! esclamò Vita, con malcelata ostilità. I giovani pensano che un uomo di cinquantanove anni sia un cadavere ambulante. Ma secondo le recenti statistiche degli istituti della Sanità, pubblicate con grande risalto sul "New York Times", un uomo occidentale può aspettarsi di vivere fino a settant'anni. Una donna, una donna americana, fino a settantacinque, o di più. Con un po' di fortuna, Vita e Diamante potrebbero avere dodici anni ancora. Insomma, riprendersi buona parte di quelli che hanno perduti. Quale casa vorrebbe comprare Diamante? s'informò, cautamente, mentre il ragazzo si appoggiava al palo della fermata, scrutando in fondo a via delle Fosse di Castello caso mai passasse l'autobus. La sua, signora Vita. Cioè la vostra. La nostra non esiste più – è stata bombardata. Allora forse intenderà la casa nella campagna di mio nonno, o del suo – non ho capito. Ma è solo un sogno. Non potrebbe comprarla, né credo che in fondo lo desideri davvero. Non ci andiamo mai, a Tufo. Ti piace? gli chiese Vita, ascrivendo alle molte colpe di Roma la superficie stradale butterata di pietre sconnesse sulla quale le incaute biciclette sobbalzavano facendo tintinnare ossessivamente i campanelli. A dire la verità no. Detesto i paesi. Il loro conformismo, la loro angustia. La sorveglianza acida dei muri, delle finestre, dei campanili – capisce cosa intendo? Vita rise. Anche tuo padre li detestava, alla tua età. E sai una cosa? Li detesto anch'io. Noi apparteniamo meno al luogo da cui veniamo, che a quello dove vogliamo andare.

Roberto chiese: E lei dove vuole andare? Vita strinse gli occhi, scrutando allarmata l'avanzare di un catorcio sputacchiante che osava fregiarsi del nome di autobus. Disse: A casa.

Era proprio un autobus. Bordeggiò lo spettacoloso banco del fioraio, sfiorando quasi le calle ceree, le gardenie e i garofani sgargianti che proliferavano nei secchi di ferro. Esalò nuvole nerastre sugli avventori semiaddormentati nelle seggioline di plastica intrecciata attorno ai tavolini tondi dei caffè. Rallentò, accostando rumorosamente al palo della fermata. La porta a soffietto si ripiegò su se stessa, svelando la divisa accaldata del bigliettaio e i visi ostili dei viaggiatori aggrappati ai ciondoli di cuoio che vagavano dispettosamente sui mancorrenti. Roberto le fece segno di salire. In fondo era un tragitto molto breve. E l'autobus fermava proprio davanti al portone, a via della Giuliana. Figlio mio, lo trattenne Vita, artigliandogli la manica della giacca, non ho lavorato quarant'anni per morire schiacciata come una sardina in scatola. Prendiamo un taxi! È piuttosto costoso, la avvertì il ragazzo. Sono molto ricca, rise lei, divertita. Sono più ricca di quanto avessi mai desiderato diventare, e più di quanto mi serva.

L'ascensore era occupato, la pulizia delle scale era affidata a pigre ricorrenze settimanali, e l'addobbo dei pianerottoli alla buona volontà degli inquilini. Con ogni evidenza, Diamante e i suoi figli ritenevano un lusso superfluo le piante ornamentali. Con ogni evidenza, Diamante era povero come l'Italia. In aereo Vita aveva letto – con sgomento, raccapriccio e dispiacere – un articolo di "Life" nel quale si affermava che in Italia una casa su quattro è priva di acqua corrente, sessantasette su cento non hanno gas, quaranta su cento mancano di impianti igienici, settantatré su cento di gabinetti, settanta della radio, novanta del riscaldamento e novantatré del telefono. All'inizio del 1950 risultano abbonati appena seicentomila italiani. Diamante non era fra quelli.

Sulla porta d'ingresso c'era la targhetta con inciso il suo – il loro nome. Le venne in mente che una delle ragioni per cui aveva sposato Geremia era perché portava in dote il loro duro nome – una sorta di sasso scagliato da una fionda. Forse Roberto avrebbe almeno dovuto suonare, ma non lo fece, perché temeva che il padre non avrebbe aperto. Non amava le sorprese. Era un uomo metodico, circospetto e ostile a qualunque novità. Si illudeva di negare il trascorrere del tempo congelandolo – svuotandolo e, in sostanza, ingannandolo. Gli aveva raccomandato di accompagnare la gentile madre di Dy – *quella strana ragazzina che, ti ho raccontato, mi pare, conobbi in America* – a visitare le bellezze di Roma – la cappella Sistina, Castel Sant'Angelo, la fontana dei Quattro Fiumi (ricordati di dirle che sono il Gange, il Danubio, il Nilo e il Rio della Plata e che non c'è il Mississippi né l'Hudson né l'Ohio), ma di non portarla assolutamente in via della Giuliana. Non c'era niente di bello da vedere, lì dentro.

L'appartamento era buio. Il corridoio, lungo, stretto e anonimo come un sogno, non aveva finestre, sicché ombre pietose mascheravano la carta da parati gialla di colla e le foglie d'intonaco scrostato che adornavano il soffitto. C'era un vaso di fiori su una consolle anni Venti, ma i garofani rossi che s'inchinavano sui bordi erano morti, perché nessuno doveva essersi ricordato di cambiare l'acqua. La accolsero il sorriso austero di Giacomo Matteotti e la locandina dei *Parenti terribili* di Luchino Visconti al Teatro Eliseo – cimelio della passione teatrale del primogenito Amedeo. Dalla parete del tinello venne incontro a Vita una donna bruna con un abito a righe sormontato da uno scialle nero. Aveva molti capelli – a malapena raccolti sulla nuca – folti, forti, ferrei. Formosa, materna – una madonna bruna con i sopraccigli aggrottati, gli occhi grandi, neri e distanti e uno sguardo mite, gentile e sperso. Sembrava fissare davanti a sé qualcosa che la sgomentava. La moglie di Diamante, evidentemente. Dy le aveva detto che si chiamava Emma.

C'era un tenue odore di polvere e libri vecchi. I libri erano l'unica cosa che abbondasse. Si ammonticchiavano sugli scaffali, s'impilavano in torri pendenti, si accatastavano sui tavoli e sulle seggiole. Vita dedusse che in questa famiglia tutti si perdono nelle storie degli altri per dimenticare la propria. A un tratto, dalla porta in fondo, socchiusa, sgorgò un fragrante profumo di pomodoro. Mio padre è convinto di essere un grandissimo cuoco, spiegò il ragazzo. La prego, non lo deluda. Vita disse che non aveva attraversato l'oceano dentro un aeroplano che vibrava come una zanzara malarica, non aveva lasciato la sua comoda casa, il suo ristorante alla Cinquantaduesima strada, non aveva lasciato i suoi figli apprensivi e gli adorati nipotini, insomma, che non era venuta fino a Roma per deludere Diamante.

Diamante brandiva un cucchiaio di legno. Lo intinse in una cuccuma, nella quale sobbolliva una salsa dal colore acceso. Sfiorò con le labbra la macchia rossa aggrumata sul cucchiaio, per un attimo socchiuse gli occhi, assaporò, annuì soddisfatto, e spense il fornello. Poi si voltò a prendere la pentola e la vide.

Oh, Madonna, esclamò, dopo una pausa, riassumendo in un sospiro tutta la meraviglia e il benvenuto. Non fu l'unica cosa che gli venne in mente. Un dieci chili di più. Forse quindici, purtroppo. Un'acconciatura che non le dona, una tintura troppo decisa che la fa sembrare pallida – fantastica. Sembra più piccola e i suoi occhi sono ombreggiati di viola, la pelle ha perduto quel lucente colore bruno. Il momento che aveva evocato per quasi quarant'anni era semplice come una sassata. Vita è vedova in modo lampante e definitivo. Quando è successo? esalò. Si riferiva a Geremia, naturalmente. Ma siccome i suoi figli le stavano dietro, come una corona di spine, e lo scrutavano senza pietà, pronti a sorprendere il minimo cedimento, la domanda suonò invadente, intima e allusiva.

Vita, a ogni modo, non rispose. Se ne stava sulla soglia, con gli occhi sgranati, a fissarlo con un'espressione severa, quasi ostile, come se lui fosse un offensivo impostore, un ladro che le aveva portato via l'uomo che era venuta a cercare. L'uomo che amava. Diamante non avrebbe dovuto essere sorpreso così – con addosso una sbiadita vestaglia scozzese e un paio di pantofole di spugna, col grembiule maculato di sugo, in questa cucina che è un bordello, colto sul fatto, perché sono quasi quattordici anni, da quando Emma è morta, che cucina, lava i piatti, fa la spesa, è diventato una casalinga, la moglie non amata di se stesso. Se la terra si aprisse, se lo inghiottisse. Non fece neanche in tempo a togliersi il grembiule, perché lei si era già insinuata nell'esiguo spazio fra il tavolo e i fornelli, e gli veniva incontro, tendendogli le mani. Oh, Dio, Vita, se mi avvertivi... cominciò. Le sue mani, profumate, adesso, morbide – con le unghie dipinte di un rosa opalescente. L'anello d'oro all'anulare. Diamante, di anelli, ne portava addirittura due – due fedi sovrapposte, entrambe strette – entrambe, ormai, vincolante e ultima memoria di Emma. Vita disse, sorpresa: Diamà, che hai fatto ai capelli? Non gli ha fatto niente. Per questo sono tutti bianchi.

Diamante le offrì la scelta tra una sedia di formica, che sembrava quella di un ospedale, e uno sgabello a tre zampe, che s'inclinò sulla destra quando Vita vi appoggiò il non lieve peso della sua carne. Strano: benché la sua bellezza fosse davvero offuscata, si rese conto con malinconia, così disperatamente tardi, che somigliava ancora alla "Ragazza italiana sparita" che i negozianti di Mulberry Street avevano appeso su tutte le vetrine, e i clienti dei caffè sognavano di ritrovare come unica ricompensa. Ma era lui che doveva ritrovarla, e non l'aveva fatto. Si riempì un bicchier d'acqua e lo vuotò d'un sorso. Aveva la gola riarsa, e moriva di sete. Certo a causa della forte emozione. Non voleva pensare alle profezie del dottore sull'arsura. Ne aveva abbastanza della nefrite. Oggi sarà sano. Indosserà il suo vestito migliore – un completo di flanella spigato di grigio, che avrà un lieve sentore di naftalina – le scarpe col mascherino traforato e la cravatta di seta coi ghirigori d'oro. Perché la Ragazza italiana sparita è qui. Perché era la mia – allora.

Oggi metti il servizio buono – ordinò alla figlia, che docilmente scivolò via. La sua unica figlia aveva le spalle strette e la testa piccola. Indossava una gonna grigia e una camicetta bianca. Non portava il nome di sua madre, Angela, né quello della madre di sua moglie: portava il nome di Vita. Era stata Emma, a volerlo. Emma era una donna di una sensibilità e di una intelligenza non comuni. Forse lui non meritava una donna così: ma il caso, o ciò che si nasconde dietro di esso, gliela aveva data – e presto tolta. L'omonima non aveva neanche una volta guardato l'ospite negli occhi, perché la sua ombra aveva oscurato questa cucina, perché il suo nome le aveva sempre ricordato che non era chi avrebbe dovuto essere.

Il servizio buono per me? rise Vita. Onora gli ospiti – spiegò Diamante, imbarazzato. Sono un'ospite? gli chiese. Diamante non rispose. La scrutò, percorrendo il suo viso come una mappa nella quale dovesse imparare a orientarsi – i sopraccigli mai depilati, ancora scuri, che orlavano quegli occhi nerissimi, le labbra serrate in una perpetua smorfia di tesa curiosità, la riga chiara fra i capelli, appena spostata sul lato sinistro della testa, il neo sulla guancia destra, percettibile sotto il tocco delle dita. Poi s'infilò in bocca un cubetto di ghiaccio e lo serrò tra le mascelle. Così almeno lei non si sarebbe accorta che stava battendo i denti come un annegato.

Vita notò che i suoi occhi avevano perso completamente il colore. Erano trasparenti come il vetro di una finestra. No, macché ospite, stava dicendo Diamante, questa è casa tua. Poi si rese conto che non era una grande offerta, cinquanta metri quadri nelle case nuove di via della Giuliana. Si dice in giro che Vita ha tre appartamenti di proprietà a Manhattan e un ristorante alla Cinquantaduesima strada raccomandato da tutte le guide di New York. Diamante non aveva mai avuto un granché da offrirle. Nemmeno ora riusciva a immaginare di poter essere lui stesso, l'offerta.

Poiché il servizio buono era stato venduto durante la guerra, le stoviglie risultarono scompagnate, i bicchieri di dimensioni diverse – alcuni di vetro scanalato a costoloni, come petali, altri rigati in orizzontale – i piatti orlati di oro sbiadito e crepati dal calore. La tavola traballava sulle zampe malferme, e ogni tanto, sbuffando, Diamante si chinava a pressare meglio la zeppa. Dalla strada saliva un chiasso di veicoli a due e quattro ruote, di autobus affannati e ambulanti che proponevano di arrotare coltelli, forbici e lame, di aggiustare ombrelli o vendere fusaje olive, dolci scopette e vino sfuso, sicché dopo il primo – salatissimo – boccone, a Vita sembrò di essere nella cucina di Prince Street. Perfino i pomodori avevano il sapore di allora – acido, lievemente polveroso – che quelli d'America avevano da anni dimenticato. Diamante non aprì bocca, e sul pranzo calò un tale silenzio che masticare si rivelò imbarazzante, perché ognuno percepiva il lavorio delle gengive altrui. Non era lei la causa, i figli dissero che Diamante era sempre stato così: il padre più laconico della città. Sembrava che non avesse niente da dire loro, o che non sapesse comunque come farlo. A Vita piacque pensare che avesse dimenticato le parole, e che avesse bisogno di riceverne altre. Chissà se se ne ricorda ancora – gli uomini non guardano mai al passato. Lei, quelle parole ormai irrimediabilmente inutili, le ha rigirate nella mente come grani di rosario, per trentotto anni.

Ti fermi? le chiese quando si trasferirono in tinello. La casa è piccola, ma è tua, Vita ti darà la sua camera, si sistemerà qui, sul divano. Lei non sapeva come dirgli che i suoi figli li aveva lasciati dall'altra parte dell'oceano e non era venuta a cercarsene altri. Diamante sembrava convinto che fosse venuta per fermarsi. Invece Vita adesso aveva fretta di fuggire, di restare sola, di chiedersi se davvero era venuta a cercare a Roma quest'uomo compassato e taciturno, che non dimostrava in nessun modo di aver pensato a lei, in tutti questi anni, né di ricordare ciò che era stato fra loro – e nemmeno tentava di intavolare una conversazione. Sicché l'unico argomento che riuscirono a condividere fu il loro comune stato civile – la vedovanza. Il tumore di Geremia e l'enigmatica, improvvisa e prematura morte di Emma.

Diamante raccontò che era stata operata per un'infezione al rene. Il medico gli aveva mostrato il rene infetto della moglie. La diagnosi gli sembrava un incubo, un grottesco errore. Emma aveva i reni sanissimi, era lui il malato. Fra le mani del dottore, il rene in questione era un insignificante sacchetto color ruggine. Così, dunque, come un ammasso di frattaglie destinate agli scarti di macelleria, era fatto il nemico che fin dai tempi di Denver lo tormentava, gli avvelenava il sangue, gli lasciava in bocca l'assillo della sete. L'incisione sul fianco di Emma somigliava a una coltellata. La sua Emma, narcotizzata, giaceva prona, con i capelli nascosti da una cuffietta di carta, sul suo viso piegato sul cuscino un'espressione indecifrabile – forse un sorriso di una dolcezza ferrea, o una suprema indifferenza. Mentre guardava quel viso, così essenziale, così solenne, lo aveva attraversato un pensiero raggelante: che Emma avesse preso nella propria carne, nel proprio corpo, la sua malattia. Il medico aveva assicurato che l'operazione era perfettamente riuscita. Mentre parlava, l'organo malato gocciolò pus sulla ferita ancora aperta. Aveva seguito la caduta di quelle gocce. Ipnotizzato dalla vista di quell'insignificante sacchetto color ruggine che stillava sul corpo esanime di sua moglie, continuava a chiedersi perché. Se lei, in quel modo, avesse voluto mandargli un messaggio. Salvarlo. O addirittura liberarlo. L'indomani, l'infezione si era estesa. Emma era morta senza riprendere conoscenza. Allora si era reso conto che sarebbe tornato a casa e non l'avrebbe più vista dov'era sempre stata, nell'alone tenue della lampadina, china sull'orlo di qualche lembo di stoffa – a cucire o rifoderare i cappotti dei clienti sulla macchina Singer. Nella casa silenziosa, solo il sussiegoso ronzio della spoletta che saldava i punti nel tessuto. Emma era stata cucitrice in un giubbificio, ma scriveva poesie, rime e racconti – e forse avrebbe voluto continuare a farlo. Invece, dopo il matrimonio, come Diamante stesso aveva voluto, si era dedicata solamente a lui – aveva vissuto per lui, aveva fatto di lui tutto il suo mondo. Lavorava in casa, come sarta. Ma Diamante non avrebbe mai più ascoltato il ronzio della spoletta. Sua moglie, la sua dolce moglie *era morta per lui – al posto suo.* Questo aveva pensato.

Vita non riuscì a dirgli la sensazione che aveva assalito lei la sera in cui Geremia l'aveva lasciata. Quel corpo emaciato nel letto, quella angosciosa presenza dolorante e dolente, che aveva accompagnato nei migliori ospedali per torturarlo con cure dolorose quanto inutili, le aveva rivelato soltanto quanto sano fosse il suo, di corpo. Geremia non conosceva la parola rassegnazione, era convinto di riprendersi, di farcela – aveva superato l'incendio del montacarichi, la perdita di tutto il suo patrimonio, dell'amore di sua moglie, due infarti e l'umiliazione degli arresti domiciliari come nemico del paese in cui aveva scelto di vivere – e invece non ce l'aveva fatta. E lei era rimasta sulla soglia della loro camera da letto, col vassoio della cena che Geremia non era riuscito ad assaggiare e non aveva provato dolore né gratitudine, piuttosto sgomento per essere ancora viva. I suoi muscoli, i tendini, le vene, le giunture, le ossa, il cuore urlavano una cosa sola. Sono viva. Sono viva. Viva. Viva. Viva. Le si apriva davanti un baratro terrificante di anni, venti forse, di cui non sapeva cosa fare – come un patrimonio ereditato e che non meritava. Vent'anni! Più del tempo che a molti è dato di vivere. Un tempo vuoto, assolutamente inutile, quasi disperante. A meno che. A meno che Diamante esista ancora, e sia quello che tanto a lungo ha creduto che fosse.

Tutto ciò però finì risucchiato dal silenzio che accompagnava un caffè forte aspro e polveroso come un ricordo. Lo era? Era Diamante, quest'uomo con gli occhi trasparenti? Era lo stesso ragazzo che, quando ripensava al passato, riappariva vivido, vero – veniva a raggiungerla nella scialuppa di salvataggio, e passava la notte abbracciato a lei? Ma i diamanti – sebbene preziosi, scintillanti e capaci di tagliare il vetro – brillano solo di luce riflessa. Al buio non servono a niente.

Diamante fissava la sua giacchetta a tre bottoni, e le calze, appena velate sotto la gonna a quaranta – per amore delle donne leggeva le riviste femminili e aveva imparato che la moda imponeva di misurare così l'eleganza, contando la distanza dalla caviglia all'orlo della gonna. Nera la giacchetta, nera la gonna, nere le calze. Abiti da vedova – Vita è sola. Vita è libera. Siamo liberi tutti e due. Disperatamente tardi.

Non mi fermo, gli disse Vita, evitando di incrociare lo sguardo della sua giovane omonima, nel quale avrebbe letto un genuino sollievo. Diamante s'infilò un altro cubetto di ghiaccio sulla lingua. Si sforzò di scovare qualche argomento di conversazione. Pur di non parlare di loro, parlò di Eisenhower, della Corea, della bomba all'idrogeno mille volte più potente della bomba atomica, perfino troppo potente, talmente distruttiva che usarla contro gli uomini sarebbe come sparare a un passerotto con un mortaio – le armi nucleari distruggeranno questo mondo il che forse non si rivelerà un danno visto che la specie umana è la più pericolosa di tutte a dimostrazione che la selezione naturale è un criterio inefficace di progresso. Parlò di Ingrid Bergman che era venuta a partorire in Italia il figlio della colpa, il che probabilmente a causa del puritanesimo del pubblico avrebbe segnato la fine della sua carriera, no? Di Piero D'Inzeo che pochi giorni fa in sella a Destino aveva vinto la Coppa delle Nazioni, c'è andata? lui no, anche se gli sarebbe piaciuto, per via del suo antico amore per i cavalli, hanno dei nomi strani i cavalli – Uranio, Aladino, Ombrello. Di Benny Goodman che ha suonato a Milano e di Duke Ellington che verrà a suonare a Roma, ma neanche lì ci andrà perché la musica nuova – *jungle*, si dice? – non la capisce, è rimasto a Enrico Caruso, all'Aida e al tuo bel cielo vorrei ridarti, le dolci brezze del patrio suol...

Vita si chiese se parlando Diamante cercava di trattenerla, o allontanarla definitivamente. Le parole erano state sempre la loro moneta. Ma una moneta fuori corso, valida solo nel loro paese. Quel paese sembrava ormai butterato come la luna – un deserto di crateri scavati da una guerra finita da tempo. Un satellite disabitato che continuava a roteare nel vuoto, diffondendo nei secoli dei secoli lo splendore pallido di una luce riflessa. Ma quale luce. Diamante parlò di Roma che amava per tutto ciò che era stata e non era più, per tutto ciò che non era e non sarebbe mai stata – una città senza il mare, senza il porto, senza il mondo tutt'intorno. Di via Ferruccio in cui aveva vissuto per anni – nel quartiere dei viaggiatori, dove finiscono gli oggetti smarriti, che nessuno si ricorda di ritirare e si accumulano sugli scaffali degli uffici finché vengono dati via a poco prezzo, a chiunque li voglia. In quale altro posto avrebbe potuto vivere? Era stato tanto a lungo un oggetto smarrito – lui. Parlò anche dei gabbiani che risalgono la corrente del Tevere e la sera si addensano sui tetti di Roma, portando coi loro richiami il ricordo del mare. Sembrano sempre fuori posto, o al posto sbagliato, come tanto spesso si è sentito lui.

Perché non sono mai potuto ritornare a casa, Vita – avrebbe voluto aggiungere. Non avevo più un mondo cui tornare – non un paesaggio né un luogo. Nemmeno il ricordo di essi. Solo i loro nomi. Non esisteva più un gruppo di persone che potevano definirsi la *mia* gente. Non avevo più nulla in comune con i miei parenti. La loro ingenuità mi stupiva. La loro avidità mi irritava, perché mi ricordava che avevo smarrito la mia. La loro ignoranza mi offendeva. I loro progetti non erano i miei. Non conoscevo più i miei genitori. Li amavo più di prima, e sarei saltato nel fuoco per loro, ma nel mio amore ormai c'era solo compassione, e pietà. Chi ero? Un estraneo. Uno *straniero*. Ho continuato ad andarmene – e non ho fatto altro che partire di nuovo. Era come se la nave sulla quale mi sono imbarcato non fosse mai arrivata in porto, come se avesse continuato a vagare sull'oceano, sospesa tra due rive, senza meta e senza ritorno. Ho provato a fare parte di qualcosa, ci ho provato con la Guardia di Finanza, con la Marina, con la guerra – non mi hanno voluto. La mia malattia mi ha tenuto lontano. Ci ho provato con la politica – ma non è servito, ho scoperto soltanto quanta gente è disposta a fischiettare per dire chi sei a quelli che ti aspettano per ammazzarti... Eppure, ciò che volevo, l'avevo ottenuto. L'America ha fatto di me una persona rispettabile, un borghese. Mi hanno assunto in un ufficio. Mi hanno *accettato*, Vita. Ma io ero sempre altrove. Finché non ero più da nessuna parte e se non sono riusciti a uccidermi è stato semplicemente perché ero già morto. Morto come i morti che si spintonano sul tram, che sgomitano negli uffici, nei viali, nei cinema, nelle chiese. Che si scambiano parole consunte – che non sanno e non vogliono sapere. Che si illudono di sopravvivere ai loro corpi morti, alle loro morte anime, ai loro morti pensieri. Sono stato assassinato dalla miseria, dalla mediocrità, dalla prepotenza, dalla tirannia della necessità e del bisogno. Eppure mai una volta – mai – ho desiderato tornare indietro.

Vita non lo interruppe, né quando i ragazzi si ritirarono, lasciandoli soli, uno di fronte all'altra sulle poltrone con la tappezzeria smangiucchiata dalla polvere, né quando la luce cominciò ad affievolirsi dietro le serrande. Lasciò scorrere le sue parole insensate – ipnotiche come il disordinato sciabordio della risacca. A un tratto, quando ormai nel tinello la penombra aveva inghiottito i garofani morti e lo sguardo sperduto di Emma, gli prese le mani e le coprì di baci. Diamante lasciò scivolare i polpastrelli sulla nuca di lei. Il tempo fuse. Si sgretolò e si sciolse. Era già buio quando in strada l'ambulante squarciò la dimenticanza urlando con voce lugubre Ombrellaio – chi ha ombrelli rotti da riparare – Om-bre-la-io... Se era qui, fra un po' veniva a piovere.

Avrebbe potuto chiederle se gli permetteva di accompagnarla in albergo. Ma l'occhio dei figli gli sembrava più severo di quello di Dio e più sgomento di quello di Emma. La proposta sarebbe suonata equivoca, sconveniente. Non avevano più l'età per le camere d'albergo. Ingrid Bergman forse sarebbe stata perdonata, il suo peccato dimenticato, e forse avrebbe potuto continuare a fare l'attrice, ma era un'immortale dea dello schermo, loro erano gente qualunque, e non sarebbero stati perdonati. Si limitò a scortarla giù per le scale, e poi in strada, camminandole accanto per qualche isolato. Entrambi tacevano, riflettendo su tutto ciò che era stato detto nel corso di quella giornata, senza però essere realmente detto – né pronunciato. E questa improvvisa conoscenza di ciò che esiste nel silenzio fra le parole li meravigliava, e li stordiva la complessità di ogni discorso umano. Finché Vita si fermò, disse che era stanca – potresti, caro, chiamare un taxi? Diamante riconobbe il lugubre ombrellaio sempre vestito di nero, accovacciato al riparo di un portone. Aveva davanti a sé, sparpagliati, manici di ombrelli di legno e rivestiti di gomma, stecche metalliche e stoffe strappate – insanabili. L'uomo cantilenava il suo monotono richiamo, e Diamante rabbrividì.

Che hai intenzione di fare? le chiese, mentre Vita s'aggiustava la veletta scrutandosi nella vetrina spenta di una farmacia. Si era abituata ad allargare ogni sei mesi la cucitura della gonna, e a riconoscersi nella donna pingue che si riflette nelle vetrine quando si avvicina. Non distolse lo sguardo. Non aveva mai vissuto nel passato. Non aveva mai più tentato di fermare il tempo, né di riavvolgerlo. Sebbene le piacesse il passato, il buio che ha in sé, il conforto del suo non insegnarci niente, il fatto che lo si perde, la sua sazia pienezza che nulla chiede, il futuro le era sempre piaciuto di più. In esso vedeva una persona in vestaglia e pantofole, silenziosa e povera, che cammina sull'acqua senza lasciare la minima impronta.

Me ne vado a Tufo, gli rispose, cercando nei suoi occhi trasparenti un riflesso azzurro. Potrei comprarmi una casa in campagna, e passarci un po' di tempo, l'estate. Ormai il ristorante può andare avanti anche senza di me. Diamante inarcò il sopracciglio, perché non sapeva se fosse un'elemosina, un dono o una semplice coincidenza. Non era abituato alle buone notizie. L'uomo urlò di nuovo – Ombrelaaaaio!!!! Om-bré-laaaaio!!! Quando hai l'aereo per tornare? le chiese. Non è che volesse rispedirla a New York, anzi. A un tratto, sapeva di vederla per l'ultima volta. Vita sorrise, poggiandogli la mano guantata sul labbro increspato dall'antica ferita. Disse. Non ho comprato il biglietto di ritorno.

Diamante scostò il colletto della camicia. Gli mancava il respiro. Succedeva, a volte. Deglutì. Ardeva. Forse gli avevano dato fuoco. Stava bruciando, era già bruciato – dentro di lui c'era lo scheletro annerito, sul punto di disfarsi, e lo teneva insieme solo la pelle, fra lui e il crollo solo la fragilità precaria di un'epidermide. Se la comprassi, quella casa, stava dicendo Vita – ci verresti? La comprerei per te. Cioè, per noi. Voglio che tu venga a vivere con me, o a morire con me, e a fare ogni cosa con me. Sei pazza, Vita – disse lui. Pensaci, Diamante. Lei forse nemmeno se ne rende conto, ma gli ha spezzato in due la vita. Lo ha spezzato come un albero il fulmine. È rimasto, di lui, il tronco, ritto e ben piantato nel terreno, il tronco schiantato sul quale è cresciuto il muschio, sul quale hanno nidificato gli uccelli – ma che non è potuto rinascere più. Finché anche le radici sono marcite, ed è caduto riverso, inalberando verso il cielo che lo ha punito un groviglio di legni contorti. Non è possibile, Vita – lo escludo. Davvero non verrai? disse lei, rialzandogli il bavero della giacca, perché s'era levato il vento che prelude alla pioggia. Dimmi solo che ci verrai. No, no. Perché? Diamante s'aggrappò all'opacità translucida della sua veletta. La stava perdendo: s'era accesa davanti ai suoi occhi una radiosa bambina di nove anni, seduta sul tramezzo di una scialuppa di salvataggio, intenta a lucidare un coltello d'argento col soffio del suo fiato. Il baluginio di quel coltello nel grigiore che lo circonda è tutta la luce che gli resta. Lei non s'è ancora accorta che l'ha trovata. Gli volge la schiena. Ha i capelli arruffati sulle spalle. Neri, bui. *Non lasciarmi, per nessun motivo, non lasciarmi.* Se allunga una mano, può ancora raggiungerla. Ma non riesce a trattenerla.

Mi stai dicendo di no? gli chiese Vita.

Oh, accidenti, non c'è mai un taxi in questa città di strenui pedoni, tutti si lamentano di dover aspettare per ore, e invece eccolo che sbuca dalle Medaglie d'oro, e scorge le due sagome affiancate accanto alle strisce pedonali. Nella strada svuotata dalla sera, l'uomo coi capelli bianchi e la donna con la veletta – ritti uno di fronte all'altra, rigidi, quasi impietriti – sono visibili come statue. I fanali del taxi disegnarono una plaga di luce sulle calze nere di Vita, le illuminarono il viso, rivelarono l'uomo vestito di nero accovacciato alle loro spalle – l'automobile accostava, frenò. Vita aprì la portiera e siccome Diamante non sarebbe sopravvissuto al contatto delle sue labbra, e si ritrasse, lei si chinò per infilarsi nell'abitacolo, si sistemò sul sedile smisuratamente largo per lei sola e pronunciò, con voce incerta, il nome del suo albergo. S'aggiustò la veletta sul viso. Ragazza italiana sparita. Diamante appoggiò le mani al vetro sul quale luccicava un'acquerugiola di cristallo – non aveva niente da aggiungere, e tutto da dirle ancora. Vita stava cercando di abbassare il finestrino, ma l'ingranaggio doveva essere bloccato, perché si schiuse appena una fessura, e dietro intravide la sua bocca – e il luccichio di una fila di denti bianchi, quadrati, perfetti. Americani. Diamante, gli stava dicendo quella bocca, la vita è tanto lunga. Da questo incrocio a Tufo ci sono centosessantasei chilometri. In altri tempi, era un tragitto lungo, scomodo e complicato, ma oggi non lo è più. In treno ci impieghi tre ore. Fa' questi centosessantasei chilometri. Vieni. Sarà tutto diverso, e saremo felici per sempre.

Il taxista non s'era reso conto che ne andava della vita della sua passeggera e dell'uomo coi capelli bianchi che s'appoggiava allo sportello – il vetro divisorio gli impediva di percepire quelle parole che sembravano un fruscio – io mi fermerò tutta l'estate, be', non domani, certo, e nemmeno dopodomani ma che so, tra una settimana, un mese, prima o poi, vieni a vivere con me – devi darmi, devi darti questa speranza. Il contascatti slittò rumorosamente – l'autista aveva già schiacciato l'acceleratore, e la macchina nera, una berlina scassata modello anni Trenta, stava sputacchiando fumo al centro della strada. Arrivederci, promette Vita al suo Diamante, il taxista aziona i tergicristalli che scricchiolano sul vetro, tempestivi ed efficienti, ma incapaci di spazzolar via le sue lacrime. Eccolo che tenta di aprire l'ombrello – finché, nello specchietto retrovisore, prima della curva, è solo una massa di capelli bianchi che nella penombra brillano increspati di pioggia come diamanti.

Alla fine di settembre, Vita salì sull'aereo della PAN AM. A gennaio, Roberto le mandò a New York un telegramma di due parole. DIAMANTE MORTO.

TERZA PARTE

# Il filo dell'acqua

# Waterboy

Nella fotografia scattata nel 1906, in autunno inoltrato, con la prima neve che chiazza di bianco la foresta, sono in nove, allineati uno accanto all'altro in mezzo ai binari. Come a sbarrare la strada al treno imminente – a chiudere la prospettiva. Alle loro spalle, infatti, non c'è ancora linea ferroviaria né strada: i nove uomini sono lì proprio per questo, per sbancare la foresta e costruirla. Dietro di loro s'intravedono solo abeti e un carico di pietre sospeso a un argano invisibile. Indossano tutti la divisa del lavoratore americano: la salopette di blue-jeans. Camicie a quadri. In testa, portano cappelli di fogge diverse, coppole e baschi. Uno ha il berretto di lana fatto coi ferri da maglia. Gli uomini hanno lineamenti mediterranei, pelle scura. Sono italiani. Stranamente, a dispetto delle caricature del dago sui giornali del tempo, solo tre portano i baffi. Nessuno ha più di trent'anni. Tutti sfoggiano corporature atletiche, visi concentrati, stanchi ma volitivi. L'ultimo sulla destra, un po' defilato, l'unico al di là delle traversine, in piedi sui sassi, quello col berretto di lana, ha le guance ancora glabre. Piccolo di statura, con le scarpe sfondate e le mani sui fianchi, in atteggiamento di sfida. Ostenta una smorfia imbronciata. La foto è in bianco e nero, sbiadita, ma sicuramente ha gli occhi chiari.

La foto comparve nel 1907 su una pubblicazione della Compagnia Baltimore & Ohio – per celebrare agli azionisti i progressi dei lavori sulle tratte interne della linea. La Baltimore & Ohio Railroad, la più antica degli Stati Uniti – e una delle più frequentate – via Cincinnati, Saint Louis e Kansas city si univa alla Atchison, Topeka & Santa Fe e arrivava fino a Los Angeles. A nord, via Toledo, Chicago e Omaha, raggiungeva la mitica Union Pacific e sboccava a San Francisco. Forse quel ragazzo col berretto diverso dagli altri è Diamante. Doveva essere da quelle parti. Attorno ai suoi quindici anni, a un tratto, tutta l'acqua del mondo che baluginava nel suo destino finì risucchiata nel secchio di legno che si ritrovò a trascinare lungo i binari. Senza volerlo, era divenuto ciò che aveva sognato di essere – il portatore. Colui che tiene insieme ciò che è lontano, che tende un ponte fra le distanze: il ragazzo dell'acqua. In americano si dice *waterboy*.

Il suo compito consiste nel dissetare i lavoratori. A dirla così, sembra facile, e infatti Diamante gronda felicità quando il caposquadra gli conferma che è stato assunto – almeno finché la squadra cui lo aggregano non avrà completato la tratta di sua competenza. Gli assegnano una coperta da cavallo e due secchi di legno tenuti insieme con una specie di giogo. Il caposquadra lo avverte che se li rovina deve ripagarli, perché sono di proprietà della Compagnia. A Diamante sembra che ci sia poco da rovinare, perché quei secchi sono più vecchi di suo nonno, e la coperta non la vorrebbe usare nemmeno un cavallo. Ma siccome il caposquadra ha il grugno patibolare ed è armato di fucile, si affretta a sorridere, e ad assicurare che ci starà attento.

La squadra di Placido Calamara sta al Campo numero 12. Diamante ha pescato la paglia corta. Alle ferrovie i numeri funzionano al contrario che a New York. I numeri alti sono i più scalognati – perché si comincia a contare dalla base più vicina alla città. Pasquale e Giuseppe Tucciarone stanno al Campo numero 6, con altri quindici ragazzi di Minturno. Ma lì non serviva un waterboy. Diamante s'arrampica sul carro delle provviste, accanto a Placido Calamara. Prepotente, tracagnotto e lucido come un'oliva, gli ricorda Nello e non gli sta simpatico, però si augura di riuscirgli simpatico lui. Viaggiano per trenta miglia su un sentiero sempre più sconnesso. Attraversano una foresta spaventosa. Diamante non ha mai visto tanti alberi. A Tufo li hanno tagliati i carbonai e i pastori, e i monti Aurunci sono rimasti tutti spelacchiati. Quando il carro si ferma, intorno è buio e non c'è niente. Solo un vagone merci in disuso da quando le locomotive andavano a legna. Be', a ogni modo il campo è questo.

Diamante fa scivolare il portello ed entra nel vagone. Fetore di cane e materassi. «Salve, compagni», dice allegramente, «sono il nuovo waterboy.» Per tutta risposta, gli operai già coricati fanno una pernacchia, perché questo non è mica un salotto. In mezzo a una foresta, a cinquanta chilometri dal più vicino centro abitato, è meglio comportarsi come i lupi. Diamante sbatte le palpebre. Venti, forse trenta uomini con la barba lunga e le facce patite. Le panche di legno collocate trasversalmente al carro devono essere i letti. Diamante punta la panca più lontana dall'ingresso e perciò dalle correnti. Inciampa in una grossa latta arrugginita, e dal buio gli piovono addosso i peggiori vituperi, perché quella latta serve da stufa e porco demonio, senza la stufa si crepa di freddo, qua dentro. Diamante si scusa. Si siede sul saccone imbottito di paglia. Una voce stridula come il gesso sulla lavagna grugnisce: «Ehi, ragazzino, qui non ci puoi stare, cercati un altro posto».

Orrait, sospira Diamante. Capisce immediatamente che al campo il waterboy è come il mozzo su un piroscafo: l'ultimo della gerarchia. Si sistema sul saccone vicino all'ingresso. Dove sarà pettinato dagli spifferi e incipriato di polvere. Con tutti questi alberi, è pure probabile che nell'Ohio piova parecchio. Comunque non gli conviene spogliarsi. Il sacco è nero di sporcizia e puzza come se dentro qualcuno ci avesse nascosto un cadavere. C'è poco da fare lo schizzinoso. Ci deve dormire almeno sette mesi, su questo saccone. Siccome domattina comincia a lavorare all'alba, si distende. Il saccone è una specie di sistema montuoso – dai buchi spuntano pungiglioni aguzzi come lame, e lo ammaccano rigonfiamenti così duri da sembrare di legno. Purtroppo Diamante non ha sonno, perché è troppo contento. Di essere nel favoloso Ohio. Di avere trovato un lavoro sicuro e di cominciare una nuova vita. Purtroppo il calore del suo corpo intiepidisce il giaciglio e su di lui s'avventa un esercito crepitante e famelico di cimici.

Trasloca di nuovo. Spazza sotto la panca del vicino le immondizie ammonticchiate sul pavimento – noccioli, semi, segatura, cacazzelle di mosche e topi – dispiega la coperta da cavallo e si sdraia. Tenta inutilmente di sfrattare senza spargimento di sangue due bacarozzi che si ostinano a zampettargli sul naso. Finché, annoiato, li schiaccia col pugno. Sulla parete del vagone, incide col coltello due tacche. Quando a novembre lascerà il Campo numero 12, sulla parete resteranno cinquecentodieci tacche. Diamante avrà sterminato un'intera colonia di bacarozzi. Parecchi li avrà perfino mangiati. Il bacarozzo americano ha un sapore farinoso, come di cece.

Per centonovanta giorni, quindici ore al giorno, Diamante percorre avanti e indietro la strada ferrata. Dal campo – dove c'è il vagone adibito a dormitorio e il pozzo – si sposta su un carrello manovrato a mano, che lui chiama la soprelevata – un po' per ricordarsi di New York, un po' perché gli piace immaginare che quel carrello sorvoli viali, automobili, mercati e palazzi. Arrivato alla fine dei binari, scende, e prosegue a piedi, trascinando i secchi colmi d'acqua che bilancia con maestria sulle spalle. Non gli riesce difficile perché la gente di Tufo è capace di portare in equilibrio sulla testa qualunque cosa – un paniere pieno di uova, una balla di fieno, perfino una cassa da morto. Svuotare i secchi durante il tragitto non conviene perché il caposquadra, se pensa che fai il furbo, ti ammolla un papagno in faccia che ti sfigura. La fregatura è che gli sciabolatori, forse perché lavorano senza interruzione e solo quando bevono possono rifiatare, bevono come bufali, e prosciugano subito i secchi. Sicché Diamante è costretto a riempirli di continuo, tornando indietro fino alla strada ferrata e poi manovrando il carrello, per raggiungere di nuovo il pozzo, e così via, avanti e indietro, sudando, faticando, sempre più stracco e indolenzito. Il sole non tramonta mai e gli brucia schiena spalle e nuca, che si coprono di bolle: la pelle viene via come la buccia di una patata lessa e impiega un mese a farsi nera come quella degli operai. Se tira vento, è come prendere una frustata in faccia, perché in America il vento viene giù direttamente dal Polo nord senza incontrare ostacoli. Quando piove si resta fradici tutta la notte, e tutti tossiscono tanto che il vagone pare un cronicario. Ma Diamante ha quindici anni e il sole, il vento del Polo nord e la pioggia dell'Ohio gli fanno il solletico. Così cammina dall'alba al buio, coi secchi, l'acqua che sciaborda contro il legno, il cigolio del carrello sui binari, il silenzio e canti di uccelli sconosciuti tutt'intorno  contento, perché ha uno stipendio sicuro, e presto metterà da parte i soldi per andarsene con Vita.

Lo pagano un dollaro e ottanta centesimi al giorno. Meno di tutti. Ma gli altri sono sciabolatori, ovvero virtuosi del badile. Conoscono tutti i segreti del legno, del ferro e della pietra. Sterrano, scavano, trascinano la carriola piena di sassi, spianano il terreno, trasportano traversine, le allineano, le dispongono, le avvitano ai binari. La Compagnia li paga per la manutenzione e la costruzione di tratte ferroviarie, massicciate di tronchi e pietrame, consolidamento, sbancamento con la dinamite di ostacoli naturali, collocamento o raddoppiamento dei binari. Il waterboy è piccolo ma robusto, e se vuole l'anno prossimo anche lui potrà sciabolare e spaccare pietre con una mazza. Diamante però ha calcolato di guadagnare 10 dollari e 80 centesimi la settimana. In sei mesi fa ben 259 dollari. Perciò l'anno prossimo lui starà già in un posto migliore – con Vita.

Purtroppo il Campo 12 è isolato, e troppo lontano dalle squadre dei giapponesi provviste di cuoco. Non c'è scelta, bisogna comprarsi il cibo allo spaccio del caposquadra: tutti lo chiamano il *pluck-me store* – pelami per bene. Diamante impiega una settimana a capire perché. Vende a prezzi esorbitanti acciughe guaste, barattoli di pomodoro rancido e scatole di fagioli vellutati di muffa che provocano la dissenteria. La settima sera lo prende un attacco terrificante. Siccome non c'è cacaturo, ci si libera dove capita, o in un buco schifenzuso scavato nel terreno e ricoperto da un asse marcio. Ma i compagni ti cacciano a badilate se scacazzi nei pressi del vagone, e ti costringono a inoltrarti nella foresta – sicché alla fine, tra la dissenteria, l'alimentazione cattiva e la stanchezza, ti ritrovi molle come burro, e la mattina non riesci ad alzarti dal paglione. Il caposquadra ti pungola col fucile, e non è un bel modo per cominciare la giornata.

Diamante preferisce ingegnarsi piuttosto che lamentarsi, e smette di acquistare viveri allo spaccio. Si costruisce una fionda. Scorteccia un ramo e si fabbrica un randello. Dopo il lavoro, mentre i compagni mangiano attorno a un tavolo coperto da vecchi giornali e scorreggiano perché hanno gli intestini tutti sconquassati, lui esce in cerca di preda. Uccide scoiattoli e talpe con un morso in testa. Abbatte picchi, quaglie e fringuelli con la fionda, con la micidiale precisione che ha imparato da bambino. Raccoglie funghi, ghiande e lumache nell'umidità delle forre. Gli altri lo guardano inorriditi, ma lui impara a cucinarsi stufati gustosi. Solo il ratto di prateria ha un odore molto cattivo, che né i mirtilli né la mostarda riescono a soffocare. Il ghiro è eccellente. Il fagiano si può perfino rivendere perché altamente pregiato. La carne del falco pescatore ricorda quella del pollo. Diamante mastica soddisfatto. Gli piacerebbe che Vita fosse qui. O che almeno lo vedesse. A Vita piacciono i ragazzi che se la cavano da soli. Sarebbe orgogliosa di lui.

Non ha sue notizie dal giorno in cui l'ha lasciata – correva lungo i binari del deposito, in equilibrio sul filo del metallo: il suo vestito azzurro confuso con l'azzurra oscurità dell'alba. Vita aveva corso finché i vagoni in cui si era nascosto avevano preso velocità, curvando in fondo agli scambi. Poi, secondo gli accordi, era tornata a casa. Appena ha trovato lavoro, Diamante le ha scritto una cartolina col nome della sua compagnia ferroviaria, pregandola di non divulgarlo – caso mai il vendicativo

Cozza meditasse una punizione. Non gli hanno ancora consegnato la sua risposta. Il postino al Campo 12 non è mai venuto. La prossima domenica, Diamante andrà a protestare con l'agente della compagnia ferroviaria. Con quelle quattro parole che si ricorda, riuscirà a fargli capire che non è giusto far aspettare tanto gli operai. Già vivono in mezzo alla foresta, se nemmeno ricevono notizie da casa il morale scende sotto i tacchi. Non vuole che Vita si preoccupi. Va tutto a meraviglia.

Il giorno di paga s'accorge che gli hanno tolto sette dollari per "spese allo spaccio". «Non ho comprato niente allo spaccio», protesta. «Sono andato a caccia.» Calamara lo scruta incredulo. Non ha ancora capito se il waterboy è molto intelligente o molto stupido. Gli scaracchia sugli scarponcini. «Devi pagare comunque, anche se non compri» chiarisce. «No» replica Diamante. «Il contratto non diceva questo. Io ho accettato il lavoro per un dollaro e ottanta al giorno. Ti pagherò quello che ti devo, e nient'altro.» «Allora non hai capito» dice il caposquadra, alzandosi in piedi. «Sei tu che non hai capito» risponde Diamante. «Se le cose stanno così, me ne vado.»

Quando riapre gli occhi, Santo Callura gli preme un asciugamano sulla faccia. È tutta bagnata, e non d'acqua. Perde sangue dalla nuca. Adesso capisce che a Calamara il fucile non gli serve solo per sorvegliare, minacciare o spronare gli uomini. Quando viene la neve, quando il fiume ghiaccia, allora te ne andrai, ce ne andiamo tutti – gli spiega pazientemente Callura. Nessuno può allontanarsi dal campo senza permesso o prima della fine del contratto. Se scappi, Calamara ti viene a riprendere e ti riporta al campo. Se continui a rompergli i coglioni, ti denuncia per furto e l'agente della Compagnia ti sbatte in galera. Diamante geme debolmente per il dolore. Ma non siamo mica prigionieri, mormora, non ci hanno mica deportati in un campo di lavori forzati. Callura scrolla le spalle e continua a tamponargli la ferita. Da quanto tempo stai alle ferrovie? s'insospettisce Diamante. Callura si asciuga le mani sui jeans e non risponde.

A luglio, quando il sole arroventa il vagone, e sembra di dormire in una fornace, si presenta una zitella metodista desiderosa di insegnare l'inglese agli "uomini di bronzo". Diamante chiede se deve pagare qualcosa, e Miss Olivia Campbell gli risponde che il corso è gratuito. I generosi parrocchiani di Lima vogliono aiutare gli stranieri a integrarsi nella nostra nazione. Diamante spiega che al corso s'iscriverebbe pure, ma è cattolico. Fu battezzato e fece la prima comunione. La cresima no, perché se ne venne in America. La zitella sorride. Avrà quarant'anni. È secca come una foglia, con i capelli rossi. Ha fegato, per essere venuta tutta sola alla tracca dei dago – che gli americani considerano degli incalliti stupratori. Diamante precisa che lui non è poi tanto cattolico, e non entra in una chiesa dal giorno che partì. Miss Campbell risponde che siamo tutti cristiani. Diamante s'iscrive. La lezione si tiene la sera al Campo 9 – e per arrivarci deve correre per quindici chilometri nella foresta. La prima lezione, sono in trenta – ammucchiati in un vecchio vagone che puzza di sterco di manzo. La settima, sono in dieci. La quindicesima, Diamante si ritrova solo con Miss Campbell. Purtroppo i dago non si dimostrano interessati ai vantaggi della lingua americana, e lei sarà costretta a offrire i suoi tesori alla tracca degli ucraini, degli ungheresi o dei finnici. Oh, no, Miss, implora Diamante, non se ne vada. Sono pronto a convertirmi al metodismo. Miss Campbell sorride. Non è venuta a comprarsi l'anima di un waterboy. Però gli regala un libro. Non l'*Holy Bible* che hanno appena cominciato a studiare. Il libro è scritto da un certo London Jack e si intitola *The call of the wild*. È la storia di un cane, che viene venduto, picchiato e umiliato e diventa selvaggio e feroce, e secondo Miss Campbell a Diamante piacerà molto. Lui però fa una fatica bestiale a capire la vicenda, a pagina 47 si arrende e per anni gli resta la curiosità di sapere cosa è successo all'indomito cane Buck.

A ferragosto finalmente arriva il sacco della posta, ma non c'è nessuna lettera per Diamante Mazzucco. Forse Vita non ha ricevuto la cartolina da Cleveland. O forse non ne è rimasta contenta, perché era un tantino stitica. Deve scriverle ancora e non vergognarsi di dirle quanto le vuole bene. I compagni del campo più esperti dicono che le donne hanno bisogno delle parole come gli uomini degli atti impuri. Però quando Diamante impugna la penna, s'accorge che non riesce a piegare le dita. A forza di stringere la corda dei secchi, le sue mani si sono chiuse a pugno. Forse è questo il motivo per cui ha sempre voglia di fare a cazzotti. Sgranchisce le dita. D'ora in poi deve fare esercizi tutte le sere, se non vuole pigliarsi i reumatismi e l'artrite deformante.

*Cara Vita,*
*non ti ho potuto ancora fare venire, ma sto risparmiando e presto*

*verrà il momento. Ti garantisco che ti penso sempre e non mi dimentico che ci siamo promessi. Aspetto solo di essere con te e non ci lasciamo più.*
*Tuo per sempre Diamante*

Ormai dalle fenditure tra le assi del vagone filtra l'autunno. Quando lo investe il vento gelido del Polo nord, il vagone sussulta, oscilla e trema come durante un terremoto. Ma nemmeno nel sacco della posta che viene consegnato all'inizio di ottobre c'è una lettera per il waterboy.

Crocefisso Cassano sostiene che le meglio lettere delle donne agli sciabolatori non arrivano mai. Qualcuno le ruba prima. La Compagnia preferisce evitargli di cadere in preda alla nostalgia. Se hai soldi, puoi ricomprarle. Altrimenti, devi rassegnarti all'idea che le legge un altro, e si vanta di avere una ragazza che lo aspetta, da qualche parte. Ma è la *mia* ragazza – dice Diamante. Crocefisso risponde: Si vede che adesso è la ragazza di Giobatta Reato. Diamante sborsa tre dollari, per la lettera di Vita. Se la legge tutto immalinconito, coi lucciconi agli occhi. La lettera, però, è indirizzata a un certo Pietro da una certa Assunta. Quando se ne lamenta e pretende di riavere indietro i suoi soldi, Reato rifiuta. Sostiene di avergli fatto un favore, perché non c'era nessuna lettera firmata Vita.

Alla fine della stagione, Diamante è fermamente deciso a piantare le ferrovie e a cercarsi un lavoro qualunque a Cleveland. Ma non ha fatto bene i conti. Tolte le spese (per l'alloggio, il logorio della coperta da cavallo e degli attrezzi di lavoro, per l'acquisto dei generi alimentari, le multe per le infrazioni e i ritardi sull'impraticabile piano di lavoro concordato dal caposquadra per non essere liquidato con tutti i suoi uomini a vantaggio di un altro gruppo più disperato ancora), non solo non gli resta niente da spedire ai genitori e da mettere da parte per tornare da Vita o chiederle di raggiungerlo, ma si ritrova indebitato col caposquadra che lo ha assunto. Per estinguere il debito, non c'è che un modo: lavorare per lui un'altra stagione.

Svernò nella pensione della suocera di Calamara, un lurido vagone arenato nei terreni incolti dietro lo scalo merci di Cleveland. Un posto di fischi e fanali, cozzi vaganti e rumore di treni. Deciso a guadagnarsi il denaro necessario per liberarsi del caposquadra, batté il tetro quartiere italiano, incuneato fra la Centodiciannovesima e la Centoventicinquesima strada. Gli consigliarono di provare al porto, alla raffineria della Standard Oil o alle cartiere. Ma lo stipendio non bastava nemmeno a pagare l'affitto. Lavorò in una fonderia e in un cantiere navale. Fece il venditore di creme per le emorroidi e pomate per i calli. In un esaltante grattacielo di trenta piani fu addetto alle sputacchiere degli ascensori, nelle quali gli impiegati degli uffici secernevano il loro disappunto. Poi si diede alle lettere: le decifrava e le scriveva per gli analfabeti della comunità, cercando di immaginare quello che i destinatari in Italia volevano leggere. Alla fine sostituì un postino. Consegnare lettere gli procurava una gioia indescrivibile. Quel sacco pieno di carta che caricava sulla bicicletta gli sembrava contenesse tutte le parole del mondo, anche quelle che erano state scritte per lui. Caro Diamante, sono contenta che stai bene. Sto bene anch'io. Scrivo corto perché la penna mi è sempre stata pesante, ma sono per sempre la tua promessa Vita. Diamante pedalava oltre il quartiere italiano, lontano dai binari e dall'odore dei treni. Qualche volta i cani che custodivano le villette suburbane dei biondi gli dilaniavano i calzoni. Ma lui non ci faceva caso, perché stava per ricevere una lettera di Vita. Poi il postino titolare tornò, e le lettere altrui lo nausearono per sempre.

E rieccolo coi galeotti dei vagoni. Inchiodati ai binari, perfino d'inverno. Chini con la ramazza sugli scambi avvolti nella nebbia gelata, a spalare fra le intermittenze dei segnali luminosi la neve che seppelliva le traversine. Quando i locomotori emergevano dal fumo, erano solo una vibrazione che rintoccava nel sangue – non riuscivano nemmeno a vederli. Fantasmi che esalavano un odore di ferro e di ruggine. Uomini senza donne. Violenti, gente persa. Li chiamavano uccelli migratori. Ma non era un'immagine poetica – rapace, sinistra, piuttosto. Tuttavia, gli uccelli migratori, finita la stagione brutta, sanno ritrovare la strada di casa.

Invece a primavera il suo debito col caposquadra era raddoppiato, e ricominciò, trecento miglia più a ovest. Cambiò stato, compagnia – paesaggio. Non sapeva nemmeno dove fosse. Era arrivato al campo di notte – su un carro piombato dentro il quale filtrava appena un pallido spiraglio di sole. Di giorno vide solo il binario che luccicando fra i sassi in un universo appiattito, come privo di dimensione e forma, inseguiva inutilmente l'azzurro del cielo. Di nuovo la strada ferrata. Di nuovo il vagone merci rovente, le acciughe guaste – i mille passi col giogo sulle spalle, e l'acqua che sciabordava nei secchi. Di nuovo la visione tremolante di una fila di uomini disposti sul rigo rettilineo dei binari, l'ombra mingherlina di un ragazzo che trascina due secchi di legno.

Ma a Diamante piaceva essere il waterboy. Lui era come l'acqua. Insapore, inodore, senza qualità apparenti, indipendente da terra e cielo, plastico, fluido, disponibile, pronto ad assumere la forma di tutto ciò che lo contiene, ma in realtà implasmabile, resistente, all'occorrenza anche pericoloso, mortale – comunque *necessario*. La gente del suo paese invece aveva paura dell'acqua – acqua e morte stanno sempre dietro le porte, diceva il proverbio. Dall'acqua erano venute soltanto malattie e invasioni. Malaria e saraceni. Sua madre gli aveva raccontato spesso l'ultima incursione – che aveva reso infausto il 1860. I corsari erano sbarcati sulla spiaggia di Scauri e da lì saliti a depredare Minturno e i suoi villaggi, ammazzando uomini e bambini fin nei vicoli di Tufo, tanto che lungo via San Leonardo scorrevano fiumi di sangue e vino. Angela, che aveva sei anni, si era salvata nascondendosi dentro una cesta: ma al mare, che pure distava pochi chilometri, non era scesa mai più. Anche per Antonio, l'acqua era stata l'infida nemica delle sue speranze. Nelle due sfortunate traversate oceaniche aveva sofferto il maldimare e la città che non era destinato a raggiungere gli era sembrata costruita sull'acqua come i sogni irrealizzati. Ma Diamante non ci aveva mai creduto. L'acqua era solo lo specchio della sua inquietudine – la sua via di fuga.

L'acqua gli veniva incontro – e lui la scovava ovunque si nascondesse. Acqua stagnante di palude, dove sguazzano larve opportuniste e rospi irascibili. Acqua pura in fondo a un pozzo. Acqua verdissima del Garigliano che nella pianura riarsa scorreva senza argini e senza regole verso la foce. Acqua azzurra del Mediterraneo, che l'aveva sempre chiamato alla distanza, alla partenza, alla libertà. E alla fine, la grande acqua – l'oceano color indaco, nebbioso, infinito sotto le stelle pallide dell'Atlantico. L'azzurro, del resto, era stato il primo colore che Diamante aveva visto – perché Angela lo aveva partorito nei campi della piana del Garigliano – dove, nonostante la gravidanza avanzata, era scesa all'alba col canestro in testa a raccogliere cicoria. In paese spiegavano così il fatto che, tra tanti occhi neri, madre e figlio li avessero blu. E adesso amava pure l'acqua americana che sciabordava prigioniera nei secchi di legno, riflettendo la limpidezza spietata del cielo. Ma a poco a poco cominciò a sognare di fuggire, di abbandonare i secchi, gli sciabolatori, le rotaie. Di diventare davvero un uccello di passo, un migratore guidato non dalla fame, ma dal ritmo delle stagioni – libero. Sognava di prendere uno di quei treni il cui fischio lacerante di sirena, nella lontananza, lo faceva sobbalzare.

Il suo treno lo portava alla Penn Station. Scendeva, attraversava strade ormai più familiari di quelle in cui si affacciava la casa dei suoi, camminava, stringendo fra le labbra la catenina d'oro con la croce, lasciandosi guidare dalla felicità, e a un tratto riconosceva l'odore stantio del cortile di Prince Street. Il sogno a occhi aperti si fermava sulle scale, perché si interrompeva sempre prima dell'apparizione di Vita. Non voleva costringere la sua radiosa fidanzata a spartire con lui le notti del carro merci, la canimma, i pidocchi e i binari. Voleva qualcosa di meglio, per lei. Mentre ingobbito sotto il peso dell'acqua avanzava sotto il sole, invocato dai compagni, a volte insultato o percosso perché tardava, si chiedeva come poteva ripresentarsi dalla sua ragazza senza un dollaro, stracciato come un vagabondo, inselvatichito come il cane Buck. Incapace di parlare perfino la sua lingua. In squadra stavolta c'erano solo montanari nordici, che facevano società tra loro ed erano l'orgoglio degli ispettori scozzesi. Coi calabresi non si capiva, e la sera, nel buio del vagone, si limitava a scambiare con loro qualche parola franca – americana. Si ridusse a sperare di essere accettato dai celtici, a mendicare il loro rispetto.

Un giorno un ispettore mandato dal governo italiano a verificare le condizioni dei railroads workmen gli chiese da dove venisse. Diamante rispose: da Torino. L'ispettore gli chiese se era parente di quel vecchio Federico Mazzucco che faceva l'orologiaio a via Lagrange, e Diamante si buttò, e disse che era suo nonno. Al che l'ispettore lo invitò a bere la china e si mise a parlare di questo Federico Mazzucco che aveva partecipato alla spedizione dei Mille e s'era quasi fatto ammazzare per chiamare italiani quei lazzaroni che adesso qui in America facevano sembrare l'Italia un paese di pezzenti. Era meglio se l'Italia non la facevano per niente e lasciavano tutto com'era prima. Diamante ci rimase male, però gli disse che aveva ragione. Quando l'ispettore partì, Diamante si vergognò di aver venduto il suo fiero orgoglio alla Great Northern Railway Line.

Allora cominciò ad assalirlo il dubbio di essersi venduto qualcosa di più: il suo futuro. In quei momenti, per rassicurarsi, stringeva fra le labbra la catenina. Di notte se l'infilava in bocca, e la serrava fra i denti. Si era venduto tutto ma non la testarda certezza di farcela, in qualche modo. Non sarebbe tornato da Vita a mani vuote.

Diamante si infila la catenina in bocca per paura dei malandrini – da quando, il giorno di paga, fecero irruzione nel vagone dormitorio e si portarono via i loro stipendi. Siccome gli sciabolatori non erano disposti a farsi rapinare, ne è nata una rissa tremenda alla quale il waterboy ha partecipato con rabbioso furore e indiscutibile talento. Ma è stato inutile, perché gli assalitori erano armati di asce e pugnali. Alla fine, quando i malandrini se ne sono andati, c'era sangue dappertutto, e parecchi lamentavano la frattura di una mano, di un naso o di uno zigomo. Nel vagone dei derubati – pesti e sconvolti – è calato un silenzio avvelenato, elettrico di rancore.

Eppure, la cosa più preziosa a Diamante non l'hanno rubata i malandrini degli altri campi, ma i suoi stessi compagni. I nordici dicono che i meridionali non hanno spirito di classe e che questa è la causa della loro arretratezza. Diamante non aveva mai sentito nominare questo spirito di classe, però ha imparato che i cosiddetti compagni sono capaci di spaccarti la testa e buttarti nel fiume per un pizzico di sale o per un berretto. Il berretto di lana che gli aveva fatto Vita con i ferri da maglia. Gliel'hanno rubato alla fine della seconda stagione. Nelle pianure, il freddo è spietato. Due giorni dopo, il berretto di lana rispunta sulla testa di Raffaele Rotundo. Escludendo la catenina-talismano e la fotografia sfocata della macchinetta automatica di Coney Island, quel berretto è tutto ciò che gli resta di Vita.

Se lo riprende. Mentre Rotundo dorme, glielo ruba – sfilandoglielo dalla testa con l'abilità di un prestigiatore. Si raggomitola sotto la coperta di cavallo e lo preme contro la bocca, tentando di riconoscere nell'odore stantio della lana il profumo di Vita. Vita sa di rosmarino. Di salvia e pinoli. Di mentuccia, zucchero e cedrina. Vita non gli ha mai scritto. Nemmeno una riga. Ma dev'esserci stato un disguido – perché non è ragazza da mancare di parola. Sta manovrando il carrello sui binari, quando gli saltano addosso. Il rettifilo degli sciabolatori è nascosto da un filare di pioppi. Nessuno può salvare il waterboy. Gli sfondano i secchi – saltandoci sopra, schiacciandoli con gli scarponi. Lo trascinano nell'erba. Lo prendono a calci e pugni finché non si convince a tirare quel cencio fuori dalla salopette. Rotundo glielo ficca in bocca – glielo spinge in gola a calci. Diamante non riesce a respirare. Il berretto di Vita gli riempie il palato, lo soffoca. È questa? gli chiede Rotundo, sventolando la fotografia di Coney Island. È questa la tua ragazza? Diamante allunga la mano – ma qualcuno lo inchioda a terra, e non riesce a muoversi. Si passano la fotografia. Dicono qualcosa, ma Diamante non capisce perché ha l'orecchio otturato dal sangue. Quando Rotundo fa scivolare la fotografia di Vita nella tasca dei jeans, Diamante si libera e gli salta addosso. Se non può tenerla, deve almeno distruggerla, perché qui l'immagine di una donna è più preziosa perfino di una croce d'oro. La gente è capace di masturbarsi guardando il collo di una bottiglia, il grinzoso culo del cane di Calamara – figuriamoci una ragazzina bruna che sorride. Non ce la fa. Lo scaraventano sul carrello. Non saprà mai chi gli ha tirato il calcio che gli spacca il labbro.

La ferita sanguina per ore, si gonfia, si infetta. Masticare diventa un'operazione dolorosa come cavarsi un dente. La crosta ruvida si crepa continuamente, e sorridere non gli riesce più. Del resto non ne ha voglia. Prova solo una rabbia furibonda – verso il mondo, il destino, i suoi datori di lavoro, i capitalisti, gli sfruttati imbecilli e vigliacchi, i malandrini e i fessi. Poi, col tempo, la bocca riassume l'aspetto di sempre e anche la rabbia si affievolisce. Ma il labbro rimane impercettibilmente increspato, come se lui fosse sempre scontento o sul punto di disapprovare qualcosa. Quella cicatrice non l'appianò nemmeno il tempo: l'unico segno indelebile dei suoi anni americani.

Il tempo passava come il vento sulla pianura, senza incontrare resistenza. Finì il 1907, e il 1908. Molti rimpatriarono; lui seguì la direzione opposta: i binari lo trascinavano verso Occidente. Molto più a ovest di tutto ciò che voleva. Molto più a est di tutto ciò che lo aspettava. Si sparse il panico. L'America attraversava una delle ricorrenti crisi "fisiologiche", le compagnie chiudevano, le società quotate in borsa fallivano, le squadre ferroviarie venivano dimenticate in fondo a un binario. Alla fine del 1908 la squadra di Diamante fu abbandonata in un campo sperduto del Minnesota. Il contrattore era fuggito con gli stipendi degli ultimi mesi, quando la Compagnia aveva annunciato che non avrebbe rinnovato l'ingaggio: nel crac di Wall Street il titolo aveva perso il cinquanta per cento del valore. I lavori si fermavano. Bisognava aspettare. C'era la campagna elettorale. Forse la crisi sarebbe durata poco. I repubblicani promettevano di riparare ai disastri ereditati dopo otto anni di euforica presidenza Roosevelt, il ghigno ottimista di Theodore fu rinnegato in fretta, con le spettacolari cacce al lupo e al gatto selvatico e le sue roboanti promesse di distruggere il potere dei trust che in realtà lo finanziavano. Divenne presidente William Taft – un politicante la cui incredibile grassezza prometteva opulenza per tutti. Gli uomini di bronzo non avevano tempo di aspettare la ripresa. A migliaia presero d'assalto i piroscafi della Veloce, del Lloyd Sabaudo, della Navigazione Generale Italiana: fuggivano. Fra loro c'era anche Giuseppe Tucciarone. Quando arrivò a Tufo, nel 1908, consegnò ad Antonio una lettera di Diamante. C'era scritto: *Sto in buona salute, il lavoro c'è, avrete presto rimesse, non fatevi pensiero per me.* Diamante non era tornato. In America, da qualche parte, c'era qualcosa – non sapeva cosa, ma voleva trovarlo.

Tenne duro. Rimase. Non divenne sciabolatore. Non divenne caposquadra. Come non gli era riuscito di fischiettare sotto casa di Profeta, non sarebbe mai stato capace di minacciare i suoi compagni o di picchiarli. Né l'avrebbe mai voluto. Gliene mancava l'ambizione e il desiderio. Non fece carriera, ai campi. Anche quando compì sedici, diciassette e poi diciotto anni rimase un waterboy. Divenne un maestro nell'arte di portare l'acqua. All'andata, cammina spedito, con passo regolare, bilanciando con il corpo lo squilibrio del peso. Il legno parallelo alle spalle, come una croce, la schiena dritta, le gambe molleggiate, le mani ben salde sulla corda, in basso, cinque palmi dal giogo. Impara qualche trucco – pratica un forellino sul fondo, così alleggerirai i secchi strada facendo e l'acqua peserà sempre di meno. Al ritorno, non portare i secchi come all'andata. Non irrigidire la schiena, lascia riposare i muscoli intorpiditi delle braccia, fa' defluire il sangue, cammina lentamente, risparmia energie – perché questo è l'essenziale: approfitta dei rapidi momenti di libertà, prima di curvarti di nuovo sotto il carico. Ogni tanto blocca il carrello in un punto equidistante dal vagone e dal luogo di lavoro della squadra e fermati a guardare il sole, purpureo nel cielo come un livido tumefatto.

Danzava fra i binari, con la mente vuota, lontano da tutto e da tutti – le traverse erano poste a una distanza strana, erano troppo vicine, o forse troppo lontane fra loro. Ascoltava i rumori del silenzio, lo stillicidio dell'acqua tra le fessure del legno, gli schiaffi del vento sull'erba, gli scrosci tempestosi di pioggia sulle traversine. A volte per scandire i passi cantava, dondolando i secchi, le parole che un tempo ma chissà quando ormai, Vita gli aveva insegnato. Il ricordo di lei faceva affiorare, intatto, un dolore antico, lancinante e irrimediabile. Era un dolore benefico. Acquisì un tale automatismo che alla fine il suo corpo, i secchi, l'acqua che contenevano, il carrello, il binario, il giogo, le corde, le traversine, divennero tutt'uno. Il suo corpo aveva memorizzato ogni movimento, e non lo avrebbe dimenticato più.

Quando cominciò il 1909, non aveva ancora trovato l'occasione per sottrarsi all'inevitabilità di quelle rotaie che non conoscevano curve o deviazioni. L'inesorabile linea retta dei binari gli diceva che alle ferrovie non c'era futuro. Era come l'ergastolo.

In tutti quegli anni, Diamante rimase tagliato fuori dal mondo. Come non seppe niente di Vita, Nicola o Geremia, non seppe cosa accadeva in Italia, a casa sua. Non lo raggiunse la notizia della morte di Amedeo: l'avrebbe saputo solo anni dopo. Per molto tempo continuò a portare acqua anche in nome suo, e del suo futuro, e quando poi ricominciò a scriversi col padre, e a suggerirgli di mandargli in America il fratello minore, il prediletto – perché lo voleva accanto – Antonio non ebbe il coraggio di rispondergli che Amedeo non avrebbe mai potuto raggiungerlo, perché la puntura di una zanzara lo aveva ucciso a tredici anni, inoculandogli la malaria mentre nuotava negli stagni del Garigliano, un pomeriggio d'estate. Non seppe niente nemmeno del devastante terremoto di Messina. Nelle grandi pianure lo raggiunse, con il fragore di un'esplosione di dinamite, una sola notizia. Diamante la lesse, sbalordito, nel foglio bisunto di un vecchio giornale in cui al *pluck-me store* incartavano le sardine. Quella notizia non lo riguardava. Eppure gli trasmise un'inspiegabile inquietudine – come un sordo avvertimento.

Enrico Caruso, l'idolo delle masse, che ogni donna avrebbe voluto amare, che riceveva ogni sera in camerino isteriche infoiate pronte a tutto pur di ottenere un'occhiata dal focoso italiano (e capaci di denunciarlo per comportamento scorretto se lui non ricambiava), era stato tradito dalla sua. Cioè dall'unica di cui gli importasse. Mentre lui si usurava la voce cantando nei teatri di tutta l'America, la donna con cui conviveva da quasi dieci anni lo aspettava in Italia – nella villa toscana che Caruso, come avrebbe fatto ogni italiano al suo posto, aveva comprato appena raggiunto il successo. La donna, che era stata un soprano dotata di un certo talento, aveva rinunciato alla propria carriera, come ogni donna italiana avrebbe dovuto fare e come Diamante si augurava che facesse un giorno anche la sua: aveva deciso di vivere per lui. Di sacrificare il suo mondo e le sue ambizioni, se ne aveva, a quelle di lui. In quella villa monumentale, chiamata pomposamente Bellosguardo e stipata di armadi barocchi, cassapanche rinascimentali e pastori da presepio di cartapesta, Caruso poteva trascorrere solo l'estate. Nel maggio del 1907, una lettera anonima si pregiò di informarlo che in quella villa la sua amata conviveva *more uxorio* con un altro. Un certo Cesare Romati. Era l'autista.

Caruso non credette ai pettegolezzi. Se ne infischiò delle notizie che scavalcavano l'oceano e bussavano alla porta del suo appartamento al tredicesimo piano dell'hotel Plaza. Avrebbe creduto solo a lei. Partì. L'Ada venne a prenderlo alla stazione di Milano. Caruso decise di essere magnanimo. Siccome, nonostante il tradimento o persino a causa di esso, l'amava ancora più di prima, disse che avrebbe ignorato quanto accaduto, e che tutto sarebbe continuato, o ricominciato. A una sola condizione. Lei doveva mandar via l'autista e non rivederlo mai più. Ada acconsentì. Si riconciliarono.

In autunno, Caruso salutò la ritrovata Ada e ripartì per una tournée in Ungheria, che si concluse in un fiasco. Cantò a Vienna, Lipsia, Amburgo, Francoforte, Berlino – poi, a novembre, rientrò a New York. La primavera successiva, mentre tornava in Italia, apprese l'atroce notizia che Ada si era stancata di aspettarlo. Se n'era andata con l'autista. Caruso occupò il mese di luglio a inseguirli – indecorosamente, pateticamente – per mezza Italia, li cercò perfino in Francia. Invano. Al suo amico di New York, Marziale Sisca, direttore della rivista "La Follia", scrisse una lettera disperata. "Mi hanno spezzato il cuore nel più bello della mia vita! Ho pianto tanto, ma le lacrime non sono valse a nulla! Spero che col tempo il mio povero cuore così bruscamente spezzato si guarirà e la vita sarà per me più brillante."

La notizia dei "troubles of a tenor" fu ampiamente divulgata sui giornali, perché tutto ciò che riguardava il divo – perfino il taglio dei suoi baffi – trovava spazio in prima pagina. Ma forse anche perché strideva con l'immagine del maschio italiano grande amante che aveva cominciato a serpeggiare nell'immaginario americano. Del suo "cuore infranto" si occupò il "Daily Telegraph", perfino l'austero "New York Times". Un quotidiano di Montevideo mandò un cronista a chiedergli come si sentisse. Lui rispose, tetramente: «La mia speranza è di non morire vecchio. In generale, la morte è preferibile alla vita».

Be', il colpo era stato micidiale. Caruso annullò tutti i contratti, voleva sparire, in qualche buco sperduto del mondo – da solo. Se ne andò a Tunisi, a Napoli, a Lipsia. Poi tornò a New York e, naturalmente, dovette continuare a cantare (*the show must go on*). Cantò, anche se perfino l'ultimo spettatore del loggione era al corrente della sua storia, e lo frugava col binocolo per vedere come riuscisse a mascherare l'angoscia dell'abbandono. Male, pare, benché fosse un bravo attore. Cantò, ma sprofondò in una vertiginosa malinconia, da cui in realtà non si riprese più.

Alla fine di gennaio del 1909, la fuggitiva Ada si presentò – senza annunciarsi – all'albergo Knickerboxer, dove lui si era trasferito per dimenticare il Plaza. Caruso schizzò fuori dalla vasca da bagno, per scacciarla. Groom, addetti agli ascensori, portieri, vicini di camera, curiosi e ammiratori udirono con massimo diletto le urla di lui e i pianti di lei (e viceversa). Gli insulti, reciproci. Ada ripartì con un assegno (che reputò miserabile, perché non denaro era venuta a chiedere) e un feroce desiderio di rivalsa. Caruso se ne rimase con la sua rabbia e il rimpianto. Poco tempo dopo, ebbe un crollo nervoso – il primo dei molti che dovevano puntualmente ripetersi negli anni. Gli venne un nodulo ipertrofico alla laringe – che poteva anche essere un cancro. Cercava, senza saperlo, di distruggere l'unica cosa davvero preziosa che possedesse: la voce. Dovette operarsi, ma nessuno sapeva se sarebbe mai tornato a cantare. Gli tagliarono la gola col bisturi. Anche i suoi ammiratori più devoti riferivano che Enrico Caruso era finito.

Diamante ci rimuginò per mesi. La morale di quella storia era che non si può lasciare sola una donna così a lungo, perché il tradimento vuole solo un'occasione. E prima o poi l'occasione arriva. Doveva assolutamente trovare il modo di abbandonare le ferrovie, e tornare a New York.

# Il diritto alla felicità

Il fallo si rizza contro il cielo sbiancato dall'afa. Svetta al di sopra delle teste come un cero votivo. Chissà se si erge a implorare fertilità e durezza o a ringraziare di avere ottenuto l'una e soprattutto l'altra. La folla che assiepa i due lati di Mott Street vibra, freme d'eccitazione, sussulta, e la travolge. Vita viene inghiottita dal corteo. Si solleva sulla punta dei piedi, sgomita e spinge, ma inutilmente, perché al di là delle schiene, dei corpi e delle grida c'è solo la statua, sospesa in precario equilibrio su decine di spalle. Si china in avanti, come per benedire, vacilla all'indietro, come per cadere, s'inclina da un lato, si raddrizza, s'assesta. E il fallo maestoso è scomparso.

Sventolano centinaia di bandierine di carta tricolori, distribuite dalle associazioni che vorrebbero trasformare in un patriota anche un santo. Ma, più che altro, sventolano per muovere l'aria – che, sebbene siano solo le dieci del mattino, è greve e densa come mucillagine. I curiosi, discesi dai quartieri alti della città per assistere senza spendere un centesimo a uno spettacolo di "autentico folklore mediterraneo", sono riconoscibili per i visi paonazzi, ma non sono numerosi come per la festa di San Gennaro. Gli americani di uptown sono fuori città, il sedici di agosto. Nel quartiere invece non parte nessuno. Nessuno dei ragazzi ha mai perso una processione, negli anni passati. E non per il santo, ma per via dei falli. Il sedici di agosto chi riesce a toccare il bitorzolo asperso con l'acqua benedetta vedrà garantita la sua virilità. Se Diamante è tornato a New York, lei lo incontrerà tra questa folla.

Il santo ha lo sguardo mite. Gli hanno dipinto la bocca di carminio e le mani di ocra, per dare alla sua carnagione un aspetto presentabile. Ma è il santo dei malati e degli appestati – le petecchie gli chiazzano le guance e le pustole gli sfigurano il naso. Per questo è il preferito dei ragazzi, che tutti i giorni combattono con l'acne. È l'unico di cui Coca-cola invocava il nome, quando contemplava atterrito i foruncoli che gli spuntavano sulla fronte. O forse godeva di grande simpatia perché è il protettore dei carcerati. Comunque è un santo comprensivo, perché ha tanto sofferto. E così, da quando l'hanno tirato fuori dalla chiesa della Trasfigurazione, la gente si scazzotta per baciargli i bubboni della peste, e anche se gli organizzatori fanno esplodere petardi, bengala e fuochi d'artificio, che colorano di fumi color ciliegia il bianco caliginoso del cielo, e anche se il rullo ritmico dei tamburi diventa assordante e scatena le danze, trasformando la processione in un'onda sudata di corpi contorti, tutti pregano sul serio – e perfino chi non crede nei miracoli si ritrova a farsi il segno della croce. Perché tutti siamo feriti e contagiati da qualche peste, anche se non sappiamo quale.

A Mott Street niente è cambiato. C'è ancora la taverna del padre di Elmer, coi tavoli scompagnati e le stoviglie di latta. All'incrocio con Spring Street c'è il forno di Gennaro Lombardi che vende la pizza ed è l'unico in tutta l'America. C'è l'emporio cinese dove Diamante anni fa le procurò uno scialle di seta. C'è perfino l'insegna del dottor Vincenzo Cione, che distribuisce la FOSFYMBINA del professor Carusi della Regia Università di Napoli, atta a guarire radicalmente l'impotenza funzionale. Quanto si divertivano i ragazzi di Prince Street, a spernacchiare con epiteti indecenti gli scornacchiati che entravano al 178: a quel tempo Vita nemmeno sapeva cosa fosse, l'impotenza funzionale. In effetti non lo sa nemmeno adesso. La processione la trascina nella direzione opposta, e le impedisce di precipitarsi a Prince Street, affidarsi alla corda scivolosa e controllare se c'è ancora sulla porta della sua vecchia casa il corno contro il malocchio. Ma il passato ritorna quando la luna sarà sempre piena, quando il mare s'accuaierà come uno specchio e i gatti cominceranno a parlare, e voltarsi indietro non serve a niente.

Viva San Rocco che ci guarirà dal tifo e dalla tubercolosi, dalla sifilide e dalla nefrite, dalla pazzia furiosa dal tracoma dalla silicosi e da tutto il resto. E quelli che supplicano una grazia e quelli che l'hanno già ricevuta si trascinano dietro la statua, levando in alto il loro ringraziamento. Una gamba intagliata nel legno di cedro dall'ebanista migliore del quartiere, per la quale hanno sperperato tutti i loro risparmi; una mammella di cera con il capezzolo rosato, che prima manda in estasi e poi suscita il raccapriccio di due cronisti del "World"; un piede che pare di materiale organico, un polmone, un cuore di stoffa, e infine, per ultima, una teoria di falli – di legno, di pietra, di porcellana, di cartapesta, di terracotta. Lo ha ritrovato. Lo sguardo di Vita si arena, abbagliato, sul bianco fallo di marmo. La donna che lo sorregge non guarda nessuno e non s'interessa di nient'altro. Sorride, mormorando una preghiera che lei sola conosce.

A un tratto, nella confraternita dei portatori curvi sotto il peso della santità, fradici di sudore, sfatti dal caldo e dalla fatica, lo riconosce. Il portatore è così talluto che dalla parte sua San Rocco s'innalza, come sul punto di incespicare. Le sue braccia sono robuste, abituate a spostare pesi e zavorre. È vestito di scuro, con un doppiopetto a sei tasche alquanto oltraggioso rispetto al misero costume da pellegrino del santo. Il portatore ha i capelli imbrillantinati, le guance lisce e gli occhi scuri ombreggiati da ciglia così lunghe che sembrano ritoccate col rimmel. Quel viso sereno e distante, quel sorriso mistico appartengono a Merluzzo. Vita sussulta, fa un passo indietro e cerca di nascondersi, ma è troppo tardi. Rocco, che ha la testa piegata da un lato per meglio offrire il collo al martirio, l'ha vista. Con stupore, sbalordimento – addirittura, lei direbbe, un qualche piacere. Le accenna un sorriso, come il primo giorno in cui l'ha incontrata, nella cucina sovraccarica di Prince Street, sei anni fa.

Ma dov'è Diamante? Sarà mica quel sorecillo che s'appoggia allo stipite della chiesa? Oddio, gli assomiglia. È proprio lui. Macché, non ha gli occhi azzurri. È solo un ladruncolo venuto a guadagnarsi la pagnotta. C'è tutto il quartiere, dietro la processione. Anche se questa, fino a qualche tempo fa, era solo la testa dei lucani, ora è la testa di tutti – perché i santi, come i vagabondi, non hanno patria. Riconosce gli antichi vicini di pianerottolo, i venditori ambulanti, i bottegai – i farmacisti, i dottori, le ostetriche, i ciarlatani, gli impresari di pompe funebri, il fabbricante di bare che misura quelle di Cozza, il signor Bongiorno in persona, col panama in testa e il bastone da passeggio di canna di bambù, perfino i garzoni negri e gli amici degli amici. In quella folla che prega, che balla, chiede perdono, piange e si commuove per la disperazione o la nostalgia, c'è perfino Rocco, che di certo è venuto a espiare qualche peccato capitale – ma Diamante non c'è.

Non si facette cchiù vedere a Prince stretto, la avverte lo strillone, che la implora di pigliargli *l'ultima copia*. Riconosce anche lui, è Giose Cirillo detto Cherry, un ragazzino che anni fa spacciava l'"Araldo" con Diamante. L'ultima volta Diamante lo vedettero nell'Oaio, faceva il waterboy alle ferrovie. L'Oaio? sbuffa Vita, questo lo so anch'io. Ma dov'è? Lo strillone si sventola col giornale. La scruta, colpito. Vita va per i quindici anni. I capelli neri raccolti in due bande sulle orecchie lasciano scoperto un voluttuoso riquadro di collo. Il vestito a righe le va stretto e la stoffa leggera disegna le coppe eloquenti del seno. Giose Cirillo sente sopraggiungere una potente arrapatura, e approfitta della confusione per appoggiarsi contro di lei. Per un attimo assapora la soda consistenza della sua carne. Non saccio, Vita – risponde, beato – da qualche parte a Ovest.

La processione s'imbuca dietro la statua nella chiesa del Preziosissimo Sangue, al 115 di Baxter Street. Non c'è posto per tutti, molti straripano fuori dalle porte, si accalcano in strada. Gli altri rifluiscono verso le bancarelle, cercano refrigerio all'ombra delle tende dei negozi. Lo sa anche Vita che Diamante è andato nell'Oaio. Dove poteva andare? C'erano altri ragazzi del paese, laggiù. Ma perché non mi ha risposto quando gli ho scritto che, come d'accordo, volevo raggiungerlo? Avevo pure rimediato i soldi, cucendo la biancheria al collegio. Forse si è arrabbiato perché ci hai messo troppo a rispondergli. Dieci giorni dopo che è partito, ti ha mandato una cartolina che si vedeva il grande fiume Oaio, ma tu l'hai ricevuta con un anno di ritardo, perché a Prince Street non ci abitava più nessuno. Quanto volevi raggiungerlo in fondo ai binari della Compagnia. Volevi vivere in un vagone e diventare la moglie ragazzina di un waterboy. Ma forse Diamante ha preferito così. Era sicuro che tu non saresti andata da nessuna parte, e che gli sarebbe bastato tornare lui, per ritrovarti dove ti ha lasciata: sui binari dei depositi sull'Hudson River, dove partono i treni che tu non prenderai.

Vita s'infila in chiesa, facendosi largo a gomitate fra le donne in gramaglie. Nella penombra, intravede la statua, il prete coi paramenti da cerimonia e, dietro l'altare, Merluzzo, che s'asciuga il sudore con un fazzoletto di seta e si aggiusta la cravatta. Segue una scena assurda quanto lo sarebbe vedere Nicola nel club dei milionari o lei stessa con la tonaca da suora: Rocco canta nel coro, e canta le lodi di Dio. Gesù, è tutto vero. Che cosa ti è successo? Che cosa è successo a me? Mentre lo guarda, emozionato dietro l'altare, pallido nel doppiopetto blu, si ricorda che la domenica mattina Geremia si alzava presto, e sgattaiolava giù per le scale, ma Rocco lo canzonava, perché a messa ci vanno i pidocchi che s'accontentano di appigliarsi ai peli del cazzo, e se ne stanno là aggrappati, scomodi e miserabili, mentre il cazzo si diverte e se la gode. E invece adesso la voce di Rocco sovrasta quella dei coristi – ed è una voce limpida, intonata e sincera.

Merluzzo è generoso, mi piglia sempre l'ultima copia – mormora Cherry, scuotendola per la manica del vestito. Tu invece che aspetti, Vita, non ti ricordi come funziona? Accattami l'ultima copia. Mentre fruga nella borsetta alla ricerca degli spiccioli, perché adesso vuole comprarglielo, quel maledetto giornale, lo strillone bisbiglia che Rocco è pappa e ciccia con don Casimiro, da quando seguì il corso per la cresima. Non era un po' cresciuto per cresimarsi? ride Vita, pescando un quarto di dollaro fra il pettine di corno e il cilindro del rossetto kissproof che le hanno regalato le amiche del collegio per festeggiare il suo ritorno nel mondo, ma che lei non ha ancora trovato il coraggio di usare. Sì, ma che razza di uomo sei se non hai fatto la cresima? un domani manco ti puoi sposare perché in chiesa non ti ci vogliono. Merluzzo non vuole sposarsi, sorride Vita. La gente si sposa solo quando non ha altro rimedio o perché è disperata o per non perdere chi non sopporterebbe di perdere. E poi i rivoluzionari e i banditi non hanno donne.

Giose Cirillo la squadra, indeciso. Perché non aveva tempo per le femmine, sentenzia. E adesso ce l'ha? s'informa Vita, cautamente, mentre gli deposita la moneta sulla mano lercia. Lo strillone non risponde, le rifila l'ultima copia del giornale di ieri e si dilegua, trionfante, abbandonandola in mezzo all'estasi devota della folla, imbambolata a fissare Rocco che canta l'*Ave Maria* e nonostante il naso schiacciato da pugile, le parole blasteme e le ossa che ha fracassato in giro per il quartiere, ha l'aria di un angelo. E mentre canta – senza curarsi di distogliere lo sguardo – la fissa come se esistesse solo lei fra tutte quelle donne armate di gambe, capezzoli e falli di marmo – la percorre con gli occhi per valutare quanto sia cambiata in questi tre anni, e il sorriso che gli vaga sulle labbra le dice che valuta positivamente i mutamenti, e Vita, senza sapere perché, ne è lusingata. Dovrebbe andarsene prima che finisca la messa e tornarsene ad Harlem, dove s'è rintanato Agnello, che le ha proibito di rivederlo, a Rocco, e lei adesso vuole provare a vivere con suo padre – ricominciare tutto daccapo, come se fosse sbarcata solo oggi. Ma non si muove. Aspetta, invece, chissà cosa, e quando il coro tace, e la messa è finita, si lascia raggiungere. Si lascia stringere le braccia attorno ai fianchi con un'intimità che non dovrebbe concedergli.

Si ritrova a leccare un gelato alla vaniglia, nell'afa che asfissia le strade ora che il sole di mezzogiorno è alto nel cielo, e a camminare accanto a lui verso la fermata dell'olivetta – arrossendo mentre Rocco si complimenta che jattarella ngermatora che te sì fatta, principessa – e quant'è azzicuso il suo vestito a righe, in verità cucito in collegio con gli scarti delle fabbriche di Newark. Aspetta il treno sventolandosi col giornale di ieri, e si maledice perché è venuta alla festa di San Rocco, ma poi è felice che un giovane come Rocco – quanti anni avrà? ventitré? ventiquattro? – abbia notato che Vita si è fatta strappatiella. Quanto si è ripulito e raffinato, Rocco, pare uno di quei benefattori americani che venivano a portarci i regali la domenica. Di nuovo si maledice, ma nello stesso tempo è contenta che il treno non arrivi e così può traccheggiare ancora qualche minuto accanto a lui, mentre i ragazzini fanno a gara a lustrargli le scarpe e le donne se lo alisciano di sorrisini quando gli sfilano davanti. Com'è Rocco? Rassicurante – ecco. Protettivo. Grande com'è, ti fa sentire al sicuro. E, sembrerà strano, dolce. Come il gelato alla vaniglia.

Tutto in lui trasuda uno sfrontato benessere, una insolente supremazia. Si è sistemato. Ha fatto strada. Chi l'avrebbe detto? Ricco, voleva diventare ricco. Ma nessuno credeva che ci sarebbe riuscito. Credevano tutti che sarebbe finito in prigione e invece in prigione c'è finita lei. Quando gli chiede dove sia andato ad abitare, dopo che Agnello ha dovuto chiudere la pensione, risponde di averne girate parecchie – ma in nessuna è stato bene come da loro. Agnello non doveva scapparsene, doveva confidarsi con lui, lui li avrebbe aiutati, lui l'avrebbe tirata fuori, avrebbe impedito a quelle chiazzère gnorche di portarla alla Children's Society, li mandava sotto agli alberi pizzuti quelli che volevano male a Agnello che era come suo padre e a Vita che era la sua piccola sorella. Ma è andata così, non si può cambiare il passato. Lui adesso abita in una casa vera – con il riscaldamento, la vasca da bagno e l'acqua corrente. Però non vuole rivelarle l'indirizzo, spiega solo che è dalle parti dell'Ottava strada. Vita sa che l'Ottava strada si trova al di sopra di Houston: il che significa che Rocco ha superato il confine della miseria e abita davvero in America. Poi, senza la minima ironia, Rocco si vanta che adesso lo dirige lui lo sciopo del mister Bongiorno. Ti sei messo a fare il beccamorto pure tu? lo interrompe Vita, ridendo, e Rocco annuisce, vago, perché è vero e non è vero – ma come fa a spiegarlo a Vita che è stata tre anni al collegio delle ragazze cattive dove di sicuro le hanno ripulito il cervello col bucato?

Vita sostiene senza imbarazzo lo sguardo avvolgente di Rocco, e quando lui finalmente arriva al punto, e s'informa di Diamante, gli risponde che sono fidanzati. Gli spiega che Diamante è andato alle ferrovie, ma in tutti questi anni si sono tenuti in contatto con la forza del pensiero. La distanza non conta. Lei sente sempre quando Diamante la pensa, e allora aiuta la luna a dipingere le sue fattezze sulle nuvole e sui finestrini dei treni – così che Diamante non si possa dimenticare di Vita. Però adesso lui sta per tornare. Te lo ricordi Rocco che gli occhi miei muovevano le cose? Be', è ancora così. Solo che adesso non me ne importa più dei lucchetti e dei coltelli. Adesso voglio lui. Lo sto chiamando – e lui si è messo in viaggio. Rocco annuisce, scettico. Tiene a distanza di sicurezza un disoccupato che viene a chiedergli un prestito, però si fruga nella tasca del doppiopetto blu ed estrae a colpo sicuro una banconota, regalandogliela per dimostrargli che è sempre disposto ad aiutare chi ha bisogno. Sono contento che Diamante tiene una ragazza come te – bisbiglia – a Diamante lo voglio sempre bene. Vita non è sicura che dica la verità. Rocco passò un grosso guaio, per colpa di Diamante, anche se lei non ricorda perché, o forse non l'ha mai saputo.

Rocco nota che mentre parla di Diamante le si accendono gli occhi e capisce perché una ragazzina come Vita abbia potuto sopportare tre interminabili anni di collegio. In qualche modo, Diamante le ha dato la speranza. La visione di ciò che potrebbe essere. E lei l'ha data a lui. Quando le porte delle carrozze si richiudono, Rocco agita la mano, come se lei stesse partendo per un lungo viaggio e non dovesse vederla mai più. Vita resta in piedi dietro il finestrino, e non s'accorge che gli ha mandato un bacio.

Cose che Vita ha imparato al collegio:
1. Le ragazze cattive sotto i sedici anni sono poche. In tutto il 1906 solo 1011 sono andate sotto processo, mentre i ragazzi erano 9418. 113 sono state mandate davanti alla corte perché moralmente depravate o in pericolo di diventarlo a causa dell'ambiente. 44 erano accusate di fuga da casa. 31 di furto. 4 di rapina, ma sono state assolte per mancanza di prove. 1 di tentato suicidio.
2. Le ragazze dentro per furto sono tutte italiane.
3. Vita è stata rinchiusa per sottrarla "a un ambiente familiare

degradato". E per ricevere un'istruzione. Per il suo bene, insomma.

4. In America sono tutti stranieri, e tutti diventano americani. Anche la Statua della Libertà è straniera, per la precisione francese. Fecero un concorso per chi doveva scrivere la poesia. Vinse una donna. Si chiamava Emma Lazarus.

5. La poesia dice: *Vecchie terre, tenetevi tutti i fasti che ben conservate! Affidatemi le vostre affamate, povere, piagate moltitudini che anelano a respirare libere, infelice avanzo delle vostre fertili terre. Mandatemi questi, i senza casa, i dispersi della tempesta. Innalzo la mia fiaccola accanto alla porta dorata.*

6. Emma Lazarus nessuno si ricorda chi è, però lei non l'aveva mai letta una poesia così bella. Non le avevano mai spiegato che uno può imparare a leggere non per decifrare le scritte dei negozi o i cartellini dei prezzi infilzati nelle piramidi di pomodori, ma poesie che sembrano pensate per te.

7. Chiunque può diventare presidente degli Stati Uniti.

8. Il diritto alla felicità è previsto dalla Costituzione. Ognuno ha il diritto di essere felice.

Nell'autunno del 1909, Rocco prese l'abitudine di fare un bagno turco con Cozza all'hotel Ansonia. Si spogliavano nello stesso camerino e si stendevano sulle piastrelle, vestiti solo di un asciugamano bianco. Si facevano massaggiare e lisciare dagli inservienti baffuti. Arrivavano sempre alla stessa ora e quando avevano sudato abbastanza recuperavano le forze cenando al ristorante dell'albergo. Ormai molti li scambiavano per padre e figlio. Benché uno fosse magro come uno zuccherino e l'altro grosso come il tronco di un platano, avevano finito per assomigliarsi – avevano la stessa andatura serafica e lo stesso modo di fare cerimonioso e circospetto. Erano molto munifici coi camerieri – e in conseguenza di ciò, anche se entravano per ultimi, venivano serviti per primi. Alla fine, Rocco andava in bagno a ripristinare il ciuffo che, col passare delle ore e lo squagliarsi inesorabile della brillantina, tendeva ad afflosciarsi – e approfittava della contiguità delle porte per affacciarsi in cucina.

Vita non avrebbe voluto che la vedesse là dentro, dove, fra le trenta persone che volteggiavano contemporaneamente – chi occupandosi delle pentole sui fornelli, chi delle salse o delle bistecche – lei era l'ultima e la meno rispettata delle inservienti. Nel frastuono, i loro dialoghi erano bugiardi e affettuosi come quelli di due parenti. Vita lo aggiornava sui repentini cambi di impiego di Nicola: fino a settembre era uno dei facchini addetti ai bagagli dei clienti dell'hotel Ansonia – per questo era riuscito a raccomandarla all'addetto alle griglie per un posto nelle cucine. Purtroppo Coca-cola era sbadato, confondeva i numeri sulle porte, masticava un americano indecente che faceva inorridire i clienti, si innamorava delle cameriere dei piani, che inseguiva abbandonando le valigie negli ascensori. Insomma era stato licenziato, lasciandola sola in questa fumosa babele nella quale ognuno parlava una lingua tutta sua senza capire l'altro né provandoci – e Vita voleva andarsene anche lei, cambiare lavoro, ma di questi tempi con la recessione lavoro non ce n'è, e l'Ansonia doveva tenerselo stretto. Al collegio le avevano trovato un posto in casa di un dottore americano che abitava con la moglie e due figli piccoli a Madison Avenue, e lei voleva proprio accettare, per la curiosità di conoscere una famiglia americana da vicino. Ma Agnello s'è impuntato che è male mandare una ragazzina ingenua come sua figlia in casa di forestieri, e una cosa così barbara possono farla i polacchi e gli irlandesi, ma gli italiani no, e lui sua figlia a lavorare dai forestieri non ce la manda. Agnello è così retrogrado da non capire che all'Ansonia è molto peggio, gli sguatteri greci le ripetono le uniche parole americane che conoscono e che riguardano l'anatomia femminile, il cameriere basco la palpeggia quando le dà ordini, e il maître rumeno la segue mentre torna a casa, tanto che Vita non si scolla di un centimetro dalle altre donne della cucina – per la paura che il maître le salti addosso, a cinquant'anni suonati. Perciò per ora le tocca restare all'Ansonia, mentre Coca-cola grazie alle preghiere di Agnello l'hanno preso come commesso da Rizzo, in un negozio di banane sulla Centoventiseiesima strada.

Rocco si mostrava comprensivo, e le proponeva di trovarle un posto meno faticoso da certi amici del quartiere, per esempio guardare i bambini di uno dei Bongiorno Bros. Ma Vita non poteva accettare perché Agnello non sapeva che aveva ricominciato a incontrarlo, e lo pregava di interessarsi piuttosto a Nicola che si affliggeva a vendere banane, chiedendogli quale torto gli aveva fatto per meritarsi la sua indifferenza – c'era rimasto offeso, che Rocco lo schifava come avesse la rogna: Coca-cola si sarebbe fatto ammazzare, per Rocco. E Rocco mentiva, inventandosi qualche scusa, perché non poteva spiegarle che proprio per questo lo evitava, a Nicola. E intanto scansava il suo corpo massiccio per lasciar passare i camerieri, che entravano e uscivano dalla porta a spinta reggendo vassoi colmi di piatti, e senza versare una goccia del vino avanzato nei bicchieri. Urlavano le comande, lasciavano foglietti sui ripiani – inveivano contro i ritardi dei commis, sollecitavano i filetti saignant, gli escargot, il civet de lapin, contavano le mance. Ma si guardavano bene dal suddividerle. In cucina, anche se i clienti erano soddisfatti, le mance non arrivavano mai.

Tutto ciò gli ripugnava profondamente. Rocco non sapeva spiegarsi perché continuava a tornare al ristorante dell'hotel Ansonia, dove fra l'altro si mangiava francese. La gente di rispetto deve mangiare francese, per distinguersi. Ma la cucina francese è tutta una salsa – un intruglio, che serve a nascondere le cose. A lui gli piacevano le cose, e le persone, che non si nascondono, e sembrano quello che sono – forse perché lui non lo era.

E già doveva andarsene, perché Bongiorno lo aspettava al tavolo, e Vita non poteva nemmeno salutarlo, perché aveva le mani tuffate nella farina e sapeva di odorare di fritto e di sugo. Il puzzo di fritto s'attaccava ai vestiti e s'insinuava nella pelle, con l'unto e i rimasugli degli avanzi masticati, spilluzzicati e abbandonati nei piatti sporchi. Il sapone non bastava a lavarlo dalle mani, dal viso e dai capelli. Perfino per strada, potevi riconoscere chi era appena uscito da una cucina, perché camminava avvolto in una nuvola, in un ristagno sgradevole. I profumi, i colori e i sapori restavano di là della porta – nella sala dove aleggiavano risate piume e buone maniere, dove balenavano i gioielli e le collane – da questa parte c'era solo la puzza e la fatica.

Ma queste miserie Rocco non le vedeva nemmeno. Il suo sguardo indugiava sul grembiule bianco di Vita, sulle sue braccia nude che allisciavano la sfoglia il viso infiammato dal riverbero di una luce senza origine. Non riusciva a distogliere lo sguardo dal suo viso assorto e concentrato – come se niente esistesse, all'infuori di quella sfoglia non destinata a lei. Vita che si distrae e si concentra con la stessa intensità, che si perde in te quando ti ascolta o ti parla, e si dimentica di sé e di te con la stessa abnegazione. Quell'essere dimentichi di sé che è il segreto di ogni spontaneità e ne costituisce il più grande mistero. Quel perfetto, straordinario, essere tutt'uno con se stessi. Avrebbe potuto dirle che aveva ucciso un uomo o che aveva cambiato nome, storia, passato – che aveva venduto tutto ciò che amava in cambio di qualcosa che aveva voluto più di tutto, ma che a volte gli sembrava un'illusione inconsistente – Vita non l'avrebbe ascoltato. Non c'era niente di più bello che vedere una persona così concentrata in se stessa. Vita sapeva trasformare un'illusione in una realtà. Questo mondo non le piaceva, quindi ne inventava un altro. A rendere vivibile questo mondo non sono forse le persone che cercano di cambiarlo, come credeva di fare lui, ma quelli come lei. Forse è questo che significa, sognare. A malincuore, s'infilava una mano in tasca e si sradicava dalla cucina.

E già se n'era andato – la sua testa scura fluttuava dietro il vetro, nel salone brillante di luci, il suo grande corpo lento s'allontanava fra i tavoli. Si chinava sulla abbagliante calvizie del signor Bongiorno, lo aiutava a infilarsi il soprabito e lo precedeva nella infida oscurità della notte.

Poi Rocco lo capì perché tornava all'hotel Ansonia. Si era innamorato dell'amore che Vita irradiava su un altro.

Il giorno del quindicesimo compleanno di Vita, Rocco si offrì di accompagnarla a casa. Notò che Vita si aspettava quella proposta, e si rimproverò per avere aspettato tanto. Forse Vita se l'aspettava fin dal giorno della festa di san Rocco. Non le aveva mai capite, le donne. Mai capito quando t'invitano e quando ti rifiutano. Solo quanto è faticosa, una donna, quante attenzioni pretende, quanto di te. E la cosa peggiore delle donne è che si aspettano che ti innamori di loro, o che almeno dica di esserlo. Ma Vita rispose di no. Tornava sempre con le altre donne – per evitare le attenzioni del rumeno e degli altri malintenzionati che circolano di notte per le strade di New York. Posso portarti con l'automobile del mister, insisté Rocco. Sapeva che la nuova Hudson Touring di Cozza suscitava l'ammirazione generale. Per i cerchioni d'argento, l'esile volante di radica, i sedili imbottiti, la copertura a soffietto, il vetro frangipolvere, il rombo strepitoso del motore e i fari immensi, come quelli delle navi, che troneggiavano ai lati del cofano. Rocco si destreggiava a meraviglia nel traffico anarchico di New York. Schiacciava la pompetta del clacson per avvertire i malcapitati passanti di spostarsi, sfrecciava su e giù per Mulberry umiliando gli antiquati carretti trainati da ciuchi e cavalli. Ma era generoso e lungimirante. Lasciava che i lustrascarpe lucidassero la carrozzeria e gli scugnizzi di strada s'arrampicassero sui predellini per sbirciare il complicato sistema di leve e ingranaggi. Non ci aveva mai fatto salire nessuno, ma da quando l'aveva rivista aveva avuto voglia di portarci Vita.

Perché gli aveva detto di no? Dopo dodici ore sprecate nel chiuso della cucina, non si era forse guadagnata una corsa notturna all'aria aperta? E poi Rocco, così compassato nel doppiopetto, tutto imbrillantinato, misterioso com'era, la affascinava, e restava delusa quando non veniva a salutarla. Non sapeva se era quel bandito che Agnello diceva fosse – forse lo calunniava per invidia, perché le cose gli andavano bene, e a lui no. Ma comunque la cosa non le faceva la minima impressione. Anche i cow-boy sparavano e uccidevano e il pubblico li applaudiva. Il suo giorno libero lo passava invariabilmente in un cinema di Harlem, schiacciando popcorn fra i denti, detestando gli sceriffi, parteggiando per i pistoleri e sognando di essere rapita da un cavaliere solitario, che la portava nel deserto, col cielo come tetto e la sella come cuscino. Se Rocco fosse americano, forse sarebbe un cow-boy.

Agnello non voleva più sentirlo nominare. Né voleva più chiedergli il permesso di sopravvivere. Ora aveva un carretto – d'inverno vendeva il carbone, e d'estate il ghiaccio ai negozianti di Harlem. Stava tutto il giorno in giro, con la pioggia o col sole, mentre i cubi di ghiaccio sgocciolavano, lasciandosi dietro una scia, come la traccia che doveva riportarlo a casa. Voleva solo vivere in pace coi suoi figli, in un quartiere dove nessuno conosceva la storia del negozio, di una circassa chiamata Lena, di Coca-cola che appicciava gli incendi e di Vita che era rimasta tre anni al collegio delle ragazze cattive – dove nessuno doveva chiamarlo zio Agnello. Anche Rocco aveva chiuso col passato. Provava ancora un barlume di affetto per l'uomo che era stato il suo secondo padre. Ma adesso ne aveva un altro, il signor Bongiorno. Ai suoi progetti Vita non si interessava. Lei non faceva più progetti. Non voleva vivere nel passato né nel futuro. Viveva nel presente, come aveva sempre fatto. Studiò l'ampia superficie delle spalle di Rocco, la linea rincagnata del suo naso, le sue labbra d'un rosso scuro come il vino francese. Se ne stava appoggiato agli scaffali della cucina, fra le nuvole di vapore, impettito – con l'aria un po' assente. Tutti dicevano che amava solo Cistro e che le donne le stimava meno del suo gatto. Ma Vita non si riteneva come le altre donne. Ci vengo, disse.

Attraversò i viali di Manhattan in piedi, appoggiata con le mani al parabrezza dell'automobile, incurante della pioggia che sfarinava dal cielo e le colava sul viso. Anche di domenica sera, c'era gente ovunque. Gente sui marciapiedi e in coda davanti ai teatri. A novembre cominciava a spandersi per tutta la città una contagiosa atmosfera natalizia che invogliava la gente a spendere e divertirsi. Ciò faceva infuriare i puritani, che proponevano con proclami bellicosi di far chiudere i teatri e i cinematografi, e costringere i newyorkesi a pregare e santificare le feste. Ma per fortuna senza successo. La sacra domenica i cinematografi restavano aperti, visto che incassavano milioni, soprattutto se proiettavano i film di maggior richiamo – con i cow-boy e i pellirosse, le sparatorie e gli inseguimenti. Rocco stringeva il volante con le mani guantate e non si decideva a risalire fino ad Harlem. Sterzava, ripercorreva la Quinta, costeggiava il parco buio, scendeva verso la città bassa, passava sotto le luci natalizie appese come festoni al di sopra delle strade, accelerava, spaventava pedoni e venditori ambulanti, frenava all'improvviso per vederla sobbalzare e aggrapparsi al parabrezza. Per vederla ridere e sentire la sua risata squillante. Vita non sapeva quanto si era fatta bella. Quanto erano diventati profondi i suoi occhi. Quanto è attraente una donna ignara della sua bellezza. Vita non ha fiducia nel suo fascino, perché non lo conosce – solo nelle sue convinzioni e nei suoi sentimenti. È uno stato di grazia così breve – così precario. Aveva voglia di attirarla a sé e di affondare la bocca nei suoi capelli.

Dopo mezz'ora, erano quasi congelati. Non poteva proporle di festeggiare il compleanno nel suo bell'appartamento col camino. Perciò rallentò davanti al Café Boulevard, allegra birreria ungherese sulla Second Avenue alla Decima strada, frequentata prevalentemente da uomini per via del cabaret, dove suonava un'orchestra zigana e dove gli astuti scaricatori italiani venivano a rimorchiare le stupende ungheresi dagli occhi verdi. Un posto da marinai, guappi e puttanieri. Non adatto a Vita, ma quale posto era adatto a Vita? Aveva sempre avuto l'impressione di non conoscerla davvero – che a lui non avesse mai mostrato di cosa era capace. Per lui non aveva spostato oggetti, incendiato la rivale, denunciato il padre. Lui non lo aveva chiamato. Poi gli venne un'idea migliore, accelerò, percorse qualche isolato e accostò davanti all'agenzia buia. Vita disse che non voleva disturbare i morti. Rocco pensò che, fra tanta gente che non si fa gli affari suoi, almeno i morti non fanno pettegolezzi.

Nel salone delle veglie, accese il candelabro e i ceri votivi tozzi come ciocchi di legno. Tirò la tenda per nascondere il catafalco che torreggiava nella cappella, voltò il crocifisso contro il muro per non sentirsi trafiggere dal suo rimprovero e mise sul grammofono un disco di Enrico Caruso. Adesso sapeva chi era Cavaradossi e perché moriva disperato. Conosceva il *Rigo-*

letto, l'*Aida*, la *Carmen* e l'*Elisir*, e al Metropolitan qualche volta ci andava. Lo spettacolo in sé lo annoiava, perché non aveva niente di autentico – era solo cartapesta e retorica, finzione e prosopopea. Ma se chiudeva gli occhi e si abbandonava alla voce maschia e appassionata di Caruso gli sembrava di essere nella cucina di Prince Street, con tutti i ragazzi intorno, Geremia che girava la manovella, Coca-cola che riempiva i dischi di ditate e Diamante che di musica non capiva un accidenti ma era troppo orgoglioso per confessarlo – e Lena con lo scialle drappeggiato sui fianchi e il figlio americano in grembo che gli dice: rubare è peccato, e Vita assonnata e stupefatta che il suo padre segreto l'abbia ritrovata. Gli applausi che facevano tremare il teatro gli dicevano che Enrico Caruso ancora una volta aveva trionfato, ma la cucina di Prince Street non esisteva più.

Vita cominciava a sentirsi a disagio, perché era tardi, non avrebbe dovuto restar fuori a quest'ora. E mai, mai e poi mai con un uomo. Il pavimento lucidato a cera cigolava sotto le loro scarpe. Le sedie vuote la rimproveravano per la sua intraprendenza. Qui, dove la gente veniva a piangere una perdita, lei era venuta a festeggiare un ritrovamento. Ma non quello che desiderava. Rocco non era Diamante. Non poteva essere più diverso. Avrebbe dovuto vergognarsi – e della vergogna non c'era traccia. Rocco la abbracciò, e lei, che voleva dirgli di lasciarla andare, sentì che le tremavano le ginocchia. Rocco appoggiò la bocca sulla sua, e quando le labbra di lui toccarono le sue, le sembrò di sprofondare in un sogno dal quale non voleva svegliarsi. Rocco capì che Vita non voleva essere baciata con tenerezza, non voleva un bacio circospetto e rispettoso – ma voleva essere baciata davvero. E così fece – con stupefacente dolcezza, indugiando, esplorando, succhiando, mozzicando – e lei si dimenticò dell'agenzia e dell'odore di fritto e fiori marci che invadeva il salone. Rimasero chissà quanto a baciarsi alla luce tremolante dei ceri, immobili in mezzo a quel salone troppo silenzioso, con le seggiole tutte vuote che sembravano spiarli, finché non ebbe più saliva e le labbra cominciarono a farle male.

# The track gang

Nell'estate del 1909 uno dei compagni di Diamante, un tipo gioviale che la notte suonava l'armonica e di giorno parlava di quant'era bella la moglie sua che gli mancava come a un altro può mancare un polmone, gli propose di procurarsi un'invalidità permanente. Agosto Guerra aveva sentito dire che la Compagnia risarciva con un indennizzo chi subiva un grave infortunio sul lavoro. Un indennizzo cospicuo. Fino a 1500 dollari. Ma bisognava perdere almeno una mano, o un piede – insomma, non poter lavorare più. Agosto era deciso a invalidarsi. Con 1500 dollari, avrebbe cambiato il suo destino. Avrebbe fondato una ditta di costruzioni. Per quel che aveva visto, l'America è mezza vuota. Devono riempirla. Uno che costruisce case non solo non sarà mai disoccupato, ma in dieci anni diventa milionario. Siccome era generoso, e il laconico waterboy gli era simpatico, gli confidò il suo progetto e gli propose di mettersi in società.

Diamante, allettato, cominciò a chiedersi di quale organo potesse fare a meno. Di un piede no. Camminare, o correre, gli era indispensabile come respirare. La domenica, quando i suoi compagni risalivano alla prima stazione per ubriacarsi e azzuffarsi con quelli delle altre squadre, tanto per sfogare la frustrazione, lui aveva preso l'abitudine di inoltrarsi nelle pianure, camminando sulle zolle aride e nude, finché la terra lo inghiottiva – e il silenzio. Non rientrava mai prima del buio e non si perdeva mai. A piedi, avrebbe potuto raggiungere anche l'altro oceano, seguendo il tramonto. Avrebbe potuto sacrificare un orecchio? In fondo non capiva la musica, non gliel'avevano insegnata. Era stato l'unico di Prince Street a non entusiasmarsi per il grammofono e a fischiettare solo quando faceva il faro. Le notti in cui Agosto Guerra suonava l'armonica, nel vagone, lui nascondeva la testa sotto la coperta perché la melodia che evaporava nel buio gli ricordava Vita – e il suo sogno svanito. Ma ascoltare gli piaceva. Carpiva tutto – discorsi, sfumature, notizie, pregiudizi, allusioni, rumori. Sapeva distinguere il rombo di un temporale lontano chilometri e il fruscio di un serpente tra l'erba. Perfino il gorgoglio dell'acqua in fondo al pozzo. Non avrebbe rinunciato a un orecchio. Una mano? Ma un monco non può nemmeno abbracciare una donna. E anche se da più di tre anni non solo non ne abbracciava una, ma aveva quasi dimenticato come farlo, non riusciva a ricordare niente di più bello che vellicare con entrambe le mani la schiena vellutata di una donna, e accarezzarle il seno con tutte e dieci le dita. Anzi, in quei momenti avrebbe voluto averne cento, di dita. O potevano bastare nove? Perdere un dito? Ma un dito – lo avvertì Agosto – per la Northern Pacific vale solo 500 dollari. E 500 dollari non cambiano una vita. Un occhio. Bastava la forchetta di latta coi rebbi storti con cui smucinava fagioli. Anche un orbo vede ancora i colori, le distanze. Ma a lui il cielo gli era caduto negli occhi. E non voleva togliersi l'unico pezzo di cielo che gli avevano regalato. I polmoni sono indispensabili. Come il cuore, il cervello, il fegato. Forse la milza. O un rene. Avrebbe potuto cedere un rene. Ma come? Col badile – propose Agosto. Sono un artista del badile. So dov'è, nella schiena, in basso. Ti spappolo un rene con un colpo solo. Diamante accettò. In cambio, avrebbe tagliato con l'accetta la gamba sinistra di Agosto Guerra. Poi avrebbero detto che era stato il treno.

Una sera, sulla via del ritorno, Agosto salì con lui sul carrello. Pomparono qualche centinaio di metri, poi – allo scambio – lo lasciarono correre sul binario sbagliato. Tutto era immobile. Solo il disco solare calando sembrava rasentare e incendiare gli estremi lembi della terra. Conosceva solo questo, dell'America.

Non somigliava a niente, ma aveva una sua spoglia bellezza. Non c'era nemmeno un avvallamento nel terreno, un albero, per nasconderli. Nessun ostacolo a temperare la luce, ad alterare i profili delle cose. Erano visibili alla squadra come gli indiani nel deserto alle sentinelle. Lasciarono correre ancora il carrello: le loro ombre incontrastate accarezzavano l'orizzonte. Finché le schiene degli uomini che tornavano al campo divennero un mero bagliore nella distanza. Il carrello risplendeva tra l'erba stenta. Diamante bloccò le ruote.

Agosto conficcò il badile nella terra, si sedette sulla lama e bevve un sorso di grappa dalla fiaschetta. Dovette leggere qualche esitazione nello sguardo del waterboy, perché disse che non bisogna mai tirarsi indietro, nella vita, ed essere disposti a qualunque sacrificio per andare avanti. Lui per esempio che se ne faceva di una gamba? Gliene restava sempre un'altra. Invece di tenersi una gamba che non l'aveva portato da nessuna parte, e Diamante un rene che gli serviva solo a filtrare il piscio, avrebbero tirato su case a dieci piani, con le finestre vere, a due battenti, non come in questa cazzo di America, che non puoi neanche spalancare la finestra la mattina, devi infilarci la testa dentro come sotto la ghigliottina. In quelle case ci avrebbero fatto venire le famiglie. Ci avrebbero portato i genitori, e i fratelli. Ma, soprattutto, ci avrebbero portato le donne. Lui la moglie e Diamante la ragazza – ce l'aveva, no? A diciott'anni, doveva avercela per forza. Ce l'ho, disse Diamante. La mia ragazza ha le mani piccole, e due occhi neri come la calamita.

Iamme, uaglio', lo interruppe Agosto, perché era inutile stare a fantasticare. Diamante sfilò l'accetta da sotto il carrello, dove l'aveva nascosta la notte prima. Un'accetta rudimentale, con la lama irregolare, come una sega. Ti farà male, sei sicuro? chiese, dubbioso. Sì, disse Agosto. Un altro mese qui, e mi butto sotto un treno. Mi farò una gamba di legno. I figli miei cammineranno per me, io ho già camminato tanto. Diamante esitò. La luce che dilagava gli confondeva le idee. Agosto lo fissava – i suoi occhi avevano il colore di una buccia di banana andata a male. Era decisamente brutto. Ma quegli occhi erano illuminati dalla speranza. Diamante pensò ai suoi figli. Ne aveva sei. Agosto doveva essere un bravo padre. Non litigava mai, non si ubriacava, era un uomo di solidi principi. Come faceva a troncare la gamba a un uomo così? Ho capito, disse Agosto, faccio prima io. Metterò la gamba sotto il carrello, tu non devi fare niente. Non ti preoccupare, la società la facciamo comunque.

Afferrò il badile. Diamante si sfilò la camicia e rabbrividì. Aveva la schiena abbronzata. I muscoli gli guizzavano sotto la pelle. Si calò le bretelle della tuta e strinse la cicca fra le labbra. Non ho paura. Cos'è un rene? Sarà come il rognone del manzo – un sacchetto color ruggine, molle, disgustoso. Lo abbagliò il luccicare del carrello, bloccato sui binari. C'era odore di polvere. Distese immense, come non aveva mai visto. Era tutto di dimensioni spropositate, qui. Grandioso. Come erano stati una volta i suoi sogni e le sue ambizioni. Non voglio vendere un rene alla Northern Pacific, disse, voltandosi. Allora resti? commentò deluso Agosto. Ma io la gamba me la taglio lo stesso.

Agosto Guerra non fu indennizzato. La favolosa cifra che credeva di ottenere mutilandosi era una leggenda – un miraggio, cullato fra uomini scontenti nel buio di un vagone ferroviario o nelle interminabili ore di lavoro, mentre allineavano chilometri di traversine che non dovevano portarli da nessuna parte. Nessuno ha mai ottenuto 1500 dollari per una gamba. Achille Serra, che perse un piede nel 1908 mentre lavorava per la Missouri Pacific Railway Company, si accontentò di avere saldati due mesi di paga.

La storia non andò come ha raccontato Diamante. Diamante non fuggì dal campo perché non volle vendere il suo rene alla Compagnia. Fuggì perché vide morire il suo compagno, e vide la sua vita valutata meno dell'acqua che tremolava nei secchi di legno. Non era estate, era l'ottobre del 1909: quel giorno si era reso conto che la sua vita, invece, valeva ancora qualcosa.

Il nome di Agosto Guerra – così solare e insieme bellicoso – mi è rimasto in mente, com'era rimasto in mente a Diamante. È improbabile che avesse un omonimo. Quando, nell'Archivio storico diplomatico del Ministero degli Affari Esteri, a Roma, ho trovato il suo caso – uno degli ultimi fra i 378 che compongono il "riassunto delle attività dell'Ufficio legale del Consolato di Denver aggiornato al secondo semestre del 1909" – ho capito subito che si trattava della stessa persona. Fra i compagni che dissero all'investigatore che la versione ufficiale della disgrazia fornita dalla Compagnia era falsa – presenza invisibile, persona senza nome, senza volto per gli ingranaggi della burocrazia e della storia – c'era anche Diamante.

L'Ufficio legale, da poco istituito, combatteva con l'indifferenza del Ministero e una deprimente penuria di mezzi: scarseggiavano perfino le macchine da scrivere, e il console dovette abbassarsi a giustificare l'uso di una Remington – noleggiata a rate mensili perché non poteva cedere al segretario la Smith Premier di sua proprietà. Nel 1909 funzionava però alacremente, sostenuto dall'umanitarismo del nuovo console, l'ex-cameriere ed ex-giornalista Adolfo Rossi, che voleva far dimenticare l'osceno comportamento del suo predecessore, il cavalier C**. Costui, oltre ad aver lasciato ammuffire le vecchie pratiche, si era impadronito indebitamente dei (miseri) indennizzi di minatori e operai delle ferrovie caduti sul lavoro, derubando senza soprassalti di coscienza vedove e orfani rimasti ad attendere invano in Italia quei dollari che non sarebbero mai arrivati. L'Ufficio legale si occupava di storie tristi: indennizzi in caso di morte, risarcimento in caso di ferite, ustioni o amputazioni – incidenti avvenuti in un territorio dieci volte più vasto dell'Italia. Nel 1909 il Consolato di Denver si occupava di tutti gli italiani sparsi fra dieci stati e due territori indiani. Il Colorado, l'Utah, il Wyoming, il Kansas, il North Dakota, il South Dakota, il Nebraska, l'Idaho, l'Oklahoma, il Montana, il New Mexico, l'Arizona. Stati nuovi, o nuovissimi. Luoghi desolati, spopolati, ricchi solo di binari e di miniere. Dalla pagina relativa al caso Agosto Guerra risulta che nell'ottobre del 1909 il soggetto era in mezzo alle grandi pianure – nel North Dakota. Quel blocchetto di fogli tenuti insieme da uno spillo arrugginito – 378 vite in 30 righe, dattiloscritte dal segretario Ferrari su una macchina Remington – è una sorta di *Spoon River*, una straziante sequenza di nomi, croci e tombe – un florilegio di vite stroncate e senza valore.

Lorenzo Lucci aveva diciott'anni, come Diamante – e, come lui, faceva il waterboy. Il padre, che risiede a Eveleth, Minnesota, ottiene dalla Compagnia 200 dollari per la vita del figlio. La vedova di Zeffiro Mugnani e la sua bambina, "sulla quale pende un giudizio di interdizione per illegittimità", non ottengono niente. Niente nemmeno gli eredi di Giuseppe Addabbo, morto a Sheridan, nel Wyoming, nel 1906 – e di Giuseppe Bacino, morto a Helena, nel Montana, nel 1908: la Burlington Company e la Northern Pacific Railway Co. rifiutano ogni indennizzo. Giacomo Motto è il n. 88. "Si sono continuati i tentativi con la Compagnia per ottenere un sussidio, ma indarno. Nel giugno del 1910 la madre del morto si è nuovamente rivolta al Consolato per avere almeno il rimborso delle spese del funerale, ma la Compagnia ha ricusato di accogliere la domanda". Antonio Ferrari, caso n. 107, resta gravemente ferito. La Compagnia gli offre 200 dollari, che lui rifiuta, essendo rimasto invalido per sempre. Fa causa. Su 12 giurati, 11 votano per condannare la Compagnia a un indennizzo di 3000 dollari, 1 vota l'assoluzione. Essendo richiesta l'unanimità, il Tribunale riconosce la Compagnia colpevole, e la condanna a 1 dollaro di danni. Il Consolato fa appello contro questo "verdetto vergognoso": nient'altro è dato sapere. Michele Sanna, caso n. 172, viene trovato morto a Berwind, Colorado, il 3 marzo 1909. È stato assassinato da alcuni compagni in una rissa a colpi di mazza e non schiacciato, come pareva, dalla caduta di una trave. Nessuna responsabilità per la Compagnia. Carlo Fossen muore soffocato nel fumo della Liberty Bell Mine a Telluride, Colorado, il 9 agosto 1909, mentre si avventurava al salvataggio dei compagni rimasti chiusi nella miniera da un incendio. Risultò che "non stava eseguendo ordini della Compagnia, ma compiendo di propria iniziativa un atto eroico. Non trattasi quindi di un infortunio del quale possa ritenersi colpevole il padrone". Lascia la moglie a Telluride, incinta. Il 23 settembre 1909 Domenico Lunardi si infortuna seriamente a Oak Creek, Colorado. Viene trasportato all'ospedale, dove "gli viene amputata la gamba destra e asportati parecchi denti. Per l'immediato intervento del Consolato, e benché si trattasse di una Compagnia povera, questa pagò tutte le spese di ospedale e medico, un sussidio di contanti e una piccola dentiera. Si provvide al rimpatrio semigratuito del malato al paese d'origine". Anche Francesco Doglio, ferito il 9 aprile 1909 a Spring Gulch, Colorado, ebbe la gamba destra amputata. Rimase parecchi mesi all'ospedale e si rivolse al Consolato troppo tardi per la raccolta delle testimonianze. Si poté soltanto ottenere il rimborso di 159 dollari e 65 centesimi per la gamba artificiale. Michele Garbo, caso n. 276, resta ferito il 27 giugno 1909 nella famigerata miniera di Starkville, Colorado – nell'ottobre del 1910 vi moriranno 55 operai del turno di notte, di cui 13 italiani. Viene ricoverato nell'ospedale di Pueblo. Il suo caso è disperato. A seguito della rottura di una vertebra, viene giudicato inguaribile. La Compagnia offre di pagare il viaggio da Pueblo a Palermo all'infermo e alla persona che lo accompagni. Indennizzo? Niente. Un'elemosina di 100 dollari in contanti. "Il Garbo sarebbe anche disposto ad accettare, ma non ha ancora trovato chi lo accompagni."

Si muore anche nei campi delle ferrovie. Alfonso Miulli muore il 5 settembre 1909 a Culberston, Montana, per infiammazione intestinale. Aveva 59 anni e lavorava per la Great Northern Railway Co. Probabilmente aveva mangiato per anni i cibi avariati del *pluck-me store*. La Compagnia paga 20 dollari per la cassa da morto e 15 per il carro funebre. Fa notare che al Miulli spettavano solo 30 dollari e 45 centesimi di stipendi, perciò nulla è dovuto ai suoi eredi. Gli uomini dei treni muoiono spesso di polmonite, come Raffaele Brandonisio, n. 277: è il 24 marzo 1909. A Missoula, Montana, la primavera non è ancora arrivata, e l'inverno è durato troppo a lungo. Ma di polmonite si muore anche il 31 maggio, a Green River, nello Utah. Il morto aveva una moglie a Torino e una ragazza in città. Le lascia – entrambe – "senza mezzi di sussistenza". Si muore di febbre tifoidea, e di tubercolosi. Oppure bruciati nell'incendio del carro dormitorio, come Giuseppe Caringella. È il 16 agosto 1909 – il giorno della festa di San Rocco. Il carro è della Chicago Milwaukee & Saint Paul RR Co. Un compaesano incassa gli stipendi dovuti a Caringella e si dilegua. O fulminati da un filo elettrico nello scontro di due treni: accade a Martino Pollu a Dostero, Colorado, il 18 settembre 1909, sulla linea della Denver & Rio Grande Railroad. Ma più spesso si muore investiti da un treno – come Giuseppe Mangiaracina, a Cheyenne, Wyoming, il 19 settembre 1909. "L'inchiesta del coroner concluse un non luogo a procedere contro la Union Pacific Railroad Company." Bellanca viene ucciso nel New Mexico mentre lavorava alla manutenzione dei binari il 30 agosto 1907. "La Union Pacific Railway Co. insistette nel rispondere che nessun operaio di tal nome aveva mai lavorato ai suoi ordini né era morto a Dawson, New Mexico." Giuseppe Scappellato viene trovato cadavere sopra un binario a Omaha, Nebraska, il 19 gennaio 1909. Lascia moglie e 4 figli a Carlentini, Siracusa. 11 compagnie si servono dello stesso binario. Si potrà forse processare la Union Pacific Railroad Company. Forse. L'inchiesta non riuscì a provare che il treno investitore era della "predetta compagnia". Cesare Recchio viene ucciso a Fargo, North Dakota, il 30 novembre 1908, nello sgombero di neve delle rotaie della Northern Pacific Railway. Rocco Carchedi viene investito e ucciso da un treno della Great Northern Railroad a Belmont, Montana, il 4 ottobre 1909. Non c'è indennizzo. La Compagnia sostiene che al momento dell'investimento non era in servizio, ed era ubriaco. Si muore anche cadendo dal carrello, come accade a Luigi Ungaro, n. 365. "Mentre viaggiava su un carrello ferroviario della Denver & Rio Grande RR Co. per la quale lavorava, sporgendosi imprudentemente dal carrello che correva a tutta velocità, per afferrare un secchio che era stato sbalzato dal moto, cadde, ferendosi mortalmente. La Compagnia non può essere ritenuta responsabile dell'incidente. Pagò il viaggio da Salida, Colorado, a New York alla vedova e ai due bambini." Ma Ungaro non poteva lasciar cadere il secchio. Era esattamente per quel secchio che stava viaggiando sul carrello. Aveva la tubercolosi. Per questo, a 25 anni, faceva ancora il waterboy.

I treni sconvolgono la mente, la monotonia dello sferragliamento fa deflagrare l'angoscia, esplodere le ossessioni, le paure. Costante Dolcini, n. 329, parte da San Francisco per rimpatriare in Italia il 28 agosto 1908. Accade qualcosa. A un tratto, "impazzisce". Viene ricoverato al manicomio di Norfolk. "Sono in corso le pratiche per la deportazione, d'accordo con le autorità americane di immigrazione." I treni – questi carri funebri che attraversano cigolando gli interminati spazi del nulla – sembrano il luogo ideale per incontrare la morte. Giovanni Massa, n. 350, si spegne di tubercolosi mentre viaggia con la Union Pacific. Lo sbarcano a North Platte, Nebraska. Stava tornando in Italia. I parenti che lo aspettano sanno che riporta, oltre alla malattia mortale, anche 150 sterline. Ma il cadavere viene ripulito dal coroner e dagli impresari di pompe funebri. Le autorità dichiarano di avergli trovato addosso "4 dollari in argento, un coltello, un orologio e poca biancheria". Sui treni ci si suicida. Pietro Pompeo Zambelli sta tornando da San Francisco a New York. Deve imbarcarsi per Genova. Decide di non completare il suo viaggio – non c'è ritorno: si getta sotto un treno che avanza in direzione opposta a Gallun, New Mexico, il 12 aprile del 1910. "Un baule del defunto, recuperato dal Consolato, conteneva della biancheria sudicia, che fu dovuta bruciare per misura igienica, qualche carta senza valore e qualche fotografia, che si trattenne a disposizione della vedova."

Anche i treni della Northern Pacific RR Co. uccidono. È il 15 ottobre 1909. Lo scenario è Taylor, North Dakota. Oggi è un cerchietto (che equivale a 163 abitanti) sulla carta geografica: cent'anni fa era un mero segno grafico. Il North Dakota è un incubo di monotonia e solitudine. Gli uomini stanno lavorando in mezzo al nulla. Soffia un vento furibondo. Piove a dirotto e non dovrebbero essere ancora fuori, perché il contratto prevede che a quell'ora siano nei carri dormitorio. Ma la squadra probabilmente è in ritardo sul piano di lavoro concordato dal contractor visto che, ad autunno inoltrato, non ha concluso la sezione di linea che le è stata appaltata. Gli operai stanno tornando al campo. Forse lo hanno perfino superato: è già buio e la luce dei vagoni può averla offuscata la pioggia. Il treno sbuca dalla notte, e piomba su di loro all'improvviso. Uno solo è sfortunato: viene travolto e trascinato per centinaia di metri, finché resta impigliato in uno scambio. "85 dollari trovati nelle tasche del cadavere furono consegnati all'autorità che li usò per le spese di funerale." Spregio eterno per l'undertaker che guadagnò 85 dollari per seppellire un uomo nel North Dakota. "Per l'indennità, risulta impossibile ottenerla. La Compagnia respinge ogni responsabilità per l'incidente." Afferma che il morto era "avvinazzato" al momento che tentò di attraversare il binario. I compagni del campo testimoniarono che il morto era astemio. Molti di essi, tuttavia, in data 19.3.1910 sono ormai irreperibili, e non potranno ripetere la testimonianza al processo. Comunque non servirebbe, perché l'Ufficio legale è qui per dimostrare che la Northern Pacific dispone di avvocati eccellenti e non ha mai pagato un indennizzo. "Gli sopravvivono a Padula gli anziani genitori assieme a 5 figli appena rimasti orfani di madre (11, 9, 7, 4, 3 anni) e una bambina adottata." Il morto aveva 31 anni. Si chiamava Guerra. Agosto Guerra.

Diamante preferì ricordarlo come lo aveva conosciuto quell'estate che divise con lui. Nostalgico, spavaldo. Sognatore. Pronto a farsi tagliare una gamba con l'accetta arrugginita per dare un futuro ai suoi sei figli: la burocrazia no, ma lui considerava sua anche la bambina adottata. Forse, a forza di raccontare quella storia, Diamante avrà finito per credere che fosse andata proprio così. Che non ci fu nessun treno sbucato dal buio e dalla pioggia. Nessun cadavere maciullato dalle ruote – spargagliato sui binari. Seppellito sbrigativamente da un volgare ladro in una fossa che nessuno potrà mai venire a visitare, in un non-luogo delle grandi pianure dove nessuno saprà mai chi era stato. Finì per credere che non ci fu nessuna inchiesta, nessuna calunnia e nessuna bugia. Che entrambi avessero ottenuto quello che volevano. Agosto Guerra i soldi. Lui, la libertà.

Evase dal campo di notte. I compagni dormivano nelle cuccette, avvolti nelle coperte. Sapeva cosa sognavano, se ne avevano la forza. Non li avrebbe visti più, né l'avrebbe mai voluto. Gli avrebbero ricordato il sapore delle acciughe guaste, il prurito dei pidocchi, le incontenibili fantasie fornicatorie attorno alle stufe, le fandonie sugli indennizzi e sulle lesioni autoprovocate – non c'era niente di bello da portar via dal campo, nessun ricordo. Bisogna saper dimenticare il male per trattenere il bene. Altrimenti anche quello scolora e si avvelena, sopraffatto. Lo sportello, sul vagone del caposquadra, era semiaccostato. Il caposquadra era via – forse stava concordando con la Compagnia la versione ufficiale dell'incidente capitato ad Agosto Guerra. Forse stava solo ubriacandosi di rabarbaro col caposquadra del campo più vicino. Era scosso anche lui, quando perdeva uno dei suoi uomini. Ognuno sapeva che avrebbe potuto essere il morto.

Diamante camminò nel buio lungo la strada ferrata, guidato solo dal bagliore delle rotaie. Se l'acqua potesse parlare, resterebbe qualcosa di questi anni. Direbbe ciò che gli ha insegnato. Quanto sono grevi le cose più trasparenti, le più leggere. Quanti sforzi per trattenere quello che non puoi trattenere, l'acqua che ti sfugge fra le dita – per ritrovarti le mani vuote, con la stessa sete. Invece nell'acqua senza memoria non resterà traccia della rabbia e della solitudine che ha conosciuto. Questi anni li ha persi, per sempre. Per molto tempo, il vagone rimase visibile – una sporgenza innaturale nella pianura. La luce fioca che filtrava dalle assi lo illuminava come una scatola di carta, una lanterna cinese sospesa nel buio. Poi scomparve e si ritrovò solo – guidato dall'identico susseguirsi delle traversine. Misurò il passo sulla loro distanza, prese il loro ritmo. Correva, quasi danzando, saltando dall'una all'altra, in equilibrio sul ferro. Strade parallele, incatenate. Binari che vorrebbero fuggirsene ai lati opposti del mondo, e non possono. Avvitati insieme, per sempre. Nemmeno la dinamite a volte riesce a separarli.

All'alba era ancora in mezzo a una pianura disabitata, ammutolita. Non un fruscio di fronde, non il gorgheggio degli uccelli, non i suoni della natura che si risveglia. Il sole sorgeva sulla pianura come sull'oceano. Un oceano di luce dopo un oceano di tenebre, e quel silenzio profondo, ineffabile, tutt'intorno. Erbe ondeggianti senza fine, l'immensità del cielo, la mancanza di riparo dal sole, dalle tempeste e dal vento – tutto gli ricordava l'oceano. Un paesaggio marino – senza tempo e senza storia, muto e informe, per miglia e miglia. I binari gelati luccicavano ai primi raggi del sole, come i bianchetti fosforescenti nel mare. Una striscia di cui non vedeva la fine. La cui ossessiva solitudine lo intontiva, lo agghiacciava, lo disorientava. Gli toglieva il senso della direzione, del corpo, di sé. Divenne un ciuffo smarrito nella prateria, sradicato dal vento. Ma i binari portano sempre da qualche parte.

La sporgenza lontanissima che increspava la monotonia come una virgola nel bianco di una pagina divenne una stazione – una baracca di legno con l'insegna ancora sgocciolante di vernice – già circondata da un mucchio di case provvisorie ammucchiate le une sulle altre, che si faceva chiamare città solo perché sfiorata a intervalli regolari dalla corsa dei treni. Città sorta in tre giorni, che aveva probabilmente preso il primo nome venuto in mente all'ingegnere della compagnia ferroviaria – il nome di sua moglie, di suo figlio, di una città a lui cara, di un personaggio idolatrato. Taylor, Howard, Winfred, Canova, Cavour, Ipswich, Java, Seneca, o addirittura Roma. Diamante riconobbe i cartelloni pubblicitari, disseminati lungo il tragitto che mesi fa lo aveva portato fino al campo. Superò la pubblicità di una birra, troneggiante su una distesa solitaria di sassi, il manifesto dello sciroppo di grano Karo, il barattolo del Sanitol tooth powder – che si specchiava annoiato in uno stagno infestato di moscerini, avvertendolo che antiseptic and oxidizing Sanitol produces cleanliness as quickly as a breath of pure mountain air – 25 cents everywhere. EVERYDAY, AS YOU GO. Ed era di nuovo solo. Un mondo senza curve, senza spessore. Spogliato di tutto. Lui stesso inebetito dalla scoperta della propria minuscola irrilevanza, tremante di freddo, a scrutare con angoscia le nuvole che s'addensavano sulla sua testa, minacciando un furibondo piovasco cui non sarebbe potuto scampare. Di tanto in tanto, lo sorprendeva il fischio inconfondibile di un treno passeggeri, quel suono che ricordava la sirena di un piroscafo. Lo vide avvicinarsi – uno sbuffo di fumo sulla vastità senza misura in cui finiva per dissolversi senza lasciare traccia. Ma lo lasciò passare, non era per lui. Aspettava i merci carichi di granaglie e mandrie di buoi diretti ai macelli di Chicago. Treni per cose e animali.

Era già pomeriggio quando il primo fece vibrare le traversine. Diamante si appostò sul terrapieno, aspettò che si avvicinasse – fumo, fragore, legno, carbone; rincorse il lunghissimo convoglio per un centinaio di metri – lasciò sfilare vagoni scompagnati, unti di fuliggine, finché trovò una maniglia e s'aggrappò. Dondolò nel vuoto a lungo – i suoi piedi sfioravano il terrapieno, se fosse scivolato le ruote lo avrebbero maciullato, gli avrebbero stritolato le gambe, e lui sarebbe stato l'ennesimo cadavere senza nome – trascinato finché niente fosse rimasto di lui. Poi riuscì ad arrampicarsi sul tetto. Il vento gli coprì il viso di carbone. Il temporale lo annegò senza rimedio. Non aveva niente da mangiare e trenta dollari in tasca – il miserabile frutto di quattro anni di lavori forzati. La sua immeritata galera. O forse meritata, perché a New York, chissà quando, aveva sbagliato, rinnegato tutto ciò che era importante per lui, e si era perso. Non sapeva dove andasse il treno. Né cosa trasportasse.

I vagoni erano sigillati. L'America era immensa – milioni di chilometri di rotaie la solcavano, la attraversavano, la intarsiavano anche là dove non c'era ancora niente. Ma ovunque andassero le rotaie, finivano da una parte sola: a New York.

# Le esitazioni di Amleto Attonito

Nell'inverno del 1909, dopo la chiusura della cucina dell'Hotel Ansonia, ogni volta che potevano Rocco e Vita si incontravano no nel salone della Bongiorno Bros. Si baciavano in piedi, perché quelle seggiole avevano l'aria esiziale, e i divani lugubri sembravano intrisi di lacrime. Sbottonavano i cappotti e si aggrappavano l'uno all'altra, corpo contro corpo, per dimenticare il freddo che gelava quella stanza destinata a ospitare corpi che non sentivano più freddo né gelo ed erano più freddi e gelidi dei muri, del pavimento e dell'inverno. Vita sapeva che era profondamente sbagliato. Si ricordava con chiarezza con quanta forza amasse Diamante. Ma se era qui, evidentemente amava anche Rocco, tanto che la domenica mattina – nonostante il suo divieto tassativo di farsi vedere nel Mulberry District – si appuntava con le forcine il cappello di pelliccia che lui le aveva appena regalato, si abbottonava il cappotto, anche questo appena ricevuto in dono (i regali per i suoi quindici anni non finivano mai, ed era come se ogni giorno fosse il suo compleanno), s'infilava nella soprelevata e s'affrettava alla chiesa di Baxter Street solo per sentirlo cantare. Comunque non riusciva a dirgli di smettere, e non gli diceva di abbassarle il vestito né di piantarla di frugare nel suo corpo. Lo aveva sempre considerato zona recintata, un giardino in cui sarebbero maturati frutti preziosi, ma temporaneamente incolto, come in attesa del ritorno del suo legittimo proprietario – con la stessa caparbietà con cui adesso glielo offriva, perché lo scoprisse e lo rivelasse anche a lei. Il ricordo di Diamante non s'affievoliva affatto – anzi, ora poteva immaginare con maggiore realismo il suo imminente ritorno e pensava a lui nelle lunghe ore di cucina, mentre impastava dolci e zuccherava pasticcini, mentre lacerava la carta dell'ultimo regalo di Rocco e perfino mentre Rocco guidava verso la Bowery o si inginocchiava davanti a lei, affondando il viso contro il triangolo proibito.

Però adesso, quando pensava a lui, pensava anche all'altro, e li amava tutti e due con la stessa accesa intensità – anche se non aveva mai immaginato che fosse possibile e forse non lo era. Non si sentiva diversa o peggiore di prima. Sperava solo di non dover scegliere, e poter continuare a chiudere gli occhi, rabbrividire, e ascoltare la voce di Caruso che saliva dalla tromba del grammofono, nel silenzio innaturale di quel salone. Finché all'improvviso gli diceva basta – portami a casa. Lo interrompeva sempre in tempo, perché comunque non voleva sposare Rocco, ma Diamante – o eventualmente tutti e due, benché nessuna legge avesse ancora inventato un modo per farlo.

Rocco non insisteva, perché era confuso anche lui e non sapeva quel che gli stava capitando. Quando restava solo, dopo aver lasciato Vita al portone, alle tre del mattino – spettinata, coi vestiti in disordine, gli occhi accesi e il sorriso complice – si ripeteva che basta, era l'ultima volta. Doveva piantarla di frequentare l'Ansonia, perché la macchina non era sua, e nemmeno l'agenzia, e Bongiorno lo chiamava figlio mio. Aveva sposato sua figlia Veneranda – detta encomiasticamente Venera – la scorsa primavera. Per ambizione. Perché era stufo di essere considerato una fedele guardia del corpo, una macchina ottusa e insensibile. Un *gorilla*. Un suddito, buono solo ad agire e a sporcarsi le mani, ma di cui nessuno sollecita l'opinione. In cui non è previsto il funzionamento di quell'organo, superfluo e nocivo come un calcolo in un rene, chiamato cervello. Invece Rocco il cervello ce l'aveva. Voleva impadronirsi dell'agenzia e dei soldi che Bongiorno non sapeva investire per mentalità antiquata e ristretta. Comprare camion, scavatrici, gru e diventare, come il suo capo non era stato capace di fare, un uomo d'affari.

L'aveva vista una volta sola, Venera, quando aveva salvato la vita di Cozza in un attentato, beccandosi una pallottola nel femore. Appena dimesso dall'ospedale, Bongiorno l'aveva premiato invitandolo a pranzo. Mentre lodava il suo coraggio davanti alla moglie alla figlia e ai Bros, Rocco fissava a occhi sgranati i camini i tappeti i vasi cinesi i mobili antichi importati dall'Italia e le finestre affacciate su Saint Mark's Place e decideva di prendersi quella casa – a ogni costo. Aveva sempre pensato di voler distruggere tutto e non possedere niente. Di non volere né i soldi né le cose belle. Ma non le aveva mai viste. Né aveva mai avvicinato una giovane donna come Veneranda Bongiorno – sottile, diafana come carta velina, con una crocchia di capelli color rame arrampicata sulla testa, vestita di grigio pallido, come una stampa antica – la voce lieve come una spruzzata di borotalco. All'epoca Rocco viveva ancora a bordo, da una megera avida che lo spennava per rifilargli brode mefitiche e sguardi malevoli per le ferite che a volte si suturava col filo del suo ricamo. La casa di Bongiorno divenne la sua ossessione. E lui, il suo protettore, il nemico cui espugnare la fortezza ed espropriare la felicità terrena. Veneranda aveva studiato dalle suore e non sapeva niente degli affari del padre e dei suoi amici. lo avrebbe disprezzato se avesse saputo che quando gli avevano sparato Rocco era appena uscito dal carcere di Blackwell's Island – dove però, avendo avuto il buonsenso di presentarsi con un altro nome quando lo avevano arrestato a Brooklyn mentre riscuoteva il mensile da un albergatore, lo avevano rinchiuso come Amleto Attonito. Ma ovviamente nessuno glielo aveva detto, e così Venera trovò affascinante quel giovane cerimonioso, dal viso angelico, che col suo comportamento riservato dimostrava di non gradire – come lei, del resto – la sguaiata compagnia dei baffoni amici del padre. Il giovane ospite non aveva aperto bocca per tutta la cena – nemmeno quando Bongiorno lo invitò a scegliere la musica per il grammofono. Si era limitato a passare in rassegna la nutrita collezione di dischi di Cozza – aveva tutti quelli della Victor e della Columbia record – e poi aveva messo sul piatto una canzone napoletana triste e languida che diceva *Ah! che bell'aria fresca, ch'addore 'e malvarosa e tu durmenno staje...* E così era. La figlia di Bongiorno dormiva, assopita sulle sue rassicuranti certezze, mentre Rocco era vigile, e pronto ad afferrare la sua occasione. Quando il cantante gridò *I' te vurria vasa', I' te vurria vasa'*, Rocco lasciò che il suo sguardo indugiasse sui capelli ramati della ragazza, e Venera capì di essersi innamorata.

Ogni volta che Rocco accompagnava a casa il padre, Venera lo spizzava dietro le tende della finestra – lasciando cadere la cortina appena realizzava che lui l'aveva notata. Rocco portava la mano alla falda del cappello e accennava un inchino. Non osava parlarle perché un giorno Pino Fucile gli aveva detto che nella buona società si sarebbe fatto ridere dietro per il modo in cui parlava agiva e gesticolava. Rocco c'era rimasto malissimo e – accertandosi di non essere seguito, spiato o osservato – si era precipitato in una libreria. Quando il commesso, che temeva una rapina, gli aveva sussurrato cosa potesse fare per lui, Rocco aveva richiesto, sottovoce, un vocabolario di inglese e un libro che insegnasse a sapere cosa fare, cosa dire e cosa evitare – insomma, un libro di comportamento. Il libro e il vocabolario gli costarono dieci dollari, ma furono soldi ben investiti. Bongiorno ovviamente aveva tutt'altri progetti per la figlia che sacrificarla alla sua guardia del corpo dalla testa calda, ma Rocco organizzò tutto con la stessa efficienza con cui pianificava le punizioni per conto di Bongiorno. Punì Bongiorno.

Col suo consenso, rapì Venera all'uscita dalla lezione di pianoforte. Si misero al sicuro, nascosti nella chiesa di un suo amico prete aspettando che sfuriasse la collera omicida di Bongiorno. Dopo di che, gli fece sapere che era disposto a sposare la ragazza e a restituire a padre e figlia l'onore. Bongiorno meditò un'ecatombe, poi, forse perché adorava Venera, cedette. In realtà Rocco non doveva restituire nessun onore a Venera, perché non l'aveva mai toccata. Non l'aveva desiderata prima di rapirla e non la desiderò dopo. Avrebbe sposato un treno, se avesse capito di poterne ricavare qualcosa. Il loro era un matrimonio felice, anche se Venera si lagnava di vederlo poco. Viaggi di lavoro, si giustificava Rocco. Venera era stata educata a diventare la moglie di un uomo d'affari e accettava le sue lunghe assenze e le sue misteriose sparizioni. Le precauzioni che il marito prendeva con la polizia fingeva di crederle dovute all'allergia per le tasse – che lui le aveva confessato di non pagare né di voler pagare in futuro. Anche se aveva solo ventidue anni era incredibilmente saggia, e la bambagia delle troppe menzogne in cui era cresciuta le aveva insegnato a non farsi domande e a non farne. A sembrare l'ingenua che non era, ma che tutti desideravano che fosse. Rocco le era sinceramente grato e non avrebbe sopportato di ferirla o farle del male. Non voleva rendere infelice la sua unica alleata. Perciò era fermamente deciso a non invischiarsi in una relazione clandestina, e a troncare.

Ma poi per tutto il giorno il pensiero di Vita – fresca, sana come una giornata di vento e perdutamente innamorata di Diamante – lo assaliva con una intensità sconosciuta, annientando tutto il resto. Alle riunioni si distraeva, difendendosi dietro uno sguardo più assente del solito, sbrigava i suoi doveri con sbadataggine, perfino con ripugnanza, smaniava il momento di riaccompagnare a casa il suocero, e invece di portare la macchina al garage tornava a prendere Vita. Guidava in silenzio fino all'agenzia, faceva scattare la serratura, le diceva di aspettare fuori se c'era qualche catafalco da occultare alla sua allegria. Poi accendeva i ceri, voltava il crocifisso, le toglieva il cappotto, la abbracciava compiacendosi della sua morbida esuberanza, le poggiava le labbra sul seno, e s'immergeva nell'odore di fritto candele e fiori marci, sprofondando in un oblio soffice e compatto come lei.

Forse invidiava i sentimenti che Vita non nascondeva e che lui non riusciva a provare – la sua forza, la sua sicurezza, la sua mancanza di dubbi – la sua ossessione. Fra Rocco e gli altri c'era sempre stata un'invisibile parete, il peso di parole non dette e pensieri sfocati – un gelo che lo stringeva come una morsa e lo rendeva invulnerabile. Non si ricordava nemmeno più l'ultima volta che qualcosa lo aveva toccato. Vita era come un saldo e sottile filo di ragno, spolverato d'ombra e del calore del sole, sospeso nell'angolo fra due pareti; con un alito impercettibile il vento lo fa vibrare, tentando invano di strapparlo; il filo è elastico, nitido e semplice. La tersa luminosità del vuoto è tagliata da una linea sfavillante. Noi siamo abituati a stimare solo ciò che è confuso. Cerchiamo la forza nel garbuglio dei nodi, ritenendo impossibile congiungere nell'anima semplicità e grandezza. Ma sono opache, meschine e smorte le cose complesse, e l'anima è semplice come questo filo.

Allora mormorava – Vita, ci pensi sempre a Diamante? Lei rispondeva sempre, sinceramente, di sì. Diamante è il mio fidanzato, ci siamo scambiati la promessa – l'ho chiamato, sta tornando. Finché una notte gli disse: non ritorna, sono libera. Rocco allungò una mano sulla fiammella della candela che agonizzava tra gli spiffteri – perché il dolore lo convincesse che era contento. Non sentì dolore, ma si convinse ugualmente. Non me ne importa più niente di Diamante, disse Vita, sganciandosi una calza. Amare e non essere amato è tempo perduto. Aveva la testa in fiamme. Perché a un tratto le era venuto in mente che forse, se l'avesse incontrato per strada, nemmeno l'avrebbe riconosciuto. Non riusciva a ricordare la sua bocca, il colore della sua pelle, la linea del suo naso. Aveva perso il suo viso, la sua voce. Aveva dimenticato. Il nome di lui era diventato un'eco lontana, senza calore, una storia sussurrata e vagamente ricordata – perduta nel passato, nella loro infanzia. A questo punto dovrei sposarti, concluse Rocco, pensieroso. Prima devi rapirmi, rise Vita. Rocco soffiò sul candelabro e disse: ti ho già rapita.

# Un biglietto per l'Ohio

La più preziosa virtù di una donna è il sacrificio, e la ricompensa non è di questo mondo, ma il Paradiso eterno. Questo Vita lo sa. E se lo dimentica, glielo ricordano le vicine di casa, che trascorrono giornate interminabili recluse in due stanze a rifilare asole e occhielli per la ditta Levy & Co. di Broadway, circondate da un nugolo di creature denutrite che non sanno ancora parlare. Esistenze serene, fatte di mucchi di piatti da lavare, di lenzuoli da spianare e lisciare. Esistenze stabili – spese nello stesso paesaggio di panni e palazzi, con la stessa consolante visione dalla finestra: la strada che si allunga fino all'orizzonte, perché a New York non ci sono curve – tutto è dritto e implacabile. Tutti dicevano che Lena era pazza. Ma se era pazza Lena era diventata pazza anche Vita, che viveva da anni con un sogno che non sarebbe tornato – e da mesi con un altro che la portava a fare l'amore in un'agenzia di pompe funebri, sui divani intrisi di lacrime, dove lei però non aveva pianto mai, nemmeno la notte che era stata rapita – anzi, le sue risate risuonavano e non volevano spegnersi nel silenzio di quel salone pieno di ceri e catafalchi nascosti dietro le tende e crocifissi voltati verso il muro per non assistere alla felicità proibita degli esseri umani.

Rocco ripeteva sempre che Vita, la *sua* Vita, non doveva sprecare la giovinezza in un quartiere come Harlem, fra gente ignorante, cafona e brutale, che disprezzava la felicità e la bellezza e si abbrutiva di fatica e di rimpianti sognando una ricchezza irraggiungibile, e di cui comunque, se mai l'avesse raggiunta, non avrebbe saputo cosa fare. Rocco voleva portarla via – *spostarla.* E Vita desiderava che lui riuscisse a farlo, tanto che quando le propose di fuggire insieme, accettò. Voleva cambiare – liberarsi dalla catena soffocante dei doveri e dalla grigia infelicità che la minacciava come un'onda di nebbia. Così presero appuntamento alla stazione, direttamente al binario perché non dovevano farsi vedere insieme – *mai, per nessun motivo*. Era la primavera del 1910. Vita uscì di casa in fretta, e alla stazione ci andò correndo, perché aveva paura di essere inseguita dai rimorsi.

Rocco aveva davvero intenzione di sposarla. Non gli era mai passato per la mente di ingannarla – e, proprio come Vita gli aveva premesso di essere fidanzata con Diamante, voleva sempre premettere di essere già sposato. Ma il momento giusto per la confessione era sfumato. Sapeva che l'avrebbe persa – e non si rassegnava all'idea di fare a meno di Vita. Malediceva la Children's Society che aveva salvato Vita dall'ignoranza e le aveva rivelato i suoi diritti, o quelli che credeva tali. Malediceva se stesso, che le aveva lasciato intravedere una luminosa via d'uscita. Per mesi visse due vite mutilate, entrambe rischiose. Tra un appuntamento clandestino e l'altro, cominciarono a circolare pettegolezzi – che, in segno di deferenza verso il direttore dell'agenzia, gli vennero subito riferiti. E lui, che cominciò ad ascoltarli con divertimento, ne rimase agghiacciato. Hai presente Vincenzino Vadalà, l'inserviente al lavaggio salme? – gli raccontò Fagiolino, il tisico beccamorto della Bongiorno. Be', una sera s'è dimenticato le chiavi di casa in agenzia. A mezzanotte torna a prendersele. Entra dalla porta sul retro, e dal salone sente venire un rantolo straziante. Gli si drizzano i capelli in testa per la paura degli spiriti dei trapassati, però a casa ci deve tornare, sennò gli tocca dormire all'addiaccio, e allora si fa coraggio. Non accende la luce e cammina a tentoni nel salone. I sospiri diventano frenetici. Lui si butta in ginocchio, pronto a chiedere pietà. E sapete cos'era? Roba da non crederci. Due amanti che facevano all'amore nelle casse da morto.

E Filomeno Scaturro giura che è proprio vero. Pure lui sentì. Pure lui capì. Pure lui vide. La femmina era nuda – con la pelle bruna, le cosce tornite, i capelli neri. Una ragazzina: ma il turpe demonio si veste di innocenza per sedurre il mondo. Rocco sentì qualcosa di gelido formicolargli lungo la spina dorsale. Scaturro è l'intagliatore di bare, un omino devoto, gobbo, da sempre fedele alla Bongiorno Bros. Viene a raccontarglielo in ufficio, chiedendogli ossequiosamente di intervenire per far cessare questo scempio osceno, questa profanazione orrenda. E l'uomo, l'hai visto? chiese Rocco, cercando di dominare l'impulso sconveniente di afferrare l'intagliatore per la gola e spezzargli il collo. L'uomo, rispose Scaturro, fissandolo freddamente, è giovane e forte, ma se continua si ritroverà in fondo al fiume, con un blocco di cemento ai piedi e senza lo strumento del suo peccato.

Scaturro fu ritrovato pochi giorni dopo alla discarica col collo spezzato, ma l'agenzia era tornata a essere per Rocco ciò che era sempre stata – un luogo anonimo, desolante, pieno di bare e cadaveri da seppellire al Calvario o da rispedire in patria a spese dei parenti, un luogo dove la gente veniva a vegliare la morte o a progettarla. Adesso, quando si sedeva su quelle sedie con lo schienale dritto, si sentiva inquieto, sporco e scontento. Non sapeva più dove incontrare Vita, e si macerava dalla voglia di passare qualche ora con lei. Non gli bastava parcheggiare la macchina del suocero sulle banchine deserte, rubare poche manciate di minuti al buio dei depositi e delle fabbriche chiuse. Non era questo che voleva, per Vita. Forse doveva diventare bigamo: sposo di Veneranda a New York e di Vita in un'altra città.

Nel febbraio del 1910 volle farle una sorpresa. L'ennesimo regalo. La portò al Metropolitan e, alla fine dello spettacolo, nel camerino di Enrico Caruso. Come centinaia di altri ammiratori veri o fasulli che si vantavano di venire da Napoli, dalla Campania o comunque dall'Italia, Rocco l'aveva spesso avvicinato per farsi regalare mazzi di biglietti che poi rivendeva a dieci volte il loro valore bagarinando fuori dal teatro. Quella sera, Vita non disse una parola. Stentava a riconoscere in quel piccolo signore grasso e malaticcio, malinconico e triste, l'uomo dalla voce di velluto che aveva idolatrato per anni, e di cui aveva sognato di essere la figlia. Lo scrutava, emozionata. Lo sentiva intimo, familiare e perduto come la parte più felice del suo stesso passato, ma non trovò le parole per dirglielo. Rocco fece firmare al tenore una cartolina che lo riproduceva nella giubba da pagliaccio di Canio. Gli dettò perfino la dedica, con un'improntitudine che Vita giudicò spudorata. "Alla guagliona più bellilla d'America." Il tenore sembrava condividere l'apprezzamento, perché s'era incantato a fissare gli occhi scuri di Vita. Ma siccome a quell'epoca tutti sapevano che cercava una ragazza per consolarsi dell'abbandono della sua, Rocco prevenne ogni ulteriore confidenza, prese la mano di Vita e gliela portò via. Sulla porta del camerino lei si voltò a sorridergli. Fu una grave imprudenza da parte di Rocco, perché Caruso non si dimenticò di Vita, e nemmeno di lui.

Qualche settimana dopo, tre uomini si presentarono a riscuotere quindicimila dollari. Dopo una stringata corrispondenza di lettere minatorie, Caruso aveva ceduto. Si proclamava disposto a pagare. Avrebbe portato quindicimila dollari chiusi in un pacco sotto la scalinata di una fabbrica di Van Brunt Street, a Brooklyn. Ma poiché, come tutti quelli che sono stati morti di fame, una volta diventato ricco difendeva con furioso accanimento i soldi che non avrebbe mai immaginato di possedere – disposto a regalarli a chiunque, ma non a farseli portar via – nel pacco ci mise carta straccia, e per sfregio, due biglietti da un dollaro. All'appuntamento mandò la polizia. I due galoppini furono incastrati. Il terzo uomo riuscì a fuggire. Antonio Misiani, importatore, e Antonio Cincotta, liquorista, furono rinchiusi in prigione, dietro cauzione di millecinquecento dollari. La polizia voleva a ogni costo identificare i mandanti, ma i due arrestati non parlavano e i loro amici tentarono in ogni modo di scagionarli e depistare le indagini. Il 17 marzo la polizia ricevette una lettera sgrammaticata, nella quale una presunta donna genovese si autoaccusava del ricatto. "Signore Caruso" diceva la lettera "io sonno la donno che ho scritto guele 2 letere allui perché vi ammo e sicome non posso ammarvi che sono maritata mi sono promessa a fare quele letere per farve impavorire almeno voi no venite più allamerica e accossì sarà condendi le persone che sono stato arrestato innocenda. Salvate le innocente. MNSDM." La maldestra lettera, nonostante la firma siglata (Mano Nera – Società della Morte), non sortì alcun effetto. Il detective che seguiva il caso sperava di ottenere un successo clamoroso data la notorietà della vittima e voleva mettere le mani sul terzo uomo. Mostrò a Caruso un centinaio di fotografie segnaletiche di individui sospetti, arrestati negli anni precedenti per lettere minatorie o estorsioni. Quando Caruso incontrò il sorriso enigmatico di un certo Amleto Attonito, si ricordò del gigante venuto con la deliziosa guagliona di nome Vita.

Il 19 marzo Misiani e Cincotta furono rilasciati in libertà provvisoria. Garantivano per loro Eugenio Gentile, liquorista di Carroll Street, e Pasquale Porrazzo, barbiere di Hicks Street. Frank Spardo avvertì Rocco che Amleto Attonito era attivamente ricercato dalla polizia e dai due furibondi galoppini – che, reputandosi traditi, volevano vendicarsi o estorcere all'ideatore del piano l'indennizzo per gli anni che gli sarebbe toccato di passare in galera. Rocco doveva sparire, lasciare la città – subito.

Presero, in due carrozze diverse, un treno per Saint Paul. Ogni ora, sballottato dai sobbalzi delle ruote, scosso fino al midollo dal rauco richiamo del treno, Rocco Attonito s'inoltrava lungo il vagone. Fingeva di dirigersi verso le piattaforme, ma in realtà voleva solo accertarsi che davvero fosse scappata con lui. Vita indossava un abito scuro, col colletto largo e quadrato, alla marinara. Non aveva niente da fare, e guardava fuori dal finestrino. Quanto era grande l'America. Non finiva più. La separazione forzata la annoiava. Quando scorgeva il riflesso di Rocco che tremolava nel finestrino, si voltava e gli indirizzava un sorriso ansioso – ma anche pieno di desiderio. Come dicesse: quando arriviamo? quando possiamo finalmente dormire insieme? svegliarci nello stesso letto? Rocco restava trafitto da quel sorriso e dall'intensità candida e insieme assoluta del suo desiderio, che non riusciva a ricambiare. Oh, come ho fatto a cacciarmi in un pasticcio del genere, e dove la sto portando. Si precipitava a fumare sulle piattaforme. Una sigaretta dietro l'altra, finché la gola gli bruciava. Se Vita, come per caso, spuntava sulla piattaforma, e si fermava al suo fianco, si sporgevano insieme dalle balaustre, con le mani che si sfioravano appena, e restavano a fissare il paesaggio che spariva nella notte. L'America gli scivolava accanto come il sogno di un altro.

Si alloggiarono nell'unico albergo di lusso del Flat, in una camera tappezzata di carta da parati a fiori, affacciata sui binari della Great Northern e della Chicago & Omaha. Rocco era abituato agli alberghi e al loro falso splendore, ma Vita non aveva mai visto una camera vera, né ci aveva mai dormito, perciò le sembrò principesca. Oh, il letto quant'è largo, oh, la vasca da bagno, oh, l'acqua calda, oh, la luce sul comodino. Lui sorrideva della sua allegria, e voleva comprarle davvero una casa affacciata sull'oceano, fuori New York – a Hoboken, Newark o magari Orchard Beach, dove era stato una volta sola, e di cui però ricordava con struggimento la solitudine romantica della spiaggia. Le avrebbe comprato una domestica, l'automobile, l'argenteria, i quadri, i vasi cinesi, un cane – qualsiasi cosa. Tutto quello che desiderava e di cui non sospettava nemmeno l'esistenza. Lei era il filo saldo e tenace che lo teneva unito alla parte più autentica di se stesso. Non era mai stato così vicino a qualcuno in tutta la sua vita.

Vita corse in bagno a infilarsi la camicia da notte che Rocco le aveva appena regalato. Color malva, di raso, tutta frusciante. Come quelle del cinema. Come quelle delle vetrine di Macy's. Come mi trovi? Stupenda, disse Rocco. Vita si acciambellò sul letto. Ma Rocco restava fermo accanto alla finestra. Siccome Vita si stupiva che Rocco non tentasse nemmeno di baciarla, chiese cosa gli succedeva. Non gli piaceva più? Finalmente Rocco lo disse. Premise di avere un'altra moglie.

Vita rispose che non ci credeva. Rocco giurò che era vero. Sperò che non si mettesse a piangere, che non tentasse di sparargli, che non volesse tornare a casa. Vita non gli disse neanche una parola. Rimasero in silenzio per tutta la notte, fissando ognuno un diverso fiore di carta sulla parete. Quando Vita si voltava su un fianco, la camicia da notte color malva frusciava tutta la sua delusione.

Si sposarono in una casa, con un tizio dallo sguardo allucinato che sosteneva di essere un prete e sapeva il latino. L'amico di Rocco era stato un prete davvero. Si chiamava John Palmieri. L'avevano cacciato dalla Madre Chiesa perché a forza di frequentare i cinesi del quartiere con lo scopo di convertirli alla vera religione, si era preso una sbandata furibonda per l'eroina. Quando aveva cominciato a derubare i parrocchiani per comprarsi la polvere, era stato costretto a lasciare l'abito. Però, siccome nel Midwest non ci voleva andare nessuno – per i preti era come finire alla Cayenna – anche se non era più prete John Palmieri visitava comunque col Vangelo in mano i campi degli operai delle ferrovie, e li consolava raccontando le parabole e consegnando la posta. Il matrimonio consisteva in questo: Vita era vestita di bianco e Rocco nudo dalla cintola in su. Il prete, o quello che era stato un prete, disse a Vita di scrivere con l'inchiostro sul cuore di Rocco una V. V come la verginità che mi hai donato, la violenza che userò a chi ti farà del male, la vittoria del nostro amore su chi ci ostacolerà. V come te, così porterò il tuo nome sul cuore per sempre. Poi il prete brandì un ago da materassaio e mentre Vita teneva la mano di Rocco gli tatuò la lettera sulla pelle. Adesso erano uniti finché morte non ci separi. Infatti per Rocco era un matrimonio vero perché, se anche non la sposava davanti a Dio, nel quale del resto non credeva, né davanti agli uomini, che del resto disprezzava, l'aveva sposata col sangue e davanti alla sua coscienza, e perciò indissolubilmente in quanto la sua coscienza era l'unica guida che rispettasse e a cui rispondesse. La sua coscienza sapeva che non aveva mai pensato di ingannare Vita e che davvero voleva renderla felice. Ripeté la promessa, stringendo nella grande mano la mano bruna di Vita. Ti proteggerò dal male. Avrò cura di te. Qualunque cosa accada.

Rocco usciva di notte, come i pipistrelli; di giorno restavano chiusi ad amoreggiare fino alla spossatezza nella stanza, che col passare del tempo rivelò la trasandata decadenza nascosta dalla patina pretenziosa del lusso – la carta da parati a righe macchiata di umidità, schizzi di sangue di zanzare spiaccicate e ogni sorta di liquido organico, i tappeti rognosi e le lenzuola bucherellate dai fori di antiche sigarette. I vestiti che Rocco le aveva comprato erano fruscianti e all'ultima moda, come quelli dei manichini – ma Vita si stancò presto di indossarli. Il letto era morbido, ma restava estraneo, ostile – un letto di passaggio. I camerieri con la livrea venivano a portarle la colazione in camera, e la chiamavano Ma'am, ma i clienti dell'albergo sembravano malfattori e probabilmente lo erano. Il panorama di là dalla finestra poi non permetteva inganni: era realismo sociale senza abbellimenti. Baracche dappertutto – di legno, lastra corrugata, avanzi di scatole di conserva. Maiali, capre, orticelli stenti. Sterrati invasi di erbacce. Fumo di fabbriche. Spettri stravolti dalla miseria e dalla fame. Relitti umani e industriali. Rifiuti. Desolazione. Un fiume torbido e un ponte che sembrava invalicabile. Binari – centinaia di binari ingombri di vagoni dimenticati, abbandonati, in totale sfacelo.

Dunque, stare con Rocco alla fine era questo. Finzione. Distanza. Qualcosa che non riuscivano a dirsi e che li separava, e li avrebbe separati sempre. Qualcosa che forse loro stessi non sapevano riconoscere, ma che si insinuava anche nei loro abbracci, e poi si installava nei loro silenzi. Notti solitarie, e giorni immobili, come quei vagoni sganciati su un binario morto – incapaci di andare da qualunque parte. L'attesa di qualcosa che non verrà. L'isolamento. La sensazione di non essere amati per quello che siamo, ma per quello che facciamo credere di essere. Il mondo ridotto a un corpo, e il corpo ridotto a una sua umida parte. Pochi istanti condivisi, e un vuoto sconfinato dentro. La settima sera, quando Rocco uscì per "affari", Vita attraversò i binari, arrancò fino alla biglietteria ferroviaria e chiese un tichetto per l'Ohio. Il bigliettaio cercò di spiegarle che l'Ohio non è una stazione. Qual era la destinazione? Dove voleva andare? Oaio, insisté Vita, granitica. Depose cinque dollari ciancicati sul bancone, e il bigliettaio le disse che con cinque dollari non andava neanche in centro città.

Quando rientrò in camera, Rocco non era ancora tornato. La valigia sempre in cima all'armadio. Le tende accostate. I fiori che proliferavano sulla carta da parati. La cravatta di Rocco annodata alla stampella. I suoi completi troppo vistosi, troppo azzimati, troppo aderenti. Il suo odore dolce, muschiato – ovunque. Voleva non avere sposato Rocco, anche se il matrimonio non era valido. Voleva tornare a casa – anche se Agnello non l'avrebbe lasciata entrare, perché ormai, dopo aver rovinato la vita di suo padre e di Lena, si era rovinata anche la propria. Voleva tornare nella cucina dell'Ansonia e sprecare i suoi sedici anni tra il vapore delle pentole e lo zucchero dei dolci, anche se fuggendo con Rocco aveva perso il posto e non l'avrebbero mai riassunta. Voleva scrivere a Diamante e implorare il suo perdono – ma non sapeva dov'era. Voleva lasciare Merluzzo ai suoi affari misteriosi e alla moglie, che forse si accontentava della sua reticenza. Voleva che il signor Bongiorno morisse crivellato dai proiettili e Rocco fosse libero di lasciare l'agenzia, redimersi e diventare una persona normale, se ne era capace. Voleva salire su un treno, uno qualunque di quelli che facevano vibrare le pareti dell'albergo e sparivano nel buio – inghiottita dall'America insieme a loro. Voleva essere diversa da com'era. Voleva morire stanotte, al Flat di Saint Paul, annegata nel Pheelan Creek.

Rocco teneva la pistola alla cintura, e quando dormiva la infilava nelle scarpe. Quella notte, dopo tanto tempo, Vita si ritrovò a chiamare la pistola – formulando una preghiera: sparami, sparami, sparami. Guardandola finché ogni altro oggetto smise di esistere – e la stanza, il mondo intero scomparve, risucchiato dal bagliore del metallo. Fissandola finché la pistola sgusciò dalla scarpa, affacciò la canna, si sollevò, come priva di peso, e per un attimo fluttuò nell'aria. Il metallo luccicava nella penombra. Non doveva nemmeno allungare una mano, per premere il grilletto. Si sarebbe premuto da sé.

Ma non fu così. La pistola ricadde pesantemente – e, per quanto la chiamasse, rimase dov'era – inerte. Forse non le riusciva più di muovere le cose. Come non era riuscita a chiamare Diamante, la pistola si rifiutava di obbedirle. Forse non riusciva più a volere con l'intensità di un tempo. Aveva perso il dono. Era diventata una ragazza qualunque – i suoi desideri opachi, la sua volontà debole, il suo sguardo limitato alla superficiale, frigida realtà delle cose. O forse non voleva morire al punto da tirarsi una pallottola in testa. Voleva morire solo un poco. Ma anche vivere ed essere felice, happy – happy come si può essere anche quando non ti resta niente. Mentre si addormentava pensò: non è vero, non è successo niente – domani mi accorgo che è stato solo un sogno.

# Ragazza italiana sparita

Diamante riuscì a rivedere le torri di Manhattan solo nove mesi dopo la fuga dal campo della Northern Pacific Railway Company. Aveva camminato per duemila miglia. Era salito e sceso da decine di treni merci. Pesava quaranta chili, aveva i capelli rasati a zero, un insistito dolore alla schiena e una fame cronica. Quando zoppicando sbucò sulla Broadway sembrava uno dei molti loffari che affollavano le strade in quegli anni di recessione. Era l'estate del 1910. Portava una canottiera nera di morchia e dei calzoni militari scambiati con un veterano negro cui si era accompagnato per qualche tempo. Il primo messaggio che gli venne incontro a New York lo lesse sulla parete del ritrovo dell'Esercito della Salvezza in cui entrò a rifocillarsi. Diceva: QUANDO HAI SCRITTO PER L'ULTIMA VOLTA A TUA MADRE? Diamante si ricordò che non scriveva ad Angela da anni. Era stato una delusione per lei, e per tutta la sua famiglia. L'avevano mandato in America per farsi strada e aprirla a loro. E invece. Più scannato di prima, senza un futuro neanche a inventarselo. Era stato solo così a lungo che non ricordava più il suono della sua voce. E così a lungo nell'America degli americani che ascoltare l'italiano nelle botteghe e nelle taverne di Mulberry Street gli causò una commozione feroce.

Non incontrò nessuno dei suoi amici – o nemici – di un tempo. Molti erano tornati in Italia, altri avevano cambiato quartiere. Si erano trasferiti a Brooklyn, a East Harlem – lasciavano agli ultimi e ai più prepotenti queste strade dimenticate dalla speranza. Appurò cose insignificanti e cose che gli graffiarono la carne e gli fecero desiderare un cuore senza sangue. Tom Orecchio era morto, gli avevano fracassato il cranio in una locanda del Tenderloin. Nello era in galera e se il processo gli andava storto finiva sulla sedia elettrica. Merluzzo cantava nel coro della chiesa di Baxter Street e andava in giro con un doppiopetto a sei tasche, in ognuna delle quali custodiva banconote di diverso taglio – da cui, a seconda dell'importanza del supplice, prendeva un dollaro, dieci o cinquanta. A dirla franca, era diventato un pezzo grosso – di cosa, era sottinteso. Il cugino Geremia aveva perso il lavoro alle miniere di antracite, dove aveva sgobbato sottoterra come un sorcio, e in attesa di un contratto vegetava in un bordo di Humboldt Street. Coca-cola faceva il commesso nel negozio di banane di Rizzo ad Harlem e sbavava sempre appresso alle ballerine – per le quali sperperava il suo magro stipendio, con gran dispetto dello zio Agnello. In pratica, lo stesso stupido buonanulla. Moe Rosen non era più un fotografo di salme, si era messo con la gente del cinema e se n'era andato in Colorado, dove girava la manovella nei western di Broncho Billy, il cavaliere solitario coi copricalzoni borchiati di pelle e gli stivali. Vita era scomparsa e Agnello, come tutti i genitori delle centinaia di ragazze che scomparivano ogni anno a New York, aveva messo un annuncio sul "Progresso".

*Vita manca da sette giorni da casa sua. Ne uscì la mattina per andare a lavorare, ma non rientrò. Non si conosce dove sia andata o dove sia stata condotta. È alta cinque piedi, pesa 110 libbre, indossava un abito scuro, calze nere e scarpini neri. Il padre è un uomo dabbene e non crede di aver nemici. Farà opera buona quella persona che possa metterlo sulle tracce della figlia. Il padre si teme esca pazzo dal dolore.*

L'annuncio era seguito da una fotografia. In posa, scattata da un professionista: forse era destinata alla madre, in Italia. Forse gliel'avevano scattata in collegio, perché nella fotografia Vita non ha quindici anni e mezzo, come nella primavera del 1910, quando "sparì", ma dodici, forse tredici. È vestita di nero, e il suo abito austero potrebbe essere una divisa. Ha i capelli scuri lunghissimi scriminati da una riga appena spostata sul lato sinistro della testa, e raccolti in due bande sulle orecchie. Tiene le mani davanti al collo – la punta degli anulari appoggiata sotto il mento. Non guarda nell'obiettivo. Non guarda chi la guarda. I suoi occhi neri, lievemente segnati da un'ombra, guardano qualcuno che forse non c'è – o niente. Non sorride. Ha un'espressione pensierosa e malinconica, insolita in una ragazzina della sua età. Era una Vita che Diamante non conosceva, che non esisteva ancora quando era partito, e lui sperava che non sarebbe esistita mai.

Sotto la fotografia c'era la scritta RAGAZZA ITALIANA SPARITA.

La pagina con l'annuncio era ancora appesa in molte taverne del quartiere, perché Vita era fotogenica, e agli uomini gli veniva la sbronza meno triste se si ubriacavano sognando di essere loro a ritrovare quella ragazzina spersa.

Ma Diamante appurò anche che Vita non era sparita per niente, era scappata con l'amante e quest'amante era Rocco, anche se tutti facevano finta di non saperlo perché Merluzzo aveva giurato di spezzare il collo a chiunque osava solo nominarla, Vita – ed era un tipo piuttosto convincente. Diamante ascoltò tutto ostentando la stessa indifferenza. Anche, e soprattutto, per la fuga di Vita. Quando sei cresciuto in strada è così: devi far finta che ci cachi sopra anche se a una cosa ci tieni.

Quello stesso giorno entrò al banco dei pegni del padre di Moe Rosen e gli affidò la catenina con la croce di Vita. L'aveva custodita per tutto questo tempo, soffrendo la fame inutilmente, pur di conservarla. Era il suo talismano e l'unico segno visibile della promessa che si erano scambiati. Invece, con i dollari che ne ricavò, si diede un'altra occasione. RAGAZZA ITALIANA SPARITA. Sparita per tutti ma soprattutto per lui. Non voleva mai più sentir parlare di Vita – e l'America era abbastanza grande per regalargli quest'oblio. Si fece scrivere dal vecchio riccioluto l'indirizzo di Moe a Denver, Colorado, e mandò un telegramma al suo vecchio amico. THERE IS A GIOBBA FOR DIAMANTE? FACCIO EVERYTING.

Poi andò a dormire nella pensione del cugino Geremia, dividendo il letto con lui, come aveva fatto per anni. Piede contro faccia, faccia contro piede. Corpi simmetrici, identici, ma capo volti. Non si raccontarono niente degli anni trascorsi – perché tutti e due volevano gettarseli dietro le spalle. Si trovarono molto cambiati. Geremia selvaggiamente peloso, con la carnagione color del colletto di una camicia sporca, tipico di chi per anni non ha visto la luce del sole, Diamante col cranio rasato come un galeotto. Sulla fronte, in mezzo ai sopraccigli, una ruga che prima non aveva. Sul labbro, l'increspatura di una cicatrice che gli induriva il sorriso. A Vita concessero poche parole. Diamante borbottò solo che se lo aspettava. Si vede che così doveva essere.

Geremia non riusciva a credere alle falorchie che circolavano nel quartiere. Che la ragazza di Diamante, che Vita così adorabile e così appassionatamente adorata, potesse lasciarlo per quel delinquente di Rocco il quale fra l'altro non poteva sposarla perché aveva già sposato la figlia di Bongiorno – e innamorarsene al punto da fuggire con lui, era una cosa che non riusciva nemmeno a concepire. L'immagine di Vita, che conosceva fin da piccola, non poteva associarsi alla notizia di questa stupida, futile crudeltà. E tuttavia questa storia penosa suscitava, in lui che alle miniere era stato solo per anni, senza neanche il pensiero di una ragazza a confortarlo, un sentimento di tale compassione da indurlo a provare pietà per l'orgoglio esagerato di Diamante – che non gli permetteva di esprimere ciò che sentiva, ma solo sopportarlo, e ostentare di sopportarlo, molto meglio di quanto si aspettasse. E tanto più compativa il cugino, con tanto maggiore disprezzo e perfino repulsione pensava a Vita, che pure, nel buio delle miniere, gli era talvolta passata davanti come una visione calda e luminosa di infantile innocenza.

Nell'estate del 1910 a New York circolavano ormai molte automobili: una Fiat usata del 1909 la compravi per 4500 dollari. Al teatro Garibaldi davano *Il lampionaro di porto* o *Rosa la pazza* e *Masaniello*. Un grammofono nuovo costava solo 28 pezze e non era più un privilegio del censo o del furto. Il 3 luglio al Madison Square Garden riprodussero in diretta – via radio – il match di pugilato che si teneva sul ring di Reno fra il bianco Jeffries e il negro Johnson. Il bollettino mensile dello State Department of Health riferiva che nel mese di giugno a New York si ebbero 116 suicidi, 53 omicidi, 146 annegamenti, 145 uccisi dalle ferrovie, 86 abbruciati, 46 uccisi dai veicoli a cavallo ed elettrici, 7 fulminati, 15 per tetano e avvelenamento, 2 a seguito di esplosioni. La maggioranza dei suicidi scelse il gas illuminante. Si suicidava talmente tanta gente che i giornali avevano delle rubriche apposite, chiamate *I disertori della vita, Stanchi della vita, I volontari della morte*. Ma nel caso non si riesca a portare a termine il proposito, si può venire arrestati per "tentato suicidio". Degli omicidi, 18 furono commessi con armi da fuoco, 7 col coltello e 19 con strumenti diversi. Durante il mese di giugno nella città di New York si ebbero 17.727 nascite e 10.865 morti, così che in un solo mese la popolazione della metropoli aumentò di 6862 anime. In una sola settimana, erano sbarcati al porto 31000 stranieri. Il solo 12 aprile il piroscafo Madonna aveva sbarcato 1174 italiani e 5670 stranieri dall'Europa settentrionale. Il venti la nave Celtic aveva sbarcato da Genova e Napoli 2047 italiani. In sei mesi, in città erano morti 843 bambini. Quattro di loro per idrofobia in seguito al morso di un cane, dodici per caduta dalle scale antincendio, cinque schiacciati da carri o treni, due colpiti da proiettili vaganti mentre giocavano in strada. In meno di tre mesi, dal 19 gennaio al 29 marzo erano scomparse, e mai più ritrovate, 15 ragazze. 19 persone erano scomparse nelle sole ventiquattro ore comprese fra il 5 e il 6 aprile. Era stata promulgata una legge "secca" che vietava la distribuzione di alcolici la domenica e nelle giornate di riposo. Un'ordinanza municipale vietava di frugare nei barili delle immondizie e nelle discariche. I trasgressori rischiavano la multa e l'arresto. Un tizio era stato arrestato per furto di piccioni, uno per aver incendiato la barba di un ebreo, un altro per spaccio di cocaina agli alunni di una scuola elementare, un quarto per furto di artigli, asportati a un orso morto, e un quinto per furto di tacchi di suola di gomma del valore di 200 dollari. Nicola Maringi e Francesco Ceccarini erano stati giustiziati a Norristown per l'assassinio di un calzolaio commesso nell'agosto del 1909. I lavoratori si erano organizzati in associazioni e società di mutuo soccorso. Scioperi si accendevano e si spegnevano ovunque, nelle fabbriche di vestiti e nei porti, nei cantieri e nelle miniere – 47.000 minatori scioperavano nell'Ohio, 100.000 in Pennsylvania, 18.000 in Indiana, 5000 nel Colorado. Chiedevano la mezza giornata di lavoro al sabato e un aumento salariale. La cosa più stupefacente era che un giornale borghese come il "Progresso" quei minatori li appoggiava, e sosteneva gli scioperi con una campagna stampa senza precedenti.

Quante cose erano successe nel mondo mentre Diamante s'era arenato nei vagoni, sul binario morto. Come i sindacati e la propaganda socialista, anche la Mano Nera era diventata più efficiente. I crimini erano raddoppiati. Ora le bombe coi cannelli di dinamite facevano saltare per aria negozi frutterie ristoranti e palazzi interi. Certi boati come in guerra, che la notte non si dormiva più. I giornali italiani tenevano una scrupolosa contabilità, dall'inizio dell'anno. Gli articoli cominciavano così: LA BOMBA NUMERO 24! I giornalisti si vergognavano che fossero così tante. Quest'anno forse arrivavano a contarne cinquanta. I ricattatori ordinavano di portare 1000 dollari al Ponte di Brooklyn o al Giardino zoologico. Nei barri, dove Diamante ciondolava, aspettando che all'ufficio postale di Mulberry Street arrivasse la risposta di Moe Rosen, la gente parlava con rispetto di quelli della Mano Nera. Idioti che siete, voi li rispettate e quelli vi fanno a pezzi – sbraitava Diamante. Se ne infischiava che i suoi ascoltatori riferissero le sue parole. Anzi, desiderava che venissero a chiedergli il prezzo delle sue opinioni: desiderava dimostrare a se stesso di essere pronto a pagarsi la sua libertà con una coltellata – o perfino con la sua vita. Più li rispettate, più vi chiamano fessi, e vi schiacciano. E se volevano i dollari al Giardino zoologico di Brooklyn era solo perché erano bestie feroci anche loro, anche se a volte portavano il doppiopetto.

Non voleva vedere nessuno. Tuttavia, in quei giorni d'estate del 1910, si ritrovò a bighellonare nei viali del Central Park, dove sapeva che Enrico Caruso amava passeggiare e, all'ombra degli alberi, provare la memoria delle parti. L'identità dell'offesa, e la simultaneità della ferita e della malinconia, lo avevano avvicinato a lui. Le loro vite scorrevano parallele. Erano arrivati a New York nello stesso anno, il 1903; avevano rischiato di restare intrappolati negli ingranaggi della giustizia americana nello stesso anno, il 1906; erano stati traditi e abbandonati nello stesso momento, e adesso entrambi vegetavano in una cupa convalescenza, cercando di guarirsi e insieme punirsi per una sconfitta che li aveva annientati e infranti. Ma Enrico Caruso si era ammalato. E Diamante era ancora in piedi. Cercò la sua sagoma appesantita intorno al lago e nei prati inariditi. Voleva incontrarlo. O almeno vederlo da lontano. Specchiarsi nella sua storia, e leggere nel viso dell'altro il coraggio di riprendersi. Non ci riuscì. Enrico Caruso non venne: era in Italia. I viali del Central Park gli ricordavano Vita. Il loro primo giorno americano. Diamante giurò a se stesso che avrebbe superato anche questo. Lui non si sarebbe fatto venire un tumore alla gola. Non avrebbe distrutto ciò che di più prezioso possedeva. Non sarebbe crollato.

Quando Diamante ricevette il telegramma di Moe – COME AMICO MIO GIOBBA PER BRONCHO BILLY'S REDEMPTION BENE PAGATO PEZZE X RAILROAD FOLLOW SOON – Geremia, che si sentiva perso in questa città di cui non riusciva a inseguire il tumultuoso rinnovamento, si chiese come trattenere Diamante al suo fianco. Possibile che era proprio tutto finito? Diamante s'accalorava a spiegargli cosa significasse lo sciopero dei minatori del carbone bituminoso e perché doveva rifiutarsi di accettare la proposta del boss di andare a rompere lo sciopero, e diventare un crumiro. *Strikebreaker, scabs* – si diceva qui. Sgobbare come lo zio Tom, vivere come un topo, si può. Raccattare le immondizie, si può. Rubare le scarpe nuove di un morto, si può. Rubare un passaggio su un treno, si può. Perfino accettare la beneficenza si può. In fondo chi fa la carità restituisce solo una minima parte di ciò che ti ha rubato. Ma diventare uno scab no, è come soffiare il pane a un affamato. Invece bisogna dimostrare lo spirito di classe.

Geremia intuiva nel cugino il bisogno, che lui stesso conosceva troppo bene, di appassionarsi a discutere su una questione che gli era alla fine estranea soltanto per azzittire pensieri intimi troppo insopportabili. Ti offro da bere, cugino, disse Diamante, facendo scivolare una tazza sul bancone, bevi a Broncho Billy che mi paga il viaggio in Colorado. E Vita? mormorò Geremia. Diamante alzò il boccale di birra. Bevo alla sua salute. Geremia scruta dubbioso il liquido torbido che ribolle nella tazza. La chiamano birra, ma è schiuma – e lascia la bocca amara. Se la vedi, ammicca Diamante, dille che era e resta libera e io le auguro di essere felice.

Ma è assurdo, azzarda Geremia, non puoi partire così, senza neanche parlarle. E se non è vero? Non bisogna credere a ognuno, perché ognuno può dire ogni cosa. È vero, bofonchia Diamante, aspro. E se anche fosse? insinua Geremia. Quando io mi lagnai che dovevamo andarcene da Prince Street perché Lena non era una donna seria, tu la difendevi, dicesti che bisogna perdonare una donna che sbaglia. Ma non ho mai detto che potevo perdonarla io, commentò Diamante, appoggiando la fronte contro il boccale. Dovrei chiedere ad Agnello la mano di Vita, essere comprensivo o qualcosa del genere? si mise a gridare con acrimonia, sì, è molto nobile, ma io non sono capace di brucare nel piatto di Rocco. Io ci ho sputato, nel piatto di Rocco. Vuoto il boccale d'un fiato. Si, ..... .. ........ .......... non parlarmene mai più. Geremia cozzò con la sua tazza, in segno di assenso. Volle pagare un altro giro, e continuarono a brindare – all'amicizia, alla libertà, alla fedeltà, e alle donne che ci stanno aspettando – in ogni caffè che trovarono lungo la strada per la stazione, tanto che alla fine erano così sbronzi che si sbellicavano dalle risate, anche se non c'era niente di meno divertente di loro due. Ma Diamante rideva quando lo abbracciò e gli disse – Kubbai, zio Tom, fa' il bravo, magari presto ci ritroviamo, e Geremia continuò a ridere, finché mentre tornava alla pensione s'accorse che Diamante era partito davvero.

Vita cuciva nel microscopico soggiorno, e fin dalla porta Geremia fu trafitto dal suo disinteresse. Era dimagrita, pallida, ma per nulla vergognosa umiliata o imbarazzata come lui si aspettava che fosse. Non si alzò per riceverlo, né lo ringraziò di essere venuto a trovarla: quando Geremia si accomodò in poltrona gli sorrise appena, col sorriso fatto di distacco e di sospetto che solo la delusione riesce a modellare. Lo guardò, ma senza in realtà vederlo, e il suo sguardo gli domandava una cosa sola: stava con lei o con suo padre, a proposito di Rocco? Per se stesso, Geremia non esisteva. In effetti non era mai esistito. Era il cugino serio. Era lo zio Tom. Vita non si giustificò. Non si preoccupò di mentire né di smentire. Le cose marciscono se le nascondi. Chiese invece, infilzando l'ago nel ricamo, se aveva notizie di Rocco, e se gli era successo qualcosa. Geremia arrossì e rispose bellicosamente che non gli era successo proprio niente, nessuno parlava più di Amleto Attonito. Enrico Caruso, che era troppo generoso, o forse perfino lui aveva paura, dopo aver testimoniato coraggiosamente contro Misiani e Cincotta – cosa che pochi avrebbero fatto – aveva chiesto la grazia per loro, dicendo che in fondo erano solo "ragazzi che avevano sbagliato". Ma prima o poi Rocco avrebbe pagato i suoi tradimenti e le sue bugie, e qualcuno l'avrebbe ammazzato come un cane in mezzo alla strada, ed era quel che si meritava.

Vita depose il ricamo sulle ginocchia e lo guardò, sorpresa. Rimasero in silenzio, un silenzio teso – spiacevole. Vita non serbava odio né rancore per Rocco, ma se l'avesse detto, nessuno le avrebbe creduto. L'aveva tradita – ma lei aveva cominciato a sospettare che la capacità di tradire gli altri somiglia alla capacità di guidarli. In fondo ognuno di noi prima o poi deve essere abbandonato senza più aiuto alcuno, a fare l'esperienza del tradimento dentro di sé, dove è solo. Deve scoprire ciò che lo sostiene quando non è più in grado di sorreggersi da sé: soltanto questo può fornirgli una forza indistruttibile. Questa esperienza aveva fatto lei nella stanza d'albergo di Saint Paul, la notte in cui non aveva saputo morire. Ma né Geremia né Agnello l'avrebbero mai capito. Aspettò che Coca-cola sparisse in camera per chiedergli in fretta, senza neanche nominarlo: so che è tornato, l'hai visto? come sta? Se la cava, spiegò Geremia, imbarazzato. Diamante è duro, non lo tagli né col coltello né con la dinamite. Vita aggiunse, senza guardarlo: è tuo cugino, a te ti ascolta, digli che mi perdoni. Nicola, tutto agghindato e profumato da dare il voltastomaco, prese Geremia sottobraccio e bisbigliò che la sua ragazza lo stava aspettando dietro l'angolo. Si chiamava Joyce e faceva la callista al barbershop del pianterreno. Abitava sul loro stesso pianerottolo. Quel bifolco di Agnello gli aveva spaccato una tianella sul cranio quando lo aveva scoperto, ma lui se ne fregava altamente e allo zio Tom voleva fargliela conoscere perché Joyce era uno schianto. Vicino a lei Nicola pareva un cadavere. Insomma era negra. Sì, aspettami, vengo, rispose Geremia stupefatto. Non sapeva come dire a Vita che Diamante era già partito. Temeva che lo accusasse di non averlo saputo convincere a restare. Forse Vita, nella sua ingenuità di sedicenne, nella sua ignoranza del cuore di un uomo, si illudeva di poter ricominciare – rattoppare, suturare le ferite. Lo so che fra noi è finita, lo smentì lei, a bassa voce, perché non voleva che suo padre la sentisse. Quell'argomento era bandito, dalla casa della Centotredicesima. Come il nome di Rocco, il ricordo di Lena e la ragazza impresentabile di Coca-cola – in pratica, qualunque cosa fosse stata importante per loro. Mi dispiace il male che gli ho fatto. Digli di perdonarmi. Per tutto.

Geremia distolse lo sguardo. La casa era angusta, con le pareti tappezzate di immagini strappate ai giornali illustrati. Vedute del Canal Grande di Venezia, di San Pietro, del Duomo di Milano. Ma era una casa vera e rispettabile. Vita doveva passare le ore a strofinare accanitamente i pavimenti, tanto per passare il tempo. Agnello la teneva chiusa dentro e diceva a tutti che sua figlia stava ammalata ai polmoni. Considerami tuo amico, azzardò Geremia, che voleva già andarsene, perché aveva sbagliato a venire fino alla Centotredicesima strada – quando una camicia s'incomincia a stracciare, non torna più com'era. Io mi fermo fino al ventisette, poi vado alle miniere di carbone. Mi fanno caposquadra. Ovviamente non accennò agli scioperi, ai crumiri né alle idee di Diamante sullo spirito di classe. Gli avevano promesso uno stipendio considerevole, e dei minatori che scioperavano non gli importava niente. Ognuno deve pensare a sé e farsi la sua vita. Anche lui, in Pennsylvania, avrebbe preferito guadagnare meglio, ma si era guardato bene dal pretenderlo o dal manifestare la sua opinione. Le fallimentari esperienze dei suoi primi anni americani gli avevano insegnato la sopportazione, la pazienza – e l'idea che è meglio conservare il poco che si ha piuttosto di inseguire il molto che potrebbe non venire. In fondo – vivendo di niente, non concedendosi niente – aveva risparmiato comunque più di quanto si fosse mai immaginato di risparmiare, ancora qualche anno e poteva tornarsene in Italia contento. Quando mi sistemo ti mando l'indirizzo, aggiunse, tormentando il basco fra le mani. Non sai mai. Se hai bisogno di qualcosa, di un consiglio... ricordati di me.

Consiglio! rise Vita. E su cosa? Geremia evitò di incrociare gli occhi di lei. Continuò a fissarsi le unghie, che restavano orlate di nero anche se le lavava continuamente. Ma la polvere di carbone gli era rimasta nella pelle, permeandone ogni singolo poro – non se ne sarebbe liberato mai. Be', sei così giovane, non hai ancora sedici anni, tutta la vita davanti a te – ti capiterà di prendere delle decisioni, e magari non puoi contare su nessuno... Che decisioni vuoi che prendo, Geremì, sorrise Vita, mestamente. Ormai, ho rovinato tutto. Gli occhi scuri di lei spiccavano nel pallore del viso come le vene d'antracite sulle pareti angoscianti della miniera. Quelle macchie d'antracite Geremia le cercava a tentoni, nel buio. Erano il suo pane e il suo futuro. Erano la cosa più preziosa – e l'unica importante.

Se io non fossi quello che sono – tartugliò Geremia alzandosi, e congedandosi in fretta, senza neanche stringerle la mano, gli occhi inchiodati sulla punta sformata delle sue scarpe – ma il ragazzo più attraente, il più forte, intelligente, di questa città, e se avessi abbastanza soldi da potermi permettere una famiglia, in questo stesso istante chiederei in ginocchio la tua mano e il tuo amore, Vita.

# La bomba n. 53

"Da Agnello" non c'era venuto mai. Conosceva Vita abbastanza per sapere che lo avrebbe costretto a uscire – perché non voleva servirlo, né essere pagata da lui. Al ristorante – un piccolo locale con dieci tavoli, sulla Centotredicesima strada, all'angolo con la Third Avenue – Rocco si presentò una volta sola, il 5 luglio del 1911. Guardò di sfuggita l'insegna: alcune lampadine dovevano essersi fulminate, perché lampeggiavano la scritta .. A G. E L. O. Tendine bianche riparavano a malapena il locale dalla confusione della strada. Sulla lavagnetta appesa dietro la cassa, qualcuno aveva scritto col gesso i piatti del giorno. PIZZELLE CON L'ACCIUGA, SPAGHETTI CON MEATBALLS, RISO ALLE VONGOLE, MOZZARELLA IN CARROZZA, BUDINO DI RICOTTA. Spinse la porta ed entrò per primo, precedendo Bongiorno, come aveva sempre fatto.

Tre operai sorbivano rumorosamente la minestra. Un ragazzo con un grembiule poco invitante annodato sui fianchi mesceva vino da un fiasco. A un tratto il pavimento cominciò a tremare – i vetri tintinnarono, le bottiglie scivolarono sulle tovaglie. Un fragore assordante sovrastò le voci – e già era passato. Era il treno soprelevato. Passava ogni dieci minuti. Meglio, pensò Rocco. Non sentiranno gli spari. Gesticolando, il ragazzo li invitò a scegliersi un tavolo. Potevano scegliere. Il ristorante era mezzo vuoto. Rocco sapeva che il mercoledì serviva Tony Viggiani, lo sciroccato cameriere sordomuto amico di Nicola, che non lo aveva mai visto, e che Vita non sarebbe stata informata della sua presenza fino alla fine della cena, quando aveva l'abitudine di uscire dalla cucina e aggirarsi fra i tavoli per sapere se i clienti erano soddisfatti, se avevano apprezzato la cucina – o, se i piatti non erano tornati bianchi, scarpettati fino all'ultima goccia di sugo, cosa era andato storto. Perciò, anche stasera sarebbe uscita. Ma siccome quella cena non sarebbe mai arrivata alla fine, Rocco non se ne preoccupò.

Era venuto coi suoi uomini più fidati, e col suocero. Come se andasse a una festa, con un completo color petrolio: nell'occhiello della giacca portava una gardenia bianca. Era venuto con l'automobile di Bongiorno, guidandola come un autista, come aveva fatto per anni – perché, anche se nessuno di certo avrebbe spiattellato la targa della sua, non voleva correre rischi. Preferiva le cose semplici – senza fronzoli. Senza complicazioni. Ne aveva già abbastanza. Portava la cravatta nera. Bongiorno non gli aveva chiesto perché: Venera gli aveva raccontato, divertita, che la morte del decrepito Cistro aveva gettato Rocco nella costernazione. Per quel gatto guercio e scorticato un uomo come lui, che nessuno aveva mai visto non dico commosso, ma nemmeno turbato, aveva pianto. L'aveva fatto imbalsamare, e seppellire in una tomba di marmo, per la quale aveva commissionato una scultura felina. Bongiorno sperava che si sarebbe consolato quando gli fosse nato il figlio che, finora, si ostinava a non mettere al mondo. Ma Rocco non era in lutto per il suo gatto.

Scelsero il tavolo numero 3, in fondo alla sala, vicino alla porta della cucina – da dove, nel caso di un agguato, potevano trovare via di scampo sul retro. Bongiorno ebbe il privilegio di sedere con le spalle al muro. Pino Fucile gli scostò premurosamente la seggiola e Rocco lo aiutò a togliersi la giacca. Nonostante il cigolante ventilatore che, con la speranza di una mancia, Viggiani accostò al loro tavolo, mancava l'aria e nel piccolo locale regnava un calore intollerabile. Lunedì la temperatura era salita fino a 105 °Fahrenheit. Un vero record. Era il luglio più caldo degli ultimi quarant'anni. Bongiorno partiva domani per il mare. I proprietari avevano addobbato la sala con festoni e acquerelli, fiori e tovaglie bianche, ma gli arredi non riuscivano a celare la modestia dell'ambiente, e la semplicità ordinaria delle posate e dei bicchieri. Dunque era questo, il luogo in cui Vita aveva preferito ritornare. Questa l'esistenza che si era scelta.

Frank Spardo studiò i clienti del ristorante (tutti d'aspetto inoffensivo, per lo più bordanti delle pensioni dei dintorni), e solo dopo, rassicurato, s'allentò il nodo della cravatta. La portava nera anche lui. Parlarono scherzosamente della disgrazia. Rocco – serio assai – osservò che in fondo Cistro aveva avuto tutto dalla vita. Perfino la fortuna di morire, esso che era stato un randagio con la rogna, in una bella casa, nello stesso quartiere dove nove anni prima gli scugnizzi avevano cercato di dargli fuoco. Non capita a tutti di finire la vita fra cuscini imbottiti di piume, dopo aver percorso una lunga strada, prima di essere rispedito dal destino al punto di partenza.

Tony Viggiani identificò immediatamente Sabato Prisco, Pino Fucile e Frank Spardo: sgargiante manovalanza del Mulberry District. Ma quando venne al tavolo a prendere le ordinazioni riconobbe anche il vecchio calvo coi baffi tinti. Avrebbe voluto genuflettersi per l'onore che gli aveva fatto, a venire "Da Agnello". Fu sul punto di riferirlo a Vita – perché cucinasse come se avesse in sala il Re d'Italia in persona. Si astenne perché Vita, che era troppo selvatica, non voleva tra i piedi quella gente – anche se Nicola obiettava che non potevano chiedere la fedina penale degli avventori. Avevano aperto da appena tre mesi, e non si erano ancora assicurati una clientela. A volte, anzi, la sera si guardavano in faccia, malinconici perché i dieci tavoli erano tutti vuoti. I cinque sgargianti personaggi del tavolo 3 erano tranquilli, o almeno lo sembravano.

Non ne vollero sapere dei piatti del giorno. Dissero che in due sole occasioni gli uomini non devono avere fretta: a letto, e a tavola. Ordinarono: zuppa d'aglio alla napoletana, capponata alle melanzane e baccalà alla marinara. Rocco sapeva che Vita si sfiziava a cucinare il merluzzo. In tutti i modi. Incartato, gratinato, fritto e all'arlecchino, in spuma e in potacchio. Forse era un avvertimento – la sua bizzarra rivalsa. O solo un caso. Il baccalà alla marinara di Vita era finito perfino sul "Telegraph", fra le ricette di un giornalista che si divertiva a "bazzicare" – scriveva proprio così – "le sudice taverne dei bassifondi italiani dove si gusta l'esotica cucina meridionale". Se n'era appropriato con disinvoltura, copiando la ricetta dalle istruzioni che Vita gli aveva dettato. "Acquistato che avrai un buon baccalà spugnato, lo lesserai appena, perché facile ti riesca spellarlo e spinarlo, badando che non si riduca in frantumi; frattanto farai un trito di cipolla, maggiorana e prezzemolo, che farai soffriggere in una caccavella, con olio buono; ci porrai quindi il baccalà con sale, pepe e spezie, e lo farai incorporare; in un'altra caccavella poni dell'aceto bianco e un mestolo di sugo di pesce, con due foglie di lauro, fai cuocere e aggiungi un po' di fior di farina, perché ci dia un po' di glutine, rivolta bene; togli le foglie di lauro, e togli dal fuoco questa caccavella; fa' dei crostini fritti, tagliati a cubetti, forma nel piatto uno strato; quindi aggiusta il baccalà e appresso versaci la salsa." Vita non se l'era presa. Anche se un altro rifà il mio piatto – aveva commentato serenamente – non lo farà mai come lo faccio io. I piatti riflettono quello che sei. Anche se cuoci e setacci e spadelli e infarini e salti gli stessi ingredienti, nello stesso modo e con gli stessi tempi, il risultato non sarà mai identico. Quella ricetta, Rocco non l'aveva mai assaggiata. Vita non l'avrebbe mai cucinata per lui.

Poi Frank Spardo arricciò il naso, socchiuse beatamente gli occhi mormorando aggio sentuto l'addore d' 'o ragù, e Bongiorno richiamò l'attenzione del cameriere, per aggiungere alla comanda anche gli ziti al ragù. Scilarielli, precisò Rocco. Aveva fame. Non era nervoso né preoccupato. Gli era sempre pesato più mentire a sua moglie che agire. Più consolare una vedova che ammazzarle il marito. Constatò con disappunto che nessun altro cliente era entrato dopo di loro. Se Vita l'avesse voluto, le avrebbe comprato un locale nella zona dei teatri. Sulla Broadway. Un ristorante vero, dove sarebbero venuti gli attori e gli artisti. I milionari curiosi della metà del mondo in cui mai avrebbero messo piede. Gli studenti dell'università. I pugili e gli aviatori. Se solo gli avesse rivelato che era questo, il suo desiderio. Se solo glielo avesse chiesto. Evitò di immaginarsi Vita nella microscopica cucina, mentre sorvegliava il bollore dell'acqua e soffriggeva il merluzzo. "Da Agnello" si mangiava bene, ma era una bettola per operai e manovali. Per tutto ciò che non aveva voluto essere. Bongiorno già gli chiedeva perché diavolo lo avesse portato in un ristorante simile. Perché come si mangia qui mi ricorda casa mia – disse Rocco, svagato. Poi si corresse: mi ricorda come tutto è cominciato.

Bongiorno era molto rilassato. In luglio, un codice non scritto metteva pace in città. Fino alla fine di agosto, tutto sarebbe rimasto tranquillo. Anche i problemi venivano rimandati. E ce n'erano. Qualcuno stava vendendo i Bros alla polizia. Negli ultimi dodici mesi, i più erano finiti in galera, o al cimitero del Calvario. Bongiorno sopravviveva, sempre più esautorato, signore di un regno assediato e circoscritto all'isolato della sua agenzia – ma per nulla disposto ad andarsene in pensione. Si abbandonò ai progetti – che Rocco aveva già ascoltato, o finto di ascoltare, decine di volte. Bongiorno aveva sentito dire che Caruso tornava in teatro, quest'autunno. La resurrezione di Caruso gli ricordava i fatti della scorsa primavera. Era una fortuna che avesse ritrovato la voce, perché quel guaglione molto aveva da farsi perdonare. Se ne ricordava, Rocco? Come era potuto succedere che quel cornuto aveva riconosciuto Attonito? Un fatto che non s'era mai spiegato. Rocco si limitò ad annuire – non aveva voglia di ripensare alla primavera scorsa, perché se non fosse entrato nel camerino di Caruso a presentargli Vita, Caruso non si sarebbe ricordato di lui, in quanto di gente che bagarinava i suoi biglietti omaggio ce n'era tanta. Invece di ragazze come Vita ce n'erano poche, o forse una sola. E se non fosse dovuto scappare a Saint Paul, tante cose sarebbero state diverse. Ma Bongiorno insisteva. Ci erano andati di mezzo quei due picciotti, Cincotta e Misiani. Nonostante tutta la sua diplomazia, non s'era potuta ricomporre la faccenda coi siciliani. Bongiorno scosse la testa, disgustato. Che pretendevano? Caruso era un bene da condividere, non si poteva tollerare che se lo godessero solo i mafiosi. Dopotutto era napoletano. Rocco tastò, inavvertitamente, la sporgenza della pistola. Avrebbe potuto ordinarlo a Frank Spardo, o a Sabato Prisco, o a un altro. Ma non voleva disonorare Bongiorno, al quale aveva sempre portato rispetto. Era un uomo importante, o almeno lo era stato, anni prima. Anche se ormai era il relitto di un'epoca tramontata, un vecchio pedante incapace di capire che era venuto il momento di godersi la pensione, doveva concedergli l'onore di morire per mano sua.

Il cameriere venne a sparecchiare cinque piatti perfettamente bianchi. Bongiorno convenne che in questa chiavica si mangiava bene. E si beve pure bene – commentò, agitando il bicchiere vuoto. Portane ancora. Rocco non bevve. Voleva restare lucido. Godersi ogni istante di questa sera attesa per quasi dieci anni.

Bongiorno ricadde su Caruso. Forse era venuto il momento di mettergli una bomba nel camerino. O rapirgli il figlio. Di fargli paura davvero. No, il figlio no, lo interruppe Rocco, sforzandosi di celare il disgusto – i rapimenti non funzionano più. Semmai pigliamogli i gioielli. Bongiorno lo fissò con stupore. La gente onorata non ha mai rubato gioielli: questo perfino la polizia lo sottoscrive per certo. Se qualcosa non è stato fatto in passato, non è un motivo per non farlo in futuro – gridò Rocco, per sovrastare lo sferragliare del treno. Rende meglio l'azzardo della nostalgia. Non bisogna aver paura delle cose nuove. Accennò un sorriso indiscreto. Il guaglione sta accumulando gioielli per migliaia di dollari – forse centomila. Brillanti, rubini, diamanti, perle, smeraldi. Se li fa assicurare. Non sarebbe una gran perdita, per lui. Potrà ricomprarli nel giro di qualche anno: ogni stagione guadagna centomila dollari. Se gli tocchi il figlio, anche un uomo pacifico diventa capace di uccidere. Ma un uomo non piange, su una manciata di gioielli. Può rassegnarsi a perderli, anche perché li ha assicurati e non pagherà di tasca propria. Questi non sono discorsi degni di te, figlio mio – disse Bongiorno.

Rocco si accese una sigaretta. Finse di interessarsi alla tova glia. Grattò con l'unghia, e una polvere bianca gli rimase sulle dita. Le macchie erano state camuffate col gesso. Evidentemente Vita non guadagnava abbastanza per permettersi di cambiare la biancheria ogni sera. Quel miserabile trucco lo irritò, e lo offese. Se stasera non fosse venuto con un altro progetto in mente, l'avrebbe commosso. Ma non era venuto "Da Agnello" per ammirare l'intraprendenza della ragazza che l'aveva piantato in un albergo di Saint Paul. Né il suo tardivo pentimento, che si manifestava in una selvaggia devozione alla famiglia già abbandonata senza rimpianti. Non aveva nemmeno più voglia di discutere con quello spellecchiapalle del suocero. Del resto sarebbe stato inutile. Era un uomo sorpassato e ottuso, incapace di adeguarsi ai tempi nuovi e di cambiare sistema. Troppo brutale. Non se ne poteva più delle bombe e della violenza. Un'eccessiva avidità non giova a nessuno – immiserisce la gente e la rende avversa a chi la taglieggia. La gente voleva solo sicurezza, protezione, voleva farsi i suoi affari in pace: e ne aveva il diritto. Merluzzo avrebbe dato loro proprio questo. Allora negozianti, panettieri, proprietari di alberghi o trattorie, barristi o venditori ambulanti, boss di lustrascarpe o edicolanti avrebbero pagato volentieri, e gli sarebbero anche stati grati. I Bros non erano d'accordo, come briganti appostati alla stretta della strada volevano tutto e subito, colpivano il primo che passava, anche se aveva la borsa vuota: non sapevano pensare in prospettiva, né selezionare i propri nemici. Il quartiere era uno scrigno vuoto, ormai. Assediato dai cinesi che, dilagando da Peel e Mott Street, ingoiavano una dopo l'altra le vecchie botteghe trasformandole in lavanderie, invecchiava perché i nuovi arrivati preferivano Brooklyn e East Harlem, s'impoveriva e gli affari andavano in sfacelo. Tutto sembrava in agonia. Non c'era più molto da prendere, lì. I vecchi Bros non capivano l'opportunità sconfinata offerta dalla trasformazione edilizia della città, dalle alleanze coi sindacati, dal controllo del porto e dal commercio del ghiaccio, del carbone e della benzina – continuavano a mungere una vacca morta. Bisognava cambiare tutto. E lui, Rocco, l'avrebbe fatto. Avrebbe trasformato l'agenzia in un'azienda di trasporti. Le sue bare non avrebbero mai più trasportato cadaveri. Avrebbe definitivamente soppresso la morte. Bisogna imparare a distinguere un diamante da un pezzo di vetro – disse, spegnendo la cicca fra gli avanzi del merluzzo. Non c'è più posto in questa città per i briganti di campagna.

La sala era ormai quasi vuota quando il cameriere servì il caffè. Si faceva tardi, ma i clienti del tavolo 3 non chiedevano il conto. Indugiavano, e Vita aveva raccomandato di cominciare a sparecchiare perché si rendessero conto che dovevano chiudere. Bongiorno si allisciò i baffi. Erano color corvo, ma solo perché li tingeva. Quei peli nerissimi stridevano con la calvizie e la faccia ragnata di rughe, e denunciavano la sua vera età. I truccatori della Bongiorno Bros, nonostante tutta la loro arte, non avrebbero potuto restituirgli un sorriso accettabile, perché quest'uomo non avrebbe avuto più un sorriso. E non avrebbe avuto più labbra, né baffi, né faccia.

Il vecchio non conosceva Vita. E Vita lo avrebbe conosciuto solo da morto. In fondo, lo odiava. L'uomo che Rocco stava per liquidare era stato l'idolo dell'adolescenza dei ragazzi – l'uomo che amava i garzoni e gli insegnava a farsi rispettare e temere – ma anche quello che aveva cercato di impadronirsi della sua, della loro vita. In fin dei conti, era l'uomo che li aveva separati. A modo suo, Rocco veniva a rendere omaggio a Vita, permettendole di contemplare il cadavere di Bongiorno. Come fanno i gatti – che portano a chi li nutre o a chi vogliono conquistare il topo che hanno appena sbranato. Rocco raccomandò al ragazzo di riferire alla padrona che si era trovato contento, e che se lei non aveva niente in contrario sarebbe tornato. Poi gli infilò cinquanta dollari nella tasca del grembiule. Tony s'allontanò raggiante, galoppando verso la lode di Vita – perché, se aveva meritato una mancia tanto generosa, voleva dire che la serata dei signori del tavolo 3 era stata veramente indimenticabile. E Vita cercava di insegnargli proprio a rendere indimenticabili le serate trascorse con lei. Rendere le persone felici, anche se solo per qualche ora.

Cosa intendevi dire con quella storia dei briganti di campagna, figlio mio? gli chiese Bongiorno. Rocco stava per dirgli che era ora di smetterla di chiamarlo così, quando s'accorse che il ragazzo stava tornando. Viggiani gli porse le banconote, gesticolando che la padrona l'aveva costretto a restituirle, perché non si può accettare una mancia troppo impegnativa: altrimenti significa che vogliono comprarti. E noi non siamo in vendita. Frank Spardo e Pino Fucile applaudirono, divertiti. Rocco non volle saperne di riprendersi indietro i suoi dollari e Tony sorrise: le banconote sparirono nella tasca dei suoi calzoni. Dov'è il bagno? chiese Bongiorno, alzandosi. Viggiani indicò la porta accanto alla cucina. Rimase in piedi davanti al tavolo, con un sorriso ebete sulle labbra. Rocco aspettò che si voltasse per seguire Bongiorno.

Per un attimo, s'affacciò nel riquadro che s'apriva sulla porta della cucina, e che somigliava all'oblò di una nave. La cucina era così piccola che occorreva muoversi come danzando per non urtare stoviglie e ustionarsi rovesciando pentole bollenti. Intravide un'ombra tra i fornelli. Poi riconobbe Vita. I suoi capelli raccolti sotto una cuffietta bianca, che lasciava scoperta la nuca bruna. La sua pelle – che baluginava in una nuvola di vapore. Appoggiò la mano sulla porta a soffietto. Esitò. Voleva dirle tante cose – aveva interi poemi da rivelarle, parole che aspettavano solo di essere ascoltate. Non posso toccare la tua vita e tantomeno salvarla. Ho tanto da fare ancora per salvare la mia. Non le disse niente. Quando Vita accennò a voltarsi, lui spinse in fretta la porta delle latrine.

Bongiorno teneva le gambe ben divaricate, e uno scroscio fluente rimbalzava contro le piastrelle dell'orinatoio. Avete mangiato bene, padre mio? gli chiese, richiudendosi la porta alle spalle. Come un papa, rispose Bongiorno, senza voltarsi. Si scrollò lentamente. Era vestito di nero – come sempre. Sotto i suoi piedi, il pavimento cominciò a vibrare. Era il momento. Arrivava, fragoroso, il treno. Voltatevi, guardatemi in faccia, non voglio spararvi alle spalle, si udì dire Rocco. Bongiorno gli chiese – come hai detto? Si voltò. Forse intravide, nella penombra, il riflesso metallico della pistola puntata contro il suo viso. Non fece in tempo a dirgli una parola, perché Rocco tirò il grilletto. Il bagno era talmente piccolo che quando Bongiorno cadde, Rocco dovette scansarsi. Sparò ancora due volte – finché l'altro rimase immobile. Sentì confusamente il rimbombo del treno che riprendeva la corsa verso downtown, il tintinnio delle bottiglie, e un'eco di seggiole smosse provenire dal salone. Si sciacquò nel lavabo, perché era come se gli avessero tirato una secchiata di acqua sporca in faccia. Quando riapparve in sala, la luce gli ferì gli occhi. Non c'era nessuno. Una seggiola per terra – come se chi la occupava fosse scappato all'improvviso. Pino Fucile teneva la porta aperta, e lo invitò a far presto, ma Rocco si frugò nella tasca più alta, e si ricordò di pagare la cena.

Dopo qualche minuto, Vita s'affacciò in sala. Era venuto il momento di chiedere ai clienti del tavolo numero 3 se avevano passato una bella serata. A chi non lavora ai fornelli sarebbe parsa un'umiliazione esporsi al giudizio del primo imbecille, che magari si era guastato il palato con un sigaro o aveva la dispepsia o i nervi o chissà quali paturnie in testa. Ma Vita sapeva che se si apre un ristorante la cucina si fa per gli altri, non per se stessi, e perciò era fondamentale soddisfarli. Aveva l'ambizione che se ne andassero contenti, e non rimpiangessero di avere speso i loro soldi per lei. La sala era deserta. Tutto in ordine, ma nemmeno un cliente ai tavoli. Fuggiti – volatilizzati. Con i bicchieri ancora pieni. Sul tavolo numero 3 – bene in vista sotto la bottiglia di vino – era posata una banconota da cento dollari. Non capiva. Poi spinse la porta del bagno. Era bloccata. S'appoggiò con tutto il suo peso, e lo vide. Era stecchito davanti all'orinatoio – coi calzoni ancora aperti, scomposto, colto nell'attimo di debolezza più estrema, più indecente, più umana. Lo riconobbe subito.

Quando arrivò la polizia, non fu possibile rintracciare nemmeno uno dei tredici clienti che avevano cenato "Da Agnello". Tony Viggiani era ancora tramortito dall'emozione di aver servito il boss – e dallo stupore che qualcuno avesse avuto l'inconcepibile coraggio di ammazzarlo così. Nicola aveva il giorno di riposo e Agnello era andato alla riunione del comitato di quartiere per la difesa degli inquilini italiani che i padroni delle case stavano sfrattando a vantaggio dei negri, ai quali potevano chiedere un affitto tre volte più alto. Quelli che avevano sparato a Bongiorno sapevano che il mercoledì al ristorante Vita era sola con quel ragazzo sordomuto. I poliziotti coprirono Bongiorno con una tovaglia. Il cameriere non fu di nessun aiuto: fissava gli agenti con uno sguardo stranizzato e vagamente idiota. La giovane proprietaria esibiva una sconcertante freddezza: aveva solo fretta di lavare il pavimento del bagno. Ai poliziotti, Vita disse che non era uscita in sala, non sapeva chi fossero i quattro giovani con cui era venuto il vecchio. Il cameriere che lo aveva servito non li aveva mai visti. Non erano clienti

Solo molte ore dopo, quando s'infilò a letto, Vita si rese conto che sapeva perfettamente chi avesse cenato con Bongiorno. Perché lo aveva portato da lei, gli aveva fatto mangiare a volontà tutte le specialità della casa, gustare teglie intere di crocchette di patate e mostaccioli fino al limite dell'indigestione – e alla fine, solo alla fine, quando appagato e satollo era andato a svuotarsi, l'aveva freddato. Non in sala. In bagno. Coi calzoni sbottonati. Nella sua miseria, nella sua decadenza. Queste cose si fanno di persona. Più degno di rispetto è il bersaglio, più indispensabile rendergli onore. Scaricarlo a un sicario è volgare segno di disprezzo. Chi aveva ucciso Bongiorno non lo disprezzava. Gli dimostrava che l'aveva nutrito – e bene – ma che ormai era venuto il momento di presentargli il conto. Vita si girò cautamente sul fianco. Non riuscì a dormire. Continuava a vedere Rocco –

grande, inquieto e irraggiungibile, che dice: *Ho paura di invecchiare. Ho paura di diventare flaccido, rassegnato, vile e obbediente. Ho paura di finire accoltellato da uno come me.*

Quando la convocarono alla stazione di polizia, Vita non si presentò. Le era rimasta un'atavica diffidenza per le autorità, che l'avevano cercata solo per imprigionarla – prima a scuola, poi in un asilo per ragazze renitenti e moralmente corrotte. Eppure, desiderava che riuscissero a incastrare Rocco. Punirlo per quello che le aveva fatto e anche per quello che non le aveva fatto, ma che lei preferiva credere che le avesse fatto. Distruggergli l'ipocrita facciata da imprenditore borghese, la sua sofisticata moglie americana, portargli via l'automobile, la casa col camino, le serate in platea al Metropolitan, le vacanze a Long Island – tutto quello che aveva. Forse perché non si era mai accorta di desiderare l'automobile e tutto il resto, e quanto le mancasse, o proprio perché non lo aveva mai desiderato, mentre lui non aveva voluto altro e aveva venduto e rinnegato tutto quello in cui aveva creduto per ottenerlo.

Cinque giorni dopo l'agguato, la polizia venne a prelevarla. Dall'ufficio postale di East Harlem era stata spedita una lettera anonima. Suggeriva di indagare su un certo Richard Maze. Vita era l'unica testimone dell'omicidio dotata di comprendonio. Aveva dichiarato di non aver visto niente, ma forse aveva qualcosa da nascondere. O forse era proprio lei l'autrice della lettera, e voleva solo essere aiutata a collaborare.

Vita indossava il vestito della domenica, una tunica frangiata rosa gambero che le andava stretta – forse spizzicava troppo cucinando – e che sottolineava la curva imperiosa del seno. Cerchi d'oro alle orecchie, un cappellino verde bottiglia vagamente conico. Le scarpe col laccetto – col tacco consumato, ma lustrate a dovere. Il suo migliore sorriso.

Alla stazione di polizia di Harlem, nessuno parla italiano e Vita, che pure, se vuole, chiacchiera disinvolta con la ragazza americana del fratello, ostenta un accento spurio e un vocabolario limitato, che contribuiscono ad aggravare le reciproche diffidenze. La testimone giura di non essere mai uscita dalla cucina? Giurare il falso è un reato.

DOMANDA Qual è la sua occupazione al ristorante?
RISPOSTA Sono la figlia del proprietario. Abbiamo regolare licenza.

– Se è la figlia del proprietario, cosa ci faceva in cucina?

– Sono anche la cuoca.

– Perché ha mentito, quando le chiesi se era uscita dalla cucina?

– Non ho mentito.

– Di cosa ha paura? Ha ricevuto minacce?

– Non sono uscita dalla cucina. Lo giuro sulla testa di mio padre.

– Conosceva Lazzaro Bongiorno?

– Chi non lo conosce? Aveva la più famosa ditta di pompe funebri del Mulberry District.

– Ha mai visto questa lettera?

– No.

– Non l'ha scritta lei?

– Non so di cosa parla. Non conosco nessun Maze.

– Lei non conosce il predetto Richard Maze, detto Rocky?

– No.

– Mi pare strano che non lo conosca perché ha il suo stesso cognome.

– Non mi chiamo Meize.

– Questo signore non è americano. O meglio, oggi è americano. Ma quando si è naturalizzato ha cambiato nome.

– Ah.

– È italiano. È nato nel suo stesso paese.

– Il mio paese è questo.

– È conosciuto come Merluzzo, e sembra che si facesse chiamare Amleto Attonito, ma si chiama in realtà Rocco. Ha capito di chi sto parlando?

– Penso di sì.

– Saprebbe riconoscerlo?

– Sì, certo. So chi è.

– Chi è?

– Di professione è direttore di funerali e undertaker.

– Quando fu, nella sua attività, che sentì per la prima volta il suo nome?

– Non ho capito la domanda.

– Quando l'ha conosciuto?

– Era il 13 o il 14 aprile del 1903. Ero appena arrivata.

– In quali circostanze?

– Era bordante nella pensione di mio padre.

– Ha dei legami con questo individuo?

– No.

– Da quanto tempo non lo vede?

– Anni.

– Può essere meno generica?

– Be', non me lo ricordo. Abbiamo lasciato il quartiere. Sono venuta ad abitare ad Harlem fin dall'estate del 1909.

– E non ha mai avuto rapporti con lui?

– Era bordante nella pensione di mio padre.

– Eppure è stato visto nel suo ristorante la notte della morte del signor Bongiorno.

– A me non risulta.

– Perciò secondo lei quest'uomo non ha niente a che fare con l'omicidio?

– A me non risulta che sia venuto nel ristorante.

Di fronte a tanta ostinazione, il detective comincia a insospettirsi, e le chiede se sia a conoscenza delle attività criminose di cui questo individuo è sospettato – eccetera. Vita, che si sente avvampare, sempre più a disagio, risponde che sul conto di Merluzzo sono sempre circolate molte leggende, che era un ladro, una specie di bandito, un paladino, un pirata, storie così – ma lei non gli ha mai dato peso perché Rocco, cioè Merluzzo, cioè questo Meize, era un inquilino molto generoso, bravo in tutti i sensi e lei non lo credeva capace di far del male a nessuno. Semmai del bene perché comprava regali a tutti, aiutava gli amici in difficoltà e diceva che Gesù Cristo preferisce gli ultimi – e a loro e non ai ricchi apre le porte del Paradiso. Merluzzo non faceva parte di nessun gruppo, odiava le associazioni, le bande e le camorre, stava per conto suo e contro tutti, perciò aveva parecchi nemici anche se molti lo ammiravano.

– Le risulta che questo individuo possieda una pistola?

– Come faccio a saperlo?

– Sicché afferma che non possiede una pistola.

– Forse ce l'aveva. Era piuttosto pericoloso, il quartiere dove stavamo.

– E questo non lo è?

– Tutti i quartieri dove la gente è scontenta sono pericolosi.

– Non ha mai sentito parlare dei Forty Thieves?

– La banda dei Quaranta Ladroni?

– I ladri e malfattori italiani ed ebrei che infestano Harlem.

– Sono dei tagliagole.

– Che mi sa dire della Car Barn Gang?

– Che le devo dire? È una gang. Ce ne sono parecchie.

– Ci risulta che queste gang pretendono una percentuale sugli incassi da tutti i proprietari dei locali di ritrovo.

– Da noi non sono mai venuti.

– Non sarà che non vi hanno chiesto la percentuale perché qualcuno gli ha ordinato di non farlo?

– Non ci ho mai pensato.

– Non le sembra strano che siete l'unico locale della strada mai molestato dai criminali?

– Abbiamo aperto da tre mesi. Non abbiamo molti clienti.

– I vicini hanno dichiarato che ultimamente il locale è sempre pieno.

– Allora sarà perché i Quaranta Ladroni non apprezzano la mia cucina. Mi diverto a sperimentare delle ricette nuove.

Vita s'interrompe per chiedere un bicchier d'acqua. Si ricorda perfettamente della pistola di Rocco. La rivede infilata nei suoi mocassini. Fluttuare a mezz'aria – sollevata dal suo desiderio – galleggiare, scintillando nella penombra della camera d'albergo di Saint Paul, e poi ricadere, con un tonfo. Si ricorda benissimo della prima volta che Rocco si sedette a tavola con la pistola infilata nella cintura al posto del coltello. A capodanno sparava ai lampioni dalla finestra, e quando era di cattivo umore saliva sul tetto a impallinare una putrida testa di maiale infilzata su una canna – ma generalmente la usava per le rapine. L'aveva sentito raccontare a Nicola che il momento più indicato è l'uscita dal Met. Al teatro dell'opera le donne vanno ingioiellate e sembrano la vetrina di un'oreficeria. I braccialetti e le collane Rocco le faceva fondere dai gioiellieri di Grand Street. Aveva una passione per l'oro, e per le pietre che luccicano. A volte se li metteva lui stesso, i gioielli, e quando aveva diciott'anni portava anche gli orecchini – come i pirati. O le ragazze. Vita centellina l'acqua perché ha la gola riarsa. Da mezz'ora sopporta gli occhi plumbei del detective. Sostiene il suo sguardo – e dice esattamente il contrario di ciò che vorrebbe. Ma lo vuole davvero?

– Concludendo, a lei non risulta che l'individuo di cui stiamo parlando sia un membro della Mano Nera?

– No.

– Ha mai conosciuto qualcuno che ne facesse parte?

– No.

– Lei sa cos'è la Mano Nera?

– È una leggenda.

Insomma, la testimone protegge un individuo che dice di conoscere da tempo, ma solo superficialmente. Sostiene di non sapere che è sospettato di attività criminose – solo voci raccolte in giro, riferite a episodi accaduti anni prima, quando lei era solo una ragazzina. Il detective si sente preso in giro dalla formosa ragazza che si allunga indolentemente sulla seggiola, assillandolo con la visione del suo petto ridondante e della sua provocatoria sensualità. Insiste sul fatto che lei e il sospetto portano lo stesso cognome.

– Non siamo parenti. Mi ricordo di aver sentito dire a mio padre che è venuto in America col passaporto di un mio cugino. Questo mio cugino glielo aveva venduto.

– E perché non ha usato il suo, di passaporto?

– Non lo so. Magari aveva avuto dei guai con la giustizia.

Lei sa o sospetta soltanto che avesse avuto dei guai con la giustizia?

– Era troppo giovane per aver avuto dei guai con la giustizia. Venne qui da bambino.

– E allora perché ha suggerito che avesse avuto dei guai con la giustizia?

– Mi sembra di ricordare che li aveva avuti suo padre.

– Che genere di guai?

– A quel tempo in Italia molti avevano dei guai con la giustizia. C'era la crisi economica, c'erano molti scioperi, occupazioni di terre. E attentati. Me lo raccontava mia madre. Mia madre sapeva leggere.

– Gli italiani concedevano il passaporto a tutti i criminali, li facevano espatriare volentieri. Ci hanno rovesciato addosso la feccia delle loro prigioni.

– Ma qui non volevano far entrare quelli che avevano partecipato ai movimenti per le terre. Gli anarchici, i sovversivi.

– E questo Rocco aveva partecipato a quei *movimenti*, come dice lei?

– Ma no, gliel'ho detto, era solo un bambino. Forse suo padre sì.

– Non ricorda niente di più preciso?

– Lo avevano accusato del furto di una pecora.

– Una pecora?

– Il padre faceva lo scannatore. Quello che ammazza i maiali, insomma. C'aveva lavoro solo da dicembre a marzo. La pecora era del padrone. Lui se la prese. La uccise e la diede da mangiare ai figli. Ci fu il processo. Si rovinò la fedina penale per questa pecora. Me l'hanno raccontato. Io nemmeno ero nata.

– Dunque questo signor Maze non si chiama nemmeno Rocco.

– Però il giorno di san Rocco ha sempre fatto festa.

Il detective prende nota di tutto, congeda Vita e archivia la dichiarazione, rassegnato. Un italiano preferisce non denunciare un altro italiano. A meno che non ci sia di mezzo qualcosa di personale. Come in questo caso evidentemente c'è. Eppure alla furba ragazza vestita di rosa gambero, che incespica nell'inglese ma non perde mai il controllo della conversazione e riferisce svagatamente solo ciò che vuole riferire, non è riuscito a strappare una parola cui suoi reali rapporti con il sospetto. La ragazza si irrigidisce appena abborda l'argomento e nega. Negherebbe anche l'evidenza. Comunque è chiaro che non ha scritto la lettera anonima che il 5 luglio segnalava la presenza "Da Agnello" di questo Richard Maze alias Rocky, direttore di funerali e impresario di pompe funebri alla Bongiorno Bros, 207 Bowery, genero del morto al quale ha organizzato giusto tre giorni fa esequie memorabili, con un corteo di trenta automobili e una tonnellata di gardenie bianche. Anche se lo conosce intimamente. E lo prova la strana dichiarazione di cui al paragrafo 3 – evidenziata con una matita rossa.

– Ma sa, tanti mestieri. L'importante è progredire, diceva. Ha sempre avuto molto spirito di iniziativa. Ognuno di noi c'ha un talento, e *lui c'aveva quello per gli affari*.

– Non pensa che se l'avesse messo al servizio del bene, questo talento, invece che risultare sospettato di un crimine odioso sarebbe uno degli uomini più rispettati di questo paese, e un suo degno rappresentante?

– Al servizio di quale bene avrebbe dovuto mettersi? *Si è messo al servizio del proprio. Per me, è questo, il reato.*

L'agguato a Lazzaro Bongiorno ottenne pochissimo risalto sui giornali: venne considerato come l'ennesimo episodio della lotta tra bande che cercavano di controllare le attività produttive della città, colpendo anche i valorosi cittadini che a esse non volevano cedere. Si trattava di episodi che non giovavano all'immagine, già pessima, della colonia italiana, e poiché non si poteva tacerli si doveva almeno sottolineare la differenza fra i ricattatori e i ricattati, e solidarizzare con questi ultimi. In un'intervista, Richard Maze "stimato undertaker" affermò che "l'agenzia di Lazzaro Bongiorno, della quale è direttore, era stata presa di mira dai ricattatori, ma che si erano curati poco delle minacce per avere essi fiducia nella giustizia e nella legalità". Da ciò, concludeva l'autore dell'articolo, "si vede chiaramente che l'attentato è dovuto a gelosia di mestiere. È superfluo aggiungere che non s'è fatto alcun arresto". Per quanto risulta, nessuno venne mai inquisito per l'omicidio di Lazzaro Bongiorno. Per quanto risulta, nessuno collegò mai l'omicidio con la bomba che esplose domenica 30 luglio. Anche in questo caso non si fecero arresti, e non si seppe mai chi l'avesse lanciata, e perché.

Venne rubricata dalla contabilità dell'"Araldo" come la n. 53 dell'anno 1911: a dicembre le bombe sarebbero state settanta, "un numero che batte tutti i record", secondo il commento acido del "New York Times". La n. 53 meritò un trafiletto di 15 righe. La novità del giorno era un'altra: in città infuriava il colera. Già decine di persone erano state ricoverate al lazzaretto di Swinburne Island. Il vibrione era sbarcato dall'Italia – con una nave. Da dove altro poteva arrivare? Da Napoli, per la precisione. Era un ospite non gradito, clandestino e napoletano. Nell'articolo non si faceva accenno alla morte di Bongiorno, avvenuta nello stesso locale poche settimane prima. Il titolo dimostrava rassegnazione e annoiato sdegno: UN'ALTRA BOMBA! Siamo daccapo! Dopo un periodo di inattività, sono ripresi gli attentati. L'esplosione è avvenuta alle undici e tre quarti, in pieno giorno, davanti al ristorante italiano 'Da Agnello'. Per un intero isolato gli inquilini, presi dal panico, abbandonarono le proprie case e si diedero a fuggire. Il poliziotto Walfert di perlustrazione in quel rione constatò che l'esplosione fu violentissima". Non ci furono vittime. Al momento dello scoppio il locale era chiuso. Il ristorante fu interamente distrutto, e non venne mai riaperto.

Richard Maze e Venera Bongiorno non hanno avuto figli. Ho rintracciato solo un lontano parente, nipote di una cugina di lei, che viveva a C** e che ha conservato alcune lettere inviate da oltreoceano da Venera a sua nonna. Le brevi lettere, scritte in un italiano incerto, ricorrono in occasione di compleanni, onomastici, pasque, natali. Non accennano mai alle persone di cui sto cercando di ricostruire la storia, ma ad altre, a me del tutto sconosciute. Nulla, in esse, allude a una vita meno che legale, borghese e convenzionale. Venera appare una signora con una discreta istruzione. Non ha molto da dire alla corrispondente, che non conosce e non ha mai visto. Si riferisce solo tre volte al marito – sempre in viaggio d'affari. Nel Natale del 1926 Rocco gestisce una ditta di trasporti, non meglio precisata; nell'aprile del 1935 possiede svariate aziende di import-export, di costruzioni e perfino una cooperativa di taxi. Sembra di capire che dopo la seconda guerra mondiale si ritira dagli affari, perché si stabilisce con la moglie in Florida, dove ha fatto costruire un villino di dieci stanze, con vista sulla spiaggia. Nel 1949, Venera viene a C** per conoscere la cugina, ma lui si rifiuta di accompagnarla. Secondo quanto scrive Venera, non ha nessun ricordo dell'Italia e niente da cercare, laggiù.

Dopo la visita, la corrispondenza si interruppe. Probabilmente le cugine avevano scoperto di non avere nulla in comune, e nulla da dirsi ancora. Quando Venera morì, alla fine degli anni Settanta, Rocco era ancora vivo. Il nipote della cugina di Venera non si ricorda quando è morto, ma deve essere stato nel 1984 o 1985. Aveva quasi cent'anni. Il nipote italiano, essendo risultato il parente più prossimo, aveva qualche speranza di ereditare la villa, nonché la sua collezione di quadri e monete – e, insomma, qualcosa delle sue "favolose ricchezze", su cui la famiglia almanaccava da sempre. Invece gli è toccata solo una manciata di gioielli – del valore di pochi milioni. Ingenuamente, chiedo se per caso nel testamento "Richard" avesse nominato erede una certa Vita Mazzucco, o almeno i suoi discendenti. Mi viene risposto che Richard Maze non ha lasciato nessun testamento. Ma come, mi stupisco, un uomo che muore quasi centenario non ha avuto il tempo di disporre dei suoi beni? Poi mi ricordo una domanda scandalizzata che Agnello aveva rivolto a Dionisia nel 1907, in una delle ultime lettere che le spedì. Agnello sta parlando di Rocco: "ma che quelo nianche le ossa vole presentare à que l'altro monto?".

Ed è stato proprio così. Rocco si è fatto cremare. Del suo considerevole patrimonio non restava niente. All'altro mondo, in cui non ha mai creduto, ha portato solo un pugno di cenere.

Nessun elemento oggi può rivelare se dopo l'estate del 1911 Rocco vide ancora Vita.

Non sono riuscita a trovare di lui nessuna fotografia. I documenti del New York Police Department sono stati sistematicamente distrutti quando diventavano vecchi di cinquant'anni. Nei vari dipartimenti si conservavano solo brevi fascicoli individuali (detti *yellow sheets*), che però venivano distrutti in caso di morte del criminale in questione. Alcuni di essi sono conservati nel Police Academy Museum, ma nessuno riguarda "Rocco" né Richard Maze. All'inizio del Novecento, quando la malavita si chiamava favolosamente Mano Nera, sui giornali stampati in America si pubblicavano solo le foto degli uomini illustri, e il crimine non garantiva una fama sicura agli italiani. Tutti conoscevano il viso deforme di Monk Eastman, capo di una delle gang principali di New York, ma nessuno aveva mai visto quello del molto più temibile Ignazio Lupo detto Lupo the Wolf o di Giuseppe Morello detto The gray Fox, capi della gang di Prince Street. Né quello di Salvatore Arrigo, capo della Mano Nera dell'Ohio, o di Vincenzo Sabatesser, capo di quella del Connecticut. Della malavita italiana si parlava con l'esagerato terrore che incute un fenomeno sconosciuto: "human butchers", "bunch of bananas", selvaggi che tagliavano la lingua ai cadaveri, e praticavano fatture con cui stregare e ridurre al silenzio i concittadini ignoranti. Lupo the Wolf, che per qualche tempo primeggiò nella letteratura *horror*, fu definito un "pathological killer", ma ciò che suscitava il morboso interesse dei lettori era il suo *murder stable* ad Harlem: la scuderia provvista di un gancio da carne per torturare i suoi nemici e di una fornace per bruciarli vivi. Quando fu arrestato, a lui e al suo gruppo vennero attribuiti 60 omicidi e 548 reati, il più lieve dei quali era il "bomb planting". Tuttavia fu presto dimenticato. Il primo romanzo sulla Mano Nera è del 1905 (scritto da Adolfo Valeri, apparve sul "Bollettino della sera"), il primo film del 1906, il primo disco – *Pasquino membro della Mano Nera*, inciso dalla European Phonograph Co. – del 1920, ma solo negli anni Trenta i gangster dal cognome italiano diventarono divi.

Ho trovato, nell'Archivio centrale dello Stato, un faldone del Ministero dell'Interno, Direzione generale della Pubblica Sicurezza, divisione Polizia Giudiziaria, denominato *Espulsioni ed estradizioni dagli Stati Uniti* e relativo ai "soggetti indesiderati", segnalati dalla magistratura o arrestati dalla polizia di New York. Nella maggior parte dei casi il console si limitava a informare il Ministero della loro avvenuta espulsione, ma qualche volta le autorità americane chiedevano, tramite il consolato, di investigare le possibilità di un rimpatrio coatto – e la risposta era negativa, perché il soggetto non risultava precedentemente condannato, né entrato negli Usa in violazione della legge sull'immigrazione. Sicché, una volta scontata la pena, aveva tutto il diritto di restare in America. Tale è il caso che segue, archiviato con la risposta: "Del soggetto non si avevano precedenti agli atti di questo ufficio, né il suo nome figura fra i catturandi indicati nelle circolari qui pervenute".

Il dossier contiene le impronte digitali di un certo *Amleto Atonito*.

La scheda si presenta così:

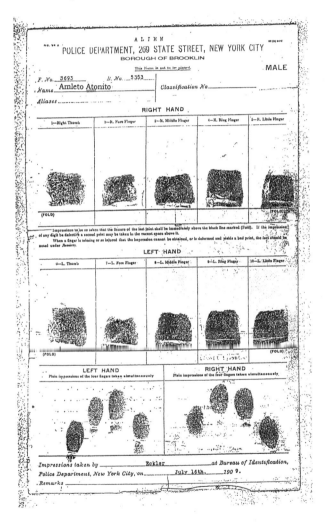

Forse l'impronta di queste dita, l'ombra svogliata di queste mani appoggiate nell'inchiostro e premute sgarbatamente sulla carta, sono tutto ciò che troverò mai di Rocco. Provo a sovrapporre le mie impronte alle sue. Le mani dell'uomo che doveva

essere un gigante sembrano stranamente piccole. Corrispondono perfettamente alle mie – le mani di una donna. A ben guardare, le impronte delle sue dita sulla carta ingiallita ricordano
quelle delle zampe di un gatto che, incauto e indolente, lento e
circospetto, abbia attraversato il pavimento di una stanza – lasciando, involontariamente, le sue tracce nella polvere.

# Cartolina da New York

Ho visto per la prima volta la cartolina di rame in un giorno ormai imprecisabile della mia infanzia, quando chiesi a mio padre di mostrarmi qualcosa del suo. Mio padre tirò fuori una scatola da scarpe – che conteneva la montatura senza lenti di un paio d'occhiali da lettura e la corrispondenza di Diamante con la fidanzata: 458 cartoline illustrate e lettere che, nel loro svariare dalla ritrosia alla menzogna, dalla minaccia alla passione, alla follia, all'indifferenza, riassumono l'intero repertorio del discorso amoroso – ma che, per una forma di rispetto nei confronti di mio padre, avrei letto solo dopo la sua morte. C'era anche un astuccio di pelle nera squamata dal tempo. L'astuccio conteneva una targa di rame.

Siccome la targa era firmata *Geremia* e perciò non apparteneva a Diamante, la misi da parte. È tutto qui? Non c'è altro? Mio padre rispose che Diamante era un uomo riservato, che non diceva mai una parola di troppo, e che aveva cercato di cancellare le sue tracce – con il sistematico occultamento di sé, rifugiandosi in un silenzio che negli anni si era fatto sempre più impenetrabile.

Non riuscivo neanche a immaginarlo: era morto venticinque anni prima della mia nascita, e aveva lasciato dietro di sé pochissime fotografie, tutte risalenti all'ultimo periodo della sua vita, quando era già da tempo ammalato di nefrite. Un signore di mezza età, sempre vestito con la massima cura per la sua persona e per le apparenze: i capelli ricci, i baffetti grigi rasati a perfezione e un paio di formidabili occhi celesti scoloriti. Con l'aria coriacea, autoritaria, e un esplosivo dinamismo accuratamente soffocato dietro un'espressione composta – controllata. La sua fotografia più antica è incollata sul libretto di riconoscimento n. 12.313 rilasciato nel 1920 dall'Azienda delle Tramvie di Roma e puntinato di bolli mensili da 30 centesimi: doveva essere un fedele utente del servizio di trasporti pubblici. Ha i capelli ricci scriminati da una riga decisa che vira a destra, il viso di tre quarti, come a evitare l'obiettivo, le sopracciglia folte impercettibilmente aggrottate, gli occhi fissi verso un punto imprecisato davanti a sé, il naso dritto e risoluto, la bocca tumida, un paio di baffetti scuri ben curati a disegnare un triangolo isoscele sul labbro superiore. Ha l'espressione concentrata, insieme dura e distante. Diamante è in divisa da marinaio, perciò la foto deve essere stata scattata nell'estate del 1915 quando, dopo l'entrata in guerra dell'Italia, la Regia marina lo richiamò nei suoi ranghi e lo spedì all'isola de La Maddalena per istruirlo a navigare su una torpediniera. Quando si è messo in posa davanti all'obiettivo, aveva ventiquattro anni. Aveva già alle spalle l'America, il servizio militare, vari ricoveri in ospedale, lunghi anni di solitudine, fughe, viaggi, litigi, follie, esilio e ritorno. Eppure l'immagine di questo marinaio in divisa è tutto ciò che rimane della sua giovinezza. Celestina, Spilapippe, Diamante ragazzino, il Diamante vitale, anarchico e scatenato che partì per l'America non ha lasciato traccia visibile, come se quella vita fosse stata risucchiata dalle parole che la ricordavano, e insieme la travestivano per sempre.

Solo molti anni dopo, mentre cercavo di strappare qualche indizio ai pochi oggetti che aveva dimenticato di (o scelto di non) distruggere, ho scoperto che la targa di rame era in realtà una cartolina: scritta, come tutte le cartoline – o meglio sarebbe dire incisa – sul retro.

*New York 1° aprile 1936*
*Al carissimo Diamante*
*i miei auguri sinceri di una Pasqua felice*
*Geremia*
*Noi leveremo alto in America*
*il nome della nostra Italia*

Non sapevo chi fosse, questo Geremia, né ormai potevo chiederlo a mio padre, che andandosene mi aveva lasciato a sua volta un mucchio di carte, un paio d'occhiali da vista e le targhe ossidate dei suoi trofei.

Avrei scoperto in seguito, consultando la lista dei passeggeri sbarcati a Ellis Island il 24 maggio 1902, che questo Geremia aveva viaggiato sulla stessa nave, la Calabria dell'Anchor Line, con Filippo e Genoveffa Tucciarone, Nicola Ciufo, Antonio Dell'Anno, Luciano Forte, Ferdinando, Tommaso e Antonio Mazzucco, il padre di Diamante. Geremia e Antonio furono interrogati insieme dai funzionari dell'immigrazione, e dichiararono di essere diretti dalla stessa persona: il loro parente Agnello, residente al 18, Prince Street. Geremia, come Antonio, dichiarò di essere capace di leggere e scrivere. Come lui, dichiarò di possedere dodici dollari. Come lui, si dichiarò *labourer*, che significa lavoratore non specializzato, manovale o bracciante agricolo. Quando i funzionari respinsero Antonio, segnando il suo nome con la fatidica palla nera, lasciarono passare Geremia. Antonio non vide mai più quel ragazzo di quindici anni, il figlio putativo che aveva accompagnato in America – e che ci rimase al posto suo, e di suo figlio.

Mentre rigiro fra le mani la cartolina ossidata dagli anni, mi chiedo a cosa alluda la data del timbro, 18 novembre 1935. Alla guerra d'Etiopia? Alla conquista di Macallè? Frugando nei giornali del tempo, scopro che il 18 novembre è il giorno in cui le grandi potenze – fra cui gli Stati Uniti – votano le sanzioni contro l'Italia. Quel giorno in Italia comincia l'autarchia. Quel giorno i due paesi si allontanano, e solo la guerra, con l'interminabile campagna d'Italia del 1943-44, li riavvicinerà. Poi scopro che dagli italiani d'America furono spedite in Italia centinaia di migliaia di cartoline identiche a questa, per un totale di duecento tonnellate di rame. Facevano parte di una campagna di sottoscrizioni a favore della guerra. Le cartoline di rame servivano a procurare all'Italia il metallo di cui era stata privata dalle sanzioni. Cosa doveva farne, il destinatario? Consegnarle? Fonderle? Donarle?

Diamante la nascose. Il 18 novembre 1935 non era stato un bel giorno, per lui. Al suo ritorno dall'America era diventato socialista, e dopo il 1922 visceralmente antifascista. Era stato picchiato più volte per strada perché si ostinava a passeggiare con un garofano rosso all'occhiello della giacca: gli avevano rotto un dente e sporcato i vestiti di vernice nera. Aveva quasi perso il lavoro, ed era stato degradato alle mansioni più umili. Quel giorno, che per gli italiani d'America era stato il giorno del riscatto, doveva invece averlo fatto sentire pericolosamente dalla parte sbagliata.

Che significano le parole incise nel timbro: MEGLIO VIVERE UN GIORNO DA LEONI CHE CENTO DA PECORA? Erano gli italiani d'America le pecore fatte leoni che rivendicavano dopo anni di umiliazione la loro dignità e il loro orgoglio nazionale? Erano gli italiani d'Italia le pecore che ora, con la conquista dell'Impero, diventavano leoni? Forse questo credevano, *dall'altra parte*. Ma probabilmente Diamante le interpretò come scritte proprio per lui. Il mittente intendeva dire che era Diamante, quello che aveva preferito essere pecora invece che leone.

Nell'astuccio c'è ancora una busta, piegata più volte fino a diventare invisibile. La busta contiene l'indirizzo del mittente:

*Geremia Mazzucco*
*322 E. 82 St*
*New York*

Non so se nel 1936 l'Ottantaduesima strada, nell'Upper East Side, fosse già ciò che è oggi: una via elegante nel quartiere più rispettabile di New York, vicino al Metropolitan Museum of Art. Probabilmente sì. Soltanto adesso mi rendo conto che la cartolina di rame è un messaggio, e che quel messaggio, per quanto amaro fosse per lui, Diamante l'ha conservato. Probabilmente ha riposto la cartolina nell'astuccio di pelle nera, dove il verderame ha cominciato a chiazzare i bordi, e poi a cancellare le parole. Probabilmente di tanto in tanto la estraeva dalla custodia e ne fissava il bagliore. Per un attimo si immaginava di essere al posto di Geremia, e di mandare lui la cartolina all'altro che era tornato. Immaginava la sua vita come sarebbe stata se... Immaginava se stesso – un altro Diamante, senza la nefrite e con il dente mancante, senza le toppe ai gomiti e la vernice sui calzoni. Prima di morire, ha distrutto tutto ciò che ricordava ai figli – e a quelli che sarebbero venuti dopo di lui – l'altro Diamante, quello che era stato e che non aveva voluto continuare a essere. Non voleva essere sfiorato dai rimpianti né dal dubbio di aver fatto la scelta sbagliata. Aveva costruito la sua vita e la sua famiglia sulla necessità di quel ritorno. Fra i pochi relitti dell'altro continente, ha lasciato a noi una scatola di lamette, qualche ritaglio di giornale, una manciata di parole esotiche, i suoi racconti e questo pezzo di metallo tagliente.

Mi rendo conto che non ho ancora capito chi fosse, Geremia. Un italiano d'America che nel 1936 abitava all'Ottantaduesima strada, che ce l'aveva fatta, e voleva solo che Diamante lo capesse. Che si tormentasse ogni giorno e ogni notte con questa certezza.

# Il mondo dei sogni

A ventiquattro anni Geremia Mazzucco divenne brutto, talmente brutto da essere destinato a una spregevole solitudine o a una compagnia mercenaria. Credeva di essere l'uomo più brutto del continente, ma solo perché non si era mai guardato bene attorno: per più di dieci anni, non aveva avuto un istante per farlo. Quando in ospedale i vicini di letto gli chiesero quale mestiere avesse fatto in America, per tutto questo tempo, Geremia sorrise e disse: ho fatto i soldi. E nessuno trovò che fosse un mestiere disprezzabile, mentre se avesse risposto che aveva fatto lo scavatore nelle fogne, il manovale e il minatore di carbone si sarebbero vergognati di dividere la camera con lui. A conti fatti, aveva perso un lembo di orecchio, un braccio (il sinistro era defunto), i capelli (ridotti a un lanuginoso lichene), e aveva guadagnato settemila dollari. A volte gli sembrava che il bilancio potesse essere positivo, perché era venuto qui per questo, dopotutto, ma più spesso lo assaliva un dubbio atroce, e si chiedeva se fosse valsa la pena di soffrire tanto solo per fare dei soldi. Inoltre nessuno sapeva dei settemila dollari che, diffidando dei banchi, dei banchisti e degli estranei in generale, portava cuciti nella camicia – mentre la sua bruttezza, purtroppo, era vistosa come un manifesto. Ma siccome Geremia era sempre stato un artigiano dello spirito, costruttivo e poco incline ai rimpianti, sapeva che i soldi avrebbero cancellato le cicatrici. Decise di tornare in Italia e di comprarsi non un podere al Tufo, come aveva sognato quando era partito, ma una moglie. Gli sarebbe piaciuto trovare una moglie capace di voler bene a lui e non ai suoi soldi, ma si rendeva conto che, ora come ora, considerando che la sua bruttezza sempre notevole era aggravata dopo l'incidente, considerando l'orecchio, il braccio morto e i capelli a muffa – era obiettivamente difficile. Ma in fondo l'amore è solo una parola – non si mangia e non si beve. Solo i soldi contano. Avrebbe comprato una moglie vergine, feconda e perfino bella, e sarebbe stato ricco e felice per sempre.

Passò da New York nel gennaio del 1912. L'oceano in pieno inverno, le burrasche e le montagne di ghiaccio lo spaventavano. Ma aveva fretta di tornare a casa e se avesse potuto ci sarebbe tornato volando. Gli sembrava di essere sul punto di nascere di nuovo. Stava per rivedere il padre, la madre, la sorella, i fratelli che lo avevano preceduto in America e già da tempo erano tornati. La bottega del padre, irta di chiodi, martelli e piedi di legno. La cucina buia in cui sua madre allestiva memorabili zuppe di pesce. La taverna in cui suo zio serviva il caffè corretto con l'anice. Qual era il suo posto, in quel quadro? Avrebbe comprato la licenza e aperto una rivendita di sali e tabacchi? Di vini e liquori? O avrebbe avviato un'impresa di costruzioni? C'erano cave di pietra buona, a Tufo. Ma per quanto si sforzasse, in quel quadro non riusciva a vedere se stesso. Rivedeva Geremia adolescente, mentre intimidito pendeva dalle labbra dello sbirro che doveva vistargli il passaporto. Non l'uomo di ventiquattro anni, con un gessato grigio di buon taglio, che sbirciava dietro le vetrine di un negozio di strumenti musicali, a Brooklyn. C'era un trombone, appoggiato su uno sgabello. Aveva il bocchino di corno intarsiato. L'ottone luccicava come oro. Era infinitamente più pregiato di quello che aveva venduto anni fa per andare alle miniere. Ne sentiva già il suono. Adesso poteva ricomprarselo. Poteva. Ma non aveva più un braccio. Non avrebbe mai più potuto suonarlo.

Mentre contemplava quel trombone, con il desiderio struggente di portarlo alla bocca e intravarirle la contiuno almeno un'altra volta – lesse sulla vetrina del negozio la réclame di una conferenza sulla guerra: *L'Italia in Tripolitania*. L'entrata era a parola libera – anzi, "essendo il tema d'attualità, pregasi i connazionali a intervenire in massa". La pubblicità prometteva realistiche visioni della vita sul fronte del deserto. Geremia non si era mai interessato alla patria e si era accorto di averne una solo quando l'aveva persa: ma si disse che, dal momento che stava per tornare, non gli avrebbe nuociuto aggiornarsi. Così si strappò dalla disperata contemplazione del trombone, si calcò il cappello in testa e s'avviò verso la sala riunioni della Federazione Socialista Italiana, al 1915 della Third Avenue, fra la Centoquinta e la Centosesta strada. Siccome non sapeva dove fosse la Libia né perché mai gli Italiani dovessero conquistarla, era felice di non essere su quel fronte. Lì però era accorsa la sua generazione – e lì, se non ci fosse stata la miniera, anche lui sarebbe dovuto essere. In Libia sarebbe dovuto andare Coca-cola, e perfino Diamante, se fosse stato richiamato.

Di Coca-cola aveva avuto notizie frammentarie e astiose dallo zio Agnello – il quale sosteneva di aver sempre saputo che suo figlio era un "mammalucco", tanto che perfino "quela scimia negra" lo aveva buggerato. Del cugino Diamante, invece, per mesi, nulla. Avevano ricominciato a scriversi qualche settimana prima. Per una allusiva simmetria di destino, si erano ritrovati tutt'e due in ospedale: Diamante a Denver, Geremia in Pennsylvania. Tutti e due soli, ammalati e grafomani. L'aspetto più strano di tutta la faccenda, al quale Geremia non aveva saputo dare una spiegazione, era che Diamante diceva di essere conosciuto in Colorado come Shimon Rosen, e perciò aveva dovuto scrivergli come se fosse quell'altro. Però le lettere di Diamante non sembravano scritte da Diamante, e nemmeno da Shimon Rosen, ma da un altro ancora. Il culmine della confusione si raggiungeva considerando che in quelle lettere malinconiche e deprimenti Diamante manifestava un'avversione disgustata per l'imperialismo e per la retorica dei governi, ma anche un patriottismo ardente, del tutto nuovo per lui che si vergognava a tal punto di dichiararsi italiano da essersi cambiato perfino il nome. Era, il suo, un patriottismo astratto, cerebrale: disperato. Nell'ultima lettera, il tizio che era stato Diamante spiegava con agghiacciante impersonalità di aver scritto il testamento (in caso di sua morte da ritrovarsi a pagina 47 di un certo libro di London Jack), perché le guerre offrono a chi non ha deciso come suicidarsi una causa molto nobile per morire. Geremia non aveva mai pensato di suicidarsi. Essendo sopravvissuto per miracolo a una catastrofe nella quale erano morti trentasei uomini della sua età, o perfino più giovani, era piuttosto convinto che lo aspettasse, quanto meno come risarcimento, una tranquilla e duratura felicità.

Quel giorno di gennaio del 1912 presenta un qualche interesse storico solo per il sanguinoso assalto dei beduini, nei pressi dell'oasi di Gargaresch, alla colonna del 52° fanteria, del 1° granatieri, degli zappatori e delle guide del reggimento cavalleggeri: marciavano tranquillamente e imprudentemente dai fortini verso le cave di pietra, dove avevano ricevuto l'ordine di costruire due ridotte per proteggere le cave necessarie ai lavori del porto, quando vennero assaliti e accoppati. Invece quel giorno ebbe un'importanza epocale per Geremia. Ignaro dei beduini e della strage, marciava lungo la Third Avenue verso Harlem e voleva solo riscattare le sue ferite. Il lavoro era sempre stato la sua guerra. La miniera, la sua trincea. Vita gli apparve d'un tratto sul marciapiede affollato, sbucando da dietro i piloni della ferrovia soprelevata. Gli veniva incontro. Era intabarrata in un pastrano da uomo e così assorta nei suoi pensieri che l'aveva oltrepassato senza riconoscerlo. Così sprofondata in se stessa da infischiarsene del nevischio che le infarinava i capelli, del traffico, delle ristrettezze – da sembrare invulnerabile. Quella ragazza aveva una forza che lui non conosceva. Una grazia che gli era negata. Era la visione bruna e abbagliante di una felicità possibile – diversa da tutte le felicità domestiche che stava per comprarsi. Geremia superò la sala riunioni e la folla che s'intruppava per la conferenza e non gli venne neanche in mente di fermarsi. Vita svoltò a destra. La seguì, zoppicando, un isolato dopo l'altro – finché dalle parti del fiume li avvolse una nebbia densa – la figura di lei appariva e svaniva come un miraggio. Non sapeva come rivolgerle la parola. Gli mancava un lembo di orecchio e il suo naso era ancora bendato. E temeva che una ventata gli facesse volar via il cappello, lasciandolo calvo e nudo davanti agli occhi esigenti della ragazza che non osava nemmeno sognare. Si accontentò di inspirare il profumo di polvere che vaporava dai suoi capelli spettinati e di contemplare l'andatura armoniosa e lieve del suo pastrano. A un tratto Vita si era fermata e, voltandosi di scatto, gli aveva chiesto, sorridendo: se non hai niente da dirmi, Geremia, perché mi segui? Non gli aveva chiesto cosa gli fosse successo al naso e lui gliene sarebbe stato grato per sempre.

Vita abitava in un'immensa costruzione di mattoni rossi affacciata sull'East River, che era stata una fabbrica di birra e ancora odorava di luppolo. Agnello l'aveva acquistata da qualche mese, trasformandola in un deposito. Agnello però non c'era: di giorno faceva i traslochi col carretto. Quando Vita lo spinse sotto l'enorme arco di pietra e lo fece entrare nel vasto locale avvolto nella penombra, Geremia non si tolse il cappello – con la scusa di una sinusite. Chi nasce favorito dalla sorte, provvisto di un naso di proporzioni modeste, di una dentatura completa, di una carnagione salubre, non conoscerà mai gli spasmi, i crampi, gli atroci aggrovigliamenti di budella causati dallo sguardo degli altri. Dallo sguardo evasivo della persona che, più di ogni altra sulla faccia della terra, vorresti che ti trovasse bello, affascinante, adorabile. Cosa che purtroppo non si verificò. Vita lo guardò con l'interesse che avrebbe dedicato a un lampione, e corse a riscaldarsi le mani sulla stufa.

Insolite accozzaglie di oggetti disparati emergevano dalla penombra come relitti di un naufragio. Coperti da teli macchiati di benzina, grigi di polvere. Bauli, librerie, gabbie per uccelli, macchine per il gas, cappelliere, scalette, divani, scrivanie, perfino un intero cinema: file e file di seggiole imbottite di velluto viola. Agnello non aveva voluto riaprire un ristorante. Non aveva voglia di vedere la figlia sgobbare per gli altri, sacrificando la vita per creare qualcosa che viene consumato in un attimo. Giunto ormai all'ultimo tentativo di indovinare la mossa giusta per fare fortuna, non aveva più energie. Ma Vita aveva avuto un'illuminazione. Gli americani traslocano continuamente. Non c'è niente di stabile, nelle loro vite. Non le loro città, che cambiano faccia ogni giorno, non i loro lavori, anche questi precari, non le loro classi sociali, variabili come azioni di borsa. Nemmeno i loro successi. Né i matrimoni, o le famiglie, disaggregate e disperse. Meno che mai le case. Gli americani migrano coi soldi, con le occasioni. Traslocano in altri quartieri, in altri sobborghi, città, stati – incapaci di fissarsi, accontentarsi o conservarsi. Di questi tempi, tutti si spostavano freneticamente, demolivano, abbattevano, costruivano villette, palazzi, grattacieli. I bianchi lasciavano downtown, gli irlandesi l'east side, i cinesi migravano da ovest, i tedeschi salivano a midtown, nelle case lasciate vuote dagli americani che si sistemavano di fronte al Central Park. Gli italiani traghettavano a Chelsea e a Bryant, gli ebrei nel west side, i negri scendevano ad Harlem, i portoricani si installavano nei basamenti abbandonati dai dago, gli artisti nelle soffitte del Greenwich Village, i clandestini nelle case di legno fatiscenti rimaste vuote sulla Bowery. Siccome, mentre tutti si muovevano, lei restava ferma, Vita aveva suggerito al padre di farsi pagare per ospitare le case degli altri.

Vita scomparve dietro un letto monumentale, staccando la vischiosa geometria di una ragnatela che pendeva fra le cortine del baldacchino. Disse a Geremia di accomodarsi: era questa la loro casa. I loro mobili erano stati rovinati dalla bomba, e li avevano venduti come legna da ardere. Adesso, in compenso, avevano svariati salotti, decine di camere da letto e perfino cinque vasche da bagno con i piedi di bronzo.

Per non doversi separare dalla ragazza che Diamante non aveva potuto o voluto tenere, Geremia curiosò fra gli oggetti che s'accatastavano in quel magazzino immenso. Era pieno, e perciò evidentemente lo zio Agnello si era risollevato ancora una volta. Geremia pensava di assomigliargli. Non si lasciavano atterrare da niente, e avevano spaventato perfino la morte. Vita disse che non aveva più bisogno di inventare bugie, perché esse si realizzavano, né di spostare gli oggetti, perché essi venivano a lei. Questo era il mondo dei sogni. Abitava luoghi ipotetici – possedeva centinaia di vite. Aveva case d'antiquariato e scarti di frettolosi traslochi, pendole, quadri, tappeti e mappamondi. Biblioteche intere e gufi impagliati. Passava da una vita all'altra solo facendo un passo: poteva vivere da principessa e prendere il tè negli interni delle case della Quinta, nelle quali non sarebbe mai entrata – e non c'era differenza, non aveva nessuna importanza. Geremia sfiorò con la punta delle dita una specchiera opaca che lo graziò dal rimandargli la sua immagine. Case, case, case. E nessuna per te e per me.

Gli sembrava di vagare in un gigantesco deposito di oggetti smarriti, in una discarica di sogni rinviati, parcheggiati o falliti. Tuttavia il nome del vero oggetto smarrito – Diamante – in quella penombra non era stato ancora pronunciato. Geremia affondò il pugno nella tasca del cappotto, temendo che da un momento all'altro lei gli chiedesse, candidamente: E tuo cugino? Dov'è? Come sta? Ha un'altra? E invece Vita non lo chiese. Gli sembrò onesto tacerle che Diamante gli aveva scritto. Tacerle della sua malattia. Lui stesso era stato, e forse era ancora, malato: sapeva che è insopportabile la compassione altrui. Non avrebbe saputo spiegarle, del resto, come nelle sue lettere Diamante avesse trovato il tempo di chiedere di Nicola e perfino di Agnello, e non di lei – anzi, quando Geremia gli aveva proposto di partire insieme da New York, Diamante aveva risposto che se mai avesse deciso di tornare in Italia sarebbe partito da Boston, da Philadelphia o perfino dal Canada, ma New York la odiava e non voleva rivederla manco morto. Geremia aveva capito immediatamente, con una fastidiosa angoscia, che mentre scriveva New York Diamante pensava: Vita.

Così accennò solo che Diamante se n'era andato in Colorado. Era un bastian contrario, un misantropo – un idealista. Cercava battaglie nelle quali sarebbe stato sconfitto, e nemici senza misericordia che lo avrebbero sopraffatto, e ne avrebbe sempre trovati – mentre in realtà era diventato il più spietato nemico di se stesso. Vita non mostrò il minimo interesse per la sorte di Diamante, e lui fu sollevato che il loro fosse stato un amore da ragazzini, profondo, ma dimenticato. Che poteva sapere quel pomeriggio? Vita aveva lasciato cadere il suo nome come una pietra in un pozzo – l'aveva lasciato affondare nel silenzio. Non sembrava turbata. Era la solita Vita – arruffata, dinamica, distratta. Luminosa. Bella. Io sono diverso da mio cugino, aggiunse, con apparente modestia. Sei lo zio Tom – rise Vita. Forse sì, rispose Geremia. Ma sai una cosa? Lo zio Tom ha i piedi per terra – e un tetto sulla testa. Vita alzò le spalle. A forza di tenere i piedi per terra, gli esseri umani hanno perso le ali.

Al Club Avanti! a quell'ora il conferenziere mostrava diapositive, commuoveva la platea illustrando gli orrori necessari della guerra, ma Geremia continuò a vagare fra i mobili di quelle case in cui non avrebbe mai abitato perché Vita non lo cacciasse sotto il nevischio. E quando uscì dal deposito non andò all'agenzia di navigazione e non comprò il biglietto per il ritorno. Continuava a pensare che lui non era nato per ospitare i sogni falliti degli altri, ma per realizzarli. E se Diamante preferiva morire in un ospedale di Denver piuttosto che ammettere di non riuscire a immaginarsi una vita senza Vita, e se Agnello non aveva la forza né i mezzi né la fantasia per costruire le nuove case e i nuovi quartieri, lui aveva settemila dollari cuciti nella camicia, sotto la tasca sinistra, vicino al cuore.

Se gli avessero chiesto perché rimanesse a congelare nel feroce gennaio di New York, quando avrebbe già potuto passeggiare lungo il corso di Tufo, e scegliersi la moglie, e la casa nuova, Geremia avrebbe semplicemente spiegato che non aveva trovato posto sul piroscafo: lui avrebbe viaggiato solo in seconda classe, e non in terza, perché così dimostrava alla gente rimasta a Tufo quanta strada aveva fatto lasciando quel buco pieno di fango. Ma nessuno glielo chiese – perché Vita, presso la quale trascorreva i suoi ultimi sfaccendati pomeriggi americani, non gli faceva domande. Lasciava che la aiutasse a riordinare gli schedari con gli scontrini dei clienti, compiacendosi della sua discrezione. Geremia era preciso, ordinato e silenzioso. All'inizio non capì perché mai Geremia non se ne andasse in giro per New York, godendosi finalmente questi suoi ultimi giorni d'America. Non la interessava Geremia, ma aveva perso interesse per tutti gli uomini. Li giudicava prepotenti, vili ed egoisti. Non voleva diventare la moglie di qualcuno, né dipendere dagli umori e dai capricci di un marito. Aveva già una famiglia, e non ne voleva un'altra. Non aveva bisogno di nulla per essere felice, e le sembrava anzi di aver capito che la felicità consiste proprio nel sacrificio di se stessi. Perché quando uno cerca di soddisfare la felicità in modo egoistico, e cioè rincorrendo l'amore, le comodità, la ricchezza e chissà che altro, può succedere che le circostanze della vita si dispongano in modo tale che sia impossibile soddisfare tali desideri. Invece la felicità consiste proprio nel vivere per gli altri. Stranamente il suo desiderio non era stato ostacolato dal padre, che lei invece temeva disposto perfino al sacrificio di comprarle un marito per cancellare la vergogna di cui si era coperta. Perché le aveva insegnato che una donna sola è una cosa misera e sprecata. Invece Agnello si era rassegnato ben volentieri all'idea che la sua unica figlia si dedicasse ad accudirlo nella imminente vecchiaia. Era ciò che aveva sempre desiderato, e il vero motivo per cui aveva chiamato Vita in America.

Vita del resto non aveva molte occasioni per cambiare opinione. Aveva perso di vista le sue ex-compagne di collegio, e a New York non conosceva nessuno. Era quasi sempre sola. Pure, al deposito era capitato qualche cliente scapolo – avvocati, medici e notai in procinto di trasferirsi in qualche cittadina della costa, italiani, ma anche americani: i primi, all'infuori dei poliziotti e degli assistenti sociali, coi quali avesse scambiato qualche parola. La incuriosivano come i corridori del deserto che ciondolavano allo zoo di Brooklyn – animali esotici di una specie alla quale sentiva di non appartenere. Era venuto anche qualche amico di Nicola o qualche compaesano intenzionato a pigliarsi una moglie italiana. E se quelli, scoraggiati dalla sua indifferenza, si erano eclissati dopo qualche visita – raccontando alle sue spalle di Vita la matta, Vita la superba, Vita la puttana – Geremia Mazzucco quella indifferenza la sopportava. Se ne stava seduto sull'orlo del divano, rigido, grattandosi distrattamente la guancia. La barba gli disegnava un'ombra selvatica sulla mascella – ma non bastava a farlo sembrare un duro. Geremia non sembrava un cow-boy, né un vagabondo: solo un italiano peloso che dovrebbe farsi la barba due volte al giorno. Benché da mesi ormai non lavorasse in miniera, la sua carnagione aveva ancora un aspetto malsano, e i suoi occhi neri spiccavano nel giallo come due semi in una mela avvizzita. Si era rifatto il guardaroba, ma indossava il suo completo nuovo con la goffaggine di uno che l'abbia noleggiato al negozio di Max Willner. Eppure non era prepotente né violento, né stupido, né falso e mellifluo, né orgoglioso, irascibile e testardo.

Quando, un pomeriggio di gennaio, Vita sentì il suo sguardo sulle mani e sulla bocca, ebbe l'impressione di percepire il battito del suo cuore. Chiedergli di andarsene – di dimenticarla – sarebbe stato come troncare i cavi del montacarichi, e lasciarlo precipitare tra le fiamme. Si rese conto che Geremia le stava chiedendo di farsi carico della sua vita. E lei non doveva accettare anche questo. Non aveva colpa di quello che gli era successo. Aveva già accettato la propria. Il peso delle recriminazioni altrui, che aveva scavato una voragine dentro di lei. Il desiderio di essere punita, di punirsi, di *sacrificarsi*.

Vita gli chiese se si ricordava quello che le aveva chiesto due anni fa. Geremia annuì, arrossendo. Bene, accettava la sua proposta. Lo avrebbe considerato suo amico. Amico? ripeté lui, incerto. Il resto se lo porta il vento, disse Vita, l'amicizia è per sempre.

Per mascherare le cicatrici Geremia s'avviluppava in sciarpe e cappotti e cercava sempre il conforto della penombra – eppure proprio le cicatrici costituivano per Vita l'elemento più affascinante del suo viso. Un viso che era stato banale, e somigliava a milioni di altri – ma che ormai era diventato unico, inconfondibile e speciale. Naturalmente non poteva dirglielo. Il suo ultimo ricordo di Lena era una mano bianca, che sporgeva tra le lenzuola del Bellevue. Una mano scarabocchiata di segni misteriosi come un foglio di carta. Vita sapeva che era stata lei a disegnare quella mano e non riusciva a distogliere lo sguardo. Avrebbe voluto afferrarla, stringerla, scuoterla – e non l'aveva fatto. Non era riuscita a chiedere a Lena di tornare a casa, né almeno di perdonarla. Lena aveva girato il viso verso il muro e, per un istante, la sua mano era rimasta visibile. Poi l'aveva lasciata scivolare sotto il lenzuolo. Per anni Vita l'aveva cercata in tutta la città, ma non era riuscita a sapere più nulla di lei. L'aveva persa. E col passare del tempo si era formata la strampalata convinzione che quelli che hanno attraversato le fiamme e sono riusciti a tornare conoscono un segreto che non vogliono condividere. Il segreto che Lena aveva promesso di svelarle, ma che non le aveva svelato: come vivere al di là del dolore. Come sopportarlo.

Un pomeriggio, mentre Vita spolverava i mobili col piumino e Geremia s'affannava ad aiutarla, per caso si urtarono e lei non riuscì a impedirsi di toccare il suo braccio defunto, che aveva il colore rosato e grigiastro delle zampe dei topi. Geremia balzò indietro, e fece per allontanarsi, ma Vita allungò la mano verso lo gnocco che spuntava dal fazzoletto e infilò le dita sotto la stoffa. Da quando era uscito dall'ospedale, nessuno aveva mai toccato la pelle di Geremia.

L'affettuosa disinvoltura con la quale Vita accarezzò il suo braccio defunto gli dimostrò che era ancora in grado di piangere. Seppe con assoluta certezza che Vita non lo avrebbe respinto, e che a lei un giorno avrebbe raccontato *veramente* l'incidente della miniera, che finora non aveva mai raccontato neanche a se stesso. Lo riviveva nei momenti in cui la sua coscienza si affievoliva, nel dormiveglia, dopo due bicchieri di vino o dopo un'emozione intensa. Allora era di nuovo in fondo al tunnel – che dopo lo scoppio era un utero buio, invaso da urla e gemiti. Intrappolato trecento metri sottoterra, sepolto in un cunicolo tra fango e corpi, nel buio più disperante. Vivo e folle di terrore, con la lampada rotta sull'elmetto e il viso graffiato dalle pietre che gli erano schizzate in faccia quando tutto era esploso. Correva picchiando contro le pareti, cadendo, ferendosi, battendo la testa, inciampando, urlando perché la sua stessa voce gli facesse da guida. Poi, da qualche parte, in fondo al buio, lontano – un bagliore: rosso. All'inizio sperò che fosse il sole. Che la miniera si fosse scoperchiata, restituendogli la luce del giorno. Era il fuoco. Bruciava tutto. Un calore asfissiante scioglieva il metallo, mozzava il respiro. Corre in direzione del fuoco, perché nel chiarore abbagliante ha intravisto l'uscita dal pozzo – là dove, ogni mattina alle sette, li deposita il montacarichi prima che s'inoltrino nelle viscere della montagna. Lui scende sempre per ultimo perché è il caposquadra e prima conta i suoi uomini. Corre verso il montacarichi perché teme che gli altri – che sono in qualche modo riusciti a salire – non lo aspettino, magari per vendicarsi di qualche sua tirannia, pretesa o abuso, e premano il bottone che li porterà in salvo, lasciandolo a bruciare nella miniera in fiamme. Urla – aspettatemi fratelli! – corre, inciampa, cade, piange, vede sfuggirgli l'ultima speranza, col montacarichi che s'è già staccato, sta già salendo, e oscilla a due metri da terra. Tende le mani, non mi abbandonate, non mi abbandonate. Gli altri lo riconoscono, molti sono della sua squadra – salta, capo! salta! – urlano, lo afferrano per le braccia, mani sudate, insanguinate, scivolose, sono sul punto di perderlo, non lo perdono, non molla, non lo mollano, sale verso l'alto appeso nel vuoto, mentre il fuoco irrompe nel pozzo e, alimentato dall'ossigeno che scende dall'alto, divampa.

Ora è sulla piattaforma – aggrappato ai cavi di ferro, con gli altri. Urlano tutti, col viso verso l'alto, come se potessero sentirli, là sotto – tirateci fuori, tirateci fuori, presto! Non serve, perché la velocità del montacarichi è prestabilita e non si può modificare. Le corde di ferro cigolano, le fiamme lambiscono la piattaforma. L'azzurro del cielo, là sopra, è lontano come un quadro. A meno novanta il calore azzanna i piedi – squaglia gli scarponi. Tutti si accalcano, si spingono, impazziti, nel panico qualcuno tenta di sfondare la gabbia e issarsi sulle funi – uno cade e precipita nel vuoto. A meno settanta qualcuno si accascia, vinto dal calore. Geremia lo calpesta, tutti lo calpestano, perché frapponga il suo corpo, perché la sua carne faccia da schermo alla loro – le scintille schizzano e danzano nel risucchio di vento, finché il fuoco s'avvinghia ai calzoni. Il rombo dell'incendio sovrasta le urla, a meno cinquanta ha la manica in fiamme, e schiaccia un compagno svenuto, si strappa di dosso la tuta, si sputa addosso, come se la saliva potesse spegnere l'incendio, a meno quaranta il fuoco avvolge la piattaforma – è come una pira – un tornado, una tromba d'aria – al centro arde con meno vigore, le funi avvampano, quelli che sono riusciti a sgattaiolare in alto, guadagnando due metri di metallo, cadono con le mani mineralizzate, ridotte alla nudità delle ossa – a meno trenta ha la pelle che arde come una torcia, i capelli che bruciano stridendo, emana un odore di tizzone, di pollo arrosto, non urla più – cade.

Settanta giorni dopo, quando lo dichiarano fuori pericolo, la prima cosa che Geremia chiede non è uno specchio – non vuole sapere cosa resta del suo corpo. Gli altri? mormora. La mia squadra? I miei ragazzi? Nessuno gli risponde. Nell'esplosione della miniera sono morti in trentasei. La più catastrofica sciagura dai tempi di Pittsburgh e Marianna, che provocò centotrentanove morti nel novembre del 1908 – o di Cherry, nel 1909, che ne provocò più di duecento. Alcuni non li hanno mai trovati: sono rimasti seppelliti dai crolli, in qualche punto, nel buio della terra. Ma quelli del montacarichi? Quelli del montacarichi? *Salta, capo, salta!* Quelli del montacarichi? Sette mesi dopo, quando lascia l'ospedale, non ha più capelli – ricominciano appena a spuntare, come una lanugine. Ha un braccio inservibile, impotente, defunto, la narice destra raggrinzita, l'orecchio corrispondente manca della parte superiore. La luce lo ferisce e gli odori lo nauseano. Solo allora verrà a sapere che non si è salvato nessun altro. Quando il montacarichi è arrivato all'imbocco del pozzo, avvolto dalle fiamme, i pompieri le hanno spente con gli idranti – s'è levata una nuvola di fumo, nero, oleoso, greve, che è ricaduta sulle tute e sui visi dei soccorritori. Quando il fumo s'è disperso, c'era un grumo di corpi, membra fuse, carbonizzate, sciolte – erano tutti morti. E c'era, su quel mucchio di cenere e carne, un corpo annerito che fumava. Eri tu.

Vita sfiorò con le mani il lembo dell'orecchio mordicchiato dal fuoco, la narice raggrinzita, la pelle del collo liscia come quella di un bambino, e perfettamente bianca. Gli sorrise. Geremia non disse niente. Era una giornata tersa – il vento aveva trasformato il cielo in uno smalto blu. Dalle vetrate dell'antica fabbrica il sole dilagava in raggi compatti. Qui c'era il buio, laggiù la luce disegnava sui divani e sugli attaccapanni presenze illusorie – evanescenti. Quando Geremia uscì dal deposito, non si diresse alla pensione, ma verso il molo. Estrasse dal cappotto una busta gialla che sembrava piena di cartone, nella quale custodiva gelosamente le fotografie delle sue spose. Da quando era diventato caposquadra alla miniera di carbone, madri smaniose di condividere la sua ricchezza gli avevano spedito da Tufo e dintorni decine di fotografie delle figlie, delle nipoti o delle pupille di cui erano madrine. Le ragazze facevano a gara per sembrargli appetibili. Ragazze di paese, ragazze semplici – fedeli. Vergini che sognavano un marito invalido, ma benestante. Con i dollari che la compagnia mineraria gli avrebbe dato come indennizzo per il montacarichi in fiamme, ma anche solo con i settemila che aveva risparmiato, in Italia sarebbe stato un uomo in vista – un notabile, un possidente. Per sempre, perché in Italia gli stati sociali sono permanenti, e niente – né la fine di un regno né una guerra e nemmeno la morte può cambiare le cose. Per questo lui era venuto in America, e per questo dall'Italia non sarebbe ripartito mai più. Sorrise, guardando il sorriso impacciato della nipote diciottenne di chissà quale suo parente, compare, padrino. Nella foto, scrutava verso l'obiettivo come se lo cercasse. Quello sguardo docile e mansueto spiegava quanto la ragazza fosse pronta, predisposta e rassegnata ad amarlo. Ma lui non sapeva cosa farsene, di una moglie così. Rigirò fra le mani quel pacchetto color seppia. Non le avrebbe sposate. Non avrebbe nemmeno mai saputo il loro nome. Era sopravvissuto. Non sarebbe riuscito mai più ad accettare la vita che aveva lasciato bruciare su quel montacarichi. Voleva l'altra, quella che aveva intravisto nel riquadro azzurro, novanta metri sopra la sua testa. La donna cui raccontare la verità e capace di sopportarla. Non infilò il pacco nella vecchia busta gialla: la strappò e gettò le fotografie nel fiume. Le sue mogli andarono alla deriva fra torsoli di mela e chiazze di petrolio. Scivolarono sull'acqua torbida – dondolando, mostrando ai marinai che manovravano le chiatte del legname i capelli acconciati all'antica, le tovaglie bianche, le mani paffute. Mostrarono all'indifferente cielo terso di gennaio il suo futuro a Tufo – il suo ritorno. Poi finirono risucchiate nella scia di una barca a vapore, si capovolsero e scomparvero. Geremia fissò il pulviscolo che flottava nei raggi di sole e sembrava evaporare verso le alte fiancate dei piroscafi. Nel mondo dei sogni c'era un posto anche per lui. Era passato indenne attraverso le fiamme – come gli eroi e i guerrieri delle storie che ti raccontano da bambino. E toccava a lui il premio più ambito. A lui, Vita.

# Il naufragio del Republic

Il sabato pomeriggio, l'agenzia immobiliare che Geremia e il socio Celestino Coniglio avevano aperto sulla Lenox Avenue restava chiusa, e dopo pranzo lui se ne veniva lentamente fino al deposito. Fingeva di voler aspettare che lo zio Agnello tornasse dal bar dove andava a giocare a briscola, ma poi lo coglieva l'impazienza. Lui e Vita andavano al cinema, perché a forza di frequentarsi tutti i giorni avevano esaurito gli argomenti di conversazione, e il buio della sala favoriva colloqui silenziosi – regalando a entrambi una piacevole intimità: a Vita i suoi pensieri, a Geremia la vicinanza di lei. In Italia non sarebbero mai potuti uscire insieme, da soli. Ma qui nessuno se ne stupiva. A New York c'erano centinaia di cinematografi. Videro commedie, drammi, storie di rapine e al Fair Theatre, sulla Quattordicesima strada, perfino l'*Inferno* di Dante della Milano Motion Photograph. Videro decine di film di cow-boy. *Broncho Billy's heart, Broncho Billy's promise, Broncho Billy's mexican wife.* A Vita piaceva pensare che mentre Broncho Billy scompariva in sella al suo cavallo fra le ombre lunghe del tramonto, da qualche parte, dietro lo schermo, c'era anche Moe Rosen, il ragazzo ebreo che una volta aveva dipinto per lei e per Lena una finestra sul muro cieco della cucina.

Alla Bella Sorrento, a Thompson Street, con rappresentazioni continue dalle nove del mattino a mezzanotte (ingresso quindici centesimi), davano le "scene cinematografiche che ripetono intera la vita del brigante Giuseppe Musolino". Geremia detestava le storie di briganti – lo irritava profondamente l'idea che gli italiani sapessero far parlare di sé in questa parte del mondo solo quando si mettevano contro lo stato, la legge e l'ordine. Cosa che succedeva a uno su cento, mentre degli altri novantanove, fra i quali annoverava se stesso, non si parlava mai. Ma quando Vita scelse Musolino, si rassegnò. Non era l'unico sacrificio che era disposto ad affrontare per lei. Aveva calcolato che un amico impiega qualche mese, nel peggiore dei casi un anno a diventare un marito. Deve rintuzzare gli attacchi, combattere con gli altri uomini che il caso le spingerà fra le braccia, dimostrare coi fatti di essere preferibile – attenendosi al più ascetico codice morale, che prevede solo lealtà, devozione e fedeltà a oltranza. Poi videro l'affondamento del Republic, e Geremia capì di aver sbagliato tutti i calcoli. Avrà i primi capelli bianchi. Lui sarà un uomo d'affari, proprietario della società immobiliare di cui oggi possiede solo una modesta filiale, e Vita una donna prossima alla trentina che avrà consumato fino in fondo il tempo dell'attesa – talmente abituata alla solitudine da desiderare di condividerla. Ci avrebbe impiegato anni, per trovare la strada che conduceva a Vita.

Fu nel corso di un lugubre documentario sull'Italia, intitolato: *Notizie da casa*. Ma da casa di chi? Il film offriva le sconvolgenti immagini del terremoto dell'Irpinia – la devastazione di Sant'Angelo dei Lombardi, Lioni, Calitri. La partenza dei soldati per la Libia. Quel pomeriggio di febbraio, mentre seduta nel buio accanto a Geremia si sforzava di indovinare in quale punto del porto di Napoli avessero girato quelle immagini, per la prima volta dopo molti anni a Vita capitò di ripensare a Tufo. S'accorse che ben poco era rimasto – qualche suono frammentario, come il richiamo del tunìvularu che risalendo per il borgo agitava il paniere delle telline gridando «tunivole rosse e fresche» – o il crepitio della pioggia sulle tegole di casa, il fischio del treno che sfrecciava nella pianura, passando con uno sbuffo di fumo il ponte sul Garigliano. Lo zoccolare di un carro sulla via Appia costeggiata da pini, il mormorio degli ulivi nella campagna, frammisto allo scampanio del vespro alla chiesa di San Leonardo. Alcuni volti, quello color fegato della guardia carceraria, quello color sterco del capraio, che scendeva dalle montagne circondato da una turba di cani feroci e inverecondi. Qualche odore, l'incenso della piccola chiesa, un mandarino sbucciato. Un limone appena colto.

Il profumo aspro di quel limone assaporato chissà quando le riportò, dal ripostiglio più remoto della memoria in cui si era custodita e nascosta finora, l'immagine nitida di un albero proteso su un antico pozzo di pietra. Ricordava chiaramente l'oscurità gelida di quel pozzo, in cui si perdeva la corda. Il tonfo del secchio nell'acqua invisibile. Qualcuno coglieva dal ramo più basso quel frutto giallo, poroso, compatto, lo spaccava con un coltello. E le appoggiava una fetta trasparente sulla lingua. Lei beveva l'acqua ghiaccia dal secchio, succhiando la fetta di limone. L'acqua aveva un sapore acerbo e selvatico. Quel qualcuno era Diamante. I suoi occhi azzurri bucavano la colpevole oscurità della memoria.

Sono così vicini che lei, più di tutto, vuole toccarlo, ma esita: in qualche modo sa che se lo cingerà con le braccia stringerà il freddo, le sue mani lo attraverseranno e lui si dissolverà in nebbia, luce, fumo. E a un tratto Diamante è sparito. Sente una pressione soffocante intorno al cuore. No, no, no – dice una voce dentro la sua testa. Lo chiama. E quando apre gli occhi si ritrova, con il cuore che martella come un metronomo impazzito, nella galleria di un cinema di Harlem, a fissare una scialuppa che oscilla sulla fiancata della nave Republic – e un giubbotto vuoto che galleggia sulle onde dell'Atlantico, sul quale la salsedine ha ormai stinto la scritta White Star Line.

Sullo schermo scorrevano le immagini del naufragio del Republic. Settanta miglia a sud del faro di Nantucket, fra le sei e le sette del mattino, in un giorno nebbioso come questo, il 23 gennaio del 1909, il Republic era stato speronato da una nave italiana. La prua del Florida era penetrata a fondo nel fianco del transatlantico inglese. Il meraviglioso Republic imbarcava acqua. Nel giro di un quarto d'ora la sala macchine era completamente allagata. Il telegrafista batté l'SOS. L'equipaggio ebbe l'ordine di evacuare la nave. La guardia costiera mandò un rimorchiatore, per trainarlo in porto – ma non ce ne fu il tempo. Il Republic s'inclinava a babordo, la poppa era già sommersa. La nave era piena di malati, perché si parte in gruppo, e quasi sempre si torna in compagnia della polmonite, della tubercolosi, della sifilide. Prima evacuarono i duecentocinquanta passeggeri di prima classe, fra i quali molti milionari americani che andavano a svernare in Costa Azzurra, la contessa Pasolini e lo scrittore John Baptist Connolly. Poi i duecentoundici di terza – i ritornanti. Passeggeri assiderati si accalcavano sul ponte. Marinai ripiegavano i teloni. Le scialuppe di salvataggio si riempivano, e venivano calate in acqua. I passeggeri indossavano i giubbotti di salvataggio. *Quei* giubbotti – con la stella bianca stampata sulla stoffa. *Quella* scialuppa – con la prua affilata che affrontava, per la prima e unica volta, le onde.

Geremia non seguiva l'angosciante affondamento del Republic, orgoglio della White Star Line – che, ormai desolatamente abbandonato, col solo capitano arroccato sul castello, s'impennava, levando la prua verso le stelle, e colava a picco in fondo all'oceano. Lasciava che il film barbagliasse sui volti attoniti degli spettatori. Quella nave non significava niente, per lui. Guardava Vita. Lei gli chiese, allarmata, se aveva parlato nel sonno. Geremia deglutì, ma rispose di no. Poi si chinò su di lei e col fazzoletto le asciugò le lacrime che – non se n'era nemmeno accorta – le scorrevano lungo il viso. Allora Vita si ricordò di aver urlato il suo nome e che quel suono l'aveva fatta piangere. Diamante.

Era la nostra nave. Quella che ci ha portato qui. Era nuova, era meravigliosa – era intatta. Adesso sprofonda nella sabbia dell'oceano. Sventrata dalla violenza di un colpo che non poteva prevedere. Spezzata in due. Sarà già coperta di ruggine. Sbattuta dalle correnti. Penetrata da ogni onda – ogni tempesta, ogni marea.

Perché piangi, Vita? È solo una ricostruzione, e mal fatta, per giunta. Un modellino in una piscina. Manichini. Ma non capisci, Geremia? Diamante e io ci abbiamo navigato davvero, in quella scialuppa – dieci anni fa. Volevamo stare insieme, dopo la terza campana non ci siamo separati, siamo rimasti tutta la notte nella scialuppa di salvataggio, stringendoci l'uno all'altra per il freddo, avevo nove anni, non sapevo niente, non abbiamo fatto niente di male, o di bene, non lo so, dovevamo toglierci di lì, dovevamo bussare alle vetrate dei saloni di prima classe. Qualcuno ci avrebbe sentito, c'erano decine di camerieri, anche di notte. Ci avrebbero aperto. Non ci avrebbero punito. Io avrei pianto un po', e loro sarebbero stati indulgenti con una bambina. Non potevamo restare. Faceva troppo freddo e c'era burrasca. Le funi cigolavano. Quelle scialuppe non erano per niente sicure. Potevano sganciarsi, e cadere giù. Eppure non ce ne siamo andati. Non volevamo tornare là sotto. Chiusi come in prigione. Abbiamo fatto a modo nostro. Quel posto ci piaceva e ci siamo rimasti. Rannicchiati contro il bordo dello scafo. Il giubbotto di salvataggio odorava di muffa e di mare – e da allora quell'odore significa Diamante, per me. Quella notte, Diamante ha deciso che un giorno diventerà marinaio. Prova a vederci. Soli. Una bambina con i capelli color inchiostro. Le mani sporche, le guance rigate di polvere. Il vestito a fiori macchiato di sugo, di caffè, le calze rattoppate, lo scialle pieno di buchi. Un ragazzino che non possiede nient'altro che un berretto con la visiera, la federa di un cuscino piena di cianfrusaglie e il suo sorriso. Non avevamo niente da perdere e tutto da trovare. A un tratto siamo scoppiati a ridere: abbiamo capito perché non potevamo riconoscere la stella bianca nel cielo. Ce l'avevamo addosso. Stampigliata sulla stoffa dei giubbotti di salvataggio. Nulla poteva accaderci, e nessun pericolo ci minacciava. Stavamo rannicchiati sul fondo della scialuppa – cercavamo tepore – lui combaciava con le mie linee, aderiva alla mia schiena. Ho scoperto quella notte come due corpi si completano, e divisi sembrano mutilati.

Ci hanno trovato il giorno dopo, assiderati. Un cane, sai. Fu il cane di un passeggero di prima classe a sentirci. Cominciò ad abbaiare, vennero gli ufficiali di bordo, calarono la scialuppa sul ponte, ci trovarono. La brina si era condensata, ghiacciandosi, una crosta sottile si era indurita sui giubbotti, sui capelli, sui nostri vestiti. Fu una notte gelida, il termometro scese sotto zero, passavamo al largo di Terranova, ma che vuoi che ci importasse la geografia, per noi c'era solo una riva, e l'altra, e in mezzo l'acqua, e noi lassù – altrimenti, chi lo sa, forse saremmo morti così. E la cosa più strana è che oggi ho pensato, se il cane non avesse abbaiato, saremmo rimasti sul fondo di quella scialuppa, all'inizio di tutto, eravamo così vicini quella notte, io e Diamante – dentro un universo vuoto, possibile, pieno di spazio, e dentro quell'universo noi, intatti – e ho desiderato non essere stata scoperta, non essere mai trovata.

Geremia tacque. Che cosa poteva dirle? Preferì non accompagnarla al deposito. Disse che si sentiva stanco, aveva sempre lavorato troppo. Non aveva la forza di restarle accanto. Aveva un cuore solo, ed era già andato in mille pezzi. Vita gli strinse la mano sana – una stretta fra soci d'affari, brusca, energica e sbrigativa – e s'allontanò. Lui rimase a fissare il suo pastrano – e i capelli scuri che ondeggiavano sulle spalle. Voltati, voltati, *voltati*. Vita non si voltò, e scomparve all'incrocio – inghiottita da un mare di folla.

Ma non tornò nel mondo dei sogni. Si diresse verso il porto, strapazzata, percossa e confusa dal vento che spazzava quelle strade innaturali, senza curve, senza deviazioni e senza sorprese. Si fermò sulle banchine, a fissare l'incessante movimento degli uomini che scaricavano i bastimenti.

I magazzini proiettavano sull'East River ombre nere, perfettamente buie. Un'umidità gelida trasudava dai muri grigi di questa città, alla quale sentiva di appartenere, ma alla quale nulla la ancorava. Vita invisibile per gli abitanti di questo paese. Vita ospite. Vita sconosciuta. Onde iridescenti di petrolio sciabordavano, agitate dal passaggio delle barche. Strane prigioni ci rinchiudono, a volte – e non riusciamo a vederne le pareti, gli spiragli, le porte. Da esse, è difficile fuggire.

Quel pomeriggio di marzo, decine di navi incrociavano nel braccio di fiume. Le sirene dei piroscafi, dei battelli e delle chiatte si chiamavano l'una con l'altra, per segnalarsi a vicenda la rotta. La foschia aleggiava sull'acqua come fumo. Un asino volava. Appeso a un argano, fasciato dalle funi, pazzo di terrore, si avvitava su se stesso, volando nell'aria densa di nebbia. Poco oltre, un battello della guardia costiera frugava l'acqua con un proiettore – come se stesse cercando qualcosa – o qualcuno. Una folla agitata si sbracciava sulle banchine, indicando uno straccio sballottato dalla corrente. La luce del proiettore vorticava – illuminando ora il fiume ora la folla, ora la barca a motore della guardia costiera, ora lei stessa. Le girava la testa. Provò a trattenere l'immagine di Diamante, non ci riusciva. La sua mente non fissava il ricordo del suo aspetto. Era come la brezza che soffiava sull'acqua – lui si scomponeva in piccoli cerchi, tremolava e si dissolveva sulla superficie della coscienza. Doveva rivederlo.

Anche una volta sola. Sapere. Chiedergli perché – cosa aveva deviato il corso della loro esistenza, dove i binari saldati insieme per sempre si erano divisi. O forse no. Che importanza aveva ormai chiedergli, spiegargli, giustificarsi? Cingerlo, guardarlo. Toccarlo. Il suo nome era circondato da uno scintillio. Lo scintillio era la sua assenza – ma a lei sembrava luce. Era la semplice luce del fanale che s'allontanava, dalla quale ogni cosa era adesso illuminata – la nebbia e le navi, l'argano e l'acqua, ogni straccio e ogni passante, ogni finestra e ogni muro.

# Ti scrivo da un posto dove non sei mai stata

Sulle pareti esterne del bungalow galoppavano cavalli dalle folte code verdi, uccelli bianchi ascendevano in un cielo purpureo cosparso di stelle nere, e fluttuanti spose danzavano negli abissi di un oceano viola. Le stravaganti figure le aveva dipinte Moe Rosen per vestire la nudità del suo alloggio, e offrire alla donna che ci fosse venuta tutto ciò che avesse desiderato. Accumulandosi con gli anni, avevano finito per cancellare il legno, inglobare le finestre e trasformare la sua baracca in un mondo affollato e sovversivo, nel quale tutto sembrava possibile – ogni accostamento sensato, ogni incrocio felice. Quando la pioggia s'abbatteva sulle assi, filtrava sulla branda direttamente dall'oceano, e nevicava sulle groppe dei cavalli. Quella baracca riparava dalla realtà, e la respingeva lontano.

Ogni volta che Diamante rientrava dal lavoro, sedeva sugli scalini di legno – dipinti anch'essi, di blu – e la paradossale libertà di quell'universo lo rassicurava. Gli suggeriva l'idea che tutto avesse un senso, se capovolto, o osservato da una prospettiva diversa. In silenzio scrutava l'orizzonte, finché il buio inghiottiva ogni cosa, e lui stesso dimenticava di esistere. Spesso si chiedeva dove fosse Moe Rosen – e se avrebbe mai più dipinto immagini simili. Qualche mese dopo il suo arrivo a Denver, la compagnia di Broncho Billy si era trasferita ancora più a ovest, in California. Ormai la vernice si scrostava, cadevano gli occhi delle spose, e sbiadiva l'oceano. Diamante avrebbe voluto rinfrescare i colori corrosi dal freddo e dal sole di Denver, ma non si azzardò a farlo perché quella casa non era stata sognata per lui.

Aveva lasciato partire, con Moe Rosen, il suo unico amico, e l'unico americano – nuovo, recente, volontario – che avesse conosciuto. Si erano stretti la mano davanti al cancelletto del giardino, sulla strada polverosa che scendeva giù per la collina, accesa di viola dal tramonto. Quant'era bella questa regione.

Molti dicevano che somigliava agli altipiani dell'Italia. Ma Diamante l'Italia non l'aveva mai vista. La sua Italia era Tufo, e Minturno il sabato, il giorno del mercato. Moe aveva sollevato la mano abbronzata, schermandosi gli occhi e abbozzando un goffo congedo con quel suo sorriso ironico e insieme fiducioso. Già allora le figure dipinte cominciavano a sfaldarsi, perché Moe un giorno aveva buttato via i pennelli e i colori. Non voleva più dipingere o diventare un grande pittore – era stata una fantasia liberatoria, appassita quando non gli era servita più a fuggire dal suo passato. L'arte o c'è o non c'è. E Moe aveva deciso che non c'era. Anche se Diamante pensava che si sbagliasse. Come le spose, anche le teste dei cavalli avrebbero finito per essere mangiate dal vento perché Moe se ne andava a Niles, con attori che facevano solo finta di essere cow-boy.

Grazie Moe! disse Diamante, agitando la mano. Why grazzie, che vai dicenno? tagliò corto Moe. Poi gli voltò le spalle e s'incamminò lentamente verso la strada. Soltanto in quel momento Diamante si era accorto che camminava con le ginocchia leggermente divaricate, come fosse appena smontato di sella. Aveva finito per somigliare a Broncho Billy. Maldestro, candido e incrollabile come quello. Diamante continuò a urlare grazie anche se l'altro non poteva più sentirlo, e se ne andava – lentamente, sgraziato e solo anche lui, perché Lena in Colorado non c'era venuta. Moe Rosen l'aveva cercata per tutta New York, e alla fine l'aveva trovata: lavorava all'Haymarket, una rinomata sala da ballo sulla Sesta Avenue. Con un dime, gli uomini la affittavano per ballare. Era la più richiesta. Moe le aveva chiesto di sposarlo. Lena gli aveva detto di sì, però prima doveva sistemare certe cose. Ma non era mai arrivata. Moe divenne un'ombra – allungata dal tramonto fino a ingoiare la sua casa dipinta. Portava gli stivali, un vistoso fazzoletto al collo e un cappello in testa. Era un cappello da cow-boy.

Diamante avrebbe dovuto raggiungerlo a Niles, sulla strada di San José, appena avesse messo da parte il denaro per il biglietto. Gli amici di Moe Rosen, i cacciatori di sogni per i quali aveva inchiodato fondali e verniciato scene, gli piacevano. Avrebbe potuto diventare uno di loro. Gente indaffarata e avvezza ai rovesci della fortuna, alla brevità dei trionfi e alle conseguenze degli insuccessi. Ma a Niles Diamante non c'era andato. Per mesi, le immagini dipinte sulla baracca che era stata di Moe Rosen furono la sua unica compagnia. Viveva isolato, silenzioso come un albero. Rispondeva a monosillabi ai suoi datori di lavoro – proprietari di fabbriche di mattoni, gestori di locali notturni e centri di diporto per ricchi sfaccendati, per i quali consegnava pacchi, scaricava camion, imbiancava pareti o innaffiava prati e giardini. Il silenzio stellato delle notti di Denver e un sonno profondo come una vertigine erano tutto ciò di cui sentiva il bisogno. Alla baracca di Moe vennero parecchie ragazze, ma nessuna rimase. Non venne mai un medico, perché Diamante era ostinatamente convinto di non essere ammalato, solo stanco. Non si curò. Credeva di avere bisogno solo di trovare la calce, il cemento necessario per rimettere insieme i mille sparsi frantumi del suo amor proprio ferito e fatto a pezzi.

A volte, se la muta compagnia delle sagome dipinte lo angosciava come una promessa non mantenuta, scendeva in città e s'infilava in un teatro, dove spendeva qualche spicciolo per assistere allo spettacolo comico e insieme patetico di una raffazzonata compagnia di guitti di quart'ordine, infoltita da trapeziste cellulitiche, decrepiti clown e comici sconosciuti, spesso resi volgari dalla loro stessa coscienza di non saper far ridere. Ormai capiva le battute che gli attori si scambiavano – e riusciva, nonostante tutto, a divertirsi. Nell'inverno del 1912 assisté all'esibizione di una compagnia inglese di cui, entrando, aveva dimenticato di leggere il nome. Il teatro era agghiacciato dagli spifferi che soffiavano dal palcoscenico. La platea era semivuota. La vedette dello spettacolo – di qualche fama forse nelle città della costa orientale, ma completamente ignoto quaggiù – recitava la parte di un vecchio ubriacone. Mentre l'attore si sforzava di ripetere il suo numero con la più scrupolosa professionalità, tentando di ignorare la vista raggelante delle seggiole vuote, punteggiate qua e là da qualche sagoma intirizzita, Diamante si rese conto di avere la gola riarsa – e una sete smisurata. Gli dolevano i muscoli, i tendini e le ossa, perfino le vene – e doveva avere la febbre alta. Così alta che i pensieri gli si confondevano nella mente, e il suo corpo era scosso da un tremito incontrollabile. Gli sembrava di essere più ubriaco dell'ubriacone che inciampava sul palcoscenico. Nascose il viso nel bavero del cappotto, e indifferente alle risate che facevano sussultare gli spettatori s'abbandonò sullo schienale.

Quando gli inservienti vennero a staccare l'elettricità e a sprangare la sala, si resero conto che, disteso fra le seggiole, in platea, c'era un ragazzo addormentato. Tentarono di svegliarlo. Lo scrollarono, lo strattonarono. Inutilmente. L'agitazione che percorse il teatro vuoto dilagò nei camerini, dove gli attori furono raggiunti dalla notizia che uno spettatore era morto in sala mentre recitavano. La gente di teatro è molto superstiziosa. Un infortunio simile proietta una luce funesta su tutta una carriera. La vedette dello spettacolo si tolse il naso finto e l'imbottitura di ovatta che gli gonfiava i calzoni. Sulla scena, dimostrava settant'anni, ma ne aveva poco più di venti. Scosso, s'affacciò sulle tavole del palcoscenico. Metà della sua faccia era bianca di cerone. Dall'altra, spuntavano due baffetti neri e un vivido occhio celeste.

Il cadavere dello spettatore era disteso sul pavimento. La testa poggiata su un tappeto di popcorn e noccioline abbrustolite. Intravide un paio di calzoni neri troppo lunghi. Un paio di scarpe sfondate, sulla suola buchi larghi come occhi. Il giovane attore rimase fulminato da un presentimento funesto. Irresistibilmente attratto dall'ombra nefasta che quella morte allungava sul suo futuro, saltò giù dal palcoscenico. Si chinò sul ragazzo morto. Si accorse, con orrore, che quel ragazzo aveva la sua stessa età. Che aveva gli occhi celesti, i baffetti neri e i lineamenti fini di un principe. Il suo sguardo – tenero e feroce, furbo e sconfitto – illuminava un viso malinconico, serio – troppo serio per la sua età. Non solo gli sembrò che il ragazzo gli assomigliasse, ma che fosse, in realtà, lui stesso.

Gli inservienti del teatro frugavano nelle tasche di Diamante. Non ci trovarono nemmeno un soldo. Solo un foglietto scritto in una lingua sconosciuta, le cui prime righe dicevano *Ti scrivo da un posto dove non sei mai stata / dove i treni non fermano, le navi / non salpano, un luogo a occidente, / dove mute pareti di neve...* L'attore inglese seguì con lo sguardo il corpo esanime trascinato verso l'ingresso. Quando la porta del teatro si aprì, entrò una ventata di gelo. I due inservienti scaricarono il corpo del vagabondo dall'altra parte della strada, fra mucchi di neve. Nevicava ininterrottamente da due giorni. Fiocchi granulosi coprirono il viso dello sconosciuto con una dura sabbia bianca. L'attore inglese pensò che se quel ragazzo moriva, moriva anche la sua speranza di lasciare un giorno le tavole sconnesse dei teatri di quart'ordine d'America. Di incontrare qualcuno che lo capisse, che investisse nel suo talento e avesse il coraggio di scommettere su di lui, lo straniero sconosciuto e orgoglioso, consapevole di non essere il mediocre individuo che tutti credevano fosse. Dell'America, in cui annaspava da mesi, lo aveva colpito la fretta sbrigativa con cui liquidava gesti, cose, persone, e che lo aveva fatto sentire disperatamente solo. Ma lo aveva colpito anche la speranza di cambiamento che gli aveva trasmesso, e l'inquietudine che si era portato in Inghilterra al suo ritorno. In Inghilterra, si era reso conto che avrebbe continuato a rotolare giù per i gradini della scala sociale e che non avrebbe avuto nessuna possibilità di risollevarsi. Gli sarebbe toccato un lavoro manuale qualsiasi – e per sempre. Per questo aveva deciso di partire di nuovo, ed era tornato. Quella sera a Denver, però, con quel ragazzo moriva la speranza di salvarsi. Di essere salvato.

Attraversò la strada. Aveva ancora addosso gli stracci del vecchio ubriacone che aveva appena interpretato e quando tentò di fermare una carrozza, i cocchieri frustarono i cavalli e gli inondarono le scarpe di fango. Dovette quasi farsi schiacciare, per costringerne una a fermarsi. S'arrampicò a cassetta e ordinò al cocchiere di portare il ragazzo all'ospedale. Per essere sicuro che lo portasse davvero a destinazione, gli pagò la corsa.

La compagnia rimase in città altri tre giorni. L'attore inglese andò tre volte a informarsi della salute del ragazzo sconosciuto. Gli dissero che non aveva ripreso conoscenza. Era uno straniero. Ma l'unico documento che aveva in tasca era una specie di poesia. *Ti scrivo da un posto dove non sei mai stata / dove i treni non fermano, le navi / non salpano, un luogo a occidente, / dove mute pareti di neve circondano ogni casa, / dove il freddo malmena il corpo nudo della terra, / dove la gente è nuova, e i ricordi, / quando arrivano, arrivano per posta / non invitati come i fantasmi. / Questo è un posto che al sole non si scalda / ma la notte mi sciolgo come ghiaccio nella camera ardente dei sogni / per cogliere i piaceri venuti dal passato – / giorni strappati come pagine / e cerco il nero gatto, le tavolate senza fine, il coro stonato intorno alla nostra canzone, / attonito.*

Anche l'attore inglese era uno straniero, a Denver. Disse che avrebbe pagato le cure del ragazzo e di non lesinare le medicine, perché al momento non aveva problemi economici. Dopotutto, era la vedette della compagnia, e aveva un contratto valido qualche mese ancora. Il quarto giorno, doveva prendere un treno per proseguire la tournée nell'Ovest. Altri teatri di quart'ordine, altre tavole sconnesse, di nuovo il trito personaggio dell'ubriacone. Per quanto tempo ancora? Per sempre? Invece il medico gli disse che il ragazzo si era ripreso, e stava meglio. Voleva incontrarlo? L'attore inglese chiese se fosse fuori pericolo. Gli assicurarono di sì. L'attore sorrise, annuì, e aggiunse che non era necessario disturbare il paziente. Sollevato, lasciò qualche banconota perché fossero proseguite le cure. Al medico che lo scrutava perplesso disse che sarebbe tornato. Ovviamente, non tornò.

Quando Diamante chiese cosa gli fosse successo, gli dissero che si era sentito male durante lo spettacolo. L'aveva fatto ricoverare all'ospedale suo fratello. Mio fratello? esclamò Diamante, sorpreso. Ma sì, quello che faceva l'ubriacone nella compagnia dei comici inglesi al teatro della Sullivan e Considine. Diamante non disse nulla, perché era troppo confuso per pensare. Quando, molto tempo dopo, lasciò l'ospedale, nessuno si ricordava più della compagnia inglese. Non sapevano dirgli come si chiamassero i clown, o il vecchio ubriacone. Non ci avevano fatto caso. Erano dei guitti di quart'ordine. Ne passavano tanti, in una stagione, a Denver. Solo la cassiera era certa che il giovane inglese si chiamasse Charlie, o Chas, anzi Charles. Il cognome cominciava con la C. Suonava come Chaliapin, Chapin – Chaplin.

Avevamo un lunatico e malandato proiettore per pellicole a otto millimetri. Lo schermo, di qualche ruvido materiale plastico, si srotolava come per magia da un cilindro di ferro e s'appendeva grazie a un anello al cuneo grigiastro a tre scanalature che svettava in cima a un paletto estraibile. La domenica, quando riemergeva dallo studio che me lo rapiva durante la settimana, mio padre decideva di trasformare il salotto – parola forse troppo impegnativa per la stanza che fungeva anche da tinello, biblioteca e studio – in un cinema. Non avevamo grande scelta di pellicole, forse perché lui e io eravamo molto fedeli e ossessivi nelle nostre passioni, e guardavamo sempre le stesse. Girate almeno cinquant'anni prima della mia nascita, ma molti anni prima anche della sua. Erano tutti cortometraggi – comici – dell'epoca del muto. Cominciammo a guardarli nei pomeriggi d'inverno del 1971, continuammo per tutto il 1972 e il 1973, finché io smisi di divertirmi e a Roberto passò la voglia di proiettarli. Quelle domeniche a me sembravano interminabili e vuote, finché non s'iniziava la proiezione, e a lui troppo brevi, visto che la domenica significava il tempo della famiglia, cui durante la settimana concedeva poco, perché doveva simultaneamente lavorare per nutrire noi e lavorare per nutrire se stesso, cioè scrivere. Ma questo all'epoca non lo sapevo. Sapevo che mio padre faceva un mestiere che suscitava nei miei compagni di scuola insieme perplessità (perché non lo avevano mai sentito nominare) e invidia (perché non era un macellaio, un poliziotto o un avvocato) e in me inquietudine (perché, nonostante l'idolatria che gli tributavo, non aveva successo) e stupore, perché finii per scoprire che, pur essendo uno scrittore, continuava a lavorare alle ferrovie. Sapevo anche che esisteva un altro cinema, oltre a quello delle nostre domeniche d'inverno. Con la musica e le parole, il montaggio e i colori: mi aveva portato a vedere *2001 Odissea nello spazio* e le altre novità della stagione. Ma in casa il nostro cinema era quello degli anni Dieci, e non ci siamo mai chiesti o spiegati perché.

Le immagini tremolavano, il proiettore sfrigolava, strideva, a volte la pellicola s'inceppava e si bruciava, lo schermo veniva invaso da un'allarmante visione: un forellino infuocato – sempre più grande. L'immagine di quel buco ardente, che diventava sempre più famelico, divorando le storie che amavamo tanto, aveva qualcosa di tremendo. Con gli anni, i filmini divennero inservibili – corrosi e spezzati dal fuoco. Lo schermo si strappò e le immagini ne risultavano inesorabilmente deformate – coi visi segnati dalla profonda cicatrice che dilaniava lo schermo. Infine il proiettore si fulminò, e non fu possibile ripararlo, perché nel frattempo la fabbrica era fallita, e già cominciavano a circolare i primi videoregistratori. Non ho mai più potuto vedere i filmini che mi proiettava mio padre, e per molto tempo non mi sono preoccupata nemmeno di sapere dove fossero finiti. Se n'erano semplicemente andati con le domeniche dei primi anni Settanta, la mia solitudine e la sua, le domande non fatte, le scelte non spiegate – con la nostra lontananza e la definitiva separazione. Con lui. Quando sono tornata a cercarli, ne ho trovato solo uno, ancora nella sua custodia. L'etichetta raffigura l'omino vagabondo con le sue inconfondibili scarpe troppo lunghe e il bastone. L'omino arriva, o parte, comunque si muove e sembra sul punto di lasciarci – una figura nera sulla carta lucida e bianca. Non ho mai cercato da un collezionista un proiettore per l'otto millimetri, né ho mai più voluto rivederlo. Senza di lui, non lo sopporterei. Ma non ne ho bisogno. Quel filmino lo ricordo fotogramma per fotogramma. Si intitolava *The immigrant*.

In Italia fu distribuito nel 1917 col titolo *Charlot emigrante*. Inizia con Charlot sulla nave che lo porta in America. La nave, carica di emigranti, rolla e ondeggia, causandogli il maldimare.

Sul ponte di terza classe incontra una ragazza con la madre, due disgraziate povere e scalcagnate come lui. La madre della ragazza è stata derubata. Charlot recupera a poker dal ladro la somma che le è stata sottratta e la restituisce alla ragazza, rischiando però di essere scambiato per il ladro. La prima immagine che offre loro l'America è incoraggiante – la Statua della Libertà. Ma proprio sotto quella statua gli emigranti vengono recintati come animali e avviati alle scoraggianti procedure per lo sbarco. Arrivati a New York, Charlot e la ragazza si perdono di vista. Dopo qualche tempo, Charlot si ritrova a vagabondare per le vie, affamato come sulla nave, e trova una provvidenziale moneta sul marciapiede. S'infila in un ristorante, dove subisce le angherie e lo sprezzo del cameriere per la sua ignoranza, povertà e incapacità di decifrare il menu. Ma proprio lì Charlot incontra di nuovo la ragazza: questa volta lei è sola – come lui – e, come lui, non ha fatto fortuna. Charlot la invita e le offre il pranzo. Mentre stanno conversando, lei si soffia il naso in un fazzoletto listato a lutto, e lui capisce che sua madre è morta. Siccome la moneta trovata sul marciapiede si rivela falsa, Charlot entra in una parossistica fase di panico, ma viene salvato da un impresario (di cinema?) che propone a entrambi di posare per lui. L'impresario gli cambierà la vita – forse – ma non gli paga il pranzo, e il problema del conto non è affatto risolto. Tuttavia Charlot nota che, uscendo, il benefattore ha lasciato una mancia talmente generosa da permettergli di pagare il pranzo alla ragazza; con disinvoltura la raccoglie, si libera finalmente dell'aggressivo cameriere e se ne va, felice, con lei. I due protagonisti finiscono per sposarsi malinconicamente in una triste giornata di pioggia.

Anche Diamante si sposò in una triste giornata di pioggia, nell'ottobre del 1919. Anche lui aveva visto più volte *The immigrant*. Quella storia lo faceva ridere e lo commuoveva. Non so se rivedeva in quell'omino se stesso – e se quella storia, che in fondo per Chaplin era autobiografica, gli sembrava anche la sua. Comunque, varie volte, negli anni Trenta, portò suo figlio Roberto a vederla – e anche mio padre, come poi avrei fatto io, non gli chiese mai perché. I nostri padri raccontavano molto, ma parlavano poco, o forse non parlavano affatto. Le cene in casa di Diamante erano così silenziose che i figli potevano percepire lo scricchiolio dei denti impegnati a triturare il cibo, e per ingannare il tempo facevano a gara a chi finiva prima di masticare dodici bocconi. Le nostre cene sarebbero state altrettanto silenziose, se noi tre non avessimo parlato anche per Roberto – liberandolo dal peso di doverci dire qualcosa.

In ogni caso, Diamante non perse neanche un cortometraggio di Chaplin, né lo abbandonò quando Charlot divenne famoso – milionario e vanitoso come un re. Quando divenne intellettuale, quando smise di far ridere, quando fu processato per le sue esuberanze erotiche e biasimato per la sua inclinazione per le ragazze troppo giovani, quando cominciò a parlare – e perfino quando divenne comunista e cadde in disgrazia negli Stati Uniti. Diamante gli rimase fedele – e fu la sua una fedeltà definitiva. Lo seguì come un compagno d'avventura, il misterioso fratello che non aveva mai incontrato. Conosceva a memoria Charlot dentista, Charlot pittore, Charlot alla spiaggia, Charlot nottambulo, vagabondo, pompiere, gentiluomo ubriaco, emigrante, evaso, soldato, vetraio ambulante, cercatore d'oro, disoccupato, clown. Anche i figli finirono per trovare familiare il vagabondo coi baffetti neri e gli occhi celesti, furbi e sconfitti. Ma Roberto non aveva capito perché mai, mentre la platea sussultava, squassata dalle risa, suo padre restava immobile, pietrificato nell'oscurità, lo sguardo fisso sullo schermo. Perché mai, alla vista di quel bastone roteante e di quella camminata sghemba, piena di patetico sussiego e di incrollabile dignità, Diamante, così rigido e controllato, che nessuno aveva mai visto piangere e nemmeno emozionarsi – estraesse un fazzoletto dal taschino e si soffiasse furtivamente il naso.

Il dottore dell'ospedale di Denver gli riscontrò una malattia non facilmente diagnosticabile. Diamante non lo aiutò ad aiutarlo, perché durante la visita non aprì bocca e rifiutò di rispondere a ogni domanda sul suo passato o sulla sua identità. Tacque quando il dottore gli chiese dove si fosse procurato la cicatrice al labbro, e perché avesse i reumatismi e un principio di artrite alle mani, come se avesse stretto con troppa forza un badile o una corda, e mostrasse i sintomi di una prolungata esposizione all'umidità e al gelo. Negò ostinatamente di essere italiano. Disse che il foglio che aveva in tasca non era suo. Il dottore ipotizzò un "esaurimento psicofisico". Diamante lo lasciò parlare e non si tradì. Avrebbe voluto dirgli che non si sentiva esaurito, solo vuoto. Senza consistenza. Sospeso tra due rive, senza appigli – leggero. Come un truciolo di sughero. Che può finire ovunque, seguendo la corrente e la marea, ma non sceglersi la direzione. Le cose leggere non vanno a fondo. Ma difficilmente approdano. Il dottore gli incise la schiena per lasciar defluire il sangue e disse: Tu forse sai meglio di me come si chiama la tua malattia. Diamante rispose che lo sapeva.

La sua malattia è avere sognato un'altra vita, e da questa vita essere stato tradito. Averla persa, e avere perso perfino il suo sogno. Non riuscire a ricordare. Credere che i suoi anni americani non siano mai esistiti. Pretendere di averli sognati. Perché, quando una cosa è passata, cosa la differenzia, nella realtà del presente, da un'illusione o da una fantasia? Se pure ha avuto una sua esistenza, poi non ne avrà nessuna, tranne che nella memoria. E se anche la memoria non riuscirà a trattenerla, allora sarà come se quella cosa non fosse mai stata del tutto. Perdere i ricordi giorno dopo giorno, nell'immobile fissità del cielo nel riquadro della finestra. Attribuirli alla vita di un altro, e non alla propria. Dimenticare il male per sopravvivere, restringere, cancellare i fatti più atroci, le ferite, il dolore. Ma poi, per non vivere di inganni e nostalgie, operare una selezione più severa. Rimuovere i gesti più intimi, i volti più amati. Perché il dolore di un ricordo vago è meno acuto. Era stata la prima cosa che aveva imparato in America. Quando non riusciva a evitare di immaginare suo padre, che gli batteva una mano sulla spalla, stringeva gli occhi e cercava di concentrarsi sugli oggetti che aveva intorno. Si strappava con forza dal passato – lo scacciava chiudendo le palpebre. Funzionava. Col tempo, senza che se ne accorgesse, suo padre, sua madre, i suoi fratelli, erano diventati dei fantasmi. Ora doveva farlo di nuovo. Cancellare il suono maestoso e grottesco del trombone di Geremia, che lo accompagna mentre si rade i primi baffi nel lavabo della cucina. Le dita di Moe rosse di vernice mentre arrampicato in cima alla scala a pioli pennella sulla porta della baracca la sposa sottomarina il cui evanescente sorriso li accoglierà per mesi. Il sorriso di Rocco mentre pedala sul ponte di Brooklyn, e guarda con tenerezza il ragazzino aggrappato alla canna della sua bicicletta, col suo cappello troppo grande calcato sulla fronte. La piccola mano di Vita avvinghiata alla sua mentre la folla li sballotta sui moli del porto di New York. La sua bocca ruvida mentre, con gli occhi chiusi, aspetta che si chini a baciarla. Cancellare tutto finché si ritrova a rimuginare nomi che non corrispondono più a persone vere, ma a personaggi di un racconto dimenticato. Dimenticare di averli conosciuti, di aver diviso con loro notti, giorni, speranze. Dimenticare Vita. Dimenticare chi sei stato – il tuo sorriso, il tuo dinamismo, la tua spericolata allegria – e diventare qualcuno che non conosci. Un caso clinico raggomitolato sotto il lenzuolo, un vagabondo talmente straniato e contemplativo che tutti pensano abbia subito un trauma da shock. Un anonimo straniero dimenticato all'ospedale di Denver che non sa più come si chiama, e quale sia il senso del suo destino. Che ignora se il suo futuro sarà identico a questo limbo intollerabile, e non desidera nemmeno saperlo.

Della tua malattia, concluse il medico, non ti libererai mai. Guarirai, starai meglio, potrai tornare a lavorare – ma, se vivrai, la malattia tornerà, te la porterai dietro, imparerai a conviverci, potresti farla finita solo se qualcuno ti donasse un rene sano e si prendesse il tuo malato, la tua inesauribile miniera di veleno. Ma questo non è possibile. Ti ci abituerai, alla tua malattia, la sopporterai, smetterai di temerla, sarà l'unica cosa che non potrai dimenticare – e, alla fine, la parte più vera di te.

La sua malattia si chiamava America.

All'ospedale di Denver, nel 1912, però, la chiamarono NEFRITE. Gli cavarono dal corpo intere sacche di sangue avvelenato perché non contaminasse gli organi sani. Come se il veleno potesse rifluire col sangue, e non fosse lui stesso, il veleno. Le spese per il suo ricovero crebbero fino a superare i duecento dollari. Il paziente aveva ignorato il referto che lo riguardava. Sembrava non avere alcun interesse per la propria salute. Sembrava non avere interesse per niente. Chi avrebbe pagato quelle spese? Anche se lo negava, e si ostinava a parlare uno strano americano, con inflessioni da ebreo dell'Europa orientale, il malato era italiano. La direzione avvertì il Consolato che c'era un giovane privo di mezzi ricoverato da mesi all'ospedale della città. Gravemente ammalato e incapace di mantenersi da solo. Si poteva avviare una pratica per "rimpatrio di indigente in stato di miserabilità"? Il nome, il giovane non lo aveva voluto dire – era un tipo innaturalmente taciturno e insofferente, aggressivo, che reagiva con violenza alla minima provocazione. La sua diffidenza gli impediva di stabilire rapporti con chicchessia. La sua orgogliosa superbia di accettare un aiuto. Tendeva a considerarsi perseguitato ingiustamente, discriminato e sottovalutato. La sua unica autentica qualità sembrava essere *la sua eccellente calligrafia*. Sempre se aveva scritto – o trascritto – lui la poesia senza titolo che portava nella tasca del cappotto.

Il Consolato mandò un collaboratore retribuito a cottimo (tot identificazioni, tot dollari) per verificare i connotati del paziente. La pratica per miserabilità non si poteva aprirla, perché non c'erano fondi sufficienti per accollarsi i vagabondi sparpagliati negli Stati Uniti. Il Consolato di Denver doveva occuparsi di trentamila italiani (senza contare i clandestini) sparsi in un territorio sterminato, vasto più dell'Europa. Non può rimpatriarli né mantenerli. Che si arrangino. Il console, del resto, non è più quell'Adolfo Rossi che è stato operaio e trent'anni fa s'è trovato in una situazione simile: è Oreste da Vella, un diplomatico di buona famiglia, un borghese che non può nemmeno immaginare quali eventi abbiano portato un ragazzo di ventun anni a finire in un ospedale in stato di miserabilità. Al collaboratore aveva fornito un elenco di nominativi di ricercati dalla polizia americana e italiana, per reati commessi in Italia o all'estero nei primi tre anni di soggiorno – data oltre la quale non potevano più essere espulsi. I reati andavano dall'ingresso clandestino al furto, dai danni contro la proprietà all'abbandono di tetto coniugale.

**Connotati**

Statura m. 1. *64 1/2*

Periferia toracica *0.88*

Capelli *neri – lisci*

Fronte *alta*

Sopracciglia *nere*

Occhi *grigi*

Naso *greco*

Bocca *giusta*

Mento *"*

Viso *"*

~~Barba~~

Colorito *roseo*

Segni particolari *cica-*

*trice al labbro inferiore*

I connotati del ragazzo non corrispondevano a quelli di nessuno. Non era ricercato. La visita si era rivelata inutile. Diamante gettò appena un'occhiata al foglio prestampato in cui il collaboratore del console riempiva le caselle con la descrizione del suo aspetto. Non aveva i capelli lisci – ma ricci. Non aveva gli occhi grigi, ma celesti. Il suo naso non era greco. La sua bocca non era giusta. Era bella. Lo era sempre stata. L'uomo che l'emissario del Consolato stava schedando nell'ospedale di Denver non era lui. Lui non era più nessuno. Non aveva nome. Non aveva dimora. Nessuno lo avrebbe mai cercato – o ritrovato.

L'emissario portava con sé anche un foglio pieno di nomi maschili. Diamante lo degnò appena di un'occhiata. Chi sono? chiese, restituendo il foglio. I ragazzi del 1891, rispose quello. Li cercano disperatamente le famiglie, i giornali, il Ministero della Guerra: li cerca l'esercito italiano. Devono fare il servizio militare. Hanno ancora trenta giorni per presentarsi in caserma. Poi, verranno considerati disertori e in Italia non potranno tornarci più. Ah, disse Diamante, voltando la testa dall'altra parte. Il vetro della finestra non lasciava intravedere né l'altopiano né le montagne né il cielo. Era solo un riquadro grigiastro, rigato di pioggia. Aveva passato settimane a fissare avidamente il cielo nel riquadro della finestra. Aveva imparato a conoscere le sfumature del grigio. Color fumo, cenere, perla, acciaio, antracite, pioggia. Non voleva morire, e non era certo di voler vivere. Non voleva restare e non voleva tornare. Non era un simulatore – come insinuavano gli infermieri – né un moribondo. Non era nemmeno un uomo sano. Non era niente. O troppe cose che contrasta vano fra loro, e non si tenevano insieme.

Tutti i consolati italiani d'America sono stati allertati, ma questi giovani non si trovano – spiegò il collaboratore, rassegnato a non guadagnare niente da questa visita all'ospedale di Denver. Che vuoi farci, l'America è grande. Si sono persi. Certo che non si trovano – avrebbe voluto rispondergli Diamante. Perché mai un ragazzo del 1891 dovrebbe tornare in Italia per il servizio militare e magari per la guerra? Lui odiava i soldati, l'ottusa docilità dei sottoposti, la prepotenza delle autorità, la ferrea idiozia della disciplina. E le armi – perché, come le donne, avevano la tendenza a farsi maneggiare dalle persone sbagliate. Eppure, proseguì l'altro, grattandosi sconsolatamente il pizzetto, se se la passano male avrebbero un'occasione irripetibile per rimpatriare. Lo stato italiano gli paga il viaggio. Davvero? chiese Diamante, ipnotizzato dall'ostinazione di una mosca che, tentando invano di aprirsi un varco, sbatteva contro il vetro della finestra. Cadeva, tramortita, sul davanzale. Ronzava debolmente. Lo stato italiano ci tiene, ai suoi ragazzi.

Diamante non se n'era mai accorto. A lui, salvo tre anni di scuola e un passaporto, rilasciato in cambio di 8 lire, lo stato italiano non aveva offerto mai niente. Distolse lo sguardo dall'agonia della mosca. Il nostro stato offre un passaggio in terza classe fino alla città da cui sono partiti, disse il collaboratore del Consolato. E, aggiunse ridacchiando, tre anni di vitto e alloggio assicurati in qualche caserma del nostro caro e amato belpaese. Diamante chiuse gli occhi. In quel lungo elenco, a metà pagina, aveva letto il suo nome.

# Ciò che rimane

Così Diamante tornò. La cercò dove credeva che fosse, ma Vita aveva cambiato casa e nessuno sapeva dove abitasse adesso. Andò a chiedere notizie al cugino Geremia, nell'ufficio sulla Lenox Avenue. Lo trovò col suo socio, un ex-collega della miniera rimasto paralizzato sulla sedia a rotelle: dietro una scrivania, Geremia batteva contratti a macchina. Lo invidiò. Diventare impiegato in un ufficio come questo era stato il suo sogno di ragazzino. Ma a Vita gli uffici sembravano invitanti come le prigioni. Adesso non sapeva più chi fosse. Una ragazza italiana di diciott'anni a New York. Geremia non fu contento di rivederlo, e si sforzò inutilmente di nasconderlo. Mentre pensava quale bugia inventare per impedirgli di rivederla, e tenerlo lontano da lei, Diamante fissava il grande manifesto che tappezzava le pareti dell'agenzia.

MALAGA CITY. *Vendita speciale straordinaria di lotti a 5 dollari l'uno. La città ideale destinata a diventare il più importante centro italiano d'America.*

Il disegno mostrava una locomotiva ferma in una linda stazione, fra casette invoglianti, davanzali in fiore e prati pettinati. Questo paesaggio ipotetico sospeso sulla parete dell'ufficio aveva qualcosa di losco, come il richiamo di una meretrice.

*Posizione incantevole. Clima salubre e delizioso. Terreno alto, asciutto, livellato. Ferrovia elettrica che ferma alla stazione di Malaga city con centinaia di treni al giorno. Fattorie, negozi, scuole, chiesa, hotel, posta, telegrafo, telefono. Vicinissima a Philadelphia, Atlantic city e altre città commerciali e industriali. Building & Development Co. 2302.04. Si consiglia di visitare la proprietà. Escursioni pagate. Si spediscono mappe.*

Celestino Coniglio, ignaro dei tormenti di Geremia, chiese a Diamante se per caso voleva unirsi all'escursione ai lotti. Abbiamo aperto da poco e vendiamo a prezzi convenienti. La

Building & Development dispone di terreni vicini e lontani dal centro. Nel Bronx, sulla Bay Shore, a Rutherford. Sheepshead Bay. Diamante fu tentato di puntualizzare che non gliene fregava nulla di comprarsi un pezzo di terra – la terra incatena, la proprietà incatena. Se gli avessero chiesto cos'è la libertà, che aveva tanto cercato, adesso avrebbe saputo cosa rispondere: non provare vergogna di se stessi. È questa l'unica vera e autentica libertà. Tutto il resto rende schiavi. Stava per spiegare che era venuto in questo buco di agenzia solo per Vita. Il livido pallore sul viso di Geremia gli suggerì di tacere. Rimase immobile, fissando i ninnoli che ricoprivano la scrivania. La sigaretta accesa si consumava in un portacenere, un'ostrica conturbante come la bocca di una donna. Pensieri indecenti. Combustione interna – ossessione. L'ha sognata per anni, e nemmeno in sogno l'ha mai toccata. Lei gli fluttua incontro, radiosa, e ogni volta che cerca di abbracciarla si scompagina come un riflesso sull'acqua. Quella stessa ragazza è scappata con un altro. Ha tradito tutti i suoi progetti, tutti i suoi sforzi – tutti i suoi perché. Lo ha lasciato solo nel vuoto siderale delle notti di Denver – a chiedersi cosa ci faccia da questa parte del mondo, e perché mai non sia ancora partito. Ma non potrebbe mai andarsene senza rivederla, e rivedendola capire se è morta per lui come si è sforzato di credere, o viva invece, pulsante sotto le ferite che ha tentato di infliggerle. Non l'ha perdonata, perché è incapace di farlo. Ma il ricordo di ciò che è successo si è allontanato da lui a velocità prodigiosa, lasciandogli una sbiadita sensazione di sofferenza e rancore, mentre quello degli anni di fuoco delle promesse si è avvicinato, ingrandendosi, e lasciandogli una eredità intatta di desiderio e nostalgia. Senza Vita non sarebbe mai venuto in America, niente di tutto questo sarebbe mai esistito. È lei che lo ha portato qui.

Diamante finse di interessarsi agli annunci che tappezzavano le pareti. *Italiani d'America! È tempo di lasciare l'aria infetta della metropoli! Acquistate il vostro sogno al sole del New Jersey.* C'erano planimetrie di terreni lottizzati a West Hoboken, a Grant Tomb, o a Cortlandt Crest, a nove fermate di metropolitana dalla Centocinquantacinquesima strada. La Building & Development offriva terreni di ogni prezzo e dimensione. Incolti o dominati da ville georgiane con le colonne bianche. Da cottage di pietra spazzati dal vento dell'Atlantico. Affacciati su uno stagno assordato dalle folaghe. Cercò di scovare dove fosse l'imbroglio. Non credeva più alle occasioni. Di certo si trattava di una colossale fregatura. Terreni situati più in basso di un fiume, sottovento a una fogna, in luoghi senza speranza – circondati da incroci stradali e snodi ferroviari. O da foreste impenetrabili e a tre ore dalla più vicina stazione. I furbi proprietari di quest'agenzia vendevano illusioni a lotti – e prosperavano, perché le illusioni vengono potate, sradicate e distrutte, ma ricrescono sempre, come la gramigna.

Geremia si stava probabilmente chiedendo se era venuto per sfregiarla, come avrebbe fatto se fosse stato veramente un dritto, o per perdonarla, come avrebbe fatto se avesse potuto capirla. A volte a Diamante sembra che non si potrà mai più ricucire la camicia stracciata, a volte che non ci sia mai stata nessuna camicia – e che sia solo una metafora, una convenzione. Fra lui e Vita non c'è mai stata nessuna camicia. Vita gli appartiene come lui apparteneva a se stesso, prima di perdersi, nella camera segreta di un fabbricante di bare, o lungo i binari di una ferrovia. Vita è andata a Bensonhurst, disse infine Geremia. In quel momento, lo odiava e si odiava – perché non era mai stato capace di mentire. Pensò che non avrebbe mai più rivisto né il cugino né la ragazza per cui era rimasto in America, e che aveva appena gettato dalla finestra la sua vita. Diamante corse via senza nemmeno ringraziarlo. Sette anni e sei mesi dopo, gli mandò da Roma la partecipazione del suo matrimonio con Emma Trulli, e Geremia capì che Diamante aveva voluto saldare il debito: gli aveva restituito il dono ricevuto in quella lontana mattina d'aprile.

La ragazza precedeva i clienti per lo stretto sentiero. Camminava in fretta, scansando imperiosamente cespugli e rottami, perché il gruppo di acquirenti che le arrancava dietro non avesse il tempo di protestare che la fermata del treno non distava dieci minuti dalla collina, come promesso dalla pubblicità, ma più di quaranta. Superarono i capannoni abbandonati di una fonderia e s'inoltrarono in fila indiana in un viottolo infestato di rovi. Dal vicino saponificio si spandeva nell'aria una brezza dolciastra, nauseabonda a quell'ora del mattino. Piovigginava. La nebbia s'impigliava ai rami degli alberi. Le escursioni costituivano un diversivo piacevole alle sue giornate solitarie. I soci mandavano Vita perché gli acquirenti di solito vivevano in America da più di trent'anni e ormai non capivano più l'italiano. O forse perché da un uomo con le mani di Geremia, nere di carbone, nessuno avrebbe comprato un sogno. Aveva venduto baci e parole. Adesso vendeva l'America agli italiani. Terra. Colline. Sabbia. Uno spicchio di cielo.

Il mese scorso aveva scritto alla madre, a Tufo, mandandole i soldi perché potesse raggiungerla. Anche se ormai Dionisia era completamente cieca, in America sarebbe riuscita ad arrivarci lo stesso. Geremia aveva le conoscenze giuste per farla entrare dal Canada. Vita si offriva di andarla a prendere a Toronto. La scongiurava di venire. Se fosse venuta, tutto avrebbe avuto un senso. La famiglia si sarebbe ricomposta. Non è una bucìa, ma': ti faccio stare come una signora. Dionisia aveva risposto che era troppo tardi. Non avrebbe mai saputo rinunciare alle sue abitudini. Da quando Vita le mandava puntualmente rimesse ogni mese, anche a Tufo stava come una signora. Da troppi anni viveva nella casa di fronte alla chiesa di San Leonardo, e non avrebbe mai potuto lasciarla. Non le mancava niente. Sono sempre stata sola, e libera, e non voglio imprigionarmi proprio da vecchia. Vita mia, ti voglio bene come il giorno che sei partita e ti penso tutti i momenti, ma non ci vengo. Tua madre. Vita lesse più volte la letterina di Dionisia – incredula. Solo con il gran rifiuto di sua madre si rese conto che niente si sarebbe ricomposto, nessuna frattura ricucita.

Non si voltò per accertarsi che la seguissero, perché di sicuro gli acquirenti storcevano il naso alla vista dei rovi e dei fumi industriali. Le fabbriche stanno chiudendo, spiegò, modulando il suo tono di voce più convincente. Aveva sempre saputo rendere credibili le sue bugie, ora doveva rendere credibile la verità. E, ci si creda o no, è più difficile. Tra qualche anno le fabbriche non ci saranno più. Pensate, cosa sono cinque dollari. Vi sembrano niente. E invece voi ci comprerete questa terra edificabile in un quartiere che diventerà un paradiso.

Diamante sbucò dal viottolo all'improvviso. Correva, col cappello in mano. Aveva il soprabito schizzato di fango e il dubbio incollato sulle labbra. Sembrava offeso da quel cielo di cenere, dallo squallore di quella landa industriale, non più campagna ma non ancora città, imbruttita dai miasmi di una palude, dal fumo di centinaia di fabbriche. Sembrava offeso che i due soci avessero la sfacciataggine di voler rifilare una simile fregatura. Una collina gibbosa, dune scoscese, infestate di rovi, a un'ora di carro dalla più vicina stazione. Si chiese chi mai avrebbe pagato per prendersi un pugno di sabbia.

Molti. Tutti. Padri e madri allevati sulle scale antincendio dei ghetti di New York, in cantine sovraffollate e stanze rumorose, intossicate dai fetori, canili scoloriti che si aprivano tra la ghisa e i mattoni scuri, camminano fra le strade di questo quartiere non nato pensando che il loro desiderio più segreto sta per realizzarsi. Non vedono rovi e rifiuti: vedono verande, giardini, garage e interruttori.

Decine di facce infreddolite, sorprese dalla sua apparizione, si voltarono verso di lui. Un capannello di uomini di mezza età – gente con le mani grosse e la stanchezza di aver lavorato tutta una vita. Operaie, madri, sigaraie e madonne rubiconde. Nessuna di loro è Vita. Hanno facce ordinarie, avide, indistinte. Non farebbe neanche un chilometro, per ritrovarle. E invece lui ha attraversato quattro volte l'America, per una ragazza come Vita. E forse Vita è proprio come queste donne – una qualunque. Magari fosse così. Una cicciona calcola a voce alta: con cinque dollari al mese e cinquanta in contanti può assicurarsi un lotto del valore di cinquecento dollari, a venti minuti da Coney Island e mezz'ora di treno dalla City Hall. La terra disseminata di cartacce e bottiglie vuote. L'odore dell'erba e quello del detersivo. Riceve lo sguardo di Vita come una frustata. Lo riconosce, perché Diamante non è cambiato. È rimasto piccolo. Come lei.

Eppure non gli corre incontro. Non gli sorride e nemmeno gli fa cenno di raggiungerla. Forse, ancora una volta, è arrivato tardi. Lo guarda soltanto, con diffidenza, come se lui non fosse reale, e la sua figura solo un'ombra, o un riflesso. È proprio lei, in piedi dietro il contenitore di vimini coi cestini del picnic offerto dall'agenzia. Ha un foulard sui capelli e la carta topografica in mano. È più scura di come la ricordava, più formosa – più carnale. Dio, quante volte ha immaginato questo momento. Lei si sarebbe gettata ai suoi piedi, implorando.

Poiché Vita non accenna a muoversi, si avvicina lui, schivando i gitanti – che lo guardano con ostilità, come se fosse venuto a portargli via il loro pezzo di terra. Scavalca ortiche, pozzanghere e ombrelli neri su cui tamburella il giorno. Tutti notano l'espressione arrogante, il suo pretenzioso completo a righe, la camicia di seta e le scarpe di coppale – senza nemmeno saperlo, è già pronto a sembrare un americano vero a chi l'America non la vedrà mai. Da che parte cominciare? Dalle recriminazioni? Dalle accuse? Tralasciando? Passavo da New York per caso, e sono inciampato nel tuo ricordo?

Dove hai messo Prince? le chiede, deluso perché non c'è

vendetta né tragedia, nel suo dramma, e Vita finalmente arrossisce, ma solo perché i clienti la fissano interdetti – come a chiederle, che vuole quassù 'sto guappo? Un giorno si è stancato di aspettarti, ed è morto di crepacuore, risponde Vita, piantandogli in viso due occhi colmi di rimprovero. Possibile che quel cane è la prima cosa che gli viene in mente? Non mi chiedi quando sono tornato? si inalbera Diamante, che si rende conto di aver sbagliato tutto. Perché dovrei? ribatte Vita. Non sei mai partito.

Sono partito, invece – esplode Diamante – ho trasportato tonnellate d'acqua, mi sono rovinato la salute mentre tu correvi appresso ai dollari di Rocco! Gli cala sugli occhi un siparipo di nebbia. La prenderebbe a schiaffi, si getterebbe ai suoi piedi, o forse tutte e due le cose. Perché non mi hai portato con te? grida Vita. Perché? L'ho fatto per te, urla Diamante, non lo capisci? come avrei potuto avere ancora rispetto per me stesso se ti avessi fatto vivere quello che ho vissuto io? oh, cristo, non sa dove mettere le mani, si sente il viso in fiamme, ha un nodo alla gola. Non vorrebbe avventarsi contro di lei, ma lo sta facendo. O almeno, è quello che crede Vita. Lei fa un passo indietro, urta contro il bauletto di vimini, lo rovescia. I cestini rotolano sull'erba. Cade anche l'oliera. La sfortuna li perseguiterà per sempre. Lei allunga le mani, con l'intenzione di respingerlo, di difendersi – non capisce che Diamante sta solo annaspando per non perdere l'equilibrio. E il rispetto di me? grida – quello non conta? Diamante per un attimo si illude che lei abbia allungato le braccia per attirarlo a sé – e si lascia attirare, come il chiodo verso la calamita. Ma all'emozione intensa, improvvisa, segue un dolore lancinante. Gli sta mordendo il naso – con forza, come volesse staccarglielo. Gli ha piantato le unghie sul viso e qualcosa di gelido nel fianco – qualcosa di acuminato e metallico. Diamante urla mentre due uomini lo afferrano sotto le ascelle e lo strappano dalla ragazza: rotola fra i cespugli, e ricade sulle ginocchia, incredulo, stordito, col sangue che gli zampilla sul vestito da americano. Se ne vada, gli sta dicendo minacciosamente il cliente più robusto, lasci in pace la signorina o chiamo la polizia.

Oh, Vita, che cosa mi hai fatto? La giacca s'è squarciata – uno strappo netto – come un colpo di forbici. Afferra il fazzoletto dal taschino, perché dalle palpebre il sangue gli cola sul labbro, ne sente il sapore dolciastro di ruggine. Anche un occhio è ferito. La palpebra brucia. L'offesa brucia. Vede rosso. Vede rossa anche lei, ferma sulla cresta della collina – con quella cosa acuminata e metallica in mano. Un coltello, forse un compasso. Qualunque cosa sia, è una lama che gli occhi di Vita non hanno piegato. Eppure, se le fosse così indifferente, quella lama non l'avrebbe nemmeno afferrata. Rossa, con il foulard spostato dietro l'orecchio, e una ciocca di capelli che ricade sulla fronte. Diamà, mormora, Diamà, oh, Dio. Vattene, ripete, come una cantilena. Che sei venuto a fare? Vattene. No, non se ne va. Si rialza. Pensa che una volta aveva fiducia in questa ragazza – una fiducia assoluta e cieca, più salda di quella che riponeva in se stesso. Era lei la sua sicurezza. A lei poteva mettere a nudo il suo mondo, a lei esporsi senza rimanere distrutto. Per quale ragione aveva frantumato tutto questo? Si spolvera i calzoni. L'ha mancato – la lama ha tagliato la giacca, e graffiato appena il fianco. La ciminiera esala un lezzo talmente fetido che lo offende. Vitarossa non si muove. Era la mia ragazza. La mia, la mia. Oh, Dio, perché hai permesso una cosa simile. Perché permetti che un ragazzo di ventun anni si metta a piangere come un bambino, alla presenza di questa cosa rossa e nera che non fa un passo verso di lui e mentre si strofina gli occhi con la manica del soprabito si limita a odiare la sua mancanza di puntualità.

La sua mano fredda sfiora la cicatrice che gli increspa il labbro. Un gesto così intimo e inatteso che Diamante le cinge le spalle, e appoggia il viso malconcio sulla sua spalla. La sua nuca bruna, fili neri sulla pelle. Non sanno da che parte cominciare. Così se ne stanno rigidi, stretti in un cauto abbraccio su quella collina che fete di gamberi trolli, sotto una pioggerella maligna che punge la pelle, fissando il polverio dell'acqua diffratto dalla luce degli alberi. E in questo istante anche lui comprerebbe un lotto di sabbia da Vita.

*Hope*, dice a un tratto Vita, stringendogli la mano, e Diamante s'appoggia alla roccia che affiora dal terreno, con le gambe che vacillano. Perché è scorretto, molto scorretto, ricominciare dove sono stati interrotti dalla ottusa volgarità del mondo. Però quando lei ripete *hope*, si china automaticamente in avanti e le bacia le palpebre. *Light*, e Diamante le bacia la fronte – *friend*, i capelli, *river*, il neo sulla guancia destra, *railroads*...

I clienti vengono a chiamarla, forse ha bisogno d'aiuto? la signorina è la loro guida – e anche se è solo una ragazza di diciott'anni, è lei la custode del loro futuro. Non può permettersi di star lì a litigare col suo innamorato sotto la pioggia. I clienti sono davvero interessati a questa terra. Vogliono comprare davvero – è tutta la vita che la sognano. Noi dobbiamo accontentarli, saziarli, farli felici, soddisfarli – è il nostro job, siamo qui per questo. Perché non torni domani? propone Vita. Oggi devo portare i signori a scegliersi i lotti. Domani sono libera. La prossima escursione è domenica, ai lotti di Huntington, Long Island. Diamante serra fra le labbra una ciocca dei suoi capelli. Quanto gli è familiare Vita che gli pulsa sullo sterno – il suo piccolo naso impertinente, i suoi occhi bui, sottolineati da un'ombra scura. Quanto è diversa e quanto è uguale a quella che la sua memoria custodisce come un segreto. Sono qui adesso – risponde Diamante. Vieni via con me.

Camminano lungo quella che non è ancora una strada, e che non sembra condurre da nessuna parte. Dove lo sta portando? Costeggiano uno stagno – sull'acqua per un attimo si riflettono un ragazzo vestito come se andasse a una festa, col viso graffiato come se avesse litigato con un puma, e una ragazza con gli stivaletti infangati – lui con una mano in tasca, lei con la testa abbandonata sulla sua spalla. Non è nemmeno una bella giornata – continua a ricadere quella polvere minuta di pioggia, e nelle folate del vento turbinano cartacce e petulanti granuli di sabbia. L'oceano nemmeno s'intravede al di là della nebbiosa caligine. Ma è vicino, Diamante lo sente, e lo respira. Dalla tasca della giacca gli spunta un triangolo di carta. È il biglietto che ha ricevuto al Consolato. Il piroscafo parte martedì. Oggi è giovedì. Gli restano cinque giorni. Cinque giorni per capire cosa rimane.

Vita si è fermata. Alza il braccio e ruota su se stessa, come a indicargli il confine di qualcosa che lui non riesce a distinguere. Ti piace? gli chiede. È questo. Questo cosa? dice Diamante. Non vede altro che dune di sabbia e la linea opaca dell'oceano. Vita sorride, sembra sul punto di confidargli un segreto, forse il punto in cui ha seppellito il suo tesoro. E, in un certo senso, è proprio così. Gli sta spiegando che non è venuta a Bensonhurst a vendere una fregatura cui lei ha saputo resistere. Il terreno è stato diviso in cento lotti: c'è chi compra per costruire e chi per rivendere quando i prezzi delle aree circostanti cresceranno. Al momento chiedono seimila dollari l'acro – ma, con gli anni, visto che è prevista la costruzione del subway, potrebbero arrivare a diecimila, o ventimila. Vita si china, affonda le mani nella sabbia. Se è una fregatura, l'ha presa pure lei. Diamante, un lotto l'ho comprato io. Con i miei risparmi. Non l'ho detto a nessuno, perché eri tu la persona con cui volevo vivere qui. E se tu non fossi tornato da me, allora qui non ci sarebbe stato mai niente. Invece adesso ti dico che su questa collina, un giorno, ci sarà la casa dei Mazzucco. O almeno, la nostra.

Gli lascia cadere la sabbia sui palmi delle mani. È bianca, polverosa, fredda. Strappa il ramo di un cespuglio, traccia una riga, poi un'altra – incide una foresta di linee. I solchi rappresentano i muri, i riquadri le stanze, i reticolati le finestre. Si è sempre chièsto per chi scrivono i bambini quando scrivono sulla sabbia. Adesso lo sa. Fra i quattro solchi più profondi ci sarà il giardino, fra le due parallele la veranda – tre quadrati, le stanze dei figli. Diamante la rincorre, calpestando il pavimento della cucina e devastando la soffitta – finché riesce a impadronirsi del ramo, ma Vita non ha finito, e si divincola, cercando di chiudere la porta, e lui l'afferra per un braccio, finché cadono lunghi distesi nel rettangolo dove, un giorno, ci sarà la camera da letto. Mentre la bacia, si rende conto che non è rimasto nient'altro. Ciò che rimane è questa ragazza – amata, odiata, amata. Gli viene in mente che forse non si mantengono solo le promesse che sono state fatte, non si rinnegano se non le parole che sono state giurate – la parola *non* è la vita – e che solo dove c'è fiducia, lealtà e abbandono, là c'è tradimento. Che è anzi più grande quanto più grande è l'amore, l'impegno, il coinvolgimento e la dedizione. Vivere dove non possiamo essere feriti – intaccati o ghermiti dal dolore e dal disincanto – non è vita. Donare, e donarci, chiedendo in cambio la garanzia che ne usciremo intatti o magari ricompensati – non è un dono. Solo chi amiamo può tradirci davvero.

Il 18 aprile del 1912 a New York era ancora inverno. La nebbia ristagnava fittissima, e aspettarono per ore un traghetto che li riportasse a Manhattan. Vita e Diamante se ne stavano seduti sulle balaustre della stazione marittima, abbracciati e infreddoliti. Vita chiedendosi perché gli avesse subito mostrato il suo tesoro seppellito nella sabbia – aveva sempre avuto fretta, mentre invece la pazienza dell'acqua scava le montagne. Diamante chiedendosi come avrebbe potuto dirle, dopo aver abitato la casa scritta sulla sabbia, che martedì la sconquassata Louisiana del Lloyd Italiano lo avrebbe riportato in Italia – consapevole di avere così poco tempo da rubare all'ennesima separazione che ogni volta che la lancetta dei minuti scivolava in avanti nel grande quadrante dell'orologio sospeso sui baracchini delle biglietterie, nella stazione marittima di Coney Island, il cuore si arrestava con uno schianto.

Glielo disse sul traghetto. Dove altro avrebbe potuto? È venuto da un luogo chiamato Traghetto. Era questo il nome di Minturno – "Traetto", come il traghetto – in realtà una chiatta – che collegava le due rive del Garigliano – unico punto di passaggio per i viaggiatori che, lungo la via Appia, scendevano da Roma e dallo Stato Pontificio, verso Napoli e il Regno delle due Sicilie. Quel traghetto sospeso fra due mondi, quella parentesi mobile fra due rive, quasi evocato dal nulla, dopo centinaia di chilometri di solitudine, paludi e devastazione, in quella terra di nessuno che non aveva nemmeno un nome – tanto che i suoi proprietari feudali la chiamavano Terra di Lavoro – era tutto ciò che restava di una città che era stata romana. Poi i Borboni avevano costruito il ponte di ferro, e il traghetto era scomparso – portandosi via il nome del paese. Ma l'anima instabile – il fiume, le due rive, l'acqua, sono rimasti. Per la prima volta in dieci anni, Diamante pensa che l'acqua lo riporterà a casa.

Le disse che stava partendo mentre Vita gli indicava, nella bruma, un assembramento argenteo di gabbiani. L'odore del metallo bagnato di pioggia gli fece salire nella bocca un gusto di sangue. Si aspettava che gli piantasse di nuovo le unghie sul viso. Che afferrasse il suo compasso e cercasse di non mancare il colpo, stavolta. Temeva che lo avrebbe odiato per sempre. Che avrebbe scambiato questo ritorno per una fredda vendetta. Tutto, ma non le lacrime di Vita. Le aveva desiderate per anni, quasi pretese, e adesso non gli sarebbe riuscito di sopportarle. Vita non pianse. Inghiottì una lama di gelo. Gli chiese soltanto perché. L'America non era l'America, senza Diamante. Mi hanno pagato il biglietto, Vita, rispose Diamante. Me l'ha comprato lo stato italiano per riavermi, mi ha comprato, gli ho venduto l'unica cosa che mi è rimasta – il mio corpo.

Devo fare il servizio militare, continuò. Cercava di ancorarsi, in quella foschia, al luccichio dei suoi occhi. Il soldato? Che te ne importa di fare il soldato? Vita lo abbracciò, strofinando il viso contro la stoffa ruvida della sua giacca a righe. Se solo potesse trattenere nelle narici il suo odore, negli occhi la forma della sua nuca, sulle labbra il pungente triccicore dei suoi baffetti. Quanto è vuota l'America senza di lui, quanto è inutile tutto questo se lui rinuncia. Se perderà lui, perderà, con lui, anche se stessa – quella che, se la lascia, smetterà di essere, senza ritrovarsi vicini mai più, né fra le gabbie di conigli sul tetto di un vecchio casamento né sulle panche del traghetto per Manhattan.

Diamante disse che aveva bisogno di far parte di qualcosa – di appartenere a qualcosa. Di trovare il suo posto. Avrebbe cercato di arruolarsi nella Guardia di Finanza. La GDF sorveglia il mare, e il mare è l'unico luogo al mondo che gli sembri abitabile e nel quale non si senta nel posto sbagliato. E poi c'è lo stipendio. Un allievo prende un assegno giornaliero di 1 lira e 85 centesimi. Se diventa guardia, prende 2 lire e 35 centesimi. Siccome la ferma dura tre anni, potrà mettere da parte qualche soldo per pensare senza angoscia al futuro, che oggi gli sta davanti come una saracinesca abbassata. Tu non le hai mai sopportate le guardie! commenta Vita, incredula – non rispondere alla chiamata, diserta. No, non posso. E non voglio farlo. Sarò congedato nel maggio del 1915 – spiega Diamante. A quel punto, avrò fatto il mio dovere, e sarò libero. Tu *sei* libero – risponde Vita. Non sarai mai più libero come oggi, Diamà.

Non puoi andartene. Sei in America da dieci anni – il confine che separa, di solito, un tentativo velleitario da un possibile successo. Chi rinuncia prima di aver superato la soglia dei dieci anni di permanenza, di solito si accontenta di un bottino esiguo – cinquecento dollari? ottocento? Il prezzo di un corpo senza vita. Di un cadavere. Un bottino né magro né abbondante – rispettabile. Un bottino, comunque, frutto di una specie di rapina – fatta però a se stesso. Oppure riporta a casa un fallimento, di cui mai riuscirà a darsi ragione. Solo dopo dieci anni si comincia a capire come funzioni l'America. Cosa sia necessario e cosa dannoso. Per lei è stato proprio così. Andar via adesso sarebbe come cambiare lavoro dopo un lungo e faticoso apprendistato. Un errore. Vita ci ha messo dieci anni a imparare la grande lezione dell'America: la fiducia in un domani migliore.

Ma è proprio questo il punto. Diamante sa che il suo apprendistato è finito. Non c'è più niente che l'America possa insegnargli o nascondergli. Non ha più segreti, né lusinghe, né allettamenti, per lui. In un certo senso non è più nemmeno l'America: è quel che è. Un posto come un altro. Finito il servizio militare torno. La prossima volta riesco. Mi va tutto dritto. No, non ritorni – dice Vita. Nota, con una trafittura di dispiacere, che gli occhi blu scoloriscono. Color turchese nell'infanzia, con gli anni diventano d'un celeste insipido che vira al grigio nebbia. Quelli di Diamante mantengono solo una sfumatura azzurra – come un cielo che vada rannuvolandosi. Chissà se il processo è reversibile. Ti sto chiedendo di aspettarmi, mormora Diamante. Ti sto dicendo che torno solo se mi sposi, Vita – aggiunge, solennemente. Ti sposo adesso – risponde Vita.

Sbarcano tenendosi per mano, il viso rivolto alla linea vacillante della città costruita sull'acqua. Ormai anche loro fanno parte di quei milioni e milioni e milioni di uomini che hanno dato a questa città qualcosa della loro anima, dei loro pensieri, dei loro sentimenti e dei loro sogni – l'immenso mare di pietra li inghiotte e nel corso dei secoli si trasforma misteriosamente, come un banco di coralli, ricavando da quell'annullamento il destino di ognuno. Diamante le stringe la mano per paura di perderla nella folla isterica che si aggira sui moli – e solo in quel momento si rende conto che non le ha chiesto di seguirlo. Ha bisogno di questi tre anni – per consolidare i ricordi, e ritrovarla come la desiderava. Il sogno della sua infanzia è ammaccato come una scatola di latta. Ha bisogno di crearla di nuovo, perché non riesce più a crederle, e ogni volta che incrocia il suo sguardo si chiede cos'altro vedano i suoi occhi. Vorrebbe svitarle la testa e frugarle dentro – allora, solo quando riuscisse ad appurare che non c'è niente, nessuno, che Diamante è tutto il suo mondo – le crederebbe.

Vita sa che sbaglia. Non ha bisogno di prove, perché aver fede in qualcosa, o in qualcuno, non significa voler toccare la sua ferita, ma volerla guarire. In ogni modo, le creda o no, lei lo ama. E perché aspettare? A che serve? La vita è adesso. Non nel futuro, che potrebbe non venire, non nel passato, che s'è dissolto – siamo noi, qui, ora, come ci siamo ritrovati, con quello che sentiamo oggi diciotto aprile millenovecentododici – perché potremmo non sentirlo più, potremmo cambiare, o essere cambiati, e disperderci in direzioni diverse come gocce di pioggia contro il vetro di una finestra. I sentimenti si sfilacciano, e le promesse non si mantengono. Questo presente passerà, né mai sarà possibile richiamarlo. Perché aspettare? Non abbiamo aspettato abbastanza? Che importanza ha un anello d'oro, la benedizione della legge, l'approvazione della chiesa? La realtà di una casa, uno stipendio e la stessa chiave nelle loro tasche? Tutto questo non la sposerà con Diamante. Lo farà il piacere che accende il viso di lui alla vista del suo, voler cercare, fra milioni di sguardi, i suoi occhi – e allora da oggi sarà la sua sposa.

Prendono una camera in un alberghetto affacciato sui moli del porto. Dicono di essere due sposi in viaggio di nozze. Il portiere non ci crede, ma non gliene importa. Li valuta con scorbutica competenza, solo per capire se pianteranno una grana – il ragazzo appoggiato al bancone, con la faccia rigata di sangue, il naso incrostato e la camicia puntinata di rosso; la ragazza qualche passo indietro, il sorriso bianco che affiora dalla penombra dell'ingresso. Ne deduce che sono due giovani rissosi e ricominceranno a picchiarsi e siccome qui al porto la polizia non ci viene, certi clienti sarebbe meglio risparmiarseli. Chiede subito quante ore intendono fermarsi. No, non ore, lo corregge cortesemente Vita, sfoggiando un fluido americano che sbalordisce Diamante. Prendiamo la camera fino a martedì. Gliel'abbiamo detto, siamo in viaggio di nozze. (Il nostro viaggio, però, sarà attorno al nostro letto, e il paese più dolce nel quale sbarcherò saranno le sue braccia.) Diamante avrà undici notti di viaggio, per dormire. Avrà trentasei mesi per riposare. Senti, ragazzo, ringhia il portiere, ignorandola, questo è un albergo a ore. Per troie e marinai. Io non ti chiedo se la tua ragazza è minorenne, e non me ne frega niente se hai disertato dalla tua nave e violato il contratto con la tua compagnia. Se vuoi restare in camera una settimana, un mese o un anno, affari tuoi. Ma qui si paga anticipato.

Mentre Vita s'avvia su per le scale di legno, Diamante appoggia trionfalmente cinque dollari sul bancone cerchiato dall'ombra di vecchi bicchieri. La guarda salire – le gambe svelte, il busto che oscilla appena, senza scatti – un'andatura armoniosa, solida e invulnerabile. Sul pianerottolo del primo piano, lei si volta a chiamarlo. Vieni? dice, che aspetti? Diamante fa tintinnare la chiave.

La sposa davanti al Dio che non ha riconosciuto quella notte ormai sprofondata nel baratro del tempo, sulla spiaggia di Coney Island. La prende così com'è, e si lascia prendere così com'è, in una camera d'albergo a ore, affacciata sui moli del porto, mentre gli argani cigolano e le catene stridono e le urla degli scaricatori rimbombano dalle banchine brumose, e le sirene delle navi fischiano e si richiamano sull'acqua avvolta dalla nebbia. Nel tepore di un letto striminzito, che fa sudare lui e imperla lei, che lo abbraccia e lo stringe, e non gli promette nient'altro che questa sua carne cedevole, questo suo seno soffice, questi suoi morsi vendicativi e pietosi sulla cicatrice che gli increspa il labbro, e l'eco corrosivo della sua gioia mentre la fa oscillare – lo fa oscillare – contro la testiera arrugginita – una specie di nenia che somiglia a un canto.

Si fa sera, e poi notte, e poi un'alba azzurra come la fiamma del gas comincia a filtrare dietro le tende – finché il rosso disco solare dissipa le brume e nella stanza dilaga il giorno. Diamante si abbandona sul cuscino e si avvolge nella coperta, e nuda e abbagliante com'è Vita attraversa la luce della stanza e si annoda i capelli sulla nuca, scoprendo il collo sottile e bruno, e con l'acqua della brocca si sciacqua il seme opaco dalla pelle, e si adorna con una goccia di profumo.

Nelle stanze accanto, fin dalle undici del mattino riprende il traffico di amori passeggeri, effimeri ed economici a passi di marinai e colpi di tosse di ragazze annoiate e distratte seguono gemiti, risucchi, e poi voci, proteste, discussioni venali, accuse di furto e accanite contrattazioni. Imbarazzato, Diamante le chiude le orecchie con le dita, bisbigliando – perché vorrebbe respingere l'assedio del mondo fuori da queste quattro pareti così precarie, così sottili – impedirle di ascoltare, di distrarsi, di assentarsi ancora. Ma Vita ride. Che ci importa se questo albergo è un bordello e i nostri vicini non hanno fantasia – noi non siamo qui, siamo sul treno della Union Pacific che vola in California, nella cabina di prima classe del piroscafo Cretic, nella scialuppa del Republic – dovunque vogliamo essere, ma non qui.

Lunedì sera gli tornano i dubbi, l'amarezza, il fiele, il gusto rancido di un sogno infranto. Gli viene in mente di metterla alla prova ancora, perché se Vita ha abbandonato l'escursione e il picnic dell'agenzia, se ha inventato una bugia per non tornare a casa, questa settimana, se è venuta in questo albergo sul porto a passare con lui la sua ultima notte d'America come ha passato con lui la prima, potrebbe dimenticarlo domani per il cugino Geremia o per chiunque altro e seguirlo in un albergo sul porto, in un'altra città, ovunque, unicamente perché non vuole che si senta solo e vuole che sia felice – è il nostro lavoro, siamo qui per questo noi. Perché Vita non è capace di martoriarsi e di affliggersi troppo a lungo e ora che ci pensa non l'ha mai vista piangere, se non il giorno che sono sbarcati, tanto tempo fa, e allora non aveva nessuna idea di essere Vita. Ma se io decidessi di non tornare in America, le chiede, ad alta voce per sovrastare il frastuono delle sirene e il martellare dei metalli – se scegliessi di restare in Italia, Vita, lo attraverseresti l'Atlantico per raggiungermi?

Vita scosta la coperta e si alza di scatto. Tira le tende e solleva la finestra. Infila il viso sotto la ghigliottina e guarda, come se fosse l'ultima volta, le navi allineate sui moli – le prue tanto più alte della finestra del terzo piano. La cornucopia di casse, merci e bagagli, gli argani immensi, le barchette dei poliziotti, il via vai dei commissari, i paletti e i recinti per gli sbarchi delle mandrie umane, le insegne, le réclame dei sorrisi e la bellezza di un mondo in cui ognuno conosce il suo ruolo, è il delicato ingranaggio di un meccanismo che lo trascende e non deve fare altro che quello che gli chiedono per essere accettato. L'America mi piace, ci sto bene – qui mi apprezzano per quello che sono e non mi chiedono perché a diciott'anni ancora non mi sposo. In Italia dovrei tornare a tutto quello cui sono scampata. Diamante s'appoggia alla testiera del letto, e s'accende una sigaretta, perché vuole che lei lo creda sprezzante e orgoglioso – un dritto: e invece sarà un fesso per sempre. Stringe la cicca fra le labbra. Vita cerca il turchese nell'iride celeste dei suoi occhi. No, non ci crede che il processo del decoloramento sia irreversibile. Ma come si può invertire il processo? Dove riscattare il blu? Però sì, Diamante – risponde, sfiorandogli la cicatrice con la bocca – l'Atlantico lo attraverserei.

Diamante sorride. La ragazza italiana sparita lui l'ha ritrovata, ed è sua. Vita lascia ricadere la testa sul suo torace – è diventato forte, Diamante, magro e muscoloso – palpa sulle spalle il marchio indurito dei secchi dell'acqua, sulla schiena il timbro arrossato delle iniezioni – il suo corpo nuovo, disseminato di segni, codici, storie, come un libro. Vorrei che fossi ammalato, sussurra, così almeno ti rifiuterebbero, e potresti tornare prima da me. Sento già la tua assenza. La guancia ruvida di Diamante preme contro la sua. Quanto tempo è passato? Quanto gliene resta? Già comincia a spuntargli di nuovo la barba. Guarda di sfuggita l'orologio. Restano sette ore. Sono poche, forse niente – eppure elastiche, saranno ore lunghe, assaporate e trattenute per la coda. Però la lancetta dei minuti scivola giù dal quadrante troppo veloce. Diamante, allarmato da quel ticchettio, allunga una mano, volta l'orologio – per un attimo c'è silenzio, e con loro il tempo che scorre e li separa. Vita pensa che il tempo può essere solo maschile – *il* tempo, qualcosa che brucia, corre e consuma.

A tentoni Diamante cerca di bloccare il meccanismo, di far tacere quel maledetto, allucinante ronzio, ma non può – potrebbe riuscirci solo roteando l'orologio sulla catenella e fracassandolo contro il muro. Allora Vita, dopo tanto tempo, lo fa di nuovo. Ne è ancora capace. Questo giorno non finirà. Guarda le lancette di metallo che corrono nel cerchio delle ore. Le guarda finché cominciano a muoversi. Ma non nella direzione prevista per loro. Le rimette indietro. Restano dieci ore, undici, dodici – torna alla notte trascorsa, all'alba, a prima ancora. Diamante sorride. I suoi occhi. La volontà – era solo questo, allora. Della realtà banale e colpevole, del genetico male del mondo Vita non ha accettato di far parte. Vita non è cambiata. Non l'ha perso, il suo dono. Ciò che possiede, non le sarà mai tolto. Guarda, finché le lancette s'afflosciano sul quadrante bianco. Adesso pendono come ceri sciolti. Nel silenzio, solo il respiro rapido di Vita e la sirena lontana di una nave. Il ticchettio tace. Non ronza più. Anche il tempo s'è fermato.

Smorza la luce. Basta sguardi. Restano le mani, i corpi, la pelle. Il tatto viene prima della vista, del sapore e della parola. È l'unico linguaggio che non conosce la menzogna. Basta promesse. Basta racconti, ricordi, storie. È stato detto tutto. Le parole, Diamante le mette nella valigia – l'unico bagaglio, l'unica ricchezza che si porta via dall'America. Forse non hanno nessun valore, ma non ha importanza. Lascia a Vita tutto quello che ha trovato, tutto quello che ha perso. Le lascia il ragazzo che è stato e l'uomo che non sarà mai. Perfino il suo nome. Ma le parole – quelle le porta via con sé.

# I miei luoghi deserti

La storia di una famiglia senza storia è la sua leggenda. La leggenda che di generazione in generazione si arricchisce di particolari, nomi, episodi. La leggenda tramandata nella distratta indifferenza dell'infanzia – poi ritrovata troppo tardi, quando nessuno può rispondere alle domande più semplici, necessarie e assillanti, quelle di sempre – chi sei, da dove vieni, di quale destino sei l'ultimo anello. Perché proprio a me è toccato il caso – o il destino – di essere l'ultima. Nessuno è nato dopo di me – con me la catena si spezza, il nome si perde, con me tutti noi venuti dal niente ci dissolviamo nel nulla. La leggenda dell'origine diventa allora tanto più urgente, la volontà della memoria quasi imperativa. La nostra leggenda si chiamava Federico. Era un ufficiale, il nonno di mio nonno, sceso al Sud con l'esercito piemontese al tempo della guerra del 1860. L'ufficiale viene ferito nella battaglia del Volturno, l'ultima fra i garibaldini e l'esercito borbonico in fuga verso Gaeta – dove il re Francesco ii capitolerà e assisterà alla nascita dell'Italia. Resta paralizzato e viene curato a Minturno. Minturno, che è stata finora una "cittadina non ignobile del Regno di Napoli" diventerà, come l'ufficiale, fedele al Regno d'Italia. L'ufficiale non lascerà più quella cittadina, si perderà nelle sue campagne mediterranee, lussureggianti e riarse dal sole. L'ufficiale Federico possiede un dono forse superfluo nella regione del Po, della Stura e della Dora, ma prezioso in un paese contadino del Mezzogiorno perennemente assetato. Federico è un rabdomante. Intuisce la fonte. La sente con una vibrazione del corpo – una scossa quasi magnetica. Vaga col suo bastone e si ferma sempre nel punto giusto. Sa dove scavare un pozzo. Sa dove trovare l'acqua – e la vita.

Non sono venuta a Tufo di Minturno a cercare Federico il Rabdomante – è un'altra storia – ma Diamante e Vita. Cerco notizie, testimonianze, prove. Voglio sapere se è vero che Antonio ha ricomprato coi soldi americani di Diamante il pezzo di terra che la devastante crisi agraria degli anni Ottanta gli aveva tolto. Se Diamante lo ha rivenduto presto perché, al suo ritorno, dopo aver tanto sofferto per quel pezzo di terra, dannazione e speranza della sua famiglia – si era accorto di non volere la terra, ma un'altra vita. Se è vero che Vita voleva ricomprarlo a Diamante trentotto anni dopo – per viverci, forse, con lui. Soprattutto cosa ne è stato di Vita – dove, quando è sparita. Perché, dopo la sua visita in Italia, ho perso le sue tracce. Al rabdomante, mitologico capostipite della famiglia, non penso mai.

Nella ricerca, mi imbatto in storie che non cercavo. Come quella di un uomo di nome Froncillo, morto centenario nel 2000. Era stato, per più di quarant'anni, l'oscuro ufficiale di stato civile del comune di Minturno. L'ufficio anagrafe oggi si affaccia sul cortile del vecchio convento attiguo alla chiesa di San Francesco – un cortile che sembra il pozzo della storia, dove in un baratro si scorgono ancora i monconi di misteriose arcate secolari. È ospitato in due stanze spoglie, statali nel senso amaro della parola, dove i mobili sono invecchiati con gli impiegati, e i pavimenti con la polvere. I registri con le nascite, gli atti di matrimonio e di morte sono accumulati sugli scaffali o in piccoli schedari di metallo. Ma tutto questo – che frugo ansiosamente alla ricerca di Vita – non esisterebbe nemmeno senza quell'uomo di nome Froncillo. Nel gennaio del 1944, quando l'esercito tedesco attestato sulla Linea Gustav si scontrò furiosamente con gli alleati che tentavano di risalire la penisola, Minturno fu conquistata, espugnata, persa, distrutta. Saltarono case, strade, ponti. Il signor Froncillo, senza chiedere il permesso a nessuno, caricò tutti gli incartamenti su un carretto e li portò a Latina. Pochi giorni dopo, il comune di Minturno era raso al suolo. Ma la sua memoria era salva. E in quegli schedari c'è ancora oggi la storia del padre di Vita, il primo a richiedere il passaporto per l'America, e di Antonio, che in America non riuscì nemmeno a sbarcare. Della infelice Angela e dei loro cinque figli nati per morire prima di compiere i dodici anni. Non c'è, però, nessun segno di Federico il Rabdomante né di Vita.

Eppure, inseguendo le labili tracce lasciate dai due fuggiaschi ragazzini, un secolo fa, finisco per riafferrare proprio il filo di quella leggenda, e scoprirne la finzione, l'artificio. Finisco per scoprire che nell'invenzione del rabdomante, dovuta alla fantasia di Diamante, raccontata ai suoi figli, e da loro a me, stava il suo segreto, la sua vera identità – e la mia.

I Mazzucco non vennero dal Piemonte. Non scesero con l'esercito dei piemontesi con l'ambizione e il pretesto di liberare il Mezzogiorno dal giogo dei Borboni, molti col sogno di tingere dello stesso colore la carta geografica della Penisola – qualcuno, come il rabdomante, col sogno di riscattarne la millenaria miseria. Non erano diversi dai milioni di contadini e braccianti senza terra che affollavano le campagne del sud Italia. Quando chiedo a padre Gennaro di consultare i registri di battesimo della parrocchia di San Leonardo, so perfettamente di cercare la data di nascita di Vita – per poter trovare quella della sua morte. La chiesa di San Leonardo, a Tufo, è uno dei pochi edifici sopravvissuti ai bombardamenti del '44. C'è un monumento piuttosto inconsueto, nella piazza che oggi sorge al posto del grumo di case ridotte in briciole, dove Vita crebbe e dove Diamante portava i figli d'estate, ormai sentendosi il visitatore di una contrada estranea, un turista liberato dal ricordo e dalla nostalgia. Una stele di recente fattura, sormontata da una donna di bronzo coronata d'alloro (la Patria), ricorda i morti per l'Italia. Ogni lato riporta i nomi dei caduti. La Prima guerra mondiale. La guerra d'Africa, la guerra di Spagna. La Seconda guerra mondiale. Ma l'elenco più lungo è quello sul quarto lato. Sono i nomi dei morti senza divisa, né soldati né ufficiali – civili, semplici abitanti del borgo, uccisi dai loro aguzzini ma anche dai loro liberatori. In ogni caso, per un miracolo meno ingegnoso del salvataggio dell'ufficiale comunale Froncillo, buona parte dei registri parrocchiali sono scampati al fuoco ed esumati intatti dalle macerie del villaggio. La storia dei Mazzucco è lì racchiusa.

La sala parrocchiale di San Leonardo è minuscola, buia, in cima a una scala malmessa. I muri grigiastri, privi di arredi, le seggiole sbilenche e la rugginosa scrivania di metallo trasudano una povertà quasi evangelica, un senso di abbandono. Un luogo anonimo, come anonimo è ormai il borgo, così diverso dalla pittoresca fatiscenza di Minturno, simile a quella di Procida e dei villaggi del napoletano. Tufo invece è stato annientato e cancellato, ricostruito in fretta e in disordine, nel segno dell'anarchia e dell'improvvisazione – tanto che mentre mi aggiravo per i vicoli, in attesa che la campana battesse l'ora dell'appuntamento col parroco, un'anziana donna sdentata che forse ha conosciuto Diamante e quasi certamente porta il mio nome mi ferma, sorridendo e scusandosi perché per una forestiera come me non c'è niente da vedere, qui. Anche l'armadio che contiene i preziosi registri è uno stipo di metallo dozzinale, piuttosto sconquassato. I libri – voluminosi come dizionari o antiche enciclopedie – hanno centinaia di pagine di pergamena, vergate a mano, in latino. Sono in cattivo stato – con le copertine rigonfie, muffite, l'inchiostro stinto, le pagine chiazzate dall'umidità, maculate dalle dita di incauti lettori.

Il primo volume – il *Liber Baptesimarum* – contiene migliaia di nomi. Tutti i battezzati di Tufo dal 1848 al 1908. A quell'epoca nascevano ostinatamente decine di bambini. Pochi vivevano, ma tutti ricevevano il battesimo. Vari parroci si susseguono nell'incombenza, mutano le calligrafie (alcune accurate, altre sciatte, altre arzigogolate), i nomi imposti, i nomi delle ostetriche, dei padrini, delle madrine. Si disegna davanti ai miei occhi la storia di un paese e delle cinque famiglie che lo compongono: i Mazzucco, i Tucciarone, i Rasile, i Ciufo, i Fusco. Intrecci matrimoniali, parentele, personaggi che conosco e che ritrovo, come Dionisia la scrivana, o Petronilla l'ostetrica, Agnello, Nicola. Qua e là, fra un battesimo e l'altro, il bagliore del costume, l'ossessione repressiva della morale. In due secoli, il *Liber* include solo due nascite illegittime – due donne costrette a battezzare due bambini *ex patre ignoto*. Il destino di queste due donne sfortunate è immaginabile. Il loro cognome è il mio. Tutti – in queste pagine consunte – hanno il mio cognome. È come un sogno sfocato – una città affollata di omonimi, di doppi, di identità intercambiabili, di anime senza volto. Ma tra le pagine del *Liber* c'è anche qualcosa di più. La storia di quei poveri nomi, attribuiti a bambini ormai morti da tempo, riflette o testimonia eventi più grandi, mutamenti decisivi. Illusioni. Centocinquantamila persone, da Toronto a New York, credono, ricordano o suppongono di provenire da qui: nell'ufficio comunale il telefono squilla in continuazione, e d'oltreoceano studenti e studentesse americani pregano di fare una ricerca per scoprire il nome del parente da qui partito cent'anni fa. Nel *Liber Baptesimarum*, dopo tante Maria, Lucia, Genoveffa, Judith, Agata, Adalgisa, dopo tanti Virgilio, Desiderio, Filippo, Ignazio, Giovanni, compare una bimba che i genitori – la madre è l'ostetrica del paese, la Tucciarone – chiamano Amerinda. È il 1895. È l'inizio di un sogno collettivo – breve, intenso. Effimero come una vampata. Nel 1897 nasce Americo, seguito da un omonimo nel 1898; Almerinda nasce nel 1900, Amerinda Mazzucco nel 1904. Poi più nulla. Chi è partito è partito, chi è tornato, dimenticherà l'America. È già finita.

*Nell'anno Domini Mill.mo octing.mo nonag.mo primo die sexto novembris ego sub parochus huius ecclesiae S. Leonardi Tufi pagi Minturnarum baptisavi infantem die tertio dicti mensis natum cui impositum fuit nomen Benedictus. Obst. Petronilla Tucciarone.*

*Joseph Conte Larochas*

Benedetto era il nome di battesimo di Diamante. Ma del battesimo di Vita non c'è traccia. Inizio a sfogliare il registro a ritroso – risalendo quei nomi come una corrente. Trovo l'atto di battesimo di Antonio, figlio di Benedetto, nato nel 1851, quando Tufo veniva ancora definito *pagus Trajecti*, e di Angela Larocca, nata nel 1854, e inseguo l'origine sul *Liber* più antico, compilato dal parroco con una calligrafia più diligente, più istruita. Trovo la registrazione del battesimo della madre di Angela, Maria Mazzucco, nata nel 1818, e di Benedetto figlio di Antonio, nato il 28 aprile 1814. Di Antonio nato nel 1792, e di quella che sarebbe diventata sua moglie, Rosa Ciufo, nata nel 1791. E via risalendo sull'albero, arrampicandomi sul tronco principale e sui rami materni, sempre più indietro, fino alle prime pagine del *Liber* più antico, che data dal 1696 al 1792. Indietro, fino all'inizio. Sette generazioni, nove, dieci. Trovo Ferdinando Mazzucco nato nel 1769, Pietro e Maria nel 1762, Agnello nel 1738, Biagio nel 1723, Nicola nel 1713, Bartolomeo nel 1704. Trovo una Apollonia nata nel 1699, un Giovanni Mazzucco nato intorno al 1690, un Agnello suo coetaneo, uno Stefano Mazzucco nato intorno al 1680, un Giuseppe Mazzucco padre di Apollonia e dunque nato fra il 1660 e il 1670. Finché il *Liber* si interrompe – sono arrivata alla prima pagina. Poi viene il silenzio.

Non esistono registri più antichi. Solo dopo l'acquisto del feudo di Traetto da parte di don Antonio Carafa il parroco iniziò a trascrivere lo "stato delle anime". Prima, Tufo era solo un "casale" con 10 fuochi e meno di 50 abitanti. E mentre cerco di orizzontarmi, tracciando la rete di antenati, di figli, di figlie, di padri e di madri, meridiani e paralleli della mappa, realizzo a un tratto che sono sprofondata nella palude del tempo. Siamo nel secolo barocco, dell'incantesimo e della meraviglia, di Marino e di Pietro della Valle, dell'eruzione del Vesuvio e degli eserciti che scorrazzano per la Penisola, degli spagnoli e della peste – e non c'è ancora traccia del rabdomante Federico. I Mazzucco erano qui, da secoli prima della sua venuta – compaiono dal nulla, alla fine del Cinquecento, forse corsari arabi, forse soldati spagnoli, svevi o normanni sbandati e meticci – e non si sono mai più mossi – hanno vissuto su questa collina lontana dalle capitali e vicina alle solitudini, alle paludi, alla malaria, all'Appia abbandonata e impraticabile, una gibbosità di tufo, pietra dura e però malleabile, solida e insieme friabile, radioattiva e perfino mortale. Una gibbosità verde e scoscesa, ambita solo dai pirati saraceni. Hanno vissuto qui, legati alla terra come i servi della gleba che probabilmente erano stati, fin dall'orlo dei tempi. Nessuno di loro ha mai lasciato quel lembo di terra non sua negli archivi catastali borbonici, per secoli e secoli non c'è nemmeno un documento di proprietà. Nessuno di loro risulta iscritto alle liste elettorali – non erano abbastanza abbienti. Antonio non ha mai perso la sua terra con la crisi agraria, perché la terra non l'ha mai avuta. Non avevano niente – a parte il nome, e nemmeno quello gli apparteneva. Era sempre stato di un altro, prima. Ereditavano quel nome come unica ricchezza – e lo trasmettevano come unica dote. Credevano in una qualche forma di immortalità. Pure, non si mossero. Non andarono lontano – da nessuna parte. Le nascite si susseguono inesorabili, le generazioni scompaiono, inghiottite, cancellate, disperse, i nomi restano, ritornano. Una macina – una catena, che risucchia loro e me in una vertigine esaltante e insieme dolorosa. C'è qualcosa di atroce e inspiegabile nella fissità del loro destino.

Realizzo soltanto adesso che Diamante, stringendo la mano di una bambina, fu il primo ad aprirsi un varco in quella rete di battesimi e atti di morte, fitta come una grata, una prigione. Fu proprio lui, un ragazzino di dodici anni, cui avevano assegnato come unica eredità il nome sfortunato di due fratelli morti, uno a tre mesi, uno a quattro anni – quel ragazzino con gli occhi azzurri, il diploma di terza elementare e dieci dollari cuciti nelle mutande, fu il primo che, appropriandosi del sogno incompiuto del padre, riuscì a fuggire. Il suo gesto lo esalta e lo incrina, lo battezza e lo spezza, lo trasforma e lo distrugge, ma lo libera e ci libera. Federico Mazzucco il Rabdomante nacque con la sua fuga – per scompaginare le pagine di un libro già scritto. Per confondere le piste, nobilitare il passato, cambiarlo e insieme redimerlo. Per dichiararsi venuti da lontano, con la Storia – e alla Storia diretti – noncuranti del ritardo.

Si è fatto tardi, e padre Gennaro deve chiudere la sala parrocchiale per dire messa. Gli riconsegno quei libri preziosi e angoscianti, lo ringrazio, esco nella piazza inondata dal sole. Dietro la stele dei caduti, dalla balaustra affacciata sullo strapiombo, la vista è una visione e un incantesimo. Il borgo medievale di Minturno, intatto nella distanza, svetta sulla rupe, circondato dalla vegetazione mediterranea – un'oleografia di fichi d'India, oleandri, bougainvillee, rose selvatiche, glicini, palme, ulivi, limoni. Le rovine della colonia romana – qualche colonna, lo scheletro del teatro, brandelli di templi e altari – si perdono laggiù in una distesa di pini. Il fiume è verde, scorre verso la foce fra canneti e barchette ancorate alla corrente. Il ponte sul Garigliano – anzi i ponti, quello sospeso di ferro, quello di cemento armato e quello della ferrovia – solcano la pianura, butterata di palazzine e di asfalto nero che scintilla al sole. Dietro incombono creste aguzze, aride e desolate come i monti della Grecia. Ma la costa è vicina – allungando una mano sembra di sfiorare la spiaggia. Nell'azzurro, un'isola – verde, montuosa, scoscesa. È Ischia – prossima, illusoriamente, in realtà imprendibile. E il mare a perdita d'occhio, fino alla curva dell'orizzonte.

Ha trovato qualcosa? mi ha chiesto padre Gennaro, inforcando occhiali spessi da miope e spalancando il portone della chiesa. Sì, ho risposto. Ed è la verità. Proprio perché non ho trovato Federico e non ho trovato Vita. La sua esistenza non è rimasta intrappolata in quei registri spietati. È sfuggita ai registri di morte, alle vecchie carte, agli ordinati archivi del tempo e della memoria. In un giorno di primavera, terso e azzurro come questo, ha affidato la mano a quella di Diamante, lo ha seguito su quel mare vicino e imprendibile che ogni giorno dalla finestra di casa sua doveva aver guardato come una promessa, si sono infilati a capofitto nell'unica smagliatura della rete e insieme i due fuggiaschi hanno inventato un'altra storia.

# Salvataggio

La campana suona per la terza volta. È l'ultima. Poi i bocca-
porti verranno chiusi dall'esterno, le spranghe scivoleranno nei
ganci e il dormitorio precipiterà nel buio. Vita è nascosta in cima alle scale, affondata nella segatura fino al naso. Nei giorni
di maldimare, la cassa è vuota, e la segatura sparsa a manciate
sui pavimenti, fra le cuccette, perfino sui cuscini, per assorbire
il vomito e la diarrea. Elettrizzata dal suo coraggio, quasi non
respira. Le avevano annunciato che avrebbe dovuto attraversare il mare delle lacrime, e invece questo viaggio si è rivelato
un'esaltante avventura. Quando la lampada disegna un'aureola
attorno al viso arcigno del guardiano, la raggiunge l'odore ma-
levolo del suo fiato. Non si muove. Aspetta che i marinai com-
piano il giro di ricognizione sul ponte, per stanare eventuali trasgressori. I marinai sono giovani, svogliati, infastiditi dalla pioggerella che sferza i ponti e dalle pessime previsioni del tempo.
Sono italiani. Sotto i berretti hanno i visi lucidi, i mantelli di tela cerata sono intrisi di **umidità**. Uno agita la torcia, cattura una
sagoma recalcitrante, l'abbranca, la incoraggia a calci verso il
boccaporto – la sagoma precipita giù per le scale. I marinai ridono. Poi svaniscono, ingoiati dall'ombra. Il guardiano fischia.
Tutto pare in ordine. I portelloni sbattono sui cardini, le serrature sigillano la stiva. Ora sono prigionieri della notte. Tutti,
tranne lei. Lei li ha sfidati. È venuta fuori da quel fetido buco.
Ecco, ora il ponte è una striscia pallida, deserta. Le lune dei fanali sfrangiano la nebbia. Il parapetto sgocciolante disegna una
strada di metallo – la barriera sottile fra il tutto e il niente, fra
lei e l'oceano. La nave le appartiene.

Risorge dalla cassa. Si scuote la segatura dai capelli e dalla
gonna. Respira profondamente. L'aria sa di fumo, sale e petrolio. Questo è il suo primo viaggio. Non è mai salita su una nave. Dovrebbe sentirsi terrorizzata – perché è tardi, perché non

ha risposto al richiamo della terza campana e perché ha disobbedito alla Compagnia. Ma non è così. È felice. Duemila persone dormono, prigioniere, e lei è libera. Si arrampica sul parapetto. Per qualche istante resta immobile, sospesa sull'oscurità che mugghia un centinaio di metri più in basso. L'oceano non è un mare. È una strada, una rotta, una pista. La scala s'inerpica nel buio, poi si interrompe. Chiudono i passaggi con i cancelli e i lucchetti. I cancelli possono essere varcati in una direzione sola. Non la sua. Si guarda intorno. Bianche divise di ufficiali, stivali di gomma, passi felpati, poi niente. Il vento avviluppa attorno al palo una catenella di ferro. Il lucchetto ora penzola tristemente nel vuoto. Fuso, sciolto. Le basta spingere il cancello per salire sul ponte proibito.

Dunque questo è il regno degli altri. Sembra un castello arroccato sulla pianura del ponte. Alto, cinto da baluardi ripidi: inespugnabile. Dicono che i duecento passeggeri di sopra leggono distesi sulle sdraio, scrutando l'orizzonte – e, a volte, i duemila passeggeri di sotto. Gli uni costituiscono il teatro degli altri. Dicono che giocano a carte nei saloni e la sera ballano. La musica si sente anche di sotto, ma i balli restano un mistero. Tutto questo, però, è finito. Piove da tre giorni, e i marinai hanno ritirato gli ombrelloni e le sedie a sdraio. I saloni sono spenti. Se avvicina il naso alle vetrate, intravede solo le ombre dei divani vuoti, il luccichio del pavimento, le seggiole allineate e la sagoma scura del pianoforte. Il ponte laterale costeggia file di oblò rischiarati dall'interno dalla luce elettrica. Ma tutte le tende delle cabine sono tirate, e quando cerca di sbirciare riconosce solo la superficie zigrinata di un copriletto. Qua fuori, nel vento, le restano appena cicatrici di luci impigliate nei vetri.

Vita cammina in fretta sul ponte, stringendosi nello scialle. Ha un appuntamento, e non bisogna far attendere un uomo. Gli uomini non hanno pazienza. La pioggia sfarina la nebbia. L'acqua sale dall'oceano e scende dal cielo. È il nove di aprile, ma in questo niente circondato dal niente potrebbe essere inverno. Non saprebbe dire da quanti giorni è in viaggio. Ha dimenticato di prendere nota, il giorno dell'imbarco, e poi è stato troppo tardi – il tempo ha preso un andamento circolare. Le albe si ripetono, e così le notti. Alzarsi, sciacquarsi il viso nei lavatoi, mettersi in fila per prendere la tazza di caffè e il pane, aspettare chissà cosa, ingannare l'attesa, cercare il responsabile del nostro gruppo – quello cui siamo stati assegnati o consegnati – accettarne l'autorità, mettersi di nuovo in fila per il pranzo, passare in qualche modo le ore, mangiare, dormire, alzarsi. Tutto qui, come se non ci fosse nient'altro, e l'unico scopo mangiare, dormire, alzarsi, riempirsi, dormire, finché è finita. Si avanza nel tempo come la nave nel mare, senza avvedersene. Il viaggio è quasi alla fine. Lei, vorrebbe che non finisse mai. Di là dalla balaustra, una torbida massa scura. Tutt'intorno, e ovunque diriga lo sguardo. È ferma chissà dove in mezzo al niente. Non sta andando da nessuna parte e da nessuna parte è venuta. In realtà, è arrivata.

Non ha mai avuto un orologio, perciò non sa se l'ora dell'appuntamento sia già trascorsa o se sia, come sempre, in anticipo. Non ha mai osato sfidare la terza campana, e mai è evasa dalla prigionia della notte. Gli ha detto: ci vediamo dopo la terza campana. Diamante ha chiesto solo: dove? Come se fosse semplice, possibile, prendersi quello cui non si ha diritto. Come se fosse semplice restare insieme. Non è stato semplice, invece. Le tocca la cuccetta peggiore del dormitorio, all'ultimo piano, schiacciata contro il soffitto, con neanche ottanta centimetri fra il suo naso e il puzzo del legno nuovo. Dieci ore prive di spazio, di aria, di luce, mentre nel tanfo di piscio vomito sudore latte acido e succo di donna che appesta il dormitorio lo stomaco si rivolta. Vita ha dovuto nascondersi non solo ai guardiani, ma anche ai suoi compagni di viaggio – perché altrimenti qualche comare invidiosa impicciona o beghina l'avrebbe venduta agli sgherri marinai e al medico spione, che l'avrebbero acciuffata e incoraggiata a calci a rassegnarsi al buio che le spetta. Forse mezz'ora è passata. O forse è passato un minuto. Ma Diamante, a ogni modo, non è venuto. Che farà, adesso, tutta la notte, all'addiaccio, sola in mezzo all'oceano, senza un buco dove nascondersi, con tutte le porte chiuse – sprangate... Tutti gli oblò scintillanti di pioggia, lei che batte i denti appoggiata al parapetto unto di salsedine, con lo scialle fradicio sui capelli. Senza sapere cosa fa qui, perché è venuta, dove sta andando. Le scialuppe di salvataggio oscillano sulle funi di ferro che le trattengono, scricchiolando, compiacendo l'inclinazione dello scafo. Ci sarà da ballare, questa notte. Il bollettino nautico prevede burrasca. C'è solo un'ombra, nera, sul ponte. Per un attimo Vita rabbrividisce. Poi si rende conto che è la sua.

La prima campana è per separare gli sposi. Nemmeno agli sposi è concesso di dormire insieme, qui. La seconda campana è per separare gli innamorati. Quelli hanno sempre la sensazione di non avere abbastanza tempo per dirsi tutto quello che non si sono ancora detti – e indugiano, accoccolati dove sono, accarezzandosi le mani, sfiorandosi le labbra o soltanto guardandosi negli occhi. Il guardiano viene a pungolarli, illuminandoli con la lampada. Il guardiano pensa che se il mondo fosse una nave la solitudine sarebbe una malattia estinta come la peste. La terza campana è per gli amanti. Gli amanti sono sordi, ciechi e ostinati. Non sentono il suono che li costringe a dividersi, non vedono la luce che si avvicina e rifiutano di sottomettersi. La clandestinità è già per loro la norma – l'inganno, la fuga e la menzogna già un'abitudine. Il guardiano e i marinai perlustrano ogni angolo e ogni recesso del ponte. Sollevano ogni coperta, frugano in ogni mucchio di corde, gomene, rifiuti. Ficcano le lampade nei cottoscala, nei secchi, perfino nei gabinetti maleodoranti e nei lavabi. Gli amanti hanno scoperto passaggi segreti, scardinato tavole, ricavato ripari fra piramidi di scatolame. Si nascondono nelle cucine, si infrattano in pentole gigantesche e calderoni tanto ampi da contenere un corpo o due. Vita non sa quale forza disperata trascini gli amanti nei buchi più luridi della nave, in cerca di cosa e in fuga da chi. Sa solo che la notte, dopo la terza campana, chi si affretta a lasciarsi rinchiudere nei fetidi corridoi delle stive non si aspetta niente dal futuro.

Gli amanti vengono sempre scoperti. Stanati, divisi, costretti a scendere nel dormitorio. La Compagnia proibisce e punisce severamente ogni promiscuità. La Compagnia assicura il rispetto e la continuità dei valori – cioè il controllo e il benessere sociale. La Compagnia assicura la divisione fra i sessi – e fra le classi. Quando li hanno imbarcati, i venticinque partiti da Minturno sono stati sgarbatamente divisi in due file. Gli uomini a sinistra. Le donne e i bambini a destra. A sinistra anche gli amici di Diamante. Tutti diretti alle ferrovie, nell'Ohio – arruolati dal boss di Agnello. Tutti destinati al picco e al badile. Tutti portano gli stessi abiti, gli stessi nomi, gli stessi cognomi. Sono parenti, o forse no. Chi se lo ricorda più. Ma tutti accettano il loro posto, e obbediscono. Invece Vita e Diamante si tenevano per mano, e non volevano separarsi. Noi dobbiamo viaggiare insieme – così vuole mio padre, s'è messa a urlare Vita. Ma i commissari di bordo hanno concluso che Diamante non ha più il diritto di stare coi bambini e con le donne. Li hanno separati. A Diamante è parso di aver ottenuto una grande promozione. A undici anni e cinque mesi l'hanno sistemato tra gli uomini. Perché nel buio nessuno lo molesti l'hanno messo a dormire fra Pasquale Tucciarone e un prete. Diamante le ha raccontato, però, che una notte, dopo la terza campana, il prete non è tornato.

Piove forte, adesso. Onde sempre più alte s'infrangono contro lo scafo. La salsedine ha reso scivoloso il ponte. È difficile mantenere l'equilibrio. La nave s'inclina – sbattuta sui fianchi, scricchiola. È una nave lunghissima e stretta, come il baccello di un fagiolo. Ha un solo comignolo, così alto che sembra un campanile. Le navi italiane sono sconce, e già vent'anni fa erano troppo vecchie per il trasporto passeggeri: caricavano solo merci. Gli esseri umani però rendono meglio dei buoi e sono più numerosi. Allora a quelle navi ci hanno messo le cuccette e le hanno riverniciate – anche se sotto la vernice il legno è marcio. Ma questa è una nave inglese – nuovissima, splendente. Perfino il nome è bello come una promessa. Si chiama Republic. È uscita dai cantieri di Belfast poche settimane fa. Gli inglesi l'hanno costruita per portare gli italiani, perché gli italiani vogliono andare in America, e gli inglesi no. Vita, a differenza degli altri che pregano e si raccomandano l'anima ai santi, non ha paura di naufragare. Si fida della compagnia inglese. Crede che tutto ciò che è straniero sia di per sé migliore. E poi il mare la rassicura. Sua madre le diceva sempre di guardare il mare, quando si sente confusa. La linea dell'orizzonte aiuta a pensare con maggiore chiarezza: una semplice, nitida riga orizzontale divide il cielo e l'acqua, il bene e il male, il futuro e il passato, la vita e la morte.

Forse si è assopita, perché la sveglia di soprassalto il richiamo della ranocchia. E siccome non ci sono ranocchie in mezzo all'oceano, vuol dire che Diamante è nei paraggi. Dove sei Vita? bisbiglia, perché non si dimentica di doversi nascondere. Non mi vedi? Stupido che sei – sono qui. Qui dove? implora Diamante. È tutto buio, da quando hanno smorzato i fanali. Il ponte un'unica pozzanghera, il cielo nero, l'oceano nero, il fumo del comignolo, nero. Vorrei vederti, vorrei trovarti, ma mi vergogno di cercarti. Mi vergogno di dirti che sono venuto quassù solo perché me l'hai chiesto. Finché la vede. È qui. La terza campana non li ha separati. Non ci sono riusciti, a dividerli. L'hanno affidata a lui. O hanno affidato lui a lei – chissà.

Vita è nella scialuppa di salvataggio, la prima della fila, quella che dondola sospesa nel vuoto. È seduta sul tramezzo di prua, e scruta l'oceano. Tra le mani rigira il coltello d'argento, e lo affila sullo scalmo. Assorta, fissa il buio in cui precipita la nave. Chissà quanto è lontana l'America. Diamante si arrampica al suo fianco. Si calca in testa il berretto con la visiera. La guarda. I suoi occhi d'un azzurro intenso, color turchese, hanno il vivido bagliore di un diamante nel cavo di una mano. Chissà dov'è la riga orizzontale, stanotte. Cosa è giusto e cosa sbagliato. Sono seduti sulla scialuppa, senza terra né cielo – sospesi nell'acqua, fra la pioggia e l'oceano.

E adesso che facciamo? dice Diamante, preoccupato perché la pioggerella d'aprile è diventata un diluvio, e la temperatura precipita verso lo zero. Se stiamo vicini, risponde Vita, non lo sentiamo, il freddo. Titubante, Diamante si accosta, scivolando lungo il sedile viscido. Le loro gambe si toccano. Quelle di Vita sfiorano appena il fondo della scialuppa. È ancora una bambina. Vita batte i denti, perché indossa un abito di cotone a fiori e uno scialle fradicio tutto buchi – mentre stanotte ci vorrebbe un cappotto o una coperta o almeno l'impermeabile dei marinai. Ma che importa? Non c'è niente da vedere, niente da ascoltare, l'oceano è una burrasca lontana, l'aria satura di nebbia, neanche una stella o una costellazione per capire se hanno cambiato cielo, se avanzano nella direzione giusta.

Siamo scappati, e non sappiamo cosa farcene di questa notte. È venuta troppo presto. A undici anni, lo hanno messo fra gli uomini – ma non è un uomo. Adesso Vita quasi vorrebbe che fosse già giorno. La libertà ha l'odore del sale che profuma la giacchetta di Diamante. I passeggeri non credevano che Vita viaggiasse con lui. Un viaggio così pericoloso, così lontani da casa. Ci sono duemila persone, sulla nave. A tutti, Vita va dicendo di essere rimasta sola al mondo con Diamante. Orfani. È una gran bugiarda, ma tutti le credono. Le bugie nel vecchio mondo non sono un reato. Sono come i dollari, le monete d'oro: abbagliano. E consolano. I passeggeri, che pure si odiano e si danneggiano in ogni modo, rubandosi spazio, soldi, speranze, fanno di tutto per riuscirle simpatici. Si affrettano a portarle una mela, un'arancia, una porzione in più di carne salata o zuppa di cipolle. I mozzi rubano per lei in cucina e le servono i piatti che i cuochi preparano per quelli del castello. Un cameriere le ha regalato le posate del ristorante di sopra, dicendole di nasconderle perché sono d'argento e quando le rivenderà ci farà bei soldi. Diamante le ha raccomandato di non accettarle, perché se gliele trovano l'accuseranno di averle rubate, ma Vita se ne infischia dei suoi consigli, le ha nascoste nelle calze. Così gira anche lei con un coltello. Armata – come tutti, qui. Ci armiamo, ma non sappiamo contro chi, né riusciamo a individuare il nemico e finiamo per colpirci fra noi. Il medico di bordo, lo spione della Compagnia, che denuncia gli amanti all'equipaggio e i malati ai funzionari americani, così che possano rispedirli indietro, quando lei si ammalerà e le verrà la febbre, la tosse e un principio di polmonite – il medico carogna, che non esita a denunciare chiunque abbia la cornea opaca o una pustola sul sesso, non scriverà il suo nome nel registro. Vita possiede qualcosa che Diamante non ha, che non riconosce, e di cui nemmeno lui può fare a meno. È come se fosse fosforescente. Come le alghe invisibili che fanno balenare la superficie dell'oceano. Tanto più luminosa quanto più buia è l'acqua in cui fluttua. Non affonda, e riluce.

Vita solleva la tela cerata che copre la scialuppa. Scivola sul fondo, sgattaiolando sotto i tramezzi. Vieni, Diamà – non ci piove. Stiamo caldi, qua sotto. Tirano la tela cerata e la agganciano a prua e a poppa. È un gioco, come costruire una capanna sui rami dell'albero. Questa capanna però è una barca che non ha mai navigato e navigherà solo in caso di naufragio, sospesa con due funi di ferro alla fiancata di una nave. Adesso non li troverà proprio nessuno. Potranno restare qui finché smette di piovere, finché fa giorno, finché sbarcheranno sull'altra riva, dall'altra parte della grande acqua, e il viaggio sarà finito – finché ne avranno voglia. Resteranno insieme e nessuno potrà impedirglielo.

Si stendono sotto i sedili. Appoggiano la testa sulle ciambelle. Per ripararsi dal freddo si infilano i giubbotti di salvataggio e si coprono con quelli che restano. Sui giubbotti c'è scritto White Star Line. Ma dove sia la Stella Bianca, Vita non lo sa. Non è mai riuscita a vederla. La nave sembra ferma. E non sta andando da nessuna parte. Dondola, nel buio. Scricchiola, geme. Si tuffa nelle onde, negli abissi, nel vuoto. Non c'è nessuna riva da raggiungere, nessuno spazio da attraversare. È così scuro, nel ventre della scialuppa, che non riesce a vedere Diamante. Gli prende la mano perché altrimenti non è sicura che le stia accanto. Il vivido chiarore dei fanali penetra nei fori della tela cerata. Le lettere di vernice sulla fiancata della scialuppa ripetono ossessivamente le sillabe che non ha mai saputo leggere. Accanto a lei, contro il suo corpo, c'è un ragazzo col berretto rigido. Gli stringe la mano. Diamante dice, perché mi guardi così, Vita? l'avevo detto che sarei venuto. Lei dice, perché non l'hai fatto prima? Lui risponde, l'ho fatto adesso.

Questo libro non avrebbe potuto essere scritto senza le parole di mio padre Roberto; una volta mi ha detto: ricordati di ricordare, ma io ho impiegato più di trent'anni a capire cosa. Le omissioni, le deduzioni, le illazioni, i tradimenti e i travisamenti di questo romanzo sono però dovuti unicamente a me. Grazie ad Amedeo Mazzucco che, benché soffrisse di una dolorosa forma di cecità, ha cercato di resuscitare per me brandelli di ricordi remoti, e di ripensare a episodi che suo padre gli aveva raccontato più di settant'anni prima. Avrei voluto leggergli questo libro, ne sarebbe stato il giudice più giusto. Ci ho messo troppo tempo a scriverlo. È morto nell'ottobre del 2002, mentre correggevo le prime bozze. Spero che, ovunque sia, possa capirmi – e perdonarmi. Grazie a Marcella D'Ascenzo, che mi ha regalato le uniche fotografie di sua madre, e a mia madre, Andreina Ciapparoni, che, pur assediata da montagne di cartacce e di polvere, non ha mai gettato via niente, e ancora conserva pacchi di lettere e cartoline di persone che non ha mai conosciuto. Grazie a Brigida Mazzucco, Agnello Mazzucco, Antonio Mazzucco, Antonia Rasile, Genoveffa Mazzucco, Pasquale Mazzucco, Elisabetta Mazzucco, Benedetto Mazzucco jr., le cui vicende e le cui storie hanno finito per confluire in queste pagine; alla professoressa Gemma Mazzucco, che mi ha fornito il dotto libro di Mario Rasile, *Cenni storici di Tufo* (Arti Grafiche Kolbe, 1987); a padre Gennaro della parrocchia di San Leonardo a Tufo, al signor Catenaccio e alla signora Colacicco dell'Ufficio anagrafe del comune di Minturno, che mi hanno permesso di rintracciare un filo nel labirinto delle parentele degli abitanti di Tufo. Grazie ai curatori dell'Archivio di Ellis Island, New York, che mi hanno permesso di smascherare alcune delle "bugie" che si sono infiltrate nei racconti di famiglia: gli archivi della memoria sono privi di indice, hanno tutt'al più qualche parola chiave. Quella parola era "Vita" e il resto forse non ha nessuna importanza. Grazie al professor Carlo Vallauri, prodigo di consigli, alla dottoressa De Simone dell'Archivio centrale dello Stato, alla dottoressa Puglisi, responsabile dell'Ufficio giornali della Biblioteca Nazionale di Roma, e ad Antonella Fischetti della Discoteca di Stato di Roma, che mi ha guidato fra le registrazioni più antiche di Enrico Caruso. Sono debitrice a molti autori di studi sulla New York del primo Novecento, sull'emigra-

zione e sulla costruzione delle ferrovie negli Stati Uniti: le loro ricerche
hanno permesso di inquadrare le disperse vicende dei miei personaggi; ricordo, fra gli altri, Amy A. Bernardy, Betty Boyd Caroli, Luisa Cetti, Miriam Cohen, Nando Fasca, William Foote Whyte, Emilio Franzina, Robert
F. Harney, S. Hartman Strom, Don Hofsommer, Eric Homberger, Kenneth
Jackson, John F. Kasson, Salvatore Legumina, Cecilia Lupi, Augusta Moli-
nari, Louise Odenkranz, Nicoletta Serio, John F. Stover, Nadia Venturini,
Elisabetta Vezzosi. Per la favola circassa della donna-albero e del dio Lhe-
psch ho utilizzato la variante proposta da Asker Hedeghalhe Maikop, in
*The Narts: circassian epos,* vol. 1, The circassian research and science insti
tute, 1968. Grazie alla Fondazione Bellonci, ad Annamaria Rimoaldi, al
Comune di Roma, alla Casa delle Letterature e alla sua direttrice Maria Ida
Gaeta, al professor Francesco Erspamer della New York University e alla
Library of Congress di Washington, che, invitandomi a New York nel 1997
e nel 2000, mi hanno aiutato a cominciare e a continuare questo libro: senza di loro, non mi sarei mai convinta ad andare negli Stati Uniti e non avrei
mai ricucito il filo spezzato della mia storia. Non posso non ricordare due
amiche che ho perso nel 2002, Antonella Sangregorio e Sebastiana Papa:
mi mancheranno la loro intelligenza, il loro parere e la loro comprensione.
Per le preghiere che ha fatto dire per il riposo dell'anima di mio nonno nel
Sacred Heart Monastery of the Holy Trinity Fathers di Pikesville, Baltimo-
ra, grazie a Mafalda S**: non sono arrivata in tempo per dirglielo. Per la
consulenza linguistica, per l'ospitalità, per l'amicizia, grazie a Rebecca Ann
Wright, Dora Pentimalli-Melacrino e Miriam Levi, Francesca Cersosimo e
Corrado Formigli, Benedetta Centovalli, Alexis Schwarzenbach, Silvia e,
per tutto ciò che sa, a Luigi Guarnieri. Grazie a Malcolm Fergusson e a
Margaret Taylor della Royal British Legion, che mi hanno messo in contatto con le associazioni di combattenti e reduci britannici della Seconda
guerra mondiale; a Graham Swain, segretario nazionale della Italy Star As-
sociation di New Milton; al maggiore Shaw, segretario reggimentale dei
Royal Highland Fusiliers, che mi ha spedito la memoria del colonnello J. C.
Kemp, grazie alla quale ho potuto ricostruire l'episodio della riconquista di
Tufo nel gennaio del 1944; al soldato Jack Hassard di Dungamon, Nord Ir-
landa, combattente del 2nd Battalion dei Royal Inniskinning Fusiliers, 13th
Brigade, che, pur premettendo che "the memory is failing", mi ha scritto
ciò che ricordava di quei giorni. Era nella prima barca che ha passato il fiume Garigliano il 17 gennaio 1944. Alcuni giorni dopo, fu mandato con la
sua pattuglia sulla spiaggia a cercare i compagni caduti, identificarli e certi-
ficare la loro morte. Recuperò 60 corpi. Tutti costoro mi hanno aiutato in
memoria dei loro amici caduti sulla Linea Gustav nel 1944, e oggi sepolti
nel cimitero militare di Minturno: a loro va la mia gratitudine.

ottobre 2002